Hannes Råstam

Seriemoordenaar of meesterfantast?

J.M. MEULENHOFF

ISBN 978-90-290-8915-9
ISBN 978-94-6023-668-6 (e-boek)
NUR 320

Oorspronkelijke titel: *Fallet Thomas Quick*
Vertaling: Neeltje Wiersma
Omslagontwerp: Zeno
Omslagbeeld: Cato Lein
Zetwerk: Steven Boland

© 2012 Hannes Råstam
Published by agreement with Salomonsson Agency.
© 2013 voor de Nederlandse taal: Neeltje Wiersma en Meulenhoff Boekerij bv,
Amsterdam

Vertaling citaat uit *Dokter glas* van Bertie van der Meij, Wereldbibliotheek, 2004

Voor mijn kinderen

Men wil bemind worden,
bij gebrek daaraan bewonderd, bij gebrek daaraan gevreesd,
bij gebrek daaraan verafschuwd en veracht.
Men wil de mensen een soort gevoel inboezemen.
De ziel huivert voor de leegte
en wil tot iedere prijs contact.

Dokter Glas – Hjalmar Söderberg

Inhoud

Deel III 385

Voorwoord

Laat me het verhaal vertellen van de seriemoordenaar Thomas Quick. Gedurende bijna dertig jaar zal hij meer dan dertig mensen vermoorden: volwassen mannen en vrouwen, jongeren en kinderen. De eerste moord vindt plaats in 1964 wanneer hij amper veertien jaar oud is. De wijze waarop hij de moord uitvoert is een voorafschaduwing van alle moorden die hij daarna nog zal plegen: beestachtige lustmoorden waarbij hij zijn slachtoffers verkracht, martelt, in mootjes hakt. Hij drinkt hun bloed en eet gedeelten van hen op, neemt lichaamsdelen mee als trofeeën om zijn fantasie te voeden totdat hij een nieuw slachtoffer heeft gevonden. Hij ontdoet zich uiteindelijk van hun stoffelijk overschot door het in mootjes te hakken, te begraven of gewoon in een sloot achter te laten.

Wat betreft de wreedheid en het aantal slachtoffers is Thomas Quick gemeten naar de normale misdaadcriteria geen gewone seriemoordenaar. Hij neemt een hoge plaats in op de ranglijst van seriemoordenaars in de misdaadgeschiedenis van de westerse wereld. Is zelfs uniek wat betreft een aantal van de gruwelijkheden waaraan hij zich schuldig heeft gemaakt. Eigenlijk is er maar één probleem met deze beschrijving van de man die gedurende vijftien jaar de Zweedse media en de publieke opinie zal domineren: niets van wat hierboven is gezegd is waar. Alles is verzonnen. Thomas Quick heeft nooit iemand vermoord, heeft zelfs nooit een van zijn slachtoffers ontmoet. Hij was een verzonnen monster dat het kwaad in zijn meest extreme vorm belichaamde, door anderen in het leven geroepen.

Hannes Råstam heeft nu het ware verhaal verteld. Het verhaal over Sture Bergwall, geboren in 1950 in Korsnäs buiten Falun, sinds zijn vroege kindertijd ernstig geplaagd door fysieke en psychische ziekten, psychiatrisch patiënt gedurende de helft van zijn leven en sinds zijn vroege jeugd zwaar verslaafd aan alcohol, drugs en medicijnen. Råstam heeft verteld hoe het kon gebeuren dat ons justitieapparaat, in zeer nauwe samenwerking met de psychiatrische gezondheidszorg, van een ernstig psychisch zieke verslaafde en fantast een seriemoordenaar maakte.

Råstam heeft niet alleen een boek geschreven over wat er feitelijk is gebeurd, hij is ook degene geweest die ervoor heeft gezorgd dat de waarheid aan het licht kwam en de aandacht richtte op de echte schurken die de leugen hadden gecreëerd.

Al vanaf begin jaren negentig, toen Thomas Quick ons bewustzijn binnendrong, zijn er twijfelaars en sceptici geweest die de officiële lezing niet geloofden, en in chronologische zin duikt Hannes Råstam pas laat op in de hele geschiedenis. En hij lijkt ook al niet erg op John Wayne, James Bond of op Carl Hamilton, de bedachte spion in de spionagereeks van de schrijver Jan Guillou. Hannes Råstam is een lange, magere journalist die meestal zachtjes en correct praat, af en toe met een rustige glimlach. Hij heeft drie tv-programma's over 'Onze Seriemoordenaar' gemaakt en heeft Bergwall op het allerlaatste moment ook nog zover gekregen dat hij bekende helaas alles verzonnen te hebben. Råstam heeft hem zelfs aan ons laten uitleggen waarom hij het heeft gedaan en wie hem ertoe gebracht heeft.

Net als in alle films uit mijn jeugd waarin de werkelijkheid zwart-wit was en de cavalerie altijd in de allerlaatste minuut kwam aanrijden met klepperende hoeven, trompetgeschal en getrokken sabels, kwam nu de politie onder aanvoering van een onderzoekende verslaggever die plotseling – en in elk opzicht – exact op de John Wayne uit mijn jeugd lijkt.

Met alle respect, twijfelaars en sceptici, maar dat de waarheid is bovengekomen, is te danken aan deze kleine groep dappere journalisten, rechercheurs, juristen en dergelijke die louter vanwege de goede zaak, omdat ze gerede twijfel hebben, gewoon brutaal weerwoord geven en zelfs koppig altijd het hoogste woord blijven voeren, hoe dan ook. Zonder Hannes Råstam hadden velen van ons gewoon verder geleefd en hun twijfel opzijgezet, of waren we aan iets anders gaan denken.

Dat Hannes Råstam ook Zweedse rechtsgeschiedenis heeft geschreven tijdens zijn zoektocht naar de waarheid over Thomas Quick is iets wat ik aarzelend zeg, om de doodeenvoudige reden dat zoiets zelden een grote leeservaring oplevert. In dit geval is het anders. Råstam vertelt boeiend en het boek is erg goed geschreven. Het beschrijft een Zweeds justitie-apparaat dat wordt getroffen door een morele, juridische en intellectuele dwaling en een Zweedse psychiatrische gezondheidszorg die doet denken aan die in de vroegere Sovjet-Unie waar we tot nu toe alleen over konden lezen, dachten we. En als we dan zoiets lazen ging het in elk geval niet over ons.

Eenvoudig samengevat: het is een boek dat vertelt over een zaak waar-in Zweedse politiemensen, officieren van justitie, advocaten en rechters – bereidwillig geholpen door diverse artsen, psychologen, een zogenaamde geheugenexpert en te veel journalisten en andere personen – een psychisch zieke fantast opwaardeerden tot 'de ergste seriemoordenaar in de misdaadgeschiedenis van Zweden'.

Het is een verschrikkelijk waargebeurd verhaal en een fenomenaal boek om te lezen.

Leif G.W. Persson

Deel I

'*Wanneer je de verschrikkelijke waarheid weet over wat Thomas Quick met zijn slachtoffers heeft gedaan – en wanneer je zijn diepe, dierlijke gebrul hebt gehoord – rest maar één vraag: is hij werkelijk een mens?*'

Pelle Tagesson, misdaadverslaggever,
Expressen, 2 november 1994

Säterkliniek, maandag 2 juni 2008

De seriemoordenaar, sadist en kannibaal Sture Bergwall had zeven jaar lang geen bezoek ontvangen. Ik was zenuwachtig toen ik bij de Centrale Post van de Forensisch Psychiatrische Kliniek in Säter werd binnengelaten.

'Hannes Råstam, Sveriges Television. Ik heb een afspraak met Sture Bergwall...'

Ik legde mijn perskaart in de roestvrijstalen schuifla onder het gepantserde glas tussen mij en de beveiliger. Hij stelde vast dat het bezoek was ingeboekt en goedgekeurd.

'Loop door de veiligheidssluis. Raak de deur niet aan!'

Ik gehoorzaamde de scherpe luidsprekerstem en liep een automatische deur door. Daarna liep ik door een paar detectiepoortjes en toen door nog een automatische deur naar een wachtkamer waar een beveiliger mijn schoudertas doorzocht.

Ik volgde de kordate stappen van mijn begeleidster door een onbegrijpelijk stelsel van gangen, trappen en liften. Haar hakken op de betonnen vloer. Stilte, gerammel van sleutels bij elke stalen deur, piepende elektronische sloten, lawaaiige gepantserde deuren.

Thomas Quick had ruim dertig moorden bekend. Zes rechtbanken hadden hem unaniem veroordeeld voor de moord op acht personen. Na het laatste vonnis in 2001 nam hij een 'time-out'. Hij nam weer zijn oude naam Sture Bergwall aan en er werd over hem gezwegen. In de zeven jaar die sindsdien waren verstreken was er met regelmatige tussenpozen een sluimerend debat opgelaaid over in hoeverre Quick een seriemoordenaar of een fantast was. Wat de hoofdpersoon zelf van de zaak vond en dacht wist niemand. Nu zou ik hem ontmoeten, persoonlijk.

De beveiliger leidde me een grote verlaten afdeling op met een glanzende, pas geboende linoleumvloer. Ze verwees me naar een kleine bezoekersruimte.

'Hij is onderweg,' zei ze.

Ik voelde onverwacht een gevoel van onbehagen bij me opkomen.

'Blijven jullie voor de deur staan tijdens mijn bezoek?'

'De afdeling is gesloten, hier is geen personeel,' antwoordde ze kort.

Ze haalde een klein kastje tevoorschijn, alsof ze mijn gedachten had gelezen.

'Wilt u een alarm hebben?'

Ik keek naar haar en toen naar het zwarte kastje.

Sture Bergwall zat hier opgesloten sinds 1991. Hij werd zo gevaarlijk geacht dat hij maar één keer in de zes weken de bunker mocht verlaten voor een autoritje, met als voorwaarde dat hij door drie begeleiders werd geëscorteerd. Zodat die gek de horizon te zien kreeg om niet helemaal door te draaien, dacht ik.

En nu zou ik in een paar seconden moeten beslissen of de situatie een alarm vereiste of niet. Ik wist even niets te antwoorden.

'Er zit ook een alarmknop in de kamer hiernaast,' zei de beveiliger.

Ze maakt een grapje, dacht ik. Ze wist net zo goed als ik dat een alarmknop in een naastgelegen kamer niet één van Quicks slachtoffers had kunnen redden.

Mijn overpeinzing werd onderbroken doordat de 1.89 meter lange Sture Bergwall in de deuropening verscheen, begeleid door twee beveiligers. Gekleed in een verwassen sweater die ooit paars was geweest, een versleten spijkerbroek en sandalen, onzeker glimlachend. Hij stak zijn hand uit en boog licht voorover zodat ik niet te dicht bij hem hoefde te komen.

Ik bekeek zijn hand die volgens degene aan wie hij toebehoorde minstens dertig mensen had vermoord.

Zijn handdruk was vochtig.

De beveiligers waren verdwenen.

Ik was alleen met de kannibaal.

De Säterman

De media brachten het onbehaaglijke nieuws naar buiten. Zoals altijd. De verslaggever van *Expressen* had haast en zei zonder omhaal van woorden: 'Een vent in Falun heeft de moord op uw zoon Johan bekend. Wat is uw reactie hierop?'

Anna-Clara Asplund stond na een dag werken in de hal met haar jas nog aan en de sleutels in haar hand. Ze had de telefoon al horen overgaan toen ze de voordeur van het slot deed. 'Ik heb wat haast,' legde de journalist uit. 'Ik word morgen geopereerd aan een liesbreuk en moet het artikel inleveren.' Anna-Clara Asplund begreep niet waar hij het over had. Maar ze begreep wel dat de oude wonden opnieuw zouden worden opengereten en dat ze vanaf die maandag 8 maart 1993 opnieuw noodgedwongen in een nachtmerrie terechtkwam.

Een drieënveertigjarige patiënt van de Forensisch Psychiatrische Kliniek in Säter had de moord op haar zoon bekend, vertelde de journalist. 'Ik heb Johan vermoord,' had de man gezegd. Anna-Clara vroeg zich af waarom de politie dat aan *Expressen* had verteld en nog niet aan haar.

Op 7 november 1980 veranderde het leven van Björn en Anna-Clara Asplund van het ene op het andere moment in een nachtmerrie. 'Een doodgewone vrijdag', zoals dat dan heet – het gebeurt altijd op een gewone dag. Anna-Clara maakte het ontbijt klaar voor haar elfjarige zoon Johan voordat ze gedag zei en naar haar werk vertrok. Toen haar zoon rond acht uur het huis verliet moest hij driehonderd meter lopen om op school te komen. Maar daar kwam hij nooit aan en sindsdien ontbrak van hem elk spoor.

Al meteen in het eerste etmaal werd er een grootscheepse zoekactie op touw gezet. Daarbij werd gebruikgemaakt van verschillende opsporingsmiddelen. Met behulp van een helikopter en warmtecamera's werd de omgeving uitgekamd, maar dat leverde geen enkel spoor van de jongen op.

De zaak-Johan werd een van de grootste misdaadraadsels in Zweden. De ouders gaven talloze interviews, werkten mee aan documentaires en namen deel aan debatten. Ze vertelden steeds maar weer hoe het voelde om je enige kind te verliezen, om niet te weten wat er was gebeurd, om geen graf te hebben waar ze naartoe konden gaan. Maar dat alles leverde niets op.

Anna-Clara en Björn Asplund waren gescheiden toen Johan drie jaar oud was, maar ze hadden nog steeds een goede relatie. Ze steunden elkaar op de lijdensweg na Johans verdwijning en hielpen elkaar in de troosteloze contacten met journalisten en justitie.

Al vanaf het begin waren ze er allebei van overtuigd dat Johan was ontvoerd door de vorige partner van Anna-Clara. Een ongelukkige liefde en ongebreidelde jaloezie vormden het motief. Daarna was er iets gigantisch misgegaan.

De ex-partner zei dat hij op de fatale ochtend tot negen uur thuis had liggen slapen. Getuigen hadden echter gezien dat hij om kwart over zeven het huis had verlaten. Andere getuigen hadden rond acht uur zijn auto voor het huis van Asplund zien staan. Zijn vrienden en collega's verklaarden dat hij zich na de verdwijning van Johan eigenaardig ging gedragen. Zelfs zijn beste vriend nam contact op met de politie en vertelde dat hij ervan overtuigd was dat de man Johan had meegenomen.

In het bijzijn van twee getuigen zei Björn Asplund tegen hem: 'Jij bent gewoon een moordenaar, jij hebt mijn zoon vermoord en je zult je straf niet ontlopen. Tegen iedereen die ik in het vervolg tegenkom zal ik zeggen dat jij Johan hebt vermoord.'

Dat de als schuldige aangewezen man niet protesteerde, of Björn Asplund voor de rechter daagde wegens laster, werd door de ouders gezien als nog een extra bewijs van zijn schuld. Er waren aanwijzingen, getuigen en een motief, maar harde bewijzen ontbraken.

Vier jaar na Johans verdwijning wendden de ouders Asplund zich tot advocaat Pelle Svensson om een civiele procedure aan te spannen tegen de ex-partner van Anna-Clara, een ongebruikelijke stap die ook een aanzienlijk financieel risico inhield, mocht de aanklacht ongegrond worden verklaard.

Na een spectaculaire rechtszaak achtte de arrondissementsrechtbank bewezen dat gedaagde Johan had weggevoerd. Hij werd veroordeeld tot twee jaar gevangenisstraf voor ontvoering. Het was een unieke gebeurtenis en betekende een grote overwinning voor Anna-Clara en Björn Asplund.

Het succes in de arrondissementsrechtbank veranderde echter in een nederlaag toen het gerechtshof, na het hoger beroep van de verdediging, een jaar later de ex-partner vrijsprak. Anna-Clara en Björn Asplund werden veroordeeld tot het betalen van de proceskosten van de tegenpartij, zeshonderdduizend kronen, een bedrag dat hen later door de regering 'uit genade' werd kwijtgescholden.

Ondertussen waren er zeven jaar verstreken en van Johan ontbrak nog steeds elk spoor. Niemand zocht nog langer naar zijn moordenaar.

Maar nu stond Anna-Clara onbeweeglijk in de hal met de hoorn van de telefoon in haar ene hand en de sleutels in de andere. Ze probeerde te begrijpen wat de verslaggever vertelde: dat het onderzoek naar de moord op haar zoon werd heropend en dat een psychiatrisch patiënt de daad had bekend. Maar ze wist niets te zeggen dat als reactie in de krant kon worden geplaatst.

Anna-Clara Asplund nam contact op met de politie in Sundsvall, die de informatie van de verslaggever bevestigde. De dag daarop las ze in *Expressen* dat de psychiatrisch patiënt had verteld dat hij Johan had gewurgd en zijn lichaam had begraven.

De verslaggever had ook Björn Asplund om een reactie gevraagd, die vrij sceptisch tegenover de nieuwe informatie stond. Hij dacht nog steeds dat Johan was vermoord door de man tegen wie ze een aanklacht hadden ingediend. Maar hij hield alle opties open: 'Mocht blijken dat een totaal ander persoon Johan heeft omgebracht, dan moet ik mijn beschuldiging inslikken,' zei hij tegen *Expressen*. 'Het belangrijkste is dat we een antwoord krijgen.'

Expressen bleef de zaak volgen en een paar dagen later kon Anna-Clara Asplund meer details lezen over de bekentenis van de patiënt uit Säter.

'Ik pikte Johan op bij de school en wist hem met een smoes in mijn auto te krijgen,' zei de Säterman, zoals hij vanaf dat moment genoemd werd, in *Expressen* van 15 maart. 'Daarna reed ik naar het bos, waar ik de jongen verkrachtte. Het was niet mijn bedoeling om hem te vermoorden. Maar ik raakte in paniek en wurgde hem. Daarna begroef ik zijn lichaam, zodat niemand hem zou vinden.'

De tweeënveertigjarige man was kennelijk behoorlijk gestoord. Al in 1969 had hij zich schuldig gemaakt aan seksueel misbruik van jongens. Recentelijk had hij vastgezeten voor een bankoverval in Grycksbo, even buiten Falun, die hij samen met een kompaan in 1990 had gepleegd, en daarna was hij in de Forensisch Psychiatrische Kliniek in Säter geplaatst, waar hij tijdens de therapie de moord op Johan had bekend. Volgens *Expressen* had hij gezegd: 'Ik kan hier niet langer mee leven. Ik wil de zaak de wereld uit hebben, ik wil verzoening en vergeving om verder te kunnen.'

Jij kunt er niet mee leven? dacht Anna-Clara en ze legde de krant weg.

Hoofdofficier van justitie Christer van der Kwast was een energieke man van vijftig, met een keurig verzorgde baard en gemillimeterd donker haar. Hij stond erom bekend dat hij met zijn krachtige stem zijn opvattingen met zo'n overtuiging kon presenteren dat ze door zowel zijn onderge-schikten als door journalisten voor waar werden aangenomen.

Kortom, hij was een man die overliep van zelfvertrouwen en volop leek te genieten van het leidinggeven aan zijn troepen en van het met een breed gebaar uitstippelen van de te volgen koers.

Eind mei belegde Van der Kwast een persconferentie. Aan de ver-wachtingsvolle journalisten vertelde de officier van justitie dat de Säter-man verschillende plaatsen had aangewezen waar hij de lichaamsdelen van Johan Asplund had begraven en dat de technische recherche op dit moment naar de handen zocht op een plaats buiten Falun. Andere delen van het in stukken gesneden lichaam zouden zijn begraven in de buurt van Sundsvall, maar ondanks zorgvuldig speurwerk met lijkenhonden was er op de aangegeven plaatsen tot nu toe niets gevonden.

'Dat hoeft niet te betekenen dat er niets is,' merkte de officier van jus-titie op.

Andere bewijzen die de verdachte aan de verdwijning van Johan Asp-lund verbond, waren ook nog niet naar voren gekomen en Van der Kwast moest toegeven dat er geen reden voor een veroordeling was. Toch bleven de verdenkingen overeind, legde hij uit, want ondanks het feit dat directe bewijzen in deze zaak ontbraken, werd de patiënt uit Säter in verband gebracht met nog een andere moord.

Van der Kwast vertelde zijn toehoorders dat deze man al in 1964 een jongen van zijn eigen leeftijd in Växjö had vermoord, de veertienjarige Thomas Blomgren.

'De informatie die de patiënt in zijn verhalen heeft gegeven is zo ge-detailleerd en vormt een dusdanige grond in het moordonderzoek dat ik in een normale situatie hem daarvoor zonder twijfel had aangeklaagd,' zei Van der Kwast.

De redenering was dubbel hypothetisch, deels vanwege het feit dat de verjaringstermijn voor moord, die toen vijfentwintig jaar was, was verlo-pen, deels vanwege het feit dat de Säterman op het tijdstip van de moord nog maar veertien jaar oud was en dus onder het jeugdrecht viel. Toch werd er voor het verdere onderzoek groot belang gehecht aan de moord op Thomas Blomgren – het feit dat de Säterman al als veertienjarige een moord had gepleegd was onmiskenbaar compromitterend.

Christer van der Kwast zei echter niet op welke manier de Säterman aan de moord op Thomas Blomgren was verbonden, en aangezien er in deze zaak nooit een aanklacht zou worden ingediend, werd het onderzoek niet openbaar gemaakt. De advocaat van de Säterman, Gunnar Lundgren, deelde de mening van de hoofdofficier en meende dat de informatie van zijn cliënt geloofwaardig was.

In de media verschenen allerlei onaangename details over het verleden van de verdachte en over zijn karakter. Hij had 'een poging tot lustmoord' gedaan op een negenjarige jongen in het ziekenhuis in Falun, schreef misdaadverslaggever Gubb Jan Stigson in *Dala-Demokraten*: 'Toen de negenjarige begon te schreeuwen had de man geprobeerd hem te wurgen. De drieënveertigjarige vertelt zelf in zijn verhoor hoe hij de keel van de jongen dichtkneep tot het bloed uit de mond van het slachtoffer spoot.'

Volgens *Dala-Demokraten* hadden de artsen er al in 1970 voor gewaarschuwd dat de Säterman een vermoedelijke kindermoordenaar was, en de krant citeerde een uitspraak van een forensisch psychiater die vaststelde dat de man leed aan 'een constitutioneel bepaalde, sterke seksuele perversie van het type pedofilia cum sadismus'. Hij was onder bepaalde omstandigheden buitengewoon gevaarlijk voor andermans leven of veiligheid'.

Op 12 november 1993 kon Gubb Jan Stigson vertellen dat het politieonderzoek naar de Säterman was uitgebreid. Naast de moorden op Johan Asplund in 1980 en Thomas Blomgren in 1964 werd hij nu ook verdacht van de moorden op de vijftienjarige Alvar Larsson uit Sirkön die in 1967 verdween, de achtenveertigjarige Ingemar Nylund die in 1977 in Uppsala werd vermoord en de achttienjarige Olle Högbom die in 1983 spoorloos verdween uit Sundsvall. In totaal vijf moorden.

Volgens Stigson had de Säterman voor alle vijf moorden een bekentenis afgelegd. Steeds meer journalisten schreven dat hij de eerste echte seriemoordenaar van Zweden was.

'Hij spreekt de waarheid over de moord op de jongens,' stelde *Expressen* vast in een paginagroot artikel op 17 juni 1994. De Säterman had nog een moord bekend en nu hadden de rechercheurs eindelijk een doorbraak bereikt. Het ging om de vijftienjarige Charles Zelmanovits die in 1976 was verdwenen na een schoolfeest in Piteå.

De Säterman had bekend dat hij en een oudere vriend van Falun naar Piteå waren gereden op zoek naar een jongen aan wie ze zich konden vergrijpen. Ze waren Charles tegengekomen en hadden hem met een smoes de auto in gelokt. In een bosje had de Säterman de jongen gewurgd en vervolgens zijn lichaam in stukken gesneden. Een aantal lichaamsdelen had hij meegenomen.

Volgens de rechercheurs had Quick, de Säterman, hen niet alleen informatie gegeven waar ze de verschillende lichaamsdelen konden vinden, maar had hij zelfs aangegeven welke lichaamsdelen hij mee naar huis had genomen.

Nu had Van der Kwast voor het eerst het soort bewijzen in handen die de politie in de andere onderzoeken niet had kunnen vinden: een bekentenis gekoppeld aan lichaamsdelen en een verhaal dat aantoonde dat de Säterman daderkennis had.

'De drieënveertigjarige man is een lustmoordenaar,' constateerde *Expressen* in het artikel op 17 juni.

'We weten dat hij de waarheid spreekt over twee van de vijf moorden,' bevestigde Van der Kwast.

Op de voorpagina's van de kranten

Toen Birgitta Ståhle, de therapeute van de Säterman, in juli 1994 op vakantie ging, bestond er grote angst of hij het zou redden zonder de frequente therapiesessies die steeds belangrijker voor hem waren geworden. Op maandag 4 juli had het behandelteam een lunch in het Golfrestaurant in Säter gepland. Een jonge psychologiestudente die inviel voor Ståhle zou de Säterman op het uitstapje daarheen begeleiden.

Om kwart voor twaalf verlieten ze afdeling 36 en wandelden ze op hun gemak naar de golfbaan toen de patiënt plotseling zei dat hij erg nodig moest plassen. Hij verontschuldigde zich en trok zich terug achter het in verval geraakte gebouw dat in het verleden de gesloten afdeling van de kliniek was geweest. Zodra hij uit het zicht van zijn begeleidster was, zette hij het op een lopen. Hij rende een pad op dat door het bos leidde en uitkwam op de Smedjebacksvägen. Geheel volgens plan stond daar een oude Volvo 745 met draaiende motor op hem te wachten. Achter het stuur zat een jonge vrouw en naast haar zat een man van ongeveer twintig jaar die met proefverlof was uit de Säterkliniek. De Säterman stapte achterin en de chauffeuse reed plankgas weg.

Iedereen in de auto was opgewonden en lachte omdat de ontsnapping precies volgens plan was verlopen. De man op de bijrijdersstoel reikte de Säterman een plastic zakje met wit poeder aan, dat hij uiterst routineus opende en met een natte wijsvinger efficiënt ontdeed van elk klein korreltje. Hij bracht de vinger naar zijn mond en met behulp van zijn tong plakte hij de bittere substantie tegen zijn gehemelte, leunde achterover en sloot zijn ogen.

'Godverdomme, wat lekker,' mompelde hij terwijl hij de amfetaminepasta verwerkte.

Amfetamine was zijn lievelingsdrug en hij had de vreemde eigenaardigheid dat hij ook nog eens van de smaak hield.

Zijn jonge vriend voorin reikte hem een scheermes, scheerschuim, een blauwe pet en een T-shirt aan en spoorde de ontsnapte dringend aan.

'Schiet op! We hebben geen tijd te verliezen.'

Terwijl de Volvo rijksweg 70 opreed in de richting van Hedemora, stond de psychologiestudente nog steeds bij het paviljoen te wachten en ze begon zich af te vragen of ze zich zorgen moest maken. Ze riep maar kreeg geen antwoord. Toen ze om de hoek van het paviljoen kwam, constateerde ze dat haar patiënt daar niet meer was en dat hij in geen velden of wegen te bekennen was. Ze kon niet geloven dat haar open en vriendelijke patiënt haar op deze manier had voorgelogen. Nadat ze een tijdje zonder succes had gezocht keerde ze terug naar afdeling 36 en moest ze rapporteren dat haar patiënt was ontsnapt.

Deze had zich op dat tijdstip al kaalgeschoren en een vermomming aangetrokken. Hij genoot van de vrijheid en de amfetamineroes terwijl de tocht zonder doel verderging over weg 270 richting het noorden.

Toen de politie in Borlänge op zoek ging naar de Säterman, waren er al tweeënveertig minuten verstreken en niemand had er weet van dat hij Ockelbo naderde in een oude Volvo.

De tabloids haakten onmiddellijk aan en drukten extra oplages over de ontsnapping. *Expressen* pakte groot uit:

VANNACHT POLITIEJACHT

naar ontsnapte

SÄTERMAN

hij is zeer gevaarlijk

Tot op heden hadden de kranten om ethische redenen de identiteit van de Säterman niet vermeld, maar omdat de gevaarlijkste man van Zweden was ontsnapt, was het in het belang van het publiek dat de volledige naam en biografische gegevens met herkenbare foto bekend werden gemaakt:

De vierenveertigjarige ontsnapte 'Säterman' heet vandaag, na een naamsverandering, Thomas Quick. Hij heeft de moord op vijf jongens bekend en de politie en de officier van justitie zijn van mening dat de bewijzen voor twee ervan voldoende zijn om hem hiervoor in staat van beschuldiging te stellen. De man heeft aan *Expressen* verteld dat hij het liefst in het bos wil wonen samen met zijn honden – en vannacht heeft de politie in de bossen rondom Ockelbo naar hem gezocht.

Toen de chauffeuse van de Volvo besefte voor wat voor soort misdrijven Thomas Quick verantwoordelijk werd gehouden, trok ze zich terug. Ergens in Hälsingland bracht ze de auto tot stilstand bij een verlaten boerderij en zette de beide mannen af. Daar vonden ze twee fietsen die niet op slot stonden en ze fietsten naar het dichtstbijzijnde plaatsje. Onderweg werden ze ingehaald door verscheidene politieauto's, terwijl er boven hen in de lucht een politiehelikopter rondcirkelde, maar niemand vond dat aparte tweetal op verroeste fietsen verdacht.

Tot middernacht was er een grote politiemacht met mitrailleurs, kogelvrije vesten en hondenpatrouilles op de been om te zoeken naar de twee voortvluchtige mannen, maar van hen ontbrak elk spoor.

Na een overnachting in een tent gingen de twee ontsnapten de volgende ochtend ieder huns weegs. De amfetamine was op, ze waren moe en het was niet meer zo leuk om op de vlucht te zijn.

Terwijl de politie in het bos aan het zoeken was, stapte er in het plaatsje Alfta een man met een baseballpet op het Statoil-benzinestation binnen. 'Hebben jullie een telefoon die ik even kan gebruiken?' vroeg hij. De bedrijfsleider herkende de man wiens portret de voorpagina's van beide tabloids sierde niet, en liet hem zonder meer de telefoon van het benzinestation gebruiken. De klant voerde een kort gesprek met de politie in Bollnäs.

'Ik wil me overgeven,' zei hij.

'Wie ben je dan?' vroeg de politie.

'Quick,' antwoordde Thomas Quick.

De ontsnapping leidde tot een felle discussie over het gebrek aan discipline binnen de forensische psychiatrie. Korpschef Björn Eriksson was het meest verontwaardigd.

'Het is erg vervelend dat zoiets gebeurt,' zei Eriksson. 'Er lopen zo weinig van dit type gevaarlijke personen rond dat het toch mogelijk zou moeten zijn om ze te bewaken. De politie vindt het beschermen van het publiek belangrijker dan de resocialisatie.'

De kritiek richtte zich voornamelijk op de Säterkliniek, maar op 10 juli 1994 werd er in *Dagens Nyheter* een opiniestuk gepubliceerd dat de kliniek krachtig verdedigde. Het was Thomas Quick zelf die het woord nam in een groot artikel waarin hij vol lof was over het personeel van en de behandeling in de Forensisch Psychiatrische Kliniek in Säter en waarin hij tegelijkertijd de journalisten er behoorlijk van langs gaf:

Mijn naam is Thomas Quick. Na mijn ontsnapping vorige week maandag (4/7) en de enorme aandacht van de massamedia die daarop volgde, is mijn naam noch mijn uiterlijk u onbekend.

Ik wil noch kan mijn ontsnapping uit de Säterkliniek verdedigen, maar ik voel me genoodzaakt om te benadrukken welk fantastisch werk er hier in de kliniek is verricht en nog steeds wordt verricht. Iets waar volledig aan wordt voorbijgegaan in het misbaar dat de op sensatie beluste nieuwsjournalisten teweegbrengen en dat er zelfs voor zorgt dat goedbedoelende intellectuele krachten mislukken doordat ze zich in dit hele luide spreekkoor mengen dat ze het liefst ook willen overstemmen.

Velen verbaasden zich over de tekst, die aantoonde dat Quick een intelligent persoon was die goed kon formuleren. Voor het eerst kreeg het publiek hier een inkijkje in de gedachtewereld van een seriemoordenaar en in het proces dat had geleid tot alle moordbekentenissen van Thomas Quick.

Toen ik hier aankwam in de Forensisch Psychiatrische Kliniek in Säter had ik geen enkele herinnering aan de eerste twaalf jaar van mijn leven.

Net zo efficiënt als ik deze jaren had verdrongen, had ik dat ook gedaan met de moorden die ik nu heb bekend en die nu worden onderzocht door de politie in Sundsvall.

Thomas Quick was vol lof over het personeel dat hem had geholpen om de verdrongen herinneringen aan de moorden op te roepen, en hij beschreef hoe de therapeuten hem hadden gesteund in zijn pijnlijke verhaal:

Mijn angst, schuld en verdriet over wat ik heb gedaan zijn oneindig groot, het is zo zwaar dat het eigenlijk ondraaglijk is. Ik ben zelf verantwoordelijk voor wat ik heb gedaan en ook voor wat ik nog steeds doe. De misdaden waaraan ik me schuldig heb gemaakt kan ik onmogelijk in welk opzicht dan ook goedmaken, maar ik kan er nu wel over vertellen. Ik ben bereid om dat te doen in een voor mij haalbaar tempo.

Quick verklaarde dat hij niet was ontsnapt om nieuwe misdrijven te plegen, maar om een eind aan zijn leven te maken.

Nadat mijn vriend en ik uit elkaar waren gegaan heb ik dertien uur lang een hagelgeweer met een afgezaagde loop nu eens op mijn voorhoofd, dan weer in mijn mond en dan weer op mijn borst gericht gehouden. Ik kon het niet. Vandaag kan ik mijn verantwoordelijkheid nemen voor gisteren, en misschien dat het nemen van die verantwoordelijkheid me ervan heeft weerhouden mezelf van kant te maken en ervoor heeft gezorgd dat ik de politie belde om me weer te laten oppakken. Dat wil ik graag geloven.

Charles Zelmanovits

Op 18 oktober 1994 werd bij de rechtbank van Piteå een dagvaarding ingediend door officier van justitie Christer van der Kwast met de volgende beknopte delictsomschrijving: 'In de nacht van 13 november 1976 heeft Quick in een bebost gebied buiten Piteå Charles Zelmanovits, geboren 1961, door wurging om het leven gebracht.'

De rechtszaak in Piteå zou op 1 november beginnen. Vlak voor deze eerste pro-formazitting over Quicks bekentenis onthulden de media steeds meer details over de achtergrond van de vermeende seriemoordenaar. Waren het eerder vooral de misdaadverslaggevers van de tabloids geweest die zich voor Quicks bizarre verhalen interesseerden, nu hielden zelfs de serieuze ochtendkranten zich met deze zaak bezig.

Svenska Dagbladet publiceerde op 1 november een artikel dat zeer representatief is voor wat er vanaf dit moment als harde feiten over Thomas Quick naar voren werd gebracht. Journalist Janne Mattsson schreef:

Thomas Quick was nummer vijf in een kinderschare van zeven broertjes en zusjes. Zijn vader was verpleger in een tehuis voor alcoholisten, zijn moeder conciërge en schoonmaakster op een school die nu gesloten is. Beide ouders zijn inmiddels overleden. [...] Wat er zich binnen de vier muren van het huis afspeelde bleef een goed bewaard familiegeheim. Al voor zijn vierde levensjaar was Thomas Quick naar eigen zeggen een stelselmatig misbruikt slachtoffer van de seksuele geaardheid van zijn vader en werd hij gedwongen tot orale en anale seks met hem.

Tijdens een van de verkrachtingen gebeurt er iets wat vormend zal zijn voor Quicks leven en morbide seksuele geaardheid – zijn moeder duikt plotseling op en ziet wat er gaande is. Ze schrikt zo hevig dat ze een miskraam krijgt. Schreeuwend beschuldigt ze de vierjarige Thomas ervan dat hij zijn kleine broertje heeft vermoord.

Zijn vader doet er zelfs nog een schepje bovenop. Hij beschuldigt de jongen ervan dat hij hem heeft verleid.

Nadat de moeder haar kind heeft verloren, zal de relatie van moeder en zoon gekenmerkt worden door haat. Ze geeft haar zoon de schuld van alles wat er is gebeurd, een last die hij niet kan dragen.

Bij ten minste één gelegenheid zou ze ook geprobeerd hebben hem te doden.

Volgens Quick begon nu ook de moeder, samen met de vader, zich te vergrijpen aan haar zoon.

Janne Mattsson stelde verder vast dat Quick al als tiener twee moorden had gepleegd:

Toen hij dertien jaar oud was, had Quick genoeg van het misbruik van zijn vader en tijdens een laatste verkrachtingspoging bevrijdde hij zichzelf met zijn vuisten. Bij deze gelegenheid zou Quick zijn vader hebben willen doden, maar hij durfde dat uiteindelijk niet.

In plaats daarvan neemt hij de perverse neigingen van zijn vader over, maar met een nog sterkere sadistische en morbide inslag. Een half jaar later vermoordt hij, op zijn veertiende, een jongen van zijn eigen leeftijd in Växjö.

Drie jaar later, op 16 april 1967, wordt een dertienjarige jongen het slachtoffer van Thomas Quick.

Ondanks het feit dat er nog geen bewijs was dat Quick een moord had
gepleegd, laat staan dat hij voor een van die moorden had terechtgestaan
of was veroordeeld, gingen de media ervan uit dat hij schuldig was. Datzelfde gold voor de ouders, van wie werd beweerd dat ze hun kinderen
systematisch hadden verkracht en aangerand en hadden geprobeerd te
vermoorden.

Er zijn drie factoren die de houding van de media gedurende deze
jaren kunnen verklaren. Ten eerste: Thomas Quicks bekentenis. Ten
tweede: de categorische bewering van officier van justitie Christer van
der Kwast dat er andere bewijzen waren die Quick aan meerdere delicten verbonden. Ten derde: deze uitspraken werden vermengd met
informatie over het misbruik van vier jongens in 1969, waarvan was
bewezen dat Thomas Quick daar schuldig aan was, en met citaten uit
forensisch psychiatrische rapportages over de mate waarin hij een gevaar
vormde.

Zo werd er een complete en in een bepaald opzicht min of meer logische levensgeschiedenis gecreëerd die de monsterlijke moordenaar had
gevormd, een moordenaar die nu voor de eerste in een reeks moorden in
staat van beschuldiging zou worden gesteld.

In het artikel in *Svenska Dagbladet* werd opnieuw de forensisch psychiater geciteerd die Quick in 1970 had onderzocht en volgens wie Quick
leed aan 'constitutioneel bepaalde, sterke seksuele perversie van het type
pedofilia cum sadismus'.

De rechtbank van Falun veroordeelde Quick voor de aanranding van
de jongens en hij werd overgebracht naar een Forensisch Psychiatrische
Kliniek. Vier jaar later achtte men de toen drieëntwintigjarige Quick zo
gezond dat hij ontslagen werd.

'In het licht van wat we nu weten was het natuurlijk verkeerd om hem
vrij te laten,' vatte het artikel kort samen. In de slotalinea liep de verslaggever vooruit op de schuldvraag in de komende rechtszaak over de moord
op Charles Zelmanovits:

Ze hadden een tikkende tijdbom, geladen met onderdrukte angst, vrijgelaten. Een angst die Quick en een homoseksuele vriend naar Piteå zou bren-

32

gen om daar een vijftienjarige jongen te verkrachten, te vermoorden en in mootjes te hakken.

Ondanks het feit dat er al veel gruwelijke details in de kranten hadden gestaan, werd de ontmoeting met Thomas Quick in de rechtbank van Piteå een schokkende ervaring voor het publiek. De journalisten gebruikten superlatieven om elkaar te overtroeven bij het beschrijven van hun walging voor het monster dat terechtstond. 'Hoe kan een mens zo wreed zijn?' luidde de kop van *Expressen* na de eerste zittingsdag. Pelle Tagesson, de Quick-expert van de krant, schreef:

Wanneer je de verschrikkelijke waarheid weet over wat Thomas Quick met zijn slachtoffers heeft gedaan – en wanneer je zijn diepe, dierlijke gebrul hebt gehoord – rest maar één vraag: is hij werkelijk een mens?

De scènes die zich gisteren in de rechtszaal van Piteå afspeelden moeten de ergste zijn die zich ooit in een Zweedse rechtszaal hebben voorgedaan.

De Säterman, Thomas Quick, stond terecht voor de moord op Charles Zelmanovits.

Hij huilde – maar niemand had medelijden met hem.

In *Aftonbladet* schreef Kerstin Weigl dat er geen enkel begrip was voor Thomas Quick.

Gelukkig was geheugenexpert Sven Åke Christianson in de rechtszaal aanwezig om uit te leggen wat voor normale mensen onbegrijpelijk was. 'Ik geloof niet dat normale mensen kunnen bevatten wat hij heeft gedaan. Het is onbegrijpelijk en daarom wapenen we ons ertegen,' zei hij, maar hij voegde er gelijk aan toe dat er toch een zekere 'logica' in zijn handelen zat.

'Quick werd vanaf zijn vierde stelselmatig verkracht door zijn vader. Zijn jeugd werd hem "ontnomen". Hij is niet langer bestand tegen zijn angsten en probeert die over te brengen op iemand anders die ze van hem kan overnemen. Hij heeft de illusie dat hij met het kapotmaken van een leven zijn eigen leven terugkrijgt. Maar de verlichting is van korte duur. Hij moet opnieuw moorden.'

Al op de eerste zittingsdag leek elke twijfel omtrent Thomas Quicks schuld te zijn weggevaagd.

'De man is een seriemoordenaar, pedofiel, necrofiel, kannibaal en een sadist. Hij is heel erg ziek,' schreef *Aftonbladet.*

Een video-opname gemaakt in het bos bij Piteå waarop te zien was hoe een huilende Quick hartverscheurend jammerend verklaart hoe hij Charles Zelmanovits vermoordde en vervolgens zijn lichaam in stukken hakte, liet niemand in de rechtszaal onberoerd.

Kerstin Weigl ging verder: 'Nadat ik dat geluid had gehoord, is er wat mij betreft geen enkele twijfel meer. De woorden kwamen er stootsgewijs uit, met enorme stuiptrekkingen, alsof hij braakte. Ja – dit moet wel een waargebeurd verhaal zijn.

Quick kon, zeventien jaar na de moord, de plaats aanwijzen waar hij de lichaamsdelen van de jongen had begraven en waar ze inderdaad ook werden gevonden. Hij ging op de steen zitten waar hij de jongen had verkracht en zijn lichaam in stukken had gesneden. Hij kon precies aangeven waar hij wat had begraven.'

Het proces in de rechtbank van Piteå in november 1994 werd een gemakkelijke overwinning voor officier van justitie Christer van der Kwast. De leden van de rechtbank veroordeelden Thomas Quick unaniem voor de moord op Charles Zelmanovits.

Vol zelfvertrouwen werkten de rechercheurs verder aan de zaak. Tot nu toe hadden ze zich gericht op het in kaart brengen van Quicks leven ten tijde van alle onopgehelderde moorden op en vermissingen van jongens. Amper een week na het vonnis in Piteå namen de verwachtingen die men van het onderzoek had een onvoorziene wending. Thomas Quick belde brigadier Seppo Penttinen van de politie in Sundsvall thuis op en zei:

'Misschien zou het goed zijn als ik geconfronteerd werd met de informatie over de dubbele moord in Norrbotten ongeveer tien jaar geleden. Ik weet dat ik daar ooit een keer ben geweest...'

Appojaure

Marinus en Janny Stegehuis uit Nederland waren een kinderloos echtpaar van vierendertig en negenendertig jaar oud. Drie jaar lang hadden ze gespaard voor hun droomvakantie naar de Scandinavische bergen en in de zomer van 1984 was het dan eindelijk zover.

Op 28 juni 's ochtends verlieten ze bij het krieken van de dag hun huis in Almelo en reden in één keer door naar Ödeshög in Östergötland waar Marinus familie had. Hun vakantiebudget liet geen hotelovernachtingen toe. Nadat ze drie dagen in Ödeshög hadden gelogeerd, vervolgden ze hun reis naar Finland, waar vrienden van hen woonden die ze kenden via het kerkkoor waarin ze zongen.

Vanaf Mustasaari in Österbotten reden Janny en Marinus noordwaarts met hun Toyota Corolla, het echte avontuur tegemoet. De route ging over Nordkalotten, via de Noordkaap in Noorwegen en verder naar beneden door de Zweedse bergen, waar ze van het leven in de vrije natuur zouden genieten en wel zouden zien wat de dag hen zou brengen. Ze verheugden zich op het vissen, op de dieren die ze er in het wild konden zien en het fotograferen van de natuur.

De reis werd avontuurlijker dan ze zich hadden voorgesteld, met veel regen, harde wind en temperaturen rond het vriespunt. Ze werden geplaagd door muggen. Maar het zou nog erger worden. Buiten Vittangi kregen ze motorpech, met als gevolg dat hun auto twee keer weggesleept moest worden, wat hen op een hotelovernachting plus een dure reparatie kwam te staan.

Met een lege portemonnee reden ze weg uit Kiruna, naar het zuiden.

Op de avond van 12 juli zetten ze hun tent op op een landtong in het noordelijke deel van het meer Appojaure. Janny schreef in haar dagboek:

'Naar Sjöfallets Nationalpark gereden. Mooie omgeving. Foto's gemaakt. Rendieren gefilmd en een hermelijn langs de weg gezien.

Om 16.30 uur de tent opgezet op een stuk bosgrond. De muggen blijven ons plagen.

Vanaf Kiruna honderdvijftig kilometer motregen gehad. Later klaarde het op.

Nu regent het.'

Ze zetten hun campinggaskookstel voor de tentopening, zodat ze wat beschut zaten tijdens het bereiden van een eenvoudige maaltijd bestaande uit knakworstjes en gebroken sperziebonen.

Op vrijdag 13 juli kort voor middernacht kwam er bij de politie in Gällivare een telefoontje binnen van ene Matti Järvinen uit Göteborg, die met vakantie was in de bergen. Hij vertelde dat hij een dode had aangetroffen in een tent bij de rustplaats naast het meer.

Rechercheur Harry Brännström en brigadier Enar Jakobsson gingen onmiddellijk op pad in de stromende regen en nadat ze tachtig kilometer in de lichte zomernacht hadden gereden, arriveerden ze op de plaats die de toerist door de telefoon had beschreven. Algauw vonden ze een in elkaar gezakte tweepersoonstent. Voorzichtig zetten ze de tentstokken overeind en trokken de rits van de tentopening omhoog. Wat ze toen zagen staat beschreven in het politierapport:

Bij de linker lange zijde van de tent ligt het dode lichaam van een man. Hij wordt geschat tussen de dertig en veertig jaar oud. Het lichaam ligt op de rug. [...] Vooral veel bloed in het gezicht, de nekstreek en op de rechterschouder. Het rechterdeel van de trui bij de oksel ter hoogte van de tepel is doorweekt met bloed. Op de overige zichtbare delen van de trui bloedvlekken. De dode heeft steek- en of snijwonden op de rechterbovenarm, de rechteronderarm, het linkerdeel van de hals en het rechterdeel van de borst naast de tepel. Een waarschijnlijke kneuzing is zichtbaar op de mond. [...]
Rechts van de man, gezien vanaf de tentopening, ligt het dode lichaam van een vrouw. Haar hoofd, waarvan de rechterwang rust op het grondzeil, ligt ter hoogte van de heup van de man. De dode ligt op haar rechterzij en het lichaam is gekromd in een hoek van bijna negentig graden. De linkerarm is gestrekt en ligt ongeveer vijfenveertig graden vanaf het bovenlichaam. De overige delen van het lichaam zijn gewikkeld in een slaapzak met een patroon van hetzelfde type als die waarin de man ligt. De slaapzak is zeer bebloed.

Voor de tent vonden de politiemannen het mogelijke moordwapen: een fileermes met een smal lemmet van het merk Falcon, geproduceerd in Zweden. Het lemmet van het mes was afgebroken en een deel werd later aangetroffen tussen de arm en het lichaam van de vrouw. Het was afgebroken toen het mes met kracht tegen bot werd gestoten.

Tussen de tentopening en het meer stond een grijsgroene Toyota Corolla met een Nederlands kenteken. De auto was afgesloten, binnen in de auto heerste geen wanorde en niets wees erop dat een onbevoegde in de auto was geweest.

De politie kon de doden snel identificeren. Uit wat ze op de plaats delict aantroffen bleek duidelijk dat de dubbele moord het werk van een gek was.

De volgende dag werden de lichamen naar Umeå vervoerd waar patholoog-anatoom Anders Eriksson een uitgebreid forensisch-geneeskundig onderzoek verrichtte. In de beide sectierapporten beschreef Anders Eriksson een groot aantal steek- en snijwonden.

De rechercheurs stelden vast dat de moordenaar als een dolle en in het wilde weg door het tentdoek heen op het slapende echtpaar had ingestoken. Zowel de vrouw als de man was bij de aanval wakker geworden – beiden vertoonden afweerwonden op hun armen – maar geen van beiden had op tijd uit de slaapzak kunnen kruipen. Het geheel leek niet zo lang geduurd te hebben.

Het nieuws over de moorden schokte heel Zweden. Het ergst was misschien wel de lafheid van de dader die een onbekend en volstrekt weerloos echtpaar in de slaap had overvallen; of misschien het anonieme, onpersoonlijke geweld met het mes dat hen door het dunne tentdoek heen doodde, waardoor het voor de slachtoffers volstrekt onbegrijpelijk was wat er gebeurde en wie hen aanviel; of de razernij van iemand die buiten zinnen was, waarvan het aantal messteken getuigde – samen met het feit dat alle vondsten erop wezen dat de dader uit volstrekte willekeur had gehandeld. De moord op het echtpaar Stegehuis was in alle opzichten zo eigenaardig en gestoord dat de enige verklaring was dat er ergens een ongelooflijk zieke moordenaar vrij rondliep.

Het beestachtige misdrijf in de Zweedse wildernis trok veel aandacht, zelfs buiten Zweden. Ongeveer duizend mensen werden verhoord, maar dat leverde geen enkel aanknopingspunt op.

Wanneer een moord na een langdurig onderzoek uiteindelijk wordt opgelost, blijkt achteraf bijna altijd dat de dader ergens in het onderzoeksmateriaal te vinden is. Van de man die tien jaar na het misdrijf de schuld op zich nam was in deze zaak echter geen enkel spoor te vinden. Een ander feit dat de rechercheurs verwonderde was dat Thomas Quick – die tot nu toe alleen jongens had vermoord – nu plotseling een brute moord met een mes op een echtpaar van in de dertig gepleegd zou hebben.

In het eerste verhoor, dat werd afgenomen op 23 november 1994, vertelde Quick dat hij de trein had genomen van Falun naar Jokkmokk, waar hij goed bekend was sinds hij daar een jaar, het schooljaar 1971-1972, op de Samische volkshogeschool had gezeten. Voor het Samemuseum stal hij een fiets en hij ging zonder een bepaald doel op pad. Toevallig kwam hij uit bij de Vägen Västerut die van Porjus naar Stora Sjöfallet loopt.

Bij de rustplaats in Appojaure zag hij het echtpaar Stegehuis, dat hij later op de avond aanviel met een jachtmes dat hij had meegenomen. Quicks verslag was vaag. Hij zei zelf uitdrukkelijk dat hij niet wist of hij iets met de moorden te maken had. Wat hem deed twijfelen was in de eerste plaats de aard van het geweld, zei hij. Maar hij twijfelde ook vanwege het feit dat een van de slachtoffers een vrouw was.

Bij een tweede verhoor veranderde Quick zijn verhaal. Nu kwam er een handlanger bij met wie hij had afgesproken in Jokkmokk. De handlanger was een bekende, zware crimineel genaamd Johnny Farebrink, die in tegenstelling tot Quick eerder in het onderzoek had gefigureerd.

Thomas Quick zei dat ze met de Volkswagen pick-up van Farebrink naar Appojaure waren gereden, waar ze samen het echtpaar Stegehuis met messteken om het leven brachten. Meerdere verhoren volgden, en Quicks verhaal werd geleidelijk aan steeds gedetailleerder. Quick vertelde dat hij een klasgenoot van de volkshogeschool had ontmoet, en dat hij en Johnny een andere met naam genoemde persoon in zijn huis in Porjus hadden bezocht.

De informatie dat Thomas Quick niet in zijn eentje had gehandeld bij de moord op de echtelieden Stegehuis lekte uit naar de pers. Johnny Farebrink zat op dat moment een celstraf van tien jaar uit voor een andere moord, en toen *Expressen* hem om commentaar vroeg, was zijn reactie: 'Onzin! Ik ken deze vent helemaal niet. Ik heb hem nog nooit gezien.'

Na een onderzoek van vier maanden was officier van justitie Van der Kwast zeker van zijn zaak. 'De bekentenis van Thomas Quick komt overeen met de feiten die de rechercheurs belast met het onderzoek naar deze moord hebben gevonden,' zei hij in een interview in *Expressen* van 23 april 1995. 'Het enige wat ik kan zeggen is dat hoe dieper we in dit verhaal graven, hoe meer bewijzen we vinden dat Thomas Quick niet liegt of fantaseert. Thomas Quick was in de buurt van Appojaure toen de dubbele moord werd gepleegd en hij beschikt over de lokale kennis door zijn tijd op de volkshogeschool in Jokkmokk.'

Thomas Quick had zeven moorden bekend, wat – als hij de waarheid sprak – hem tot de grootste seriemoordenaar van Zweden maakte. Twee ervaren politiemannen uit de Palme-groep, die de moord op de premier onderzocht, werden overgeplaatst naar het Quick-team, evenals de onderzoeksleider van dat team, Hans Ölvebro. Daarmee had het onderzoek topprioriteit gekregen.

Op 9 juli 1995 steeg een speciaal gecharterd privévliegtuig op van luchthaven Arlanda met als bestemming Gällivare. In de luxe vliegtuigstoelen zaten Thomas Quick, zijn therapeute Birgitta Ståhle, officier van justitie Christer van der Kwast, geheugenexpert Sven Åke Christianson plus nog een aantal politiemensen en begeleiders. Het doel was een reconstructie van de moord op het echtpaar Stegehuis.

In het vliegtuig zat ook Gunnar Lundgren, Quicks advocaat. Aangezien dit het meest besproken en meest prestigieuze moordonderzoek van Zweden was, was het niet langer wenselijk dat een advocaat uit de provincie zoals Lundgren als raadsman van Quick zou optreden. Na overleg met Seppo Penttinen en Christianson werd besloten dat de bekende Claes Borgström de verdediging van Quick op zich zou nemen. Claes Borgström had de opdracht aangenomen, maar zat net in de eerste week van zijn vakantie van in totaal vijf weken, vandaar dat Gunnar Lundgren bij de gratie Gods een van de leren fauteuils in het vliegtuig was toebedeeld.

De volgende dag gidste Thomas Quick de rechercheurs naar Porjus en Vägen Västerut, om uiteindelijk op de smalle bosweg af te slaan naar de rustplaats bij Appojaure. Daar had de technische recherche de plaats delict exact nagemaakt zoals die er in de nacht van 13 juli 1984 had uitgezien. Onderzoeksleider Hans Ölvebro en rechercheur Anna Wikström deden mee aan de voorbereidingen ter plaatse.

Het kookstel, de slaapzakken en de overige rekwistieten waren weer net zo neergelegd als bij de moord. Er was een tent, speciaal voor deze gelegenheid uit Nederland besteld en identiek aan de tent waarin het echtpaar Stegehuis had geslapen in de nacht van de moord, opgezet aan de rand van het bos. Ölvebro lag in de tent op de plaats van Marinus Stegehuis aan de linkerkant, en Wikstrom op de plaats van Janny Stegehuis aan de rechterkant.

Gewapend met een houten stok als mes sloop Thomas Quick naar de tent. Hij stortte zich op de tent en begon als een dolleman op het tentdoek in te hakken, waarna hij door de door hem gemaakte opening de tent binnendrong. Hij gromde en brulde terwijl Anna Wikström angstig om hulp riep. Quick werd overmeesterd en de reconstructie werd stilgelegd.

Zijn handelen week volkomen af van de beschreven feiten over de handelwijze in het politierapport.

Na een pauze werd de reconstructie hervat, en nu voerde Thomas Quick die uiterst geconcentreerd en in overeenstemming met de bekende feiten uit. Tijdens een rustig overleg met Penttinen beschreef Quick messteek na messteek, legde hij uit wat hij samen met zijn handlanger Johnny Farebrink had gedaan en demonstreerde hij hoe de grote scheur in het tentdoek waardoor hij de tent was binnengedrongen was ontstaan.

Toen de reconstructie zeven uur later werd afgerond, waren zowel de rechercheurs als de officier van justitie tevreden met het resultaat. *Expressen*, 12 juli: 'Het is goed, erg goed gegaan,' was het commentaar van Van der Kwast, die van mening was dat Thomas Quick tijdens de reconstructie op overtuigende wijze had laten zien dat hij inderdaad degene was die het Nederlandse echtpaar had vermoord. 'Hij wilde én kon gedetailleerd laten zien hoe de moorden waren gepleegd.'

Steeds meer echte en zelfbenoemde experts probeerden te verklaren welke ervaringen en omstandigheden van de jongen Sture Bergwall de sadistische seriemoordenaar Thomas Quick hadden gemaakt. Een gevierd journaliste, Kerstin Vinterhed van *Dagens Nyheter*, beschreef het ouderlijk huis als 'erg stil en gesloten naar de buitenwereld toe. Een thuis waar niemand op bezoek ging, waar geen kinderen uit de buurt kwamen spelen.'

Opnieuw werd Quicks jeugd beschreven, die werd gekenmerkt door de verkrachtingen van de vader en de wreedheden van de moeder, waaronder twee pogingen tot moord. De transformatie in een moordenaar zou hebben plaatsgevonden na het laatste seksuele misbruik van de vader, buiten in het bos toen Thomas Quick dertien jaar oud was. Thomas wilde zijn vader doden, maar bedacht zich toen hij zijn vader zielig met zijn broek op zijn enkels had zien staan.

'Toen ben ik weggerend. En vanaf dat ogenblik is het een grote sprong naar de moord die ik een half jaar later, toen ik veertien was, in Växjö pleegde,' verklaarde Quick.

'Je doodde als het ware toen jezelf?' vroeg Kerstin Vinterhed.

'Ja, ik doodde mezelf toen,' antwoordde Quick. Men was van mening dat Thomas Quick bij deze moord, net als bij alle andere overigens, zowel slachtoffer als dader was. De moorden waren in feite herbelevingen van het seksueel misbruik tijdens zijn jeugd. Dit was het theoretische model van waaruit men werkte bij de psychotherapeutische behandeling van Quick in de Säterkliniek. Zelfs de rechercheurs accepteerden deze opvatting.

De broers en zussen en neven en nichten van Thomas Quick namen met machteloze schaamte kennis van de huiveringwekkende beschrijvingen van de onvoorstelbare wreedheden van de ouders. Binnen de familie Bergwall werd de naam Sture niet meer genoemd, alleen als het echt niet anders kon en dan werd hij slechts aangeduid met 'TQ'. Sture Bergwall bestond niet meer.

Lange tijd zweeg de familie. Maar in 1995 trad de oudste broer Sten-Ove Bergwall op als woordvoerder van de familie. In het boek *Min bror Thomas Quick (Mijn boer Thomas Quick)* gaf hij zijn versie van zijn jeugd in het ouderlijk huis. Hij sprak namens de hele familie Bergwall toen hij zijn vraagtekens zette bij de traumatische jeugdherinneringen van zijn broer.

'Ik twijfel er niet aan dat het voor hem de waarheid is. Dat mensen die in therapie zijn worden aangemoedigd om valse herinneringen te creëren, is een bekend verschijnsel,' zei hij tegen *Expressen* en hij verzekerde dat zijn ouders zich niet schuldig hadden gemaakt aan wat Thomas Quick beweerde.

Sten-Ove legde uit dat het niet zijn bedoeling was om geld te verdienen aan het boek, maar dat hij zijn kindertijd, die Thomas Quick hem door zijn uitlatingen had ontnomen, wilde heroveren. Tegelijkertijd wilde hij eerherstel voor zijn overleden ouders, aangezien zij zich niet konden verdedigen tegenover Quicks beschuldigingen.

'Ik wil absoluut niet beweren dat we in een perfect gezin zijn opgegroeid, maar geen van de broers en zussen hebben herinneringen die zijn verhaal ondersteunen. We waren geen zonderling, uitgestoten, mysterieus gezin. We gingen met veel mensen om, we reisden veel en gingen in de weekenden, met kerst en op verjaardagen bij familie op bezoek.'

Wat de door Thomas Quick bekende moorden betrof, koesterde Sten-Ove echter geen enkele twijfel: 'Toen ik te horen kreeg dat een man de moord op Johan Asplund had bekend, wist ik instinctief dat het hier om mijn broer ging. En ik wist zeker dat er nog meer bekentenissen zouden volgen.'

In januari 1996 begon het proces van de Appojauremoorden bij de arrondissementsrechtbank van Gällivare. In Piteå had Thomas Quick geëist dat hij achter gesloten deuren gehoord zou worden. Hij verscheen met veel zelfvertrouwen in de rechtszaal. Ten overstaan van de toehoorders deed hij overtuigend verslag van de moord op het Nederlandse echtpaar.

Hij vertelde dat hij in eerste instantie op zoek was geweest naar een tienerjongen en dat hij daarom de trein naar Jokkmokk had genomen, waar hij een groep Duitse jongeren ontmoette en een van de jongens uitkoos als zijn volgende slachtoffer.

Op een gestolen damesfiets was hij naar het warenhuis Domus gefietst waar hij Johnny Farebrink was tegengekomen, een 'akelige en zwaar depressieve messentrekker'. Na een zuipfeestje waren ze met zijn tweeën op weg gegaan naar Appojaure, waar het echtpaar Stegehuis kampeerde. Volgens Quick gingen ze hiernaartoe omdat Johnny Farebrink een 'aversie' had tegen de Nederlanders, terwijl Quick zelf nog steeds van plan was zich te vergrijpen aan de Duitse jongen die hij in Jokkmokk had gezien. Bij de ontmoeting met het Nederlandse stel kreeg Quick het idee dat de jongen hun zoon was.

'Toen de vrouw op mijn rechtstreekse vraag of de jongen haar zoon was antwoordde dat dit niet het geval was, werd ik woedend,' vertelde Quick in de rechtbank.

De moord op het echtpaar, die eerder onbegrijpelijk leek, bleek nu een logica te hebben, al was het dan een waanzinnige, gestoorde logica.

'Ik probeerde haar overeind te trekken zodat haar gezicht naast het mijne kwam. Ik wilde haar angst zien voordat ze stierf,' vertelde Quick. 'Maar dat lukte me niet goed en ik bleef maar steken.'

Advocaat Claes Borgström vroeg Quick waarom hij zo'n haat voelde jegens de vrouw.

Door haar ontkenning vereenzelvigde hij haar met M, op wie ze bovendien fysiek leek, antwoordde Quick.

M was Quicks benaming voor zijn moeder. De moord was daarmee een moord op Quicks eigen moeder.

Een familielid van het echtpaar Stegehuis, degene bij wie ze de eerste dagen van hun vakantie hadden gelogeerd, was naar Gällivare gereisd om te proberen te begrijpen waarom Janny en Marinus moesten sterven. Nadat hij Quicks verhaal over de dubbele moord had gehoord, luidde zijn commentaar in *Expressen*: 'Quick is een smeerlap, hij heeft het recht niet om te leven.'

Op voorhand was de uitkomst van het proces van de dubbele moord in Appojaure nauwelijks te voorspellen. Verscheidene elementen in Thomas Quicks verhaal riepen vragen op, vooral de informatie over de handlanger. De rechercheurs hadden niemand gevonden die Quicks informatie over Johnny Farebrink kon bevestigen: niemand had hen samen gezien en het verhaal over het zuipfeest dat ze zouden hebben gehad, werd door de andere betrokkenen ontkend. Mede om die reden werd hij niet vervolgd.

Een plaatselijke kunstenares die in de jaren zeventig op dezelfde volkshogeschool als Quick had gezeten, getuigde daarentegen dat ze er bijna zeker van was dat ze hem rond de tijd van de dubbele moord in Appojaure op het station in Gällivare had gezien.

De rechtbank achtte aan de hand van een getuigenverklaring van de eigenaresse van een gestolen fiets bovendien bewezen dat Quick op de dag voor de moord in Jokkmokk was geweest. Zij bevestigde dat de versnelling van de fiets kapot was op precies dezelfde manier zoals Quick het had beschreven.

Seppo Penttinen, die alle verhoren met Quick had afgenomen, getuigde in de rechtbank waarom Quick zijn verhaal had gewijzigd tijdens het lopende onderzoek. Quick 'moest zijn innerlijke ik beschermen door iets te verzinnen wat grensde aan de waarheid'. In de kern waren Quicks herinneringen echter helder en duidelijk, volgens Penttinen.

Sven Åke Christianson legde uit waarom Quick moeite had met het vertellen over zijn moorden en beschreef twee tegenwerkende mechanismen in de functies van het menselijke geheugen. Dat we ons herinneren wat ons beschadigd heeft is aan de ene kant een overlevingsfunctie en aan de andere kant kunnen we 'ons niet de hele tijd alle ellende die we hebben meegemaakt blijven herinneren'. Het is belangrijk om te kunnen vergeten, legde Christianson uit.

Thomas Quicks geheugenfuncties waren door Christianson onderzocht en hij had daarbij niets abnormaals kunnen vinden. Hij stelde ook vast dat bij het onderzoek niets naar voren was gekomen waaruit bleek dat het hier om een valse bekentenis zou gaan.

Een forensisch arts en een technisch rechercheur legden een overtuigende verklaring af dat Quick in de verhoren alle grote verwondingen van Janny en Marinus Stegehuis had beschreven, en dat zijn verhaal werd bevestigd door forensisch onderzoek dat op het echtpaar was verricht.

De rechtbank liet ook Seppo Penttinens getuigenis over hoe Quick de plaats delict al tijdens de eerste verhoren had kunnen beschrijven, zwaar meewegen en schreef in zijn vonnis: 'Op grond van het nu aangevoerde is de rechtbank van oordeel dat het boven gerede twijfel verheven is dat Quick de in de tenlastelegging vermelde feiten heeft gepleegd. De omstandigheden bij het plegen van het delict zijn van dien aard geweest dat dit delict dient te worden aangemerkt als moord.'

Thomas Quick was nu veroordeeld voor drie moorden. En dit was nog maar het begin van het onderzoek.

Yenon Levi

De algemeen aanvaarde definitie van een seriemoordenaar komt van de FBI en stelt dat iemand drie of meer moorden moet hebben gepleegd bij verschillende gelegenheden. Meervoudige moorden die daarentegen een zogeheten 'cooling-off period' tussen elke moord missen, vallen volgens de FBI in de categorie 'spree murder'.

Thomas Quick was tot dusver 'slechts' veroordeeld voor drie moorden die bij twee afzonderlijke gelegenheden waren gepleegd en daarmee voldeed hij niet aan de officiële definitie van een seriemoordenaar. Tijdens het onderzoek naar de dubbele moord in Appojaure was de lijst met de door hem bekende moorden beduidend langer geworden en hij kon met een aantal slagen om de arm worden beschouwd als een seriemoordenaar in spe.

Deze bekentenissen deed hij niet altijd als eerste aan de politie. Pelle Tagesson van Expressen onthulde in augustus 1995 dat Thomas Quick in een interview had bekend dat hij 'in Skåne had gemoord' en terloops had gemeld dat hij ook achter de sadistische lustmoord op de negenjarige Helén Nilsson in Hörby in 1989 zat. In hetzelfde interview bekende Quick zelfs de moord op twee jongens in Noorwegen, en de moord op twee mannen uit 'het midden van Zweden'.

Christer van der Kwast stoorde zich behoorlijk aan het feit dat Quick zowel de therapeuten als de rechercheurs passeerde en rechtstreeks zijn bekentenissen in de media bracht. 'Ik hoop dat hij ze ook aan mij bekent,' was zijn commentaar.

Door aanwijzingen en halve informatie over de moorden nu eens aan rechercheurs, dan weer aan therapeuten en journalisten te geven, speelde Quick een kat-en-muisspelletje, wat Van der Kwast irriteerde. De media en de journalisten speelden een belangrijke maar niet bepaald heldere rol in het onderzoek. Thomas Quick was vrij in zijn keuze welke verslaggevers hij wilde ontmoeten en hij las alles wat er over hem werd geschreven. Van der Kwast had zich er maar in te schikken dat hij in *Expressen* moest lezen dat Quick een van zijn 'nieuwe' moorden in Dalarna had gepleegd, wat de rechercheurs meteen deed denken aan de opmerkelijke moord op de Israëlische staatsburger Yenon Levi aan de rand van Rörshyttan op 11 juni 1988.

Yenon Levi was een vierentwintigjarige toerist die dood werd aangetroffen naast een bosweg in Dalarna. Het grootscheepse politieonderzoek leidde naar een verdachte, maar door gebrek aan bewijs kwam het nooit tot vervolging.

Al langere tijd had de moord in Rörshyttan onder de oppervlakte van het Quick-onderzoek liggen sudderen, en ruim een maand na de reconstructie in Appojaure belde Thomas Quick verhoorleider Seppo Penttinen thuis, die een memo van het gesprek opstelde:

Woensdag 19 augustus om 19.45 uur werd ondergetekende gebeld door Quick. Quick vertelde dat het psychisch niet goed met hem ging en dat hij graag bepaalde zaken waar hij mee zat wilde opbiechten.

Wat de gebeurtenis met de Israëlische man in Dalarna betreft, zegt Quick dat hij bij de moord hulp heeft gekregen van een man.

Quick vertelde dat ze Yenon Levi hadden ontmoet in een klein straatje in Uppsala. De handlanger had Engels met Levi gesproken en die was vervolgens met hen in Quicks auto meegereden naar Dalarna, waar de kompanen de Israëliër gezamenlijk vermoordden.

Quick hield hem vast terwijl de ander hem bewerkte met zijn vuisten en met onder meer 'een zwaar voorwerp uit de kofferbak'. Het lichaam lieten ze ach-

ter op de plek waar de klappen waren gevallen en er werd helemaal niets
gearrangeerd. Het lichaam bleef meer op de rug dan op de zij liggen en
beslist niet op de buik.

Quick zegt dat hij had gevolgd wat er in de pers over de gebeurtenis werd
geschreven, maar dat hij was geschrokken van de foto's, en hij had niet alles
gelezen wat er was geschreven.

De rechercheurs reageerden lauw op Quicks bekentenis van de moord op Yenon Levi. Seppo Penttinen zei tegen Quick dat er al zo veel over deze moord in de kranten had gestaan dat hij nauwelijks iets zou kunnen vertellen wat nog niet algemeen bekend was.

Toen het vooronderzoek naar de dubbele moord bij Appojaure was afgerond, werd Quick toch een eerste verhoor over de zaak-Levi afgenomen. Quick gaf daarbij aan dat hij alleen was geweest op het moment dat hij zijn oog had laten vallen op Levi in Uppsala en hem had overgehaald om met hem mee te rijden naar Falun. In de buurt van Sala stopten ze bij een vakantiehuisje, waar Quick een steen pakte en Levi met twee slagen tegen zijn hoofd doodsloeg. Daarna laadde hij hem op de achterbank en vervolgde hij zijn reis. In Rörshyttan sloeg Quick een bosweg in en dumpte het lichaam verderop in het bos.

Het onderzoek naar de moord op Yenon Levi werd voor alle betrokkenen een zwaar en slepend onderzoek. Quick veranderde voortdurend het verhaal over de moord. De ene keer zei hij dat hij een handlanger had gehad, de andere keer dat hij alleen had gehandeld. De plaats van de moord varieerde, evenals de informatie waar hij Levi het eerst had ontmoet. Over het moordwapen dat hij had gebruikt was hij nog verwarder.

Bij aanvang van het onderzoek zei Thomas Quick dat het moordwapen een steen was geweest, wat niet klopte. In de volgende verhoren was het moordwapen achtereenvolgens een krik, een kruissleutel, een schop, een kampeerbijl, een koevoet, een blok hout en een stepslee. Al deze opties klopten ook niet.

Gedurende een jaar verhoorde Seppo Penttinen Quick veertien keer, hielden ze een schouw en twee reconstructies op de plaats delict. Bij de tweede reconstructie meende Quick dat het moordgereedschap een 'houtstructuur' had.

'Zie je iets wat qua lengte overeenkomt?' vroeg Penttinen, terwijl hij met zijn handen ongeveer een meter aangaf. Quick pakte toen een paal van ongeveer dezelfde lengte op die toevallig in de buurt lag.

Christer van der Kwast was echter niet van mening dat Quicks voortdurend veranderende informatie zijn geloofwaardigheid aantastte. 'De moeilijkheid was dat de herinneringen van de moorden fragmentarisch en ongestructureerd waren en dat er soms veel tijd verstreek voordat het hem lukte om de verschillende fragmenten tot een samenhangend beeld samen te voegen,' verklaarde hij, als een echo van Quicks therapeuten in de Säterkliniek.

Na anderhalf jaar therapiesessies, politieverhoren en herhaalde reconstructies was het Thomas Quick gelukt zijn fragmentarische herinneringen tot een enigszins samenhangend verhaal te structureren. Volgens dat verhaal hadden Quick en zijn handlanger Yenon Levi eerst onder dwang meegenomen van een perron op het station van Uppsala naar een parkeerplaats, waar hij werd gedwongen om in de auto te stappen. Terwijl Quick het gezelschap naar de plaats delict reed, had de handlanger Levi met een mes tegen zijn keel in bedwang gehouden.

Op 10 april 1997 diende Christer van der Kwast een dagvaarding in bij de rechtbank van Hedemora. De beschrijving van het delict was summier:

Thomas Quick heeft bij een gelegenheid in de periode tussen 5 en 11 juli 1988 in Rörshyttan, gemeente Hedemora, Yenon Levi met geweld van het leven beroofd door met een stomp voorwerp tegen Levi's hoofd en romp te slaan.

Dit was de derde rechtszaak waarin Thomas Quick terechtstond voor een moord die hij naar eigen zeggen samen met een handlanger had gepleegd. En voor de derde keer ontbrak deze persoon in de rechtszaal. De handlanger werd in het vonnis met voor- en achternaam genoemd en zijn medeplichtigheid aan de moord op Yenon Levi werd uitvoerig beschreven, maar aangezien hij ontkende en er geen bewijzen tegen hem waren, werd hij als medeverdachte afgeschreven. Een verhoor met N.N. in deze rechtszaak zou niets doorslaggevends opleveren, meende Christer van der Kwast.

De rechtbank van Hedemora moest vaststellen dat er tijdens het proces 'geen enkel bewijs was opgevoerd dat Thomas Quick rechtstreeks in verband bracht met het delict'. De rechtbank was echter wel van mening dat Quicks verhaal over de moord samenhangend was en geen aperte tegenstrijdigheden bevatte. Hij had veel juiste informatie gegeven over de plaats delict, de kleren en de verwondingen van het slachtoffer – details die volgens de rechtbank goed overeenkwamen met de feiten van het onderzoek van de plaats delict en de sectie.

Quick had ook andere specifieke details genoemd die ervoor pleitten dat hij daadwerkelijk Yenon Levi had vermoord. Zo had hij bijvoorbeeld een mes met een bewerkt houten heft in diens bagage beschreven, dat hij ook op een ansichtkaart aan zijn moeder had genoemd.

Seppo Penttinen verklaarde voor de rechtbank dat Quicks afwijkingen in het verhaal niet zo vreemd waren. De ingewikkelde tocht naar het correcte moordwapen bijvoorbeeld was aannemelijk, aangezien Penttinen 'de indruk had dat Thomas Quick de hele tijd had geweten dat het een dikke houten stok was, maar dat uit angst uiteindelijk niet verteld had'. Penttinen getuigde ook hoe Quicks verhaal zich had ontwikkeld en hoe de verhoren waren afgenomen, waaraan in het vonnis groot gewicht werd toegekend. Quick had dusdanig exclusieve informatie over de moord gegeven waar redelijkerwijs alleen de dader van op de hoogte kon zijn.

Op 28 mei 1997 werd Thomas Quick veroordeeld voor de moord op Yenon Levi:

Samengevat is de rechtbank van mening dat Thomas Quicks verhaal een hoge bewijswaarde heeft. Door zijn bekentenis en door middel van verder onderzoek is wettig en overtuigend bewezen dat Thomas Quick schuldig is aan het delict waarvoor hij hier terechtstaat.

Thomas Quick wordt aldus volledig verantwoordelijk geacht voor het opzettelijk van het leven beroven van Yenon Levi.

Thomas Quick werd opnieuw overgedragen aan de forensisch psychiatrische zorg.

Hij was nu veroordeeld voor vier moorden bij drie verschillende gelegenheden en kon zelfs volgens de strikte definitie van de FBI worden betiteld als seriemoordenaar.

Therese Johannesen

Tijdens het onderzoek naar de moord op Yenon Levi bleef Thomas Quick met steeds nieuwe herinneringen komen over verschillende personen die hij zou hebben omgebracht.

Een van de vele nieuwe bekentenissen betrof de moord op de negenjarige Therese Johannesen die op zondag 3 juli 1988 spoorloos verdween uit haar huis in de buitenwijk Fjell in de Noorse stad Drammen. Therese Johannesens verdwijning was de opvallendste misdaadzaak in Noorwegen en leidde tot het grootste politieonderzoek ooit. Op het hoogtepunt van het onderzoek werkten er honderd politiemensen aan de zaak. Gedurende de eerste jaren werden er 1721 personen verhoord. In totaal kwamen er 4645 tips binnen, die 13.685 observaties en bewegingen van auto's en personen in het gebied registreerden. Maar zonder resultaat.

In het voorjaar van 1996 begonnen de Zweedse en Noorse politie een intensieve samenwerking in het onderzoek naar de moord op Therese Johannesen en twee Afrikaanse asielzoekers die in maart 1989 uit een asielzoekerscentrum in Oslo waren verdwenen. Quick had bekend dat hij ze alle drie had vermoord.

De ervaring leert dat seriemoordenaars vaak een bepaalde modus operandi volgen; sommige zoeken hun slachtoffer uit binnen een afgegrensd geografisch gebied, andere houden het bij een bepaald type slachtoffer, zoals jongens, prostituees, vrijende paartjes enzovoort. Er zijn ook seriemoordenaars die hun slachtoffers op een bijzondere wijze vermoorden, zoals Ted Bundy, die zijn slachtoffers – altijd blanke vrouwen uit de middenklasse – zijn auto in lokte, waar hij ze vervolgens vermoordde door ze een klap met een koevoet op hun hoofd te geven.

Veel mensen reageerden daarom nogal sceptisch toen Quick brak met al zijn voorkeuren en eerdere handelwijzen en de moord op een meisje bekende, dat bovendien in Noorwegen woonde. Zelfs zijn vorige advocaat Gunnar Lundgren, die tot nu toe zonder enig voorbehoud Quick had geloofd, stond sceptisch tegenover deze nieuwe bekentenis. 'Het is zo vreemd, staat zo ver af van zijn normale handelen,' zei hij.

De leider van het vooronderzoek Christer van der Kwast gaf toe dat de moord weliswaar afweek van het gangbare patroon, maar dat de rechercheurs om die reden 'het perspectief moesten verruimen en moesten inzien dat het doden op zich een seriemoordenaar seksuele bevrediging kan geven'.

Op 26 april 1996 vertrok Quick uit de Säterkliniek in gezelschap van een groep politiemannen, begeleiders van de kliniek, geheugenexpert Sven Åke Christianson, psychotherapeute Birgitta Ståhle en officier van justitie Christer van der Kwast.

Quick werd rondgeleid op de plaats delict in Fjell, waar hij de politie beschreef hoe hij Therese had ontmoet, haar met een steen bewusteloos had geslagen, in zijn auto had gelegd en haar had weggevoerd. Hij beschreef ook dat daar in 1988 een bankje had gestaan, dat er planken op de grond hadden gelegen en dat de balkons toen een andere kleur hadden. Deze informatie bleek te kloppen en er werd bekendgemaakt dat Quick ook verdacht werd van de moord op Therese Johannesen.

De volgende dag gidste Thomas Quick een lange stoet auto's over de E18 in de richting van Zweden. Dicht bij het plaatsje Ørje sloeg de stoet een bosweg in, die – zo had Quick de politie beloofd – naar een grindgroeve leidde waar hij de lichaamsdelen van Therese had begraven.

Tijdens de schouw die op de plaats delict werd gehouden vertelde Quick dat hij het lichaam in kleinere stukken had gesneden die hij vervolgens in het bosmeertje Ringen had laten zinken. Na moeizaam overleg besloot het onderzoeksteam dat het meertje leeggepompt zou worden om de lichaamsdelen van Therese te vinden.

Zeven weken lang duurde dit onderzoek, het duurste onderzoek van een plaats delict dat ooit in Scandinavië werd uitgevoerd. Het bosmeertje werd leeggepompt, het bodemsediment opgezogen tot aan de afzetting, die tienduizend jaar oud was. Het water en het slijk van de bodem werden gefilterd en twee keer onderzocht zonder dat er ook maar een botsplintertje werd gevonden.

'Thomas Quick had of gelogen of hij had zich vergist in de plek. Er is reden om zijn geloofwaardigheid in twijfel te trekken,' zei Tore Johnsen, hoofdcommissaris van de politie van Drammen, toen op 17 juli de laatste pompen bij het bosmeertje Ringen werden stopgezet.

Toen de Noren de gigantische hoeveelheid Therese-materiaal doornamen, vonden ze ook geen enkele observatie van personen of auto's die met Thomas Quick in verband konden worden gebracht.

Velen waren ervan overtuigd dat dit het einde betekende van het Quick-onderzoek wat betreft de moord op Therese, en misschien zelfs wel het einde van het hele Quick-onderzoek.

Ruim een jaar later was Thomas Quick toch weer terug in Ørjeskogen met zijn gevolg van rechercheurs en begeleiders uit de Säterkliniek.

'Hij leverde een ongekende prestatie. De langdurige schouw op de plaats delict kostte hem veel inspanning,' zei zijn advocaat Claes Borgström naderhand.

'Nu ben ik ervan overtuigd dat Quick Therese heeft vermoord,' zei Inge-Lise Øverby van het Openbaar Ministerie in Drammen. 'We hebben nu kunnen vaststellen dat Thomas Quick daadwerkelijk in dit bos is geweest. En we hebben sterke aanwijzingen dat hij ook in Drammen is geweest ten tijde van Thereses verdwijning.'

De politie had bij de schouw verschillende vondsten gedaan: een boom met een symbool dat Quick erin zou hebben gekerfd, een zaagblad dat Quick daar zou hebben achtergelaten en een plaid die van Quick zou zijn geweest.

Maar de belangrijkste vondst waren de restanten van een vuur op de plaats waar Quick naar eigen zeggen Thereses lichaamsdelen had verbrand. Bij een van deze plaatsen had de lijkenhond Zampo sporen van menselijke resten gevonden. In de as trof de technische recherche een aantal verbrande voorwerpen aan die volgens experts botresten van een kind waren.

'Quick-slachtoffer gevonden,' kopte *Dala-Demokraten* met schreeuwerige letters over de hele voorpagina op 14 november 1997.

Christer van der Kwast vertelde triomfantelijk dat men voor het eerst Quicks bekentenis helemaal kon volgen vanaf de vondst van een moordslachtoffer. Hij karakteriseerde het stukje bot van Therese als een doorbraak in het hele Quick-onderzoek.

'Resten van een persoon van Therese Johannesens leeftijd zijn gevonden op een plek dicht bij Örje, waar Thomas Quick in 1988 de overblijfselen van het negenjarige meisje zou hebben verstopt,' vatte Gubb Jan Stigson samen in *Dala-Demokraten*.

De vondst in Ørjeskogen leidde ertoe dat het Quick-team een ander spoor ging volgen en zich vanaf nu volledig concentreerde op het Therese-onderzoek. Een zelfverzekerde officier van justitie diende op 13 maart 1998 een dagvaarding in bij de arrondissementsrechtbank van Hedemora. 'We concentreren ons in deze zaak sterk op het technische bewijs,' zei Van der Kwast.

Het vreemde was dat de zaak van de in Noorwegen gepleegde moord diende voor de rechtbank van Hedemora in Zweden. Het proces zelf werd gehouden in de beveiligde zaal van de rechtbank van Stockholm. Dat laatste om 'veiligheidsredenen'.

Christer van der Kwast wees erop dat Quick dertig unieke details had verteld die hem in verband brachten met de moord. 'Quick heeft exclusieve informatie gegeven van een omvang en een nauwkeurigheid die hem zowel aan de desbetreffende plaatsen als aan het meisje verbinden,' beweerde hij in zijn slotpleidooi.

Advocaat Claes Borgström voerde geen verweer tegen de bewijsvoering tegen zijn cliënt: 'Er valt niets anders te concluderen dan dat hij het hem ten laste gelegde delict heeft gepleegd.'

Toen Quick zelf een slotpleidooi hield in de rechtbank, probeerde hij een psychologische verklaring te geven voor het feit dat hij Therese had vermoord. 'Mijn schuld staat vast, onomstotelijk, maar ik wil dat jullie begrijpen dat ik uiting heb gegeven aan mijn eigen ervaringen uit mijn kapotte jeugd,' zei hij.

Zoals verwacht achtte de rechtbank van Hedemora het boven gerede twijfel verheven dat Thomas Quick Therese Johannesen had vermoord en hij werd veroordeeld tot een langer verblijf in de Forensisch Psychiatrische Kliniek in Säter. Nu was hij voor zijn vijfde moord veroordeeld.

De twijfelaars

De critici die tijdens het onderzoek naar de dubbele moord in Appojaure grote vraagtekens zetten bij Quicks schuld, kregen nauwelijks gehoor en werden snel vergeten. In het voorjaar van 1998, terwijl het Therese Johannesen-proces plaatsvond, laaide er echter een regelrechte Quickstrijd op, die deze keer niet zou overwaaien maar zou leiden tot een verbitterde, ogenschijnlijk eindeloze loopgravenoorlog.

Het gekrakeel begon met een opiniestuk in de krant *Dagens Nyheter* van journalist Dan Larsson, een mijnwerker uit Malmberget die het roer had omgegooid en nu misdaadverslaggever bij *Norrländska Socialde-mokraten* was. Hij had verslag gedaan van de processen van de moord op Charles Zelmanovits en op het echtpaar Stegehuis en meende dat Quick onschuldig was. In een artikel wees Larsson op een reeks dubieuze zaken, onder meer dat alle moordonderzoeken waren geleid door hetzelfde hechte groepje rechercheurs. Hij wees er ook op dat Quick bij alle moorden waarvoor hij veroordeeld was handlangers had aangewezen, wier schuld uiterst twijfelachtig was.

Vier dagen later publiceerde *Dagens Nyheter* een opiniestuk geschreven door Nils Wiklund, docent rechtspsychologie. Hij schreef het volgende:

De moordprocessen tegen Thomas Quick zijn in vele opzichten uniek. Het westerse rechtssysteem is gebaseerd op de confrontatie tussen twee partijen, waarbij de rechtbank de waarheid probeert te achterhalen door de argumenten van de officier van justitie voor een veroordeling te toetsen aan de argumenten van de verdediging voor een andere zienswijze.

In de Quick-processen was de tweepartijenverhouding opgeheven, meende Wiklund, doordat de officier van justitie en de advocaat hetzelfde standpunt innamen. Zijn waarneming werd bevestigd door het proces dat toen werd gevoerd. In dat proces nam advocaat Claes Borgström namelijk niet alleen duidelijk de stelling in dat zijn cliënt schuldig was, maar wendde hij zich ook tot de journalisten, psychologen en juristen die aan het debat deelnamen en spoorde hij hen aan 'hun verantwoordelijkheid te nemen'.

'De herhaalde pogingen van de verdediging om het publieke debat tot zwijgen te brengen zijn zowel schokkend als onverantwoord. Hij had zelf moeten proberen om binnen het kader van de toetsing van de rechtbank een onafhankelijk onderzoek tot stand te brengen,' schreef Wiklund.

De toon in het debat werd nog wat verder opgeschroefd toen Björn Asplund, de vader van Johan Asplund, eiste dat Christer van der Kwast vervolgd zou worden. Hij beweerde dat Van der Kwast een ambtsovertreding had begaan toen hij geen aanklacht indiende tegen de handlanger van Quick in het Therese Johannesen-proces. Quick had een mededader aangewezen en had beschreven hoe deze had meegeholpen bij het ontvoeren van het meisje en zelfs hoe de handlanger het negenjarige meisje op een parkeerplaats had verkracht. Björn Asplund schreef:

Als het nu zo is dat plaatsvervangend hoofdofficier Christer van der Kwast van mening is dat Quick geloofwaardig is, hoe kan het dan dat deze bij naam genoemde en bij de politie (en Van der Kwast) bekende persoon niet voor de rechtbank voor verhoor is opgeroepen?

Aangezien medeplichtigheid aan moord en ernstig seksueel misbruik van kinderen een misdrijf is dat onder algemene vervolging valt, was Asplund van mening dat Van der Kwast zijn vervolgingsplicht had verzuimd en om die reden voor een ambtsovertreding zou moeten worden vervolgd.

Anna-Clara en Björn Asplund hadden de processen vanaf het allereerste begin gevolgd en waren er beiden van overtuigd dat Quicks bekentenissen onjuist waren. Ze voerden een harde strijd om 'Quick bij Johan weg te krijgen'.

Andere media mengden zich in het debat en nieuwe critici sloten zich daarbij aan. Onder hen advocaat Kerstin Koorti, die in het programma *Aktuellt* van televisiezender SVT zei dat ze niet geloofde dat Thomas Quick aan welke moord dan ook schuldig was. Ze kenschetste de Quick-processen als 'een van de grootste gerechtelijke dwalingen van de twintigste eeuw'.

Serieuzere kritiek werd op 12 juni 1998 op de opiniepagina van *Svenska Dagbladet* gepubliceerd. Onder de kop 'De zaak-Quick – nederlaag voor justitie' bekritiseerde psychologe Astrid Holgersson het team van officieren van justitie, politie en psychologen, dat 'zich eenzijdig had gericht op het vinden van bewijsmateriaal dat Quick daadwerkelijk de moorden had gepleegd'.

Astrid Holgersson had de processen-verbaal van de verhoren van de verschillende moordonderzoeken onderzocht en kwam met concrete voorbeelden waaruit bleek dat Christer van der Kwast Quick tijdens de verhoren had verteld wat het 'juiste antwoord was'. Dat Quick eerst altijd veel onjuiste informatie gaf, was bekend, maar zijn getuigenverklaringen waren nog nooit systematisch geanalyseerd, meende Holgersson. In plaats daarvan waren de rechtbanken ertoe overgehaald om de onwetenschappelijke, psychologische verklaringen waarom Quick onjuiste informatie gaf, te accepteren. Ze gaf een voorbeeld van het vonnis van de moord op Yenon Levi.

De rechtbank heeft notitie genomen van het feit dat de uiteindelijke versie was ontstaan na meerdere verhoren, maar voert vervolgens geen kritische analyse uit naar hoe die uiteindelijke versie tot stand is gekomen. Men accepteert de psychologische speculaties dat het mogelijk te maken kan hebben gehad met 'de moeite die Quick had om bepaalde details te bespreken'.

Het mikpunt van Astrid Holgerssons kritiek was Sven Åke Christianson, wiens bijdragen in het onderzoek werden gekenschetst als onethisch en onwetenschappelijk, toen hij 'met suggestie en manipulatieve methoden' had geprobeerd Quick te helpen met het in elkaar zetten van een verhaal dat de feiten van het delict niet weersprak. Holgersson wees er ook op dat Christianson aan de ene kant een taak van de officier van justitie had gekregen, terwijl hij tevens door de arrondissementsrechtbank was aangesteld 'om zich als deskundige van de rechtbank uit te spreken over de waarde van hun eigen onderzoeksresultaat'. Het accepteren van deze dubbelrol was volgens Holgersson regelrecht onethisch.

Bovendien had Christianson volgens Astrid Holgersson 'de publieke opinie eenzijdig beïnvloed door – in strijd met de regels voor het inschakelen van psychologen in strafzaken – bij lezingen over "de seriemoordenaar" Quick zijn subjectieve mening over de schuldvraag te verspreiden'.

Christianson had meegewerkt aan een artikel voor het boek *Recovered Memories and False Memories* (Oxford University Press 1997) waarin hij vaststelde dat Quick een seriemoordenaar was, wat redelijkerwijs nu juist de vraag zou moeten zijn die de rechtbank moest toetsen. Holgersson citeerde Christiansons artikel over Quicks verdrongen herinneringen die in de therapie werden opgeroepen:

De herinneringen aan de moorden veroorzaakten een overweldigende angst omdat dit herbelevingen waren van het sadistische seksueel misbruik waarvan de seriemoordenaar als kind zelf slachtoffer was geworden.

Astrid Holgersson merkte op:

Zoals gezegd is er geen gedocumenteerd feitelijk ondersteunend bewijs voor de veronderstelling dat Quick een seriemoordenaar is, dat hij zelf in zijn jeugd seksueel misbruikt is of dat dit kenmerkend zou zijn voor seriemoordenaars.

De leden van het team dat door Holgersson werd aangeduid als 'Team Quick' – officier van justitie Christer van der Kwast, verhoorleider Seppo Penttinen, therapeute Birgitta Ståhle en geheugenexpert Sven Åke Christianson – verdedigden zich niet maar hulden zich in stilzwijgen tijdens het debat. Claes Borgström was degene die in hun plaats het onderzoek verdedigde. Hij had zelf ook veel kritiek over zich heen gekregen. Volgens een aantal critici zou hij zich tijdens het onderzoek en tijdens het proces te passief hebben opgesteld.

Toen Borgström Holgerssons kritiek moest weerleggen, deed hij dat door middel van satire en ironie in *Svenska Dagbladet* onder de kop EEN BUITENGEWOON NARE SAMENZWERINGSTHEORIE.

Astrid Holgersson moet bedankt worden voor haar wetenschappelijk goed gefundeerde oordeel over deze verschrikkelijke gebeurtenissen die alle betrokkenen voor de rest van hun leven met zich mee zullen dragen. Ze hoeft alleen maar wat stukken door te bladeren en een paar video-opnames te bekijken, en dan zal de waarheid algemeen bekend zijn.

In augustus 1988 verscheen het boek van Dan Larsson *Mytomanen Thomas Quick (De fantast Thomas Quick)*, waarin hij zich concentreerde op de dubbele moord in Appojaure. Het vormde het hoogtepunt in de Quick-strijd. Larsson beweerde dat een aan amfetamine, alcohol en anabole steroïden verslaafde bodybuilder uit de buurt de dubbele moord in Appojaure had gepleegd. Gubb Jan Stigson recenseerde het boek op de nieuwspagina's van *Dala-Demokraten* met als kop 'Nieuw boek over Quick – pijnlijk knoeiwerk'. Ondanks het feit dat de krant een hele pagina had ingeruimd voor de recensie, sloot Stigson het artikel af met de woorden: 'Er staan zo veel onvolkomenheden in het achtergrondmateriaal van Larsson dat er gewoon niet genoeg ruimte is om ze allemaal te noemen. Daarom wordt de bespreking van het boek vervolgd in de DD van morgen.'

De volgende dag volgde het tweede deel van 'de recensie'. Op dit moment had de Quick-strijd de deelnemers in twee kampen gedreven die lijnrecht tegenover elkaar stonden, en de ruzie was een onverzoenlijke prestigezaak geworden, waarbij het voor beide partijen volstrekt onmogelijk was om ook maar een millimeter van hun standpunt te wijken.

Trine Jensen en Gry Storvik

Thomas Quick bleef nieuwe moorden bekennen. In de zomer van 1999 zat hij al op vijfentwintig, en voor vijf daarvan was hij veroordeeld. Vanwege het stijgende aantal moorden dat hij had bekend, maar die nog niet waren onderzocht bestempelde *Dagens Nyhet*er Quick tot 'een van de ergste seriemoordenaars ter wereld'.

Maar er was iets gebeurd na de Quick-strijd. Had het debat de kiem gelegd voor beginnende twijfel bij de misdaadverslaggevers? Of waren zij en het publiek Thomas Quick een beetje zat geworden?

Het persarchief laat duidelijk een omwenteling zien. Thomas Quick zorgde niet langer voor grote koppen. Niemand was verbaasd toen 'de jongensmoordenaar' Quick in het voorjaar van 2000 werd vervolgd voor typische, heteroseksueel getinte lustmoorden op twee jonge vrouwen in Noorwegen: de zeventienjarige Trine Jensen, die in augustus 1981 dood werd gevonden, en de drieëntwintigjarige Gry Storvik, die in juni 1985 werd vermoord. Beiden woonden in Oslo en hun lichamen werden gevonden aan de rand van de stad.

De technische recherche had sporen van sperma bij Gry Storvik aangetroffen, en Thomas Quick bekende dat hij seks met haar had gehad, hoewel hij sinds zijn dertiende onvervalst homoseksueel gedrag vertoonde. Deze twee nieuwe moorden betekenden dat Quick zich had ontwikkeld van een jongensmoordenaar naar een 'allesetende' seriemoordenaar met geen enkele voorkeur, terugkerende handelwijze of geografische beperking.

DNA-analyse wees uit dat het sperma niet afkomstig was van Thomas Quick, maar ook dit baarde niet veel opzien. In *Expressen* leverde de veroordeling van Quick voor moord nummer zes en nummer zeven slechts een kort berichtje op.

De rechtbank van Falun constateerde dat technisch bewijs ontbrak om Thomas Quick in verband te brengen met het delict, maar concludeerde hetzelfde als bij de overige vonnissen:

> Alle gebeurtenissen overwegende is de rechtbank van oordeel dat de bekentenissen van Thomas Quick in die mate ondersteund worden door het

onderzoek dat ze wettig en overtuigend bewezen acht dat hij schuldig is aan de misdrijven zoals die in de tenlastelegging door de officier van justitie zijn beschreven.

'Speculeren of hij liegt is niet nodig. Hij heeft gekwalificeerde kennis over de moorden,' was het commentaar van Sven Åke Christianson op het vonnis.

'Zonder technisch bewijs werd Thomas Quick gisteren veroordeeld voor de moord op Trine Jensen en Gry Storvik,' stond in de Noorse krant *Aftenposten*.

En dat was het dan.

Johan Asplund

Het verhaal over Thomas Quick begint en eindigt met Johan Asplund.

Toen Quick in 1992 in therapiesessies zich de moord op Johan begon te herinneren was hij er erg onzeker over of hij werkelijk iets met Johans verdwijning te maken had. Waarschijnlijk vermoedde hij al helemaal niet dat hij zich ruim dertig moorden zou herinneren.

Als Thomas Quicks eerste bekentenis de moord op Yenon Levi zou zijn geweest, dan zou dat bericht bij de politie in Avesta zijn terechtgekomen en niet in het politiedistrict van Sundsvall. Maar het was de moord op Johan die als eerste in zijn herinnering terugkwam en daarom belandde de hele Quick-zaak bij officier van justitie Christer van der Kwast en bij de politie van Sundsvall, waar brigadier en drugsrechercheur Seppo Penttinen de leiding over het onderzoek kreeg toegewezen.

Het is niet moeilijk voor te stellen dat Seppo Penttinen ervan droomde dat het hem zou lukken om de moord op Johan Asplund op te lossen, het grootste misdaadraadsel van Sundsvall. Gedurende al die jaren dat het Quick-onderzoek liep, werden kosten noch moeite gespaard om het technisch bewijs in deze zaak rond te krijgen.

Nadat Quick was veroordeeld voor de moord op Gry Storvik en Trine Jensen werd het onderzoek naar de moord op Johan Asplund opnieuw opgepakt, zoals dat al zo vaak was gebeurd.

'De zaak-Asplund is nu heel dicht bij een oplossing,' zei Van der Kwast.

'Alweer!' was het ironische commentaar van Björn Asplund. 'Er duikt vast en zeker weer een andere moord op in Noorwegen waar hij liever over wil praten...'

Maar deze keer waren de rechercheurs vastbesloten om de zaak-Johan met een veroordeling af te sluiten.

Op Valentijnsdag 2001 belde Van der Kwast met Björn Asplund. Hij vertelde dat er nu voldoende bewijs was om Thomas Quick aan te klagen voor de moord op Johan. Björn en Anna-Clara Asplund reageerden verheugd en steunden de aanklacht. 'We willen alleen maar dat er na twintig jaar nu eens een eind aan deze zaak komt,' zeiden ze. 'Maar tijdens het proces zullen we bij elk detail onze vraagtekens zetten.'

'De details die Quick heeft gegeven tonen aan dat hij fysiek contact met Johan heeft gehad,' verzekerde Van der Kwast op een persconferentie naar aanleiding van de aanklacht. 'Zelfs de beschrijving van spullen uit Bosvedjan bewijzen dat hij daar op de betreffende ochtend is geweest.'

Maar Johans ouders verwierpen de bewijsvoering van de officier van justitie. 'Hij heeft mijn zoon niet vermoord,' zei Björn Asplund stellig en hij wees erop dat er ook in deze zaak geen enkel technisch bewijs was. 'Ik ben van mening dat hij aan geen enkele moord schuldig is.'

Het grote manco aan het hele Quick-verhaal was, meende Asplund, dat geen van Quicks vonnissen bij een hogere instantie waren getoetst. Maar daar zou bij deze zaak verandering in komen. 'Mocht het tegen de verwachting in toch tot een veroordeling komen, dan zullen wij in hoger beroep gaan. Hopelijk spat dan ook de luchtbel rond Thomas Quick uit elkaar.'

Tijdens het proces was de rechtbank van oordeel dat de details die Quick over de woonwijk Bosvedjan had verteld voldoende aantoonden dat hij daar op de ochtend van Johans verdwijning was geweest. Hij had ook een beschrijving kunnen geven van een andere jongen die in hetzelfde huis als Johan woonde. Het feit dat Quick de trui van de jongen had kunnen uittekenen woog zwaar voor de rechtbank. Hij had zelfs specifieke informatie over bijzondere kenmerken op Johans lichaam gegeven

De rechtbank van Sundsvall was, alles bij elkaar genomen, van oordeel dat het boven gerede twijfel verheven was dat Quick het ten laste gelegde feit had gepleegd. Op 21 juni 2001 werd Quick veroordeeld voor zijn achtste moord.

Pas nu hoorden Johans ouders dat ze niet het recht hadden om tegen de uitspraak in beroep te gaan, omdat ze de aanklacht hadden gesteund. Daarmee was de zaak van de moord op Johan Asplund gesloten.

Time-out

In november 2001 vonden er drie gebeurtenissen plaats.

Op 10 november stond er in *Dagens Nyheter* een artikel van historicus Lennart Lundmark met de kop CIRCUS QUICK EEN GERECHTELIJKE DWALING.

De veroordelingen van Thomas Quick zijn een dieptepunt, niet alleen voor de Zweedse justitie, maar ook voor de Zweedse misdaadjournalistiek. Er bestaat geen enkele twijfel over dat het hele verhaal weerlegd zal worden.

Enkele dagen later, op 14 november, deed hoogleraar criminologie Leif G.W. Persson nogal laatdunkend over het hele Quick-onderzoek op de Juristendagen op de Älvsjöbeurs. Met denigrerende opmerkingen over de verstandelijke vermogens van de rechercheurs trok Persson in twijfel of Quick überhaupt ook maar een van al die moorden had gepleegd waarvoor hij was veroordeeld.

De volgende dag publiceerde *Dagens Nyheter* het derde opiniestuk over Thomas Quick: THOMAS QUICK NA DE FANTASTBESCHULDIGINGEN: 'IK WERK NIET MEER MEE AAN POLITIEONDERZOEKEN'.

Ik neem vanaf nu een time-out, misschien wel een levenslange, van de politieonderzoeken die de bekentenissen behandelen die ik betreffende een aantal moorden heb gedaan.

Thomas Quick viel niet alleen Leif G.W. Persson en Kerstin Koorti hard aan, maar ook alle anderen die grote vraagtekens hadden gezet bij zijn bekentenissen, wat ertoe had geleid dat het nu voor hem onmogelijk was geworden om zijn samenwerking met de rechercheurs voort te zetten.

Het jaar in jaar uit geconfronteerd worden met volstrekt ongegronde beweringen van een trojka leugenaars dat ik een fantast zou zijn, en het feit dat deze kleine groep kritiekloos door de massamedia wordt bejegend, is lastig en wordt nu te lastig.

Ik zie af van verdere samenwerking met de politie, ook vanwege de nabestaanden van de slachtoffers, die in overeenstemming met de rechtbanken de bewijsvoering accepteren. Ik wil niet dat ze telkens opnieuw, steeds maar weer, in onzekerheid moeten leven over wat er is gebeurd.

Drie maanden later nam Thomas Quick zijn oorspronkelijke naam weer aan, Sture Bergwall. De man die een kleine tien jaar geleden was ontstaan, bestond niet meer.

Het tijdperk Thomas Quick was voorbij.

De zaak-Thomas Quick daarentegen niet. Op de opiniepagina's van de kranten nam het aantal mensen dat twijfels had bij het onderzoek en de vonnissen langzaam maar zeker toe. Ook de rechercheurs die aan de onderzoeken hadden meegewerkt begonnen nu hun twijfels in het openbaar te uiten.

Ondertussen zat Sture Bergwall jaar na jaar in de Säterkliniek, en zweeg hij in alle talen.

Toen ik hem op 2 juni 2008 bezocht, had zijn time-out bijna zeven jaar geduurd.

Waarom had Quick zich stilgehouden? Was de reden daarvoor daadwerkelijk het feit dat Leif G.W. Persson en andere sceptici zijn geloofwaardigheid in twijfel hadden getrokken? Of waren er andere, onbekende redenen?

Waarom bekenden ze?

Ik ben pas laat journalist geworden – op mijn zevenendertigste – maar het lukte me meteen een lange reeks verhalen aan *Striptease*, het onderzoeksprogramma van de svt, te verkopen. Het werk was leuk, ik liep over van energie en vond dat alles verbazingwekkend gemakkelijk ging. Algauw had ik een vaste baan.

Mijn interesse concentreerde zich al vroeg op de misdaad- en rechtbankjournalistiek en al na een paar jaar hadden verslaggever Janne Josefsson en ik een scoop die ik dacht nooit te kunnen overtreffen. Het ging om de verslaafde Osmo Vallo, wiens dood qua tijd toevallig samenviel met het moment dat een honderd kilo zware diender boven op de rug van de liggende en geboeide Vallo stond te stampen. Van enig verband tussen Vallo's dood en zijn behandeling door de politie was geen sprake, volgens de verantwoordelijke pathologen-anatomen.

Ons onderzoek naar de zaak dwong twee nieuwe secties af op Osmo Vallo's lichaam, die resulteerden in de conclusie dat de doodsoorzaak het directe gevolg was van het gestamp op Vallo's rug.

Voor de reportage over Osmo Vallo kregen Janne Josefsson en ik de *Stora Journalistpriset* van de Zweedse journalistenbond uitgereikt en tijdens mijn eerste jaren als journalist ontving ik nog eens een groot aantal nationale en internationale prijzen en onderscheidingen. Door het succes genoot ik een grote vrijheid bij SVT, waar mijn leidinggevenden een betrouwbare leverancier in me zagen van succesvolle reportages.

Nadat ik tien jaar als researcher had gewerkt, beurtelings in een team met de verslaggevers Johan Brånstad en Janne Josefsson, werd ik in 2003 zelf verslaggever. Ik begon met het meest politiek incorrecte en met taboes omgeven onderwerp dat je je maar kunt voorstellen: een serie reportages over 'de zaak-Ulf', over een man die ondanks zijn ontkenning was veroordeeld tot acht jaar gevangenisstraf voor seksueel misbruik van zijn eigen dochter. Na de reportage in het tv-programma *Uppdrag granskning* diende de veroordeelde bij de rechtbank een verzoek tot heropening van de zaak in en na drie jaar in de gevangenis te hebben gezeten, kon hij de rechtbank als vrij man verlaten.

Waarschijnlijk was deze zaak er de reden van dat op een septemberavond in 2007 mijn vaste telefoon rinkelde. Ik hoorde een oudere man mij vragen of ik degene was die de tv-reportages over oude rechtszaken had gemaakt. Dat kon ik niet ontkennen. Hij vertelde dat er in de periode van 1975 tot 1976 in Falun en omstreken sprake was geweest van een golf van brandstichtingen. Er hadden 'meer dan vijftig branden' gewoed.

Het klonk mij in de oren als een van die vele afschuwelijke tips die ik te pas en te onpas kreeg.

'Een groep jongeren en kinderen kreeg toen de schuld van die branden,' zei hij. 'Ik heb er de afgelopen jaren niet zo veel meer aan gedacht, maar nu, in de herfst van mijn leven, is er iets aan me gaan knagen... Dus vandaar dat ik jou bel om me te helpen het een en ander recht te zetten.'

'Hmm?' zei ik vragend.

'Want degene die die branden heeft aangestoken… dat was ik.'

Ik kreeg er kippenvel van en realiseerde me dat ik de verleiding toch nooit zou kunnen weerstaan om uit te zoeken of het waar was wat hij me vertelde.

'Oké,' zei ik. 'Ik ben bereid om de vonnissen en ander materiaal over de branden op te zoeken om te controleren wat u me verteld heeft. Hoe kan ik u bereiken?'

'Dat kun je niet,' antwoordde de anonieme beller. 'Ik heb kinderen, woon in een gemeente ver weg van Falun en ik ben niet bereid om mijn identiteit te onthullen.'

'Meent u nu serieus dat ik een aantal weken fulltime bezig moet zijn met "het een en ander recht te zetten" voor u, zonder ook maar te weten wie u bent?'

'Ik bel je binnen twee weken weer. Als je dan wat over deze branden hebt gelezen, kun je me controlevragen stellen. Ik beloof je dat je er dan van overtuigd zult zijn dat ik werkelijk de pyromaan uit Falun ben.'

Het ging zoals de tipgever had bepaald. Hij belde me twee weken later op en met behulp van de vonnissen en krantenartikelen die ik had gelezen stelde ik vragen over de branden, die hij vervolgens overtuigend beantwoordde.

Er was slechts één probleem. Van de tien verdachte jonge brandstichters die door de politie waren verhoord, hadden er negen hun betrokkenheid bij die branden bekend. De zaak was blijkbaar onderzocht en opgelost, met bekentenissen. Maar de anonieme beller hield voet bij stuk: de jongeren waren onschuldig.

Toen ik die inmiddels volwassen 'brandstichters' opzocht, kreeg ik van ieder hetzelfde verhaal te horen – dat ze niets te maken hadden gehad met de branden, en dat die pyromaangeschiedenis hun leven had kapotgemaakt. Ze hadden vastgezeten en hadden keiharde politieverhoren moeten ondergaan. Degene die hen had verhoord, had hen niet alleen niet toegestaan om een advocaat te bellen maar hij had hen ook geen mogelijkheid gegeven om hun ouders op de hoogte te brengen. Maar als ze gewoon bekenden, zouden ze naar huis mogen. Ze bekenden.

Ze hadden bekend om aan een ondraaglijke situatie te ontsnappen. Maar hun bekentenis had ervoor gezorgd dat ze door tussenkomst van jeugdzorg uiteindelijk in een kindertehuis terechtkwamen. Als volwassenen hadden ze geprobeerd dit deel van hun verleden geheim te houden, zelfs voor hun eigen kinderen en echtgenotes. Ze waren wanhopig, nu ik opnieuw de wond kwam openrijten. Meewerken aan een reportage was voor de meesten van hen volstrekt ondenkbaar.

Gubb Jan Stigson had van 1975 tot 1976 verslag gedaan van de jacht op de pyromaan van Falun en er talloze artikelen over geschreven. Toen ik op een stralende dag in januari 2008 zijn werkkamer binnenstapte in het pand waar *Dala-Demokraten* was gehuisvest, dacht ik dus geen moment aan Thomas Quick.

Gubb Jan Stigson zat achter zijn overvolle bureau, met zijn in klompen gestoken voeten op het bureaublad en zijn handen achter in zijn nek. Hij stond niet op om me te begroeten, maar knikte slechts afgemeten naar de bezoekersstoel aan de overkant van zijn bureau. Sommige stapels vergeelde papieren leken daar al jaren te liggen.

Ik keek tegen een niet-ingelijst, vergeeld diploma aan dat losjes onder een eenzame punaise boven de zwarte plukken piekhaar van Stigson hing: *De grote prijs van het journalistiek genootschap 1995 voor Gubb Jan Stigson. 'Voor zijn intensieve en geduldige werk als misdaadverslaggever gedurende meer dan twintig jaar.'*

Toen we mijn primaire boodschap, die over de pyromaan van Falun, hadden afgewikkeld keek hij me indringend aan met zijn lichtbruine ogen.

'We zouden elkaar kunnen helpen bij het ontmaskeren van de leugenaars die onjustheden over Thomas Quick hebben verspreid,' stelde hij voor in het zangerige dialect van de streek Dalarna. 'Degenen die zeggen dat Quick onschuldig is, weten niet waar ze het over hebben!'

Ik was niet verbaasd. Stigson wist van alle journalisten het meest over Thomas Quick, en tien jaar nadat de Quick-strijd was losgebarsten, hield hij nog steeds stevig vast aan zijn lijn.

Het was ook niet de eerste keer dat ik naar Stigsons argumenten luisterde. Hij probeerde me al een aantal jaren over te halen om samen met hem de zaak van Thomas Quick te onderzoeken, die volgens hem schuldig was aan alle acht moorden waarvoor hij was veroordeeld. Ik had daar tegen ingebracht dat het onthullen van de juistheid van een uitgesproken vonnis nu niet bepaald een journalistiek hoogstandje was. Dat een handvol critici beweerden dat Quick onschuldig was, veranderde daar niets aan.

Toevallig had ik het een kleine week geleden nog met Stigsons belang-rijkste tegenstander, Leif G.W. Persson, over de zaak gehad. 'Thomas Quick is gewoon een zielige pedofiel,' had Persson toen gezegd. 'Doordat het ze gelukt is die idioot te veroordelen hebben politie, officieren van justitie en therapeuten er samen voor gezorgd dat de echte moordenaars buiten schot blijven. Het is een intriest verhaal. In feite is het de groot-ste gerechtelijke dwaling die we hier ooit in dit land hebben gehad. Ver-geet niet dat er behalve zijn bekentenis geen spat bewijs tegen Thomas Quick is.'

'Maar u kunt toch niet ontkennen dat Quick heel veel feiten over de slachtoffers, de plaatsen delict en de verwondingen van de slachtoffers wist?' bracht ik ertegen in. 'Hoe kon hij dat dan weten?'

Persson krabde zich in zijn baard en mopperde op zijn onnavolgbare wijze: 'Dat, dat is klinkklare nonsens, een van die stomme fabeltjes die door Quicks hofhouding van reporters, rechercheurs en officieren van justitie worden verspreid. In feite weet Quick niet zo veel meer als bij zijn eerste verhoor.'

'Quicks hofreporter' was Perssons benaming voor Gubb Jan Stigson – aangezien de overige 'hofreporters' al jaren geleden waren gestopt met schrijven over Quick. Niets provoceerde Stigson meer dan wanneer de politie-professor de vroegere misdaden bagatelliseerde. Bijvoorbeeld in de volgende regels uit een van Perssons columns:

Lang voordat hij de seriemoordenaar Thomas Quick werd, was hij al bekend bij de politie. Door de jaren heen is hij meermalen in aanraking met de politie gekomen vanwege een aantal uiteenlopende en zeer zielige overtredingen, van een ongekende onnozelheid.

Elk van dat soort voorbeelden had Stigson zorgvuldig opgeslagen in zijn geheugen. Persson werkte als een rode lap op de felle inwoner van Dalar-na. 'Leif G.W. Persson noemt herhaalde verkrachtingen van kinderen en pogingen tot moord "zielige kleine overtredingen".'

Door het onderwerp werd Stigsons stem nog geknepener, en hij ging nog hoger praten toen hij verderging met de tirade die hij al zo vaak had afgestoken: 'Thomas Quick kreeg eerder de diagnose "sadistisch pedofiel" – *pedophilia cum sadismus* – en werd gezien als "niet alleen gevaarlijk, maar onder bepaalde omstandigheden ook buitengewoon gevaarlijk voor andermans leven of veiligheid". Dit schreef men dus al in 1970! En in 1974 verwondde hij een man in Uppsala zo ernstig met een mes dat die het alleen als door een wonder overleefde. En deze misdrijven noemt GW "zielige overtredingen". Begrijp je hoe inconsequent die mensen zijn?' Gubb Jan Stigson citeerde vaak uit forensisch psychiatrische bevindingen en vonnissen. Vanwege zijn enorme kennis van details kon hij zijn tegenstanders aanvallen door ze te wijzen op feitelijke onjuistheden in hun uitspraken en artikelen. Schrijver en journalist Jan Guillou was naast Leif G.W. Persson de persoon die Stigson het meest verafschuwde. Nu zwaaide hij met een paar A4-velletjes met de afgewezen opinieartikelen over het onderwerp die hij naar de landelijke kranten had gestuurd.

'In Jan Guillous boek *Häxornas försvarare* [*De verdedigers van heksen*] heb ik in het hoofdstuk over Thomas Quick drieënveertig feitelijke onjuistheden geteld! Al jaren probeer ik hem een openbare discussie met mij af te dwingen. Maar hij durft niet te komen! En de kranten plaatsen mijn opinieartikelen niet,' zei hij.

Met een zekere opluchting nam ik afscheid van Stigson en liep het weinig uitnodigende en stervenskoude Falun in om me te wijden aan mijn reportage over de pyromaan van Falun, die steeds meer over het fenomeen valse bekentenissen zou gaan.

Waarom zou iemand tijdens een politieverhoor ernstige strafbare feiten bekennen die hij niet had gepleegd? Het lijkt bijna ondenkbaar en de meeste mensen zijn ervan overtuigd dat ze zelf nooit zoiets doms zouden doen. In Falun hadden negen jongeren een groot aantal brandstichtingen bekend waaraan ze, zoals ze later beweerden, niet schuldig waren, wat ik aanvankelijk moeilijk kon geloven.

Toen ik begon te lezen over wetenschappelijk onderzoek naar valse bekentenissen besefte ik dat het een veelvoorkomend, normaal verschijnsel is, en absoluut niet een verschijnsel van de laatste tijd. Toen in 1932 het oudste kind van megaster Charles Lindbergh, de eerste piloot die solo en non-stop over de Atlantische Oceaan vloog, werd ontvoerd, meldden zich meer dan tweehonderd personen die beweerden het kind te hebben ontvoerd. Bijna net zo veel mensen hebben door de jaren heen de moord op premier Olof Palme bekend.

De Amerikaanse organisatie Innocence Project, die het sinds haar start in 1992 is gelukt om met behulp van moderne DNA-technieken tweehonderdtweeëntachtig ten onrechte veroordeelde personen vrij te krijgen, heeft vastgesteld dat ongeveer vijfentwintig procent van deze personen geheel of gedeeltelijk schuld hebben bekend tijdens het politieonderzoek. Dat ze later hun bekentenis hadden ingetrokken had ze in de rechtbank niet geholpen.

Kinderen, jongeren, zwakbegaafden, psychisch zieken en verslaafden zijn oververtegenwoordigd. Wanneer deze mensen achteraf werd gevraagd waarom ze hadden bekend, luidde het meest voorkomende antwoord: 'Ik wilde alleen maar naar huis.'

Uit mijn onderzoek naar dit fenomeen leerde ik dat veel van de grootste gerechtelijke dwalingen in onze tijd gebaseerd zijn op valse bekentenissen, bijvoorbeeld de draconische maar onjuiste vonnissen tegen The Birmingham Six en The Guildford Four in Groot-Brittannië. Zweden leek een van de weinige rechtsstaten te zijn waar het probleem met valse bekentenissen vrijwel onbekend was.

Ik vloog naar New York voor een interview met professor Saul Kassin, een van 's werelds meest vooraanstaande onderzoekers op dit gebied. Saul Kassin was geen moment verbaasd dat de jongeren in Falun de brandstichtingen hadden bekend. Het meest verbazingwekkende in het hele verhaal was, volgens hem, dat het dertienjarige meisje dat geïsoleerd van de rest van de groep werd vastgehouden en drie dagen lang stevig werd verhoord, al die tijd elke betrokkenheid bij de branden bleef ontkennen. 'Het is zeer ongebruikelijk dat een dertienjarige dit drie dagen volhoudt!' zei Saul Kassin. 'De meeste mensen bekennen al na een paar uur of na een dag.'

Professor Kassin kon zijn beweringen onderbouwen met een reeks verbijsterende zaken waarin tieners zeer zware misdrijven hadden bekend waar ze aantoonbaar niets mee te maken hadden.

Toen ik de 'jongeren' ontmoette die de brandstichtingen hadden bekend, waren ze ongeveer vijftig jaar oud. Uiteindelijk kozen acht van hen ervoor om toch mee te werken aan mijn documentaire. Ze ervoeren het als een grote bevrijding om eindelijk hun verhaal te kunnen vertellen. De politiemensen die betrokken waren geweest bij het onderzoek gaven toe dat het onderzoek niet correct was uitgevoerd en dat ze er niet in waren geslaagd om de waarheid over de branden te achterhalen.

De documentaire werd uitgezonden in het programma *Dokument in-ifrån* van de SVT op 30 maart 2008, en werd afgesloten met mijn woorden: 'Ik kan het niet laten om mezelf de volgende vraag te stellen – hoeveel andere mensen hebben zware misdaden bekend die ze niet hebben gepleegd?'

De brief aan Sture Bergwall

Ik had geen idee in hoeverre Gubb Jan Stigson of Leif G.W. Persson gelijk hadden. Het hele Quick-debat kwam me nogal absurd voor. Zes arrondissementsrechtbanken hadden Thomas Quick unaniem veroordeeld voor acht moorden. Men achtte het dus boven gerede twijfel verheven dat hij deze delicten had gepleegd. Toch beweerden verschillende verstandige mensen dat hij volkomen onschuldig was aan álle moorden waarvoor hij was veroordeeld.

Het zou gewoon niet mogelijk moeten zijn, dacht ik. Als er echt voldoende bewijzen waren om Quick te veroordelen voor acht moorden, dan zou het ook relatief eenvoudig moeten zijn om aan te tonen dat Persson, Guillou en de andere twijfelaars het bij het verkeerde eind hadden.

Aan de andere kant: als Quick onschuldig was, dan was dit daadwerkelijk wat Leif G.W. Persson 'de grootste gerechtelijke dwaling ooit in Zweden' noemde.

Zelf had ik helemaal geen mening over Quicks schuld, laat staan ambities om de waarheid te achterhalen of hij schuldig was of niet. In plaats daarvan was het mijn idee om een documentaire te maken over het debat op zich en de kleurrijke hoofdpersonen van het debat.

Tegelijkertijd bestond er vermoedelijk een onbewust verband tussen mijn pas verworven kennis over valse bekentenissen en mijn ijver om onmiddellijk aan de slag te gaan met Thomas Quick, die al meer dan tien jaar werd beschouwd als de ergste 'seriebekenner' van delicten die hij niet had gepleegd.

Nadat de documentaire over de pyromaan van Falun was uitgezonden las ik een aantal boeken over Thomas Quick, en op 22 april schreef ik hem een eerste aarzelende brief.

Sture Bergwall,

Bij toeval vond ik uw boek *Kvarblivelse* [*Overblijfsel*] antiquarisch en ik ben het nu met grote interesse, maar ook met een zeker onbehagen aan het lezen.

(…)

Ik weet dat u sinds een aantal jaren de journalisten de rug hebt toegekeerd, wat ik zie als een hoogst begrijpelijke keuze, maar ik wil u toch de vraag stellen of het mogelijk zou zijn om u te ontmoeten. Ik wil benadrukken dat dit niét opgevat moet worden als een verzoek om een interview! Niets van wat we bespreken tijdens een eventuele ontmoeting zal gepubliceerd worden, maar ik vraag u alleen om een vrijblijvende ontmoeting. Het is mijn volle overtuiging dat een ontmoeting vruchtbaar zou zijn, niet alleen voor mij maar ook voor u.

Al na twee dagen kwam het antwoord: ik was welkom in Säter.

Mijn gesprek met Jan Olsson

Ter voorbereiding las ik de vonnissen en de artikelen die er over de zaak waren geschreven. Het materiaal was omvangrijk.

Op 29 mei 2008 – drie dagen voor mijn eerste ontmoeting met Sture Bergwall – belde ik Jan Olsson.

De tegenwoordig gepensioneerde commissaris Jan Olsson had meer dan dertig jaar ervaring als rechercheur bij moordonderzoeken en de technische recherche. Hij was vervangend hoofd van de technische recherche in Stockholm en hoofd van de profile-groep van de Zweedse rijksrecherche geweest. Wat mij het meest interesseerde was zijn ervaring uit zijn tijd als hoofd van de technische recherche bij het onderzoek naar de moord op het Nederlandse echtpaar bij Appojaure en op Yenon Levi in Rörshyttan.

Hij maakte er geen geheim van dat hij dacht dat Thomas Quick ten onrechte veroordeeld was en hij had de opinieartikelen over de gerechtelijke dwaling geschreven. Dat hij bovendien van de politie was, gaf hem een uitzonderingspositie in de bonte groep mensen die betwijfelden dat Quick schuldig was.

Ik wilde uit zijn eigen mond horen wat hem ervan overtuigd had dat Quick onschuldig veroordeeld was. Hij was vriendelijk en nam de tijd om op zijn karakteristieke bedachtzame manier een tiental omstandigheden te beschrijven die voor hem reden waren om te gaan twijfelen. Bij zijn redenatie was hij uitgegaan van de twee moordzaken waar hij zelf aan had gewerkt. Zoals ik het begreep kon Olssons kritiek worden samengevat in drie punten die gekarakteriseerd kunnen worden als systeemfouten:

1. De rechercheurs hebben eenzijdig bewijzen gezocht voor Quicks verhaal. Informatie die Quicks schuld weersprak heeft men buiten beschouwing gelaten en niet verder onderzocht;

2. Een en dezelfde officier van justitie heeft alle vooronderzoeken van de zaken geleid en slechts één verhoorleider heeft Quick verhoord. Na het eerste vonnis was het voor de rechercheurs bijna onmogelijk om nog aan Quick te twijfelen, en dat werd bij elk nieuw vonnis steeds moeilijker. De rechercheurs waren 'gevangenen van de gevangene' geworden, meende Olsson;

3. De tweepartijenrelatie in het rechtsproces betekent dat een proces een strijd is tussen de officier van justitie en de verdediging. Doordat advocaat Claes Borgström de bewijsvoering tegen Quick niet in twijfel trok, faalde het systeem.

Na twee lange en interessante gesprekken met Jan Olsson las ik dezelfde avond de opinieartikelen die hij door de jaren heen had geschreven. Een artikel in *Dagens Nyheter* op 3 oktober 2002 eindigt hij als volgt:

Thomas Quick zegt zelf dat hij al deze mensen heeft vermoord. Tegen hem zou ik alleen dit willen zeggen: snoer al degenen die twijfelen en de buitenwereld die twijfel heeft geuit de mond. Laat me maar schaamtevol achter dat ik het in al mijn ongeloof niet bij het rechte eind heb gehad. Je hoeft maar één evident bewijs te tonen, om dat te laten gebeuren. Eén lichaamsdeel dat je naar eigen zeggen hebt bewaard, één voorwerp dat je van een slachtoffer hebt meegenomen. In afwachting hiervan spoor ik de officier van justitie aan om je zaak te heropenen.

Ik had overwogen om mezelf aan te bieden als het instrument van Sture Bergwall om Jan Olsson, Jan Guillou, Leif G.W. Persson, Nils Wiklund en al die anderen die zeiden dat hij het allemaal gewoon verzon, de mond te snoeren. Als Quick daadwerkelijk 'een bergplaats' met lichaamsdelen had, kon hij die rustig voor mij onthullen, zonder dat hij 'die lichaams-delen hoefde op te geven'. Het onthullen van de bergplaats zou, zo be-weerde men, een psychische remming vormen. Ik zou aanbieden om een voorwerp uit een bergplaats mee te nemen, het te laten analyseren en daarmee zou de zaak zijn afgedaan.

Het geluid van de telefoon schudde me ruw wakker uit deze naïeve overpeinzingen waarin ik diep verzonken was. Ik zag in het schermpje dat het tijd was voor een derde gesprek met Olsson.

'Ja... hallo. Met Janne. Jan Olsson. Ik wilde je alleen nog één ding meegeven waar ik aan moest denken. Een klein advies aan jou.'

'Ja, graag,' zei ik.

'Je bent nu bezig met het doorlezen van alle verhoren van Quick. Be-denk dan één ding: heeft hij ooit enige informatie gegeven die de politie niet al had? Ik vind dat je dat voortdurend in je achterhoofd moet houden.'

Ik bedankte hem voor het advies en beloofde er bij het lezen op te let-ten. Het was zeker een goed advies.

De rest van de avond dacht ik aan al die informatie die Thomas Quick tijdens de verhoren had gegeven en die nieuw voor de politie zou zijn ge-weest. De littekens van Therese Johannesens eczeem aan de binnenkant van haar ellebogen, het aanwijzen van de vuurplaats met de verbrande botresten van een kind, de plaatsen van de messteken in Appojoure, het gidsen naar de plaats waar Gry Storvik vermoord was gevonden, alle de-tails over de moord op Thomas Blomgren in 1964. Enzovoort...

Als 'de twijfelaars' wisten hoe Quick van al deze details op de hoogte kon zijn, dan hadden ze mij dat in elk geval nog niet weten uit te leggen.

De kluizenaar

Nadat de beveiligers ons alleen hadden gelaten in de bezoekersruimte pakte Sture Bergwall een paar koffiekopjes en een thermoskan en zette die op de tafel. Ik haalde een paar zielige koffiebroodjes van supermarkt Willy's in Säter tevoorschijn. We babbelden wat over mijn autorit uit Göteborg, de komst van de lente en andere trivialiteiten.

We hadden het erover dat hij al in de kliniek zat toen Ingvar Carlsson nog premier was en Michail Gorbatsjov de leider van de Sovjet-Unie!

Sture was naar Säter gekomen toen de eerste website op internet nog gemaakt moest worden.

'Ik heb nog nooit een mobiele telefoon gebruikt,' zei Sture, die op de tv had gezien dat iedereen tegenwoordig met zijn telefoon tegen zijn oor liep.

'Hoe overleef je zo'n lang isolement?' vroeg ik. 'Wat doe je met al die tijd?'

Het antwoord kwam als een grote waterval, alsof hij er lang op had zitten wachten om het te kunnen vertellen: 'Mijn dag begint exact om 5.29 uur. Meestal word ik uit mezelf wakker, anders door de wekker. Dan luister ik naar het nieuws op de radio en om 5.33 uur sta ik op. Na de ochtendroutines ben ik om 5.54 uur in de eetzaal om koffie en karnemelk op te halen. Ik ben zo stipt dat de beveiligers zeggen dat ze de klok op me gelijk kunnen zetten!'

Hij nam een hap van het koffiebroodje en spoelde die met een slok koffie weg.

'Exact om 6.05 uur druk ik op de bel om naar buiten gelaten te worden. Exact! Het is de enige manier om hierbinnen te overleven,' legde hij uit. 'Ik moet ontzettend routineus zijn. Ooooongelooflijk routineus!'

Ik knikte begrijpend.

'Vandaag is het de tweeduizenddriehonderdzevenenzestigste dag dat ik mijn wandeling op de luchtplaats maak. Elke dag.'

Sture keek me indringend aan.

'Tweeduizenddriehonderdzevenenzestig dagen,' herhaalde ik, onder de indruk.

'De wandeling op de luchtplaats duurt exact een uur en twintig minuten, een ronde in de vorm van een acht. Om 7.25 uur ga ik douchen en daarna drink ik koffie en lees ik de kranten. Dan begin ik aan mijn werk: het oplossen van kruiswoordpuzzels. Ik ben op een groot aantal moeilijke kruiswoordpuzzelbladen geabonneerd en heb nog nooit een kruiswoordpuzzel onopgelost gelaten. Soms duurt het dagen voordat ik de laatste vakjes heb ingevuld, maar ik los ze altijd op. Vaak stuur ik ze in – onder de naam van iemand van het personeel hier om geen aandacht te trekken – en ik heb al heel wat keren kleine prijsjes gewonnen, een staatslot of zo. Het lijkt op werk. De kruiswoordpuzzels houden me bezig van 8.30 uur 's ochtends tot 16.00 uur 's middags. Overdag staat de radio aan. Altijd op P1! Geen muziek. De programma's waar ik graag naar luister zijn *Tendens*,

Släktband, *Luncheko*, *Vetandets värld* en *Språket*. Om 18.00 uur trek ik me terug op mijn kamer en daarna wil ik door niemand meer gestoord worden. Dan beginnen de avondroutines die vooral bestaan uit televisie-kijken. Om 21.30 uur ga ik naar bed. Om 22.00 uur doe ik het licht uit en ga ik slapen.'

Het was zoals ik vermoed had. Sture Bergwall had met niemand buiten de kliniek contact. Helemaal niet. Zelfs nauwelijks met zijn mede-patiënten.

'Sture, je hebt een groot aantal moorden bekend. En voor acht daarvan ben je veroordeeld. Blijf je nog steeds bij deze bekentenissen?'

Sture keek me zwijgend aan en antwoordde toen: 'De bekentenissen staan vast. Dat klopt...'

We humden beiden nadenkend terwijl we deze beslissende voorwaar-de voor onze ontmoeting lieten bezinken. Ik bekeek de raadselachtige man die voor me zat.

Of hij was de ergste seriemoordenaar van Noord-Europa, of hij was een fantast die het hele Zweedse justitieapparaat voor de gek had gehouden.

Zijn verschijning gaf geen aanknopingspunten welke mogelijkheid het waarschijnlijkst was.

'Je leeft onder een zeer streng veiligheidsregime,' probeerde ik.

Sture luisterde aandachtig.

'De kliniek lijkt bijna honderd procent extra beveiligd te zijn met sta-len deuren, gepantserd glas en alarm.'

Hij bromde bevestigend.

'Ik vraag me af... Wat zou er gebeuren als je naar buiten mocht, de samenleving weer in?'

Nu keek Sture me niet-begrijpend aan.

'Zou je terugvallen in de criminaliteit, weer beginnen te moorden en kinderen in mootjes te hakken?'

Zijn sombere blik werd nog triester.

'Nee, nee, nee!'

Hij schudde langzaam zijn hoofd en bleef zitten terwijl hij zijn ogen op zijn knieën gericht hield.

'Nee, dat zou ik niet doen.'

Ik gaf niet op.

'Wat zou er dan gebeuren als je toestemming kreeg om onder bepaald toezicht in de maatschappij te leven?'

'De artsen zijn van mening dat ik hier in de Forensisch Psychiatrische Kliniek moet blijven.'

'Dat weet ik,' onderbrak ik hem. 'Dat heb ik gelezen. Maar nu vraag ik het jóú. Jij komt behoorlijk normaal op me over. Verstandig.'

'Jaaa?' Zijn stem klonk een fractie hoger dan normaal. Hij glimlachte en keek alsof ik iets absurds had gezegd. 'Zou ik dat dan niet zijn?' vroeg hij retorisch.

'Nee, inderdaad! Jij werd gezien als het meest gevaarlijke en gestoorde psychiatrische geval van Zweden. Heb je dat niet begrepen?'

Sture leek het goed op te vatten, maar toch bleef de vraag onbeantwoord. Wat zou er gebeuren als Sture Bergwall werd vrijgelaten?

De vraag was gerechtvaardigd.

Hij leek me een gevoelige en vriendelijke man te zijn. Het was moeilijk om dit beeld kloppend te krijgen met de wrede en sadistische seriemoorden waarvoor hij veroordeeld was.

En kon ik daaruit een conclusie trekken?

Helemaal niet, dacht ik.

De stilte werd onderbroken door de beveiligers van afdeling 36 die de seriemoordenaar weer terug naar zijn cel zouden brengen.

We namen afscheid zonder een nieuwe afspraak te maken.

Dom Sture

De zomer daarop besteedde ik aan het lezen van al het vooronderzoeksmateriaal en nam ik contact op met meerdere politiemensen die aan het Quick-onderzoek hadden meegewerkt, familie en vrienden van Sture Bergwall, nabestaanden van Quicks vermeende moordslachtoffers en de door hem aangewezen handlangers. De lijst was ogenschijnlijk eindeloos. Veel van de mensen die ik benaderde verwelkomden me vriendelijk en ruimhartig, maar om begrijpelijke redenen was het lastig om contact te krijgen met de mensen die Quick in de Säterkliniek behandelden. Ik had dan ook geen hoge verwachtingen toen ik de voormalige chef-arts van de Säterkliniek, Göran Källberg, thuis opbelde.

Göran Källberg reageerde niet enthousiast toen ik hem vertelde dat ik van plan was een documentaire over Thomas Quick te maken. Ik zei dat ik het niet over de schuldvraag wilde hebben, maar over het onderzoek en de behandeling. Toen ontdooide hij merkbaar. Het was zonneklaar dat de zaak-Quick Göran Källberg zorgen baarde, maar hij bleef vaag over de reden. Hij was kritisch over het optreden van officier van justitie Van der Kwast met betrekking tot de Säterkliniek en zelfs vol zelfkritiek op het punt van de behandeling.

'Hoe dan ook, mijn geheimhoudingsplicht ten aanzien van patiënten maakt het voor mij onmogelijk om over een afzonderlijke patiënt te praten,' legde hij uit.

Ik vroeg hoe hij ertegenover stond om met me te praten, als Sture Bergwall hem ontsloeg van zijn geheimhoudingsplicht. Hij wilde daar niet meteen een antwoord op geven, maar was bereid om erover na te denken.

Zijn ambivalentie was duidelijk. Er was iets wat hem bedrukte, iets waar hij heel graag over zou willen praten. Maar hij aarzelde. Ik begreep dat mijn telefoontje Göran Källberg min of meer voor een dilemma had geplaatst.

'Ik voel een grote loyaliteit tegenover de kliniek en de mensen die daar werken,' zei hij. 'Aan de andere kant wil ik niet meewerken aan het in de doofpot stoppen van een gerechtelijke dwaling.'

Wát zei hij? Gerechtelijke dwaling!? Ik deed mijn best om mijn opwinding te verbergen. Zo keek dus de voormalige chef-arts tegen de zaak-Quick aan – een gerechtelijke dwaling.

Göran Källberg liet doorschemeren dat zijn ongerustheid samenhing met de gebeurtenissen rond Quicks time-out. Hij vertelde dat hij op eigen initiatief een paar rechters had gevraagd naar de mogelijkheid om de zaak-Quick te heropenen en dat hij te horen had gekregen dat dat in principe onmogelijk was. Hier had hij genoegen mee genomen.

Hoe ik ook bleef piekeren, ik kon maar niet bedenken wat voor Källberg de reden was geweest om de zaak te willen heropenen.

Iets wat ik in de jaren dat ik als onderzoeksjournalist heb gewerkt geleerd heb, is het belang van chronologie: uitspitten in welke volgorde zaken en dingen zijn gebeurd, om onwaarschijnlijkheden te kunnen uitsluiten – sommige zaken kunnen niet gelijktijdig zijn gebeurd – en om oorzaak en gevolg van elkaar te kunnen onderscheiden.

Door het minutieus ordenen van alle ooggetuigenverslagen van de dood van Osmo Vallo op een tijdlijn kon ik aantonen dat de versie van de loop van de gebeurtenissen van de politie niet aannemelijk was. Op dezelfde manier werden de beschuldigingen tegen de voor incest veroordeelde man in de zaak-Ulf weerlegd door aan te tonen dat hij op het moment dat hij zich aan zijn dochter zou hebben vergrepen, zich ergens anders bevond. Na de Göteborg-rellen was het ook het chronologisch ordenen van gebeurtenissen – in dit geval de enorme hoeveelheid beeldmateriaal van het schietincident op Vasaplatsen – dat ervoor zorgde dat Janne Josefsson en ik de werkelijke toedracht konden onthullen.

Mijn hoofd was daarom vol van ideeën rond het vooronderzoek over de moord op Yenon Levi in 1988. Die moord vond plaats in het politiedistrict Avesta, waar de commissarissen Lennart Jarlheim en Willy Hammar indrukwekkend werk hadden verricht met het chronologisch in kaart brengen van Thomas Quicks leven, vanaf de wieg tot aan zijn verblijf in de Säterkliniek.

Samenvattend waren ze tot het volgende gekomen: het gezin Bergwall was in 1956 verhuisd naar een flat in de Bruksgatan 4 in Korsnäs, even buiten Falun. In 1977 was zijn vader Ove overleden en daarom had Sture de zorg voor het huishouden en zijn ziekelijke moeder Thyra op zich genomen tot aan haar dood in 1983.

Gedurende deze jaren zat Sture in de ziektewet op grond van psychische klachten en ontving hij een uitkering. Samen met het pensioen van zijn moeder kon hij de eindjes aan elkaar knopen. Hij zag zijn broers en zussen en hun gezinnen vaak, en had vooral een sterke band met zijn neven en nichten. Thuis wijdde hij zich aan het kleden knopen, het huishouden en ging hij veel om met zijn moeder en haar vriendinnen.

Sture Bergwall leek overeind te krabbelen toen hij in augustus 1982 samen met zijn oudere broer Sten-Ove een tabakswinkeltje opende in Falun. Een jaar later stierf hun moeder. Nu bleef hij alleen achter in het ouderlijk huis.

Er waren veel jonge knullen die 's avond bij de kiosk rondhingen, met name een elfjarige jongen die we hier Patrik Olofsson noemen en die Sture hielp met kleine klusjes en vaak zorgde voor Peja, de Scottish deerhound van Sture. Op die manier raakte Sture algauw bevriend met de familie Olofsson.

In 1986 beëindigden de gebroeders Bergwall hun gemeenschappelijke winkelproject, waardoor Sture werkloos werd. Hij begon een nieuwe kiosk op het Drottningplan in Grycksbo met een nieuwe partner – de moeder van Patrik, Margit Olofsson.

Deze nieuwe kiosk werd algauw een geliefde hangplek voor de tienerjongens uit de omgeving, die steeds vaker bij Sture thuis langskwamen. Sture was ook begonnen met autorijlessen en op 27 maart 1987 haalde hij met veel moeite zijn rijbewijs. Zijn eerste auto was een rode Volvo PV uit 1965. Stures populariteit onder de jongeren werd nog groter toen hij met zijn tweeëntwintig jaar oude auto hardrockreizen naar Stockholm organiseerde. Ze gingen naar concerten van Kiss, Iron Maiden en WASP.

Sture Bergwall was van iemand die van een uitkering moest rondkomen uitgegroeid tot ondernemer. Tijdens de jaren in Grycksbo werkte hij ook als bingogastheer en krantenbezorger, en als werkgever was hij geliefd bij klanten en collega's.

Patrik Olofsson bracht steeds meer tijd door bij Sture thuis en woonde bij tijd en wijle zelfs bij hem, met instemming van zijn ouders. De band tussen Sture en de familie Olofsson was nu zo hecht dat het heel vanzelfsprekend was dat Sture de kerstdagen bij hen doorbracht.

Het verhaal eindigt voor de Olofssons echter in een ramp. De echtgenoten scheidden, tussen Sture en mevrouw Olofsson ontstond een diepgaand conflict, de kiosk ging failliet en Patrik keerde het gezin de rug toe. Er kwam een definitief einde aan Stures jaren in Grycksbo toen hun financiële en sociale situatie Sture en Patrik ertoe dreef om samen de Gotabanken daar te beroven.

De overval was eigenlijk onvoorstelbaar naïef: Sture was klant bij de bank die naast zijn vroegere tabakswinkeltje stond. De ochtend van 14 december 1990 drongen de overvallers het huis van de accountant van de bank binnen en gijzelden ze zijn gezin. Ze hadden zich vermomd met kerstmanmaskers en bivakmutsen. Voor de zekerheid sprak Sture met een Fins accent, wat hij echter na een tijdje in het huis van het gezin vergat. Ze waren allebei herkend en onmiddellijk na de overval werden ze gearresteerd.

Patrik was achttien jaar en werd veroordeeld tot een gevangenisstraf van drie jaar en zes maanden. Sture onderging een forensisch psychiatrisch onderzoek en werd veroordeeld tot opname in de Forensisch Psychiatrische Kliniek in Säter. En sindsdien had hij daar gezeten, afgezien van de keren dat hij met verlof mocht om naar Stockholm, Hedemora en andere plaatsen in Dalarna en Norrland te reizen.

Maar het was vooral de tijd vóór de overval die mijn interesse had gewekt.

De tienerjongens vertelden tijdens lange verhoren hoe Sture ijshockeydoelen voor hen had getimmerd, puzzeltochten had georganiseerd en popcorn had gemaakt. Sture had een tijdje een zomerhuisje gehuurd, waar de jongens bleven slapen, meerdere per keer. Maar bij geen enkele gelegenheid had hij een van hen lastiggevallen en niemand van de jongens had ook maar een vermoeden gehad van Stures homoseksuele geaardheid. Een keer hadden een paar jongens bij Sture thuis een griezelfilm bekeken. Toen het echt griezelig werd, had Sture de hand van een van de jongens vastgepakt. Op weg naar huis hadden een paar jongens het daarover gehad. 'Zo vreemd dat een volwassen man de hand van een dertienjarige vastpakt,' hadden ze gezegd.

De langdurige en onschuldige contacten met de jongens in Grycksbo kwamen niet overeen met het beeld van de seriemoordenaar die een andere persoonlijkheid aannam en dwangmatig verkrachtte, aanrandde, moordde en jongens in mootjes hakte.

Ik nam contact op met een paar van die jongens in Grycksbo en ontmoette een van hen. Geen van hen was ook maar in staat het beeld van Thomas Quick te verenigen met de Sture die zij zo goed dachten te kennen.

Met die gedachte reisde ik eind augustus naar Dalarna voor een tweede ontmoeting met Sture.

Op weg naar Säter stopte ik bij de rechtbank van Falun om in het verslag van het vooronderzoek naar de moord op Gry Storvik te bladeren. Ik sloeg een bladzijde om en het was alsof ik een stomp in mijn maag kreeg toen ik de eerste foto zag die de technische recherche van haar lichaam had genomen. De moordenaar had het achteloos op een rommelige parkeerplaats achtergelaten. Het nog steeds meisjesachtige lichaam van een naakte vrouw met het gezicht naar het asfalt gekeerd. De moordenaar had zich niet tevredengesteld met Gry te vermoorden, maar had haar ogenschijnlijk bewust en agressief in een kwetsbare positie gelegd, zichtbaar voor iedereen.

De uitwerking van de foto was onverwacht. Ik voelde me verdrietig, verward en gegeneerd door de foto die voor me lag. Ik had een glimp gezien van de onvoorstelbare reeks tragedies waar Quicks bekentenissen over gingen, ongeacht of hij schuldig was of niet.

Als Quick onschuldig was veroordeeld, waren de vonnissen in de praktijk amnestie voor de moordenaar die Gry Storvik en de andere slachtoffers dit had aangedaan.

Dat was precies wat Leif G.W. Persson had gezegd, maar nu pas begreep ik het. Ik keek weer naar de foto van Gry. Die was genomen op 25 juni 1985. Het was nu 28 augustus 2008. Over een jaar en tien maanden zou de moord verjaard zijn.

Over zeshonderdzestig dagen zou de moordenaar – als het niet Thomas Quick was – vrijuit gaan.

Säterkliniek, donderdag 28 augustus 2008

Zodra Sture en ik goed en wel zaten, popelde ik om te horen hoe hij dacht over de tijd in Grycksbo.

'Wanneer ik de verhoren lees van de jongens in Grycksbo en van alle anderen die je kenden, krijg ik de indruk dat het een zeer gelukkige periode in je leven was.'

'Ja, het was een erg goede tijd,' beaamde Sture. 'In feite was het de beste tijd van mijn leven.'

Sture vertelde over verschillende gebeurtenissen, gelukkige herinneringen, over zijn hond en die van Patrik en de kerstvieringen met de familie Olofsson.

'Maar het draaide uit op een complete ramp,' bracht ik hem in herinnering.

'Ja, dat was inderdaad allemaal erg akelig!' zei Sture handenwringend.

'En wat betekende het voor Patriks familie?' ging ik verder. 'Jij manoeuvreerde je in het gezin en hebt ze verschrikkelijk beschadigd, of niet?'

Sture knikte. Zweeg. Ik zag hem nadenken. Toen sloeg hij plotseling zijn handen voor zijn gezicht en begon zo hard te huilen dat hij schokte.

'Sorry, maar het is zo akelig om eraan te denken,' wist hij tussen de huilstuipen door uit te brengen.

Ik geloof dat ik nooit eerder een man zo zonder remmingen heb zien huilen. Als een kind. Het was ontroerend en beangstigend tegelijk.

Ik was bang dat ik alles wat ik voorzichtig had weten op te bouwen hiermee kapotgemaakt had, maar algauw herpakte Sture zich; hij droogde zijn tranen en liep naar de afgesloten deur.

'Wacht! Ik ben zo terug,' zei hij en hij drukte op de knop.

Er kwam meteen een beveiliger die hem eruit liet. Na een paar minuten was hij terug met een groot blik met honderden foto's uit zijn kindertijd, zijn jeugd en zijn volwassen leven. We zaten lang te bladeren tussen de foto's. Op een groot aantal ervan stond Sture afgebeeld, poserend en dollend voor de camera.

De tv-producent in me dacht maar aan één ding: hoe krijg ik Sture zover dat hij dat blik aan me uitleent?

Op een foto stond een vrouw van ongeveer vijfendertig jaar oud. Ze zat in een keuken en keek lachend in de camera. Sture liet me de foto zien.

'Dit is een beetje een opmerkelijke foto. Dit is de enige vrouw met wie ik ooit seks heb gehad,' zei hij.

Ik meende trots bij hem te zien.

'De enige?' vroeg ik verbijsterd. 'Ooit?'

'Ja. Alleen met haar. Dat heeft zo zijn speciale redenen,' verklaarde hij cryptisch.

Veel later zou ik te weten komen dat deze 'speciale redenen' inhielden dat hij er een tijdje van had gedroomd om zelf kinderen te hebben. Misschien zou hij met een vrouw kunnen leven, ondanks zijn geaardheid. Maar het ging niet.

Voor mij betekenden de foto en wat Sture vertelde iets anders. Gry Storvik, dacht ik. De vermoorde prostituee in Noorwegen die werd gedumpt op een parkeerplaats met het sperma van een man in haar lichaam. De vrouw op de foto was niet Gry Storvik! En je hebt zelf gezegd dat je met haar geslachtsgemeenschap hebt gehad.

Waarom had Sture me dit intieme detail verteld? Had hij zich versproken? Of wilde hij mijn gedachten bewust die kant op sturen? Nee, we hadden het nog nooit over Gry Storvik noch over een andere moord gehad, dus waarom zou hij denken dat ik op de hoogte was van de vermeende geslachtsgemeenschap met Gry? Zo gingen mijn gedachten, terwijl we verdergingen met foto's bekijken.

Toen het einde van het bezoekuur naderde vroeg ik quasiverstrooid: 'Zou je je kunnen voorstellen me een paar van deze foto's uit te lenen?'

'Jazeker,' zei hij. 'Met alle plezier.'

Ik stelde me tevreden met vijf. Sture in de kiosk, Sture en de jongens op hardrockreis, Sture die verschrikt in zijn lege portemonnee kijkt, Sture aan de keukentafel, Sture voor het vakantiehuisje van de familie Olofsson waar Yenon Levi vermoord zou zijn.

Dat Sture me de vijf foto's meegaf was duidelijk een blijk van vertrouwen. Toen we afscheid van elkaar namen wist ik op een of andere manier dat Sture zou meewerken aan mijn documentaire.

Een ontdekking

Voordat de zomer van 2008 ten einde was, had ik het voor elkaar gekregen dat zowel Gubb Jan Stigson als Leif G.W. Persson boos op me waren.

'Als je nu nog niet hebt begrepen waar dit over gaat, dan ben je niet goed bij je hoofd!' zei Persson chagrijnig.

Stigson vond mij al net zo zwakzinnig, als ik nu nog niet had begrepen dat Quick precies die seriemoordenaar was die hij leek te zijn op grond van zijn veroordelingen.

'Neem nu bijvoorbeeld de moord op Therese Johannesen. Therese was negen jaar oud toen ze op 3 juli 1988 verdween uit de woonwijk Fjell in Noorwegen. Zeven jaar later bekent Thomas Quick de moord. Hij zit in de Säterkliniek en weet de woonwijk Fjell te beschrijven, hij heeft de politie ernaartoe geleid, heeft verteld dat daar in 1988 een bankje stond en hij wist dat de balkons een ander kleurtje hadden gekregen – het klopte allemaal precies! Hij vertelt dat er een speelplaats werd aangelegd en dat er overal planken lagen. Hoe kon Quick dat allemaal weten?' is zijn retorische vraag.

'Als het klopt wat je zegt, dan moet hij redelijkerwijs ten minste één keer daar zijn geweest,' gaf ik toe.

'Natuurlijk,' zei Stigson. 'En daarna leidde hij de politie naar een bos waar hij haar had vermoord en het lichaam had verstopt. Daar vond men botresten die van een persoon van tussen de acht en vijftien jaar oud bleken te zijn. Een stuk bot vertoonde een beschadiging veroorzaakt door een zaag! Thomas Quick kon laten zien waar hij het beugelzaagblad had verstopt dat bij de botbeschadiging paste.'

Stigson schudde zijn hoofd.

'En dan zeggen ze dat er geen bewijs is! Dat is toch overtuigend bewijsmateriaal, precies zoals de *Justitiekansler*, de door de Zweedse regering aangestelde procureur-generaal Göran Lambertz, schreef nadat hij alle vonnissen van Quick had onderzocht.'

'Natuurlijk, dat klinkt overtuigend,' zei ik.

Gubb Jan Stigson had zo'n rabiate, onverzoenlijke en eenzijdige kijk op Thomas Quick dat ik aarzelde om met tegenargumenten te komen. Toch was ik hem erkentelijk. Hij was door zijn kennis een waardevolle gesprekspartner, die me bovendien genereus hielp met materiaal uit de omvangrijke onderzoeken. Bij een gelegenheid kopieerde hij alle driehonderd artikelen die hij over de zaak had geschreven.

Maar zijn belangrijkste bijdrage was vermoedelijk het feit dat hij een goed woordje voor me deed bij onder anderen zijn gelijkgestemden – Seppo Penttinen, Christer van der Kwast en Claes Borgström. Ik weet niet met wie hij sprak, maar ik weet dat hij vele deuren voor me opende.

Penttinen stelde zich niet afwijzend op, ondanks zijn enorme wantrouwen tegenover journalisten die over Thomas Quick wilden praten. Hij maakte duidelijk dat hij nooit een interview zou geven – dat deed hij uit principe nooit – maar hij stuurde me materiaal waarvan hij vond dat ik dat gelezen moest hebben, waaronder zijn eigenhandig geschreven artikel *Förhörsledarens syn på gåtan Thomas Quick* [De kijk van de verhoorleider op het raadsel Thomas Quick] in *Nordisk kriminalkrönika* 2004, waarin hij onder meer schrijft: 'Om de validiteit van de bewijsvoering die aan de vonnissen ten grondslag heeft gelegen te belichten, kan het onderzoek rond de moord op Therese Johannesen in Drammen dienen als schoolvoorbeeld.'

Zelfs Van der Kwast had het Therese-onderzoek als het sterkste bewijs tegen Quick naar voren gebracht. En als Stigson, Penttinen en Van der Kwast het daar met elkaar over eens waren, hoefde ik er niet lang over na te denken welke zaak ik tot op de bodem zou proberen uit te spitten om te onderzoeken of er een reden was voor de beweringen dat hier sprake was van een gerechtelijke dwaling.

Thomas Quick heeft dingen over zijn slachtoffers verteld die alleen de dader en de politie konden weten. Soms heeft hij zelfs dingen verteld waar de politie niet eens van op de hoogte was. Dat staat in de vonnissen.

Bij een aantal zaken was het ook onverklaarbaar hoe hij überhaupt wist dat bepaalde moorden waren gepleegd. Dat gold niet in het minst voor de moorden in Noorwegen, die over het algemeen niet waren opgepikt door de Zweedse media. Hoe kon Quick, die in de Säterkliniek zat, vertellen over de moorden op Gry Storvik en Trine Jensen? En hoe kon hij de weg wijzen naar de afgelegen plaatsen waar hun lichamen werden aangetroffen?

Ik was van mening dat velen die twijfelden aan de uitspraken van Thomas Quick al te gemakkelijk de vraag hadden weggewuifd wat hij nu precies vertelde. Een deel van Quicks zogenoemde unieke informatie kon worden verklaard, terwijl andere mysteries mysteries bleven, zelfs nadat ik de vooronderzoeken minutieus had doorgespit.

Quick had beschrijvingen gegeven van de verwondingen van de slachtoffers, details over de plaatsen delict en informatie over de kleding en de bezittingen van de slachtoffers die zo te zien niet in de media vermeld waren.

Hoe wist Quick überhaupt dat er in juli 1988 een negenjarig meisje genaamd Therese was verdwenen uit de woonwijk Fjell? Zelfs de rechtbank in Hedemora had het belang van die vraag ingezien en hem getoetst.

In het vonnis in de Therese-zaak schrijft de rechtbank: 'De informatie over de gebeurtenis waar Thomas Quick via de media kennis van heeft kunnen nemen is – voor zover naar voren gekomen – beperkt.' En in het vonnis staat dat Quick had getuigd: 'Hij kan zich niet herinneren dat hij voor zijn bekentenis iets over het voorval heeft gelezen.' Het totale onderzoeksmateriaal in de zaak-Quick bestaat uit meer dan vijftigduizend bladzijden. Ik besloot om de delen over Therese Johannesen chronologisch te ordenen, en las alle verhoren en documenten vanaf het moment dat Quick voor het eerst over haar verdwijning was gaan praten. Hoe kwam hij op Noorwegen en waarom deed men überhaupt onderzoek naar een zaak in Noorwegen?

In het politieonderzoek vond ik een rapport waarin stond dat Quick contact had gehad met de Noorse journalist Svein Arne Haavik. Aanvankelijk had Noorwegen geen enkele interesse in Thomas Quick getoond, maar in juli 1995 schreef Haavik hem een brief waarin hij vertelde dat hij bij *Verdens Gang,* de grootste krant van Noorwegen, had gewerkt en dat die onlangs een grote artikelenserie over Thomas Quick had gepubliceerd. Haavik vroeg of hij de seriemoordenaar mocht interviewen.

Uit het politierapport:

Kort daarna kreeg Haavik een telefoontje van Thomas Quick waarin hij Haavik vroeg alle Noorse kranten waarin over hem was geschreven naar hem toe te sturen.

Haavik zond de kranten van 6, 7 en 8 juli 1995 naar Thomas Quick.

De artikelenserie begint op 6 juli 1995 met drie hele pagina's. De hele voorpagina wordt in beslag genomen door een onheilspellende foto van Thomas Quick die in de camera kijkt. ZWEEDSE MASSAMOORDENAAR BEKENT: IK VERMOORDDE JONGEN IN NOORWEGEN. Op de voorpagina staat Thomas Quick in T-shirt, spijkerbroek en Birkenstock-sandalen met witte sokken afgebeeld. De journalist doet verslag van zijn 'beestachtig wrede moorden' en onthult een nieuwtje: 'In het diepste geheim hebben de Noorse en de Zweedse politie maandenlang onderzoek gedaan naar minstens één moord op een jongen in Noorwegen.'

'Ik kan bevestigen dat een deel van ons onderzoek een Noorse jongen betreft die Quick volgens eigen zeggen om het leven heeft gebracht. Tot nu toe hebben we de identiteit van de jongen niet weten te achterhalen, maar we hebben een aantal ideeën over wie de jongen kan zijn,' aldus hoofdofficier van justitie Christer van der Kwast in *Verdens Gang*.

De volgende dag vervolgt de artikelenserie met de opmerking dat Thomas Quick heeft gezegd dat de jongen die hij in Noorwegen heeft vermoord 'twaalf, dertien jaar oud was en aan het fietsen was'.

Op 8 juli bestaat het laatste deel van de serie uit een groot artikel met de kop: HIER VERDWEEN QUICKS MOGELIJKE SLACHTOFFER. Een foto die de halve krantenpagina beslaat toont een asielzoekerscentrum in Oslo, en op een kleinere foto zijn twee Afrikaanse jongens te zien.

Vanaf deze plek, bij het opgeheven asielzoekerscentrum in Skullerudsbakken in Oslo, verdween vermoedelijk de jongen die de seriemoordenaar Thomas Quick (45) bekent te hebben gedood.

In maart 1989 zijn twee jongens, ongeveer zestien en zeventien jaar oud, op verschillende tijdstippen spoorloos verdwenen uit de opvang voor alleenstaande minderjarige asielzoekers van het Rode Kruis.

De eerste keer dat Quick Noorwegen noemde, ging het dus om de moord op een jongen. Maar waar kwam deze informatie vandaan?

Ik spitte het onderzoeksmateriaal door. Ik begon daarbij achteraan en ontdekte dat Quick in november 1994 aan Seppo Penttinen had verteld over een donkerharige jongen van ongeveer twaalf jaar oud van 'Slavische afkomst' die hij 'Dusjunka' noemde. De jongen associeerde hij met Lindesberg en een Noors plaatsje dat hij 'Mysen' noemde.

Penttinen had naar de politie in Noorwegen geschreven en had gevraagd of ze een vermiste jongen hadden die overeenkwam met de beschrijving die Quick gaf. Een vermiste jongen hadden ze niet, maar de Noorse collega's stuurden informatie over twee asielzoekers van ongeveer zestien en zeventien jaar oud die in Oslo waren verdwenen.

Na het artikel in *Verdens Gang* werd deze informatie een selffulfilling prophecy. Na lange tijd van toespelingen bekende Quick in februari 1996 aan Penttinen dat hij in maart 1989 twee Afrikaanse jongens in Oslo had vermoord. Penttinen begon onmiddellijk een reis naar Noorwegen voor te bereiden.

In de volgende verhoren kon ik lezen hoe Thomas Quick ontkende iets over de moorden in de kranten te hebben gelezen, ondanks het feit dat hij de hele artikelenserie in *Verdens Gang* had besteld. Hij verzekerde ook dat hij geen foto's van de verdwenen jonge vluchtelingen had gezien.

Ik kon met absolute zekerheid het volgende vaststellen: Quick was actief op zoek gegaan naar informatie over mogelijke moorden in Noorwegen, later had hij die informatie in verhoren gebruikt, en hij loog dat hij geen kennis had genomen van enige informatie over de moorden.

Die artikelenserie uit Noorwegen gaf Thomas Quick informatie. Naast het hoofdartikel stond een kort bericht waarin werd gespeculeerd dat Quick misschien betrokken was bij het meest beschreven misdaadraadsel van Noorwegen:

Op 3 juli 1988 verdween Therese Johannesen (9) uit de woonwijk Fjell in Drammen. De verdwijning vormde het begin van de grootste zoektocht in de geschiedenis van Noorwegen.

Nu pas blijkt dat Quick heeft gezegd dat hij moorden in Noorwegen heeft gepleegd.

Het artikel geeft weliswaar noch van Therese noch van Fjell een volledige beschrijving, maar het bevat een aantal gegevens die van doorslaggevende betekenis zijn: de naam van het meisje en de plaats en het tijdstip van de verdwijning.

Eind 1995 had Thomas Quick aantoonbaar toegang tot deze informatie en daarom is het nauwelijks verwonderlijk dat hij in het eerste verhoor kon vertellen dat Therese negen jaar oud was en in de zomer van 1988 verdween uit de woonwijk Fjell.

Met de vragen die niet beantwoord werden in het artikel in *Verdens Gang* had hij meer moeite.

Net als in de meeste moordonderzoeken was Quicks bekentenis van de moord op Therese Johannesen tijdens zijn therapie gedaan. Er waren 'veel gebeurtenissen komen bovendrijven' die Birgitta Ståhle had moeten rapporteren, had ze gezegd. Quick was onsamenhangend geweest en 'Ståhle zou de situatie willen omschrijven met het Engelse woord "*twisted*"', noteerde Penttinen.

Het plan was dat op woensdag 20 maart 1996 het hele verhaal verteld zou worden. Om negen uur kwamen Birgitta Ståhle en Thomas Quick naar de muziekkamer van de Säterkliniek, waar Seppo Penttinen en rechercheur Anna Wikström al zaten te wachten in de roodzwarte fauteuils.

Penttinen vroeg Quick de woonwijk Fjell te beschrijven.

'Ik zie de huizen duidelijk voor me,' zei Quick. 'Het zijn geen huurhuizen maar eengezinswoningen.'

De naam Fjell, wat berg betekent, riep bij Quick misschien de verkeerde associaties op, want hij beschrijft de plek als een landelijke idylle met verspreide bebouwing van eengezinswoningen – mogelijk kan zelfs het Noorse woord voor wijk, *bydel*, daarvoor hebben gezorgd. *By* betekent in het Noors stad en in het Zweeds dorp. Hij zegt dat hij daar terechtkwam via een steenslagweg.

'Het is erg klein,' verduidelijkte Quick in het verhoor.

In werkelijkheid is Fjell een typische betonnen voorstad uit de jaren zeventig met hoge flats, viaducten, winkelcentra en vijfduizend inwoners op een beperkte oppervlakte.

Quick praatte met een steeds zachtere stem en uiteindelijk fluisterde hij: 'Dit wordt verdomd moeilijk!'

Als Penttinen tijdens het verhoor op de hoogte was van hoe slecht

Quicks beschrijving van Fjell overeenkwam met de werkelijkheid, wist hij dat goed te verbergen. Hij bleef hem nieuwe vragen stellen:

PENTTINEN: 'Weet je op welk tijdstip van de dag dit ongeveer is?'
TQ: 'Dat moet ergens rond het middaguur zijn.'
PENTTINEN: 'Wat is het middaguur voor jou?'
TQ: 'Dat het midden op de dag is.'
PENTTINEN: 'Herinner je je wat voor weer het was?'
TQ: 'Het is redelijk weer, met vrij hoge bewolking. Zomer…'

Therese verdween om twintig over acht 's avonds. En Quicks bewering over redelijk weer kwam niet overeen met het feit dat Fjell net op het moment van Thereses verdwijning werd getroffen door de ergste wolkbreuk in tien jaar.

Na het verhoor vatte Seppo Penttinen de informatie samen die Quick had gegeven over Thereses uiterlijk en kleding:

Hij geeft aan dat ze schouderlang blond haar heeft en dat haar haar wappert als ze rent. Haar kleding bestaat uit een broek en mogelijk een jackje. Even later zegt hij in het verhoor dat er iets roze is en dat hij een herinnering heeft aan een T-shirt met knopen. Haar onderbroekje heeft een patroon. Ze draagt ook een horloge en Quick associeert daarbij dat het bandje smal is met een eenvoudige sluiting en dat er rondom het uurwerk iets lichtgroen of roze is.

Onwaarschijnlijk genoeg was al deze informatie onjuist en met reden kon men spreken van 'alles mis', waar sommige critici van Quick al op hadden gewezen.

In het oorspronkelijke politieonderzoek na Thereses verdwijning was een uitgebreid signalement van het meisje opgemaakt, waarin alle details en kledingstukken nauwgezet waren beschreven. Daar zit ook de laatste foto van haar bij.

Het meisje op de kleurenfoto staat voor een bakstenen wand en kijkt vrijmoedig recht in de camera. Haar haar is pikzwart, haar huid geelbruin en haar ogen donkerbruin. Een gelukkige glimlach onthult een spleet van twee ontbrekende voortanden en vormt haar bruine ogen tot smalle bogen.

Quick vertelde zelfs over Thereses grote voortanden. Misschien had ze intussen voortanden gekregen nadat de foto was genomen?

Ik belde Inger-Lise Johannesen, Thereses moeder, die vertelde dat er van de voortanden nog niets te zien was geweest.

Thomas Quicks lichtblonde versie van Therese is simpelweg het stereotiepe beeld van een Noors meisje, een poging met een redelijke kans van slagen, statistisch gezien. Maar nu was alles onjuist, behalve de informatie die Thomas Quick in het kleine berichtje in *Verdens Gang* had gelezen.

Het zijspoor

Op 23 april laat in de middag reed er een kleine stoet auto's van de politie via Örebro en Lindesberg over de E18 het plaatsje Ørje binnen over de Svenskvejen in de richting van Oslo. In een wit minibusje zat op de middelste bank, naast rechercheur Seppo Penttinen, Thomas Quick.

Doel van de reis was dat Quick zou laten zien waar en hoe hij de twee jonge Afrikaanse asielzoekers en de negenjarige Therese Johannesen in Noorwegen had vermoord.

De informatie die Quick had gegeven kwam exact overeen met de verdwijning van twee jongens uit het asielzoekerscentrum van het Rode Kruis aan de rand van Oslo. Op deze reis naar Noorwegen zou hij hen naar de plaats delict leiden. Voordat ze vertrokken had hij het aparte oude houten huis met een aantal unieke details waarin het asielzoekerscentrum was gehuisvest getekend.

Bij aankomst bleek het huis er precies zo uit te zien als op de tekening.

Quick wees de weg naar het plaatsje Mysen, waar hij een van de jongens gedood zou hebben. De lichamen van de jongens had Quick meegenomen naar Zweden, waar hij van beide slachtoffers stukken had opgegeten voor hij ze in Lindesberg had begraven.

Rechercheur Ture Nässén vertelde me hoe Thomas Quick en de rechercheurs daarna naar het voetbalveld in Lindesberg waren gereden. Daar spitte de technische recherche op aanwijzing van Quick een groot gebied om. De lijkenhond Zampo ontdekte een spoor. Toen men daar toch geen lichaamsdelen vond, zei Quick dat hij zich had vergist en dat ze bij het voetbalveld in Guldsmedshyttan moesten zoeken. Ondanks hardnekkig graven en hulp van lijkenhonden vond men ook op deze plaats niets.

Terwijl het graafwerk in Guldsmedshyttan in volle gang was, gebeurde er iets zeer merkwaardigs. Ture Nässén kreeg het bericht dat de twee slachtoffers waar de politie op dat moment naar zocht nog in leven bleken te zijn. Beiden waren doorgereisd naar Zweden, waar een van de twee zich had gevestigd. De andere was nog verder gereisd en woonde in Canada.

Twee van Quicks moorden in Noorwegen bleken plotseling nooit uitgevoerd te zijn, maar het onderzoek naar de derde moord werd met des te meer gedrevenheid voortgezet. En na een onderzoek dat in totaal twee jaar in beslag nam en na eenentwintig verhoren over Therese Johannesen waarin Quick zijn verhaal talloze malen veranderde, achtte de rechtbank van Hedemora zijn kennis over de moord zo buitengewoon dat Quick schuldig werd bevonden.

Met mijn kennis van getuigenpsychologie, en nadat ik had ontdekt dat journalist Svein Arne Haavik een informatiebron voor Quick was geweest, besefte ik dat Quicks getuigenverklaring niet veel waard was. Tegelijkertijd was daar nog het overige bewijsmateriaal: het aanwijzen van de vindplaats in Ørjeskogen, de botresten…

Ik moest een rit naar Drammen maken, dus belde ik rechercheur Håkon Grøttland en nodigde ik mezelf uit.

'Wees welkom,' reageerde hij hartelijk.

De schouw in Ørjeskogen

In september 2008 passeerden fotograaf Lars Granstrand en ik de grens op dezelfde plaats als waar het Quick-team dat twaalf jaar geleden had gedaan.

Op het politiebureau van Drammen spraken we met Håkon Grøttland die aanwezig was geweest bij elke schouw die met Quick op de plaats delict in Noorwegen was gehouden.

'Hij is niet zoals jij en ik hij denkt niet rationeel en logisch,' zei Grøttland.

Hij legde uit wat het werken met Thomas Quick zo bijzonder moeilijk maakte.

'Quick zegt "ja" en schudt tegelijkertijd zijn hoofd! Hij zegt "links" wanneer hij rechts bedoelt. Thomas Quick duiden is niet bepaald eenvoudig.'

Zelf begreep hij niets van die man, klaagde Grøttland. Maar Seppo Penttinen en Birgitta Ståhle snapten wat Quick bedoelde.

Håkon Grøttland was sinds haar verdwijning in juli 1988 bij het onderzoek naar Therese Johannesen betrokken geweest. Daarna had hij deel uitgemaakt van het Noorse politieteam dat Thomas Quicks betrokkenheid bij die zaak onderzocht. Hij was er nog steeds van overtuigd dat Quick Therese Johannesen had vermoord.

'Waarom ben je daar zo van overtuigd?' vroeg ik hem.

'Stel je eens voor: Quick zit in een Forensisch Psychiatrische Kliniek in Zweden en vertelt gedetailleerd over Therese en over Fjell en Ørjeskogen. Vervolgens rijden we ernaartoe en controleren we wat hij heeft gezegd en zien dat het overeenkomt met de werkelijkheid.'

Ik moest toegeven dat je daar moeilijk iets anders uit kon concluderen dan dat Quick schuldig was.

Grøttland reed ons naar Fjell, waar Therese met haar moeder woonde. We reden voorbij Fjell Center en de kleine videotheek waar Therese naartoe was gegaan om wat snoep te kopen voor de zestien kronen en vijftig øre die ze in haar zak had. Grøttland parkeerde de auto en bracht ons naar een groot grasveld met een hoog langwerpig flatgebouw, de Lauritz Hervigsvei 74. Grøttland wees naar de rij ramen op de zesde verdieping.

'Daar woonde ze. En hier stond Quick toen Therese daarvandaan kwam,' zei Grøttland en hij wees naar een helling die uitkwam op de weg waarover we zonet waren komen aanrijden. Van deze plek had hij haar meegenomen.

Ik telde de acht verdiepingen van het flatgebouw, met op elke verdieping vijfendertig grote ramen.

Thomas Quick zou Therese dus hebben meegenomen voor tweehonderdtachtig grote ramen en voor de ogen van de moeder die op het balkon had gestaan en de hele tijd naar haar had uitgekeken.

'Allemachtig, het is alsof je een kind ontvoert vlak voor een overvolle voetbaltribune op Råsunda,' fluisterde de fotograaf in mijn oor.

Thomas Quick was bij de iets meer dan dertig moorden die hij bekende nooit daadwerkelijk door iemand gezien en hij had nooit enig spoor achtergelaten. Daarom had ik aangenomen dat hij altijd de grootst mogelijke voorzichtigheid in acht nam.

In het onderzoek naar Therese had de politie zoals gezegd 1721 personen gehoord, maar geen van hen had iets gezien dat met Quick in verband kon worden gebracht. Ook geen van de in totaal 4645 tips die waren binnengekomen leidde naar Thomas Quick. Ik keek omhoog naar het balkon waar Therese had gewoond en constateerde dat alles zich blijkbaar in alle openbaarheid had afgespeeld.

'Daarna sloeg hij haar met een steen die hij op de helling had gevonden op het hoofd, en haalde de auto op waar hij haar vervolgens in legde,' verklaarde Grøttland.

'Het lijkt allemaal ongelooflijk riskant,' zei ik.

'Ja, daar lijkt het wel op,' zei de commissaris.

De dag daarop ontmoette ik Grøttlands collega, Ole Thomas Bjerknes, die ook had meegewerkt aan het Quick-onderzoek. Hij nam me mee naar de Hærlandkerk, waar Quick Therese zou hebben gedood. Daarna reden we door naar Ørjeskogen en nadat we een aantal kilometers over hobbelige boswegen hadden gereden, kwamen we aan bij het gebied waar Quick zich had ontdaan van Thereses lichaam.

Bjerknes doceerde op de Noorse politieschool. Die dag had hij een college gegeven over het Quick-onderzoek en hij had toevallig drie videobanden met ruw materiaal van de Noorse schouw met Quick bij zich. Ik probeerde niet al te geïnteresseerd te lijken toen ik vroeg of er misschien een mogelijkheid was om de banden te bekijken.

Tot mijn verbazing overhandigde hij me de tapes. Ik nam de begeerde VHS-banden aan en beloofde dat hij ze terug zou krijgen voordat ik Noorwegen verliet.

Dezelfde avond vond ik een tv-productiebedrijfje in Drammen waar ik apparatuur voor het kopiëren van de banden kon huren. Om acht uur 's avonds installeerde ik me midden in mijn hotelkamer en ging aan de slag. Er stond ongeveer tien uur schouw op de drie banden en elk uur moest ik de band verwisselen waar ik het materiaal naartoe kopieerde.

De interessantste opnames waren genomen door een camera gericht op Thomas Quick in het busje, terwijl een andere camera door de voorruit had gefilmd. Op de band was Quick – en gedeeltelijk Seppo Penttinen, die aan zijn rechterzijde zit – te zien. Tegelijkertijd werd in een ingevoegd klein veld bovenaan in het scherm de weg getoond.

Quick rolde met zijn ogen, of ze vielen dicht, of ze staarden met een waanzinnige blik. Het was onthutsend en zeer onaangenaam. De Thomas Quick die op de opnames te zien was, was een heel andere persoon dan de persoon die ik een aantal weken geleden in de kliniek had ontmoet. Ik vroeg me af wat de oorzaak van deze persoonlijkheidsverandering was. Zelfs zijn manier van praten was anders.

Om ervoor te zorgen dat ik de hele nacht wakker bleef, dwong ik mezelf om tijdens het kopiëren de banden te bekijken. Vaak gebeurde er niets en was het oersaai; autoritten waar een half uur lang geen woord werd gezegd en lange stukken waarin de cameraman de camera met de lens naar de autostoel gekeerd door liet filmen. Maar aangezien ik de band kopieerde kon ik hem niet snel vooruitspoelen maar moest ik me door elke minuut heen worstelen.

De klok in mijn hotelkamer wees aan dat het al na middernacht was toen ik een nieuwe band in het apparaat stopte.

Nu werd er gefilmd met een handcamera die achter in het busje van Thomas Quick was geplaatst. Quick had gezegd dat de auto moest stoppen maar de camera liep nog. Op de opname is te horen hoe een begeleider het busje binnenkomt en Quick medicijnen aanbiedt.

BEGELEIDER: 'Kun je nog een Xanor hebben?'
TQ: 'Hmm.'
BEGELEIDER: 'Kun je die zonder water innemen?'
TQ: 'Ik heb... Coca-Cola...'

Op de band praat Thomas Quick met een lijzige stem, alsof hij moeite heeft met het vormen van woorden.

BEGELEIDER: 'Stop hem in je mond... Is één voldoende? ... Moet je er niet nog een hebben, in één keer?'
TQ: 'Ja, misschien...'

Thomas Quicks antwoord is iets tussen praten en huilen in, een geluid van iemand die zich heel rot voelt, erg slecht.

Ik hoor hoe Quick nog een pil neemt en de rit wordt voortgezet.

Het medicijn Xanor is een kalmerend middel van het type benzodiaze-pine dat tot de categorie drugs behoort en bekendstaat om zijn zeer ver-slavende werking en zijn vele ernstige bijwerkingen.

Wat ik zojuist had gezien overtuigde me ervan dat Thomas Quick net zo gedrogeerd was als hij eruitzag. Ik herinnerde me ook wat Göran Käll-berg had gezegd. Doelde hij hierop, dat Quick zulke sterke medicijnen gebruikte dat er alle reden was om aan zijn bekentenis te twijfelen? Met hernieuwde belangstelling keek ik verder naar het materiaal. De ver-moeidheid was op slag verdwenen.

Ik stopte weer een nieuwe band in het apparaat. Nu zit Thomas Quick in de eerste auto van een stoet bestaande uit vier, vijf auto's op weg naar Ørjeskogen. Hij voert een hele optocht aan die bestaat uit een officier van justitie, een verhoorleider, een advocaat, een psychotherapeut, een geheu-genexpert, een aantal chauffeurs en beveiligers, plus een aantal Zweedse en Noorse politiemensen. Quick heeft hen beloofd dat hij hen de weg zal wijzen naar een grindgroeve waar het lichaam van Therese Johannesen ligt begraven. De grindgroeve ligt in Ørjeskogen – hij weet de weg.

De stoet rijdt oostwaarts over de E18, richting Zweden, en Quick klaagt erover dat er de hele tijd huizen opdoemen. Hij zegt dat dat hem ook had gestoord toen hij Therese vermoordde. Ten slotte begint het spannend te worden. De wegwijzers geven aan dat ze de Zweedse grens naderen en Quick heeft duidelijk aangegeven dat Thereses lichaam in Noorwegen is begraven.

TQ: '… we naderen de grens en ik moet een weg vinden voordat…'
PENTTINEN: 'Voordat we bij de grens komen?'
TQ: 'Ja.'
PENTTINEN: 'Ja, precies, zoals je eerder beschreef.'
TQ: 'Ja.'
PENTTINEN: 'Herken je het hier, Thomas?'
TQ: 'Ja.'

Wat Quick zegt te herkennen is de kerk van Klund. Na heel wat heen en weer gepraat besluiten ze om rechtsaf de bosweg in te slaan. Daar is een slagboom. Quick zegt dat die daar toen ook was, maar dat het 'toen niet moeilijk was om die te passeren'.

Seppo Penttinen twijfelt nog een beetje of dit wel de juiste weg is en vraagt of er op deze weg echt zo'n plek is als die hij heeft beschreven.

TQ: 'Er moet een aangestampt oppervlak zijn, zoals dit, en alsof er ooit een vorm van... in het verhoor heb ik immers ook moeite gehad om het te beschrijven... grindgroeve of aardegroeve...'

PENTTINEN: 'Dat men iets heeft uitgegraven, een soort van grind-groeve?'

TQ: 'Ja.'

De stoet auto's rijdt de bosweg in, die erg lang blijkt te zijn. Hotsend rijden ze kilometer na kilometer verder over de oneffen bosweg. Nu al lijkt het ondenkbaar dat deze voor houtvrachtwagens bestemde weg naar een grindgroeve zou kunnen leiden. Quick heeft gezegd dat de kerk een richtpunt was om te bepalen hoe ver ze deze weg moesten volgen, maar op dit moment is de kerk al lang uit het zicht verdwenen.

TQ: 'Hmm. Ik vind dat, dat we nu wel erg lang hebben gereden, in verhouding tot de afstand die ik in mijn herinnering toen heb gereden.'

PENTTINEN: 'Ja. Zijn we toch te ver gereden?'

TQ: 'Ik weet het niet.'

Quick zegt dat er 'wel herkenningspunten langs de weg zijn geweest', dus rijdt men verder. Het valt me op dat Quick nu bedenkelijk onduidelijk praat. Hij zegt dat hij het moeilijk vindt om hier te rijden. Na een tijdje begint hij met zijn armen te gebaren.

PENTTINEN: 'Je zwaait met je armen. Wat bedoel je daarmee?'

TQ: 'Dat weet ik niet.'

PENTTINEN: 'Moeten we nog verder?'

TQ: 'Ja, we gaan verder. De vos moet rood zijn.'

PENTTINEN: 'Ik hoor niet wat je zegt.'

TQ: 'De vos moet dood zijn.'

PENTTINEN: 'De leeuw?'

TQ: 'De joodse jongen.'

PENTTINEN: 'De joodse jongen moet dood zijn?'

Thomas Quick lijkt ver weg te zijn en Penttinen is bezorgd.

PENTTINEN: 'Ben je er nog bij, Thomas?'
TQ: 'Hmm.'

Maar Thomas is er helemaal niet bij. Geestelijk is hij heel ergens anders. Penttinen vraagt weer: 'Ben je er nu nog bij, Thomas?' Quick humt opnieuw als antwoord.

PENTTINEN: 'Nu komen we bij een kruispunt. Je moet nu beslissen welke kant we opgaan, Thomas. Moeten we naar rechts? Je knikt naar rechts.'

De auto slaat rechts af.

PENTTINEN: 'Hier is een weg naar links.'
TQ: 'Rij een stukje verder.'
PENTTINEN: 'Moeten we verder rijden?'
TQ: 'Hmm.'
PENTTINEN: 'Rechtuit.'
TQ: 'We kunnen rijden tot waar je een… dan kunnen we…'
PENTTINEN: 'Keren?'
TQ: 'Hmm.'

Thomas Quicks lijzige stem is nu overgegaan in uitsluitend gehum en algauw doet hij zijn ogen dicht.

PENTTINEN: 'Nu doe je je ogen dicht. Hoe gaat het met je?'
TQ: 'Wacht even. Daarvoor.'

De stoet stopt. Quick blijft stilzitten en doet zijn ogen dicht. De plek waar de auto is gestopt komt in geen enkel opzicht overeen met de plek die Quick eerder heeft beschreven. Hier is geen aangestampte grond, laat staan iets van een grindgroeve. Het busje is midden op een lange helling in een Noors bos met veel heuvelachtig terrein tot stilstand gekomen.

Quick ziet een heuvel die hij wil oplopen. Seppo Penttinen, Birgitta Ståhle, Claes Borgström en rechercheur Anna Wikström volgen hem.

PENTTINEN: 'Zijn we op loopafstand van de plaats waar Therese ligt?'
TQ: 'Ja.'

Quick staat zo onvast op zijn benen dat Ståhle en Penttinen hem moeten ondersteunen door hem stevig elk bij een arm vast te pakken. Je ziet dat ze dit eerder hebben gedaan. Samen lopen ze de heuvel op, waar de hele groep zwijgend blijft staan. Het is Penttinen die ten slotte het woord neemt.

PENTTINEN: 'Je kijkt naar de weg, bij die bocht daar. Dan knik je. Is daar iets bijzonders? Probeer het te beschrijven.'
TQ, toonloos, bijna fluisterend: 'De bocht leidt... omhoog.'
PENTTINEN: 'Wat zei je? De bocht doet?'
TQ: 'Leidt omhoog.'

Het is moeilijk om iets zinnigs uit Quick te krijgen. Hij lijkt erg gedrogeerd.

PENTTINEN: 'Zie je de plek hiervandaan?'

Quick blijft onbeweeglijk staan. Hij doet zijn ogen dicht.

PENTTINEN: 'Je knikt en doet tegelijk je ogen dicht.'

Quick heeft zijn ogen geopend en ziet iets onder aan de helling. Ze komen samen tot de conclusie dat het waarschijnlijk een zwerfsteen is.

'Zullen we proberen naar beneden tot aan de spar te lopen,' stelt Quick ten slotte voor.

Ze lopen naar een kleine spar en wanneer ze daar aankomen, blijven ze opnieuw zwijgend staan. Quick fluistert iets onverstaanbaars. Hij krijgt hulp bij het opsteken van een sigaret.

'Is de bocht die kant op?' vraagt hij en hij wijst met zijn hand.

'Ja, dat klopt,' bevestigt Birgitta Ståhle.

'Ik moet kijken,' zegt Quick en hij begint de kant op te lopen die hij aanwees.

De grond is bedekt met oude takken en het is lastig lopen. Quick begint te stampen op de sparrentakken en Penttinen pakt hem beet, wanneer Quick plotseling buiten zinnen raakt en schreeuwt: 'Jij klootzak! Gore klootzak! Jij gore stomme klootzak! Jij gore stomme klootzak!'

Quick stampt en zwaait met zijn armen maar wordt algauw overmeesterd. Hij belandt onder een kluwen van politiemensen en begeleiders. Seppo Penttinen wendt zich tot de camera, alsof hij zich ervan wil verzekeren dat deze gebeurtenis goed gedocumenteerd wordt. Er zit iets triomfantelijks in Penttinens houding wanneer hij in de camera kijkt en dit dramatische ogenblik vastlegt.

Iemand heeft Christer van der Kwast gewaarschuwd dat er dramatische dingen in het Noorse kreupelbos gebeuren. Die komt nu het beeld van de videocamera binnenrennen, gekleed in een effen zwart pak. Quick ligt op de grond en gromt aanhoudend, een dof ritmisch geluid.

Iedereen in het gezelschap is zich ervan bewust dat Quick een gedaanteverandering heeft ondergaan, dat hij een van zijn vele persoonlijkheden heeft aangenomen.

Nu is hij een figuur geworden die hij en zijn therapeute 'Ellington' noemen – de kwaadaardige vaderfiguur, de moordenaar –, die Quicks psyche en lichaam heeft overgenomen.

'Thomas,' zegt Penttinen op smekende toon terwijl Quick zijn geluiden blijft voortbrengen.

Birgitta Ståhle probeert contact te krijgen met haar patiënt.

'Sture! Sture! Sture! Sture! Sture!' zegt ze.

Maar Quick gaat door met Ellington-zijn en gromt terug.

'Weg voor altijd,' zegt hij met een verwarde doffe stem. 'Weg voor altijd!'

Hij gromt weer.

'En de mensen zouden op jouw gezicht moeten stampen!' brult hij.

Birgitta Ståhle probeert opnieuw contact te krijgen met haar patiënt, die nu kalmer wordt.

Quick wordt overeind geholpen en de hele groep beweegt zich langzaam zwijgend een heuvel op waar Quick met de rug naar de camera gaat zitten. Penttinen, Ståhle en Anna Wikström hebben een arm om hem heen geslagen. Zo blijven ze lang zitten zonder iets te zeggen.

'Vertel nu,' zegt Penttinen.

'Wacht even,' zegt Quick geïrriteerd. 'Ik moet...'

'Wat moet je vertellen?' vraagt Birgitta.

'Nee, nee! Laat me met rust!'

Quick is nog niet zover dat hij kan praten. Niemand heeft hem gevraagd waar die grindgroeve is die hij hen had beloofd. Of wat hij bedoelde met dat Therese te vinden zou zijn in een gebied met 'aangestampte grond'.

Quick begint fluisterend en nauwelijks verstaanbaar te praten over Therese die 'voor altijd weg was toen ik haar verliet'. 'De jongens waren er nog, maar zij was voor altijd weg. Thereses lichaam is te vinden in een gebied tussen de sparren en de heuvel,' zegt hij.

'Dat is niet genoeg, Thomas,' zegt Penttinen. 'Het is te groot.'

Het is een patstelling. Quick heeft hun geen lichaam, geen grindgroeve, geen aangestampt stuk grond kunnen leveren. En Penttinen accepteert de vage mededeling niet dat Therese ergens in het bos is. Hij eist meer.

Quick vraagt of hij alleen met Claes Borgström kan praten. De opnameapparatuur wordt uitgeschakeld, en Quick en Borgström zonderen zich even af.

Wanneer de camera een kwartier later weer wordt ingeschakeld, vertelt Quick onsamenhangend en mompelend over 'hoe een jongen werd verminkt door een auto op massieve grond'. Hij zegt dat hij net op dat moment boven op een heuvel had gestaan en een bosmeertje met 'bepaalde stenen' had gezien. Bij die plek ligt 'het aangerande meisje' verborgen, zegt hij.

Quick wil een driehoek in het bos afbakenen waarbinnen het lichaam van Therese kan worden gevonden. Gezamenlijk wordt daarna de driehoek bepaald. De basis wordt gevormd door een lijn tussen een den en een punt 'bijna tot aan het bosmeertje' en de punt van de driehoek reikt tot aan 'twee derde van de helling'.

Wanneer de groep klaar is met deze tijdrovende procedure beginnen ze in de richting van het bosmeertje te lopen. Penttinen verklaart dat hij Quick moet vasthouden met het oog op wat er eerder is gebeurd.

Quick gromt als antwoord.

'Vind je het moeilijk om naar het bosmeertje te kijken, Thomas?' vraagt Penttinen.

Quick gromt.

'Je moet duidelijker praten,' zegt Penttinen.

Ze zijn nu bij het meertje gekomen.

'Wanneer je nu langs dit meertje loopt, reageer je op iets,' zegt Penttinen. 'Voel je het op een bepaalde manier opnieuw? Ja, je knikt. Wat betekent dat?'

'Ik wil dat we nog wat verder lopen dan het meertje,' zegt Quick. 'Mag ik misschien vragen of jullie me er een beetje naartoe kunnen loodsen?'

Quick is nu zo onder invloed dat hij moeite heeft om überhaupt te lopen. Het is duidelijk dat hij nog meer kalmerende middelen heeft gekregen.

'Ik kan je immers niet optillen, dat moet je begrijpen,' zegt Penttinen.

Maar Quick lijkt op dit moment niet veel mee te krijgen. Wat hij zegt is onmogelijk te verstaan en hij komt moeizaam vooruit, ondanks het feit dat hij ondersteund wordt.

'We wachten, Thomas, doe maar rustig aan. We gaan door zolang jij het volhoudt.'

'Mag ik naar het meertje kijken?' vraagt Quick.

'Je doet je ogen dicht, Thomas!' zegt Penttinen. 'Probeer ze open te houden. We zijn hier in de buurt.'

Quick vraagt of Gun daar is. Gun is Stures tweelingzus die hij jaren geleden voor het laatst heeft gezien.

Anna Wikström legt uit dat zij Gun niet is.

'Anna staat hier,' zegt ze.

Quick blijft zijn ogen dichthouden.

'Ik zal naar het meertje kijken,' zegt hij.

'We zijn er,' zegt Penttinen.

'Probeer te kijken,' spoort Wikström aan.

'Ik kijk,' zegt Quick.

'Waarom reageer je hier zo?' vraagt Penttinen.

'Omdat de stenen daar...'

Opnieuw heeft Quick geen woorden meer. Even later vraagt hij of hij zonder camera en microfoon met Birgitta Ståhle kan praten. Wanneer de videocamera na een onderbreking van twintig minuten weer begint te lopen heeft Quick een nieuw verhaal verteld. Claes Borgström moet overbrengen wat hij nu vertelt. Vragen over het nieuwe verhaal accepteert Quick niet.

Penttinen lijkt geraakt door de ernst van het moment, maar ook een beetje bezorgd dat Quick het afgelopen uur meerdere versies heeft gegeven wat er met Therese is gebeurd. Hij weet dat het Quicks normale patroon is om over dingen en gebeurtenissen die psychisch moeilijk voor hem zijn 'bewuste afwijkingen' te vertellen.

'Voordat Claes begint te vertellen wil ik een verklaring hebben,' zegt Penttinen.

Hij leunt naar Quick toe en spreekt hem vertrouwelijk toe.

'Deze twee plaatsen die we nu hebben gefilmd en die je duidelijk hebt aangewezen, zijn dat voor jou mededelingen die honderd procent zeker zijn? Zonder afwijkingen?'

Quick praat moeizaam maar hij verzekert dat hij deze keer de waarheid spreekt: 'Afwijkingen waren er voor een deel in dat verhaal over de grind...'

Het klinkt alsof zijn batterij midden in de zin leeg raakt.

'De grindgroeve?' vult Penttinen aan.

'Ja, precies,' zegt Quick.

Zodra Quick de plek heeft verlaten, is het de beurt aan Claes Borgström om voor de camera met het bosmeertje op de achtergrond het een en ander uiteen te zetten.

'Wat er dus is gebeurd, is dat hij bij punt 1 in het schriftelijke verslag het lichaam van Therese in stukken heeft gezaagd. Dus er zijn geen normale hele lichaamsdelen meer. Geen grote stukken botresten.

Nadat hij het lichaam in stukken had opgedeeld, heeft hij vervolgens de lichaamsdelen hiernaartoe gedragen en ze in deze laagte neergelegd.

Daarna is hij uiteindelijk naar het midden van het meertje gezwommen en heeft hij de lichaamsdelen, die hij later weer heeft opgehaald, in het meertje laten zakken. Een deel van de lichaamsdelen is al dwarrelend naar de bodem gezonken en een ander deel is verschillende kanten opgedreven. Dat betekent dat er dus een derde locatie in zijn verhaal is: het meertje.'

Dat was alles wat Claes Borgström van zijn cliënt moest overbrengen. De schouw in Ørjeskogen was voorbij en dat was tevens het einde van de laatste videoband.

Op de tv van het hotel verscheen nu sneeuw en ik voelde me net zo van de wereld als Thomas Quick toen ik in het ochtendlicht op mijn kamer in First Hotel Ambassadeur in Drammen om me heen keek. Het kopiëren van de banden had bijna twaalf uur in beslag genomen en het was acht uur 's ochtends. Ik was volledig in de ban geweest van wat ik op de banden had gezien: een grote delegatie Zweedse ambtenaren die zich had laten rond-leiden door een gedrogeerde psychiatrisch patiënt die blijkbaar niet wist waar hij was. Zouden ze dat niet in de gaten hebben gehad? Nee, dacht ik, dat was eigenlijk niet mogelijk. Hadden ze geloofd dat hij wist waar Therese was? Ondanks het feit dat hij eerst had gezegd dat het lichaam bij een grindgroeve lag; en bij gebrek aan een grindgroeve, naast een spar; vervolgens binnen een driehoek in het bos; en ten slotte dat hij het 'in stukken had gehakt' en in een bosmeertje had laten zakken.

Het was moeilijk te accepteren dat deze hoogopgeleide vertegenwoor-digers van een reeks academische disciplines dit toneelstuk niet hadden doorzien. Met voorgewende of echte goedgelovigheid namen alle betrok-kenen Quicks informatie serieus en er werd besloten dat het meer leegge-pompt zou worden.

Zeven weken lang was een groot aantal politiemensen uit een aantal politiedistricten in Noorwegen met welwillende hulp van het leger en externe experts hiermee bezig. Eerst werd de bovenste grondlaag in het gebied dat Quick had aangewezen afgegraven, waarna al het materiaal handmatig werd gezeefd en onderzocht door lijkenhonden en forensisch archeologen. Nadat die sisyfusarbeid zonder resultaat werd afgesloten volgde het zwaardere werk met het leegpompen van het meertje. Er werd 35 miljoen liter water uit het meertje gepompt en gefilterd, het bodem-sediment van het meer werd opgezogen tot men bij de tienduizend jaar oude afzetting was gekomen. Toen een vondst uitbleef, werd alles een tweede keer gefilterd, maar ook deze keer zonder dat er ook maar het kleinste fragment van Therese werd aangetroffen.

Het extreem kostbare onderzoek leidde opnieuw tot de onvermijdelijke conclusie dat wat Quick had verteld niet waar was. Hij moest nu met een verklaring komen. Toen bedacht hij zich opnieuw. Hij zei dat hij Thereses lichaam in een grindgroeve had verstopt.

Terwijl de Noren bleven zoeken in de vrije natuur, werd Quick keer op keer verhoord door Seppo Penttinen. Dus ging het onderzoek in Ørjes-kogen net zo lang door totdat de technisch rechercheurs – uiteindelijk! – resten van een vuurplaats met verbrande botresten vonden

Een van de mensen die de vondst uit Ørjeskogen onderzocht was de Noorse professor Per Holck, die al snel tot de conclusie kwam dat bepaal-de botresten afkomstig waren van een persoon tussen de vijf en vijftien jaar oud.

Wie kon iets inbrengen tegen een professor van het Anatomisch Instituut van de Universiteit van Oslo, die zei dat er lichaamsdelen van een kind waren aangetroffen uitgerekend op de plek waar Quick beweerde een negenjarig meisje te hebben verbrand? Maar toch...

Het verhaal was té eigenaardig voor mij om te kunnen geloven.

Ik had me voorgenomen om de sterkste zaak van de officier van justitie, Therese Johannesen, te onderzoeken en probeerde daarna voor mezelf samen te vatten waar ik stond. Wat ik had gezien had me er sterk van weten te overtuigen dat Quick Therese niet had vermoord. Het was verwarrend en ook erg onpraktisch. Het werd steeds moeilijker om met de verschillende partijen in de kwestie-Quick te praten.

Ik had bovendien iets ontdekt waar niemand anders van op de hoogte was: de Sture Bergwall die ik in de Säterkliniek had gesproken vertoonde geen enkele gelijkenis met de gedrogeerde psychiatrisch patiënt die onder de naam Thomas Quick zwalkend in de bossen liep en onduidelijk praatte over hoe hij zijn slachtoffers had vermoord, in mootjes had gehakt, had aangerand en gedeelten ervan opgegeten. Ik had hiervoor ook een redelijke verklaring gevonden, namelijk dat Quick werd overgehaald om grote hoeveelheden drugs op doktersrecept te nemen.

Op dit punt in mijn overpeinzingen aangekomen, besefte ik dat ik moest nadenken.

Tot dusver waren mijn inzichten en kennis louter hypothesen. Veel vragen waren nog onbeantwoord. Ik dacht vooral aan de verbrande botresten van een kind die in Ørjeskogen waren gevonden, precies daar waar Quick naar eigen zeggen het lichaam van Therese had verbrand.

Met grote twijfels keerde ik terug naar Zweden, me er terdege van bewust dat ik me achter de groep sceptici had geschaard.

Na terugkomst belde ik Sture Bergwall, die erg nieuwsgierig was naar hoe het met mijn werk ging. Ik vertelde over mijn reis naar Fjell en Ørjeskogen en over mijn ontmoetingen met de Noorse politiemensen.

'Ach, wat een werk stop je erin! Ben je in Noorwegen en in Ørjeskogen geweest?'

Sture was zeer onder de indruk van mijn inzet, maar hij leek vooral geïnteresseerd te zijn tot welke conclusie ik was gekomen.

'Wat denk je van dit alles?' vroeg hij.

'Als ik eerlijk ben, dan moet ik zeggen dat de reis naar Noorwegen en wat ik daar heb gezien me erg aan het twijfelen heeft gebracht.'

'In dat geval wil ik dat je me de volgende keer dat je hierheen komt, vertelt wat je ervan vindt,' zei Sture.

Ik vervloekte mijn loslippigheid die waarschijnlijk zou betekenen dat de volgende ontmoeting met Sture meteen ook de laatste zou worden. We spraken af dat ik een week later, op 17 september 2008, naar Säter zou komen.

Ik moest eerlijk zijn. Als hij ervoor koos om me de deur te wijzen, dan was dat maar zo.

Säterkliniek, woensdag 17 september 2008

Toen we elkaar voor de derde keer ontmoetten in de bezoekersruimte van de Säterkliniek, zei Sture Bergwall: 'Nu wil ik van je horen wat je er allemaal van vindt.'

Het was een onprettige vraag.

Quick had immers gezegd dat hij een time-out had genomen vanwege het feit dat er mensen waren die zijn bekentenissen wantrouwden. Wat zou er gebeuren als zelfs ik die in twijfel trok?

Ik probeerde de bittere pil te verzachten door een overmaat aan bescheidenheid.

'Ik ben er niet bij geweest toen je de moorden pleegde, ik heb de processen niet bijgewoond. Ik kan niet weten wat waar is. Het enige wat ik kan doen is met hypothesen werken.'

Ik zag aan Sture dat hij mijn redenatie volgde en dat hij mijn beschrijving van de voorwaarden had geaccepteerd.

'In Noorwegen kreeg ik de gelegenheid om nauwkeurig de video-opnames van de schouw in Noorwegen te bestuderen. Ik zal je vertellen wat ik zag: je kreeg een preparaat dat verslavend is, een sterk preparaat, Xanor, in grote hoeveelheden. Tijdens de schouw leek je erg onder invloed te zijn. En toen je in Ørje aankwam en de plek zou gaan aanwijzen waar Therese begraven lag, leek je geen flauw idee te hebben wat je aan het doen was.'

Nu luisterde Sture zeer aandachtig. Hij was geconcentreerd maar op zijn gezicht viel niet af te lezen hoe hij het opvatte.

'Je kon de politie niet naar de grindgroeve brengen, zoals je had beloofd,' vervolgde ik. 'Je kon ze niet naar het lichaam van Therese brengen. Je gedroeg je alsof je nooit eerder op die plek was geweest.'

Ik keek naar Sture, die zijn schouders ophaalde als een teken van onzekerheid.

'Ik weet niet hoe het zit. Maar zoals ik al door de telefoon zei, ik werd erg aan het twijfelen gebracht.'

Sture zat met een lege blik voor zich uit te staren. Zo bleven we lange tijd zitten zonder iets te zeggen.

Ik was opnieuw degene die de stilte verbrak. 'Sture, begríjp je wat ik op de banden heb gezien?'

Sture zweeg nog steeds maar humde en knikte. Hij lijkt niet boos te zijn, dacht ik. Ik had gezegd wat ik te zeggen had. Ik kon niet meer terug en ik had er niets aan toe te voegen.

'Maar...' zei Sture en hij zweeg weer. Langzaam en emotioneel zei hij: '... als het zo is dat ik geen van die moorden heb gepleegd...'

Hij zweeg weer, zat stil en staarde naar de vloer. Plotseling boog hij zich naar me toe, spreidde zijn armen en fluisterde: '... als het zo is, wat moet ik dan doen?'

Ik ontmoette Stures wanhopige blik. Hij zag er volkomen gebroken uit.

Een paar keer probeerde ik het woord te nemen, maar ik was zo geroerd dat ik geen geluid wist uit te brengen. Ten slotte hoorde ik mezelf zeggen: 'Als het zo is dat je géén van die moorden hebt gepleegd, dan is dit de kans van je leven.'

De sfeer in de kleine bezoekersruimte was zo geladen dat de spanning bijna tastbaar was. We wisten beiden wat er op het punt stond te gebeuren. Sture was heel dicht bij het punt dat hij mij ging vertellen dat hij al die jaren dat hij Thomas Quick was had gelogen. Hij had het in principe al gezegd.

'In dat geval is dit de kans van je leven,' herhaalde ik.

'Ik woon op een afdeling waar iedereen denkt te weten dat ik schuldig ben,' zei Sture zachtjes.

Ik knikte.

'Mijn advocaat is ervan overtuigd dat ik schuldig ben,' vervolgde hij.

'Ik weet het,' zei ik.

'Zes rechtbanken hebben me voor acht moorden veroordeeld.'

'Ik weet het. Maar als je onschuldig bent en bereid bent de waarheid te vertellen, dan doet dat er allemaal niet toe.'

'Ik geloof dat we nu moeten stoppen,' zei Sture. 'Dit is een beetje te veel voor me om in een keer te verwerken.'

'Mag ik terugkomen?'

'Je bent welkom,' zei hij. 'Wanneer je maar wilt.'

Ik kan me niet meer herinneren hoe ik uit de kliniek ben gekomen, alleen dat ik even later op de parkeerplaats stond en met mijn producent Johan Brånstad van svt sprak. Vermoedelijk heb ik onsamenhangend over mijn bizarre ontmoeting gepraat en waarin die had geresulteerd.

In plaats van terug naar huis te rijden naar Göteborg, zoals ik van plan was geweest, reed ik rechtstreeks naar Säters Stadshotell en nam een kamer voor de nacht. Rusteloos ijsbeerde ik door de kamer, probeerde me te concentreren op mijn werk. Ik besefte dat ik niemand meer had die ik kon bellen om te vertellen waar ik zo vol van was.

Ik had strenge instructies gekregen om Sture nooit na zes uur 's avonds te bellen. Het was twee minuten voor zes. Ik belde de patiëntentelefoon op afdeling 36. Iemand haalde Sture.

'Ik wilde alleen even horen hoe je je voelt na onze ontmoeting,' zei ik.

'Dank je,' antwoordde hij. 'Het voelt eigenlijk wel goed. Ik voel dat het goed is wat er nu gebeurt.'

Sture klonk blij en dat gaf me de moed om de vraag te stellen.

'Ik ben nog in Säter,' bekende ik. 'Mag ik morgen weer langskomen?'

Zijn antwoord kwam onmiddellijk, zonder bedenktijd.

'Je bent welkom!'

Het keerpunt

'Ik heb geen van de moorden gepleegd waarvoor ik ben veroordeeld en ook geen van al die andere moorden die ik heb bekend. Het is zoals het is.'

Sture had tranen in zijn ogen en zijn stem brak. Hij keek me aan, alsof hij probeerde bij me naar binnen te kijken om erachter te komen of ik hem wel of niet geloofde.

Het enige wat ik wist was dat hij had gelogen. Maar loog hij nu, tegen mij? Of toen hij bekende? Of in beide gevallen? Ik kon het niet weten, maar de mogelijkheden om het uit te zoeken waren in een klap drastisch verbeterd.

Ik vroeg Sture om te proberen het zo te vertellen dat ik het kon begrijpen, helemaal vanaf het allereerste begin.

'Toen ik in 1991 naar Säter kwam, verwachtte ik op een of andere manier dat het verblijf hier me verder zou brengen, dat ik inzicht in mezelf zou krijgen en mezelf beter zou begrijpen,' begon hij, naar woorden zoekend.

Zijn leven was kapot en zijn gevoel van eigenwaarde was nul. Hij zocht bestaansrecht, hij wilde iemand worden, erbij horen.

'Ik dweepte al lange tijd met psychotherapie, en in het bijzonder met psychoanalyse, dus het was voor mij de manier om meer zelfinzicht te krijgen,' verklaarde hij.

Kjell Persson, een arts op de afdeling die geen psychotherapeut was, had zich over hem ontfermd, maar Sture zag algauw in dat hij als patiënt niet interessant genoeg was. Toen Kjell Persson hem vroeg over zijn kindertijd te vertellen antwoordde hij dat hij geen bijzondere herinneringen had, dat volgens hem niets de moeite van het vertellen waard was.

'Ik begreep algauw dat het erom ging om herinneringen op te lepelen uit de kindertijd, traumatische herinneringen over dramatische gebeurtenissen. En wat kreeg ik een respons toen ik daarover begon te vertellen. Een ongelooflijke respons!

Later ging het over seksueel misbruik en mishandeling, en hoe ik van slachtoffer zelf dader was geworden. Tijdens de therapie kreeg mijn verhaal vorm en de benzo vergemakkelijkte het vertellen.'

Toen Sture in april 1991 naar Säter kwam, was hij al afhankelijk van benzodiazepine en geleidelijk aan waren daar steeds meer preparaten bijgekomen en was het aantal doses verhoogd, volgens Sture als gevolg van wat er in de therapieruimte gebeurde.

'Hoe meer ik vertelde, hoe meer benzo ik kreeg voorgeschreven. En hoe meer benzo ik innam, hoe meer ik kon vertellen. Ten slotte had ik in de praktijk vrije toegang tot medicijnen, tot drugs.'

Sture beweerde dat hij al die jaren dat de moordonderzoeken liepen constant gedrogeerd was door benzodiazepine.

'Niet één minuut was ik nuchter. Niet één minuut!'

Benzodiazepine is zeer verslavend en Sture kon algauw niet meer zonder de medicijnen. In de therapie 'wekte hij verdrongen herinneringen op', bekende moord na moord en werkte mee aan het ene na het andere politieonderzoek. In ruil daarvoor kreeg hij waardering van therapeuten, artsen, journalisten, politiemensen en officieren van justitie. En onbeperkt toegang tot drugs.

Ik moest denken aan iedereen die al die jaren van onderzoek in de nabijheid van Quick was geweest – advocaten, officieren van justitie, politiemensen. Waren ze zich ervan bewust geweest dat hij onder invloed was? vroeg ik me af.

'Dat moet wel! Een aantal wist dat ik mijn Xanor enzovoort innam, maar vooral mijn gedrag liet zien dat ik onder invloed was. Hoe konden ze hun ogen daarvoor sluiten? Dat bestaat toch niet!'

Dat dat laatste waar was, had ik zelf kunnen constateren op de videobanden in Noorwegen. Het was niet over het hoofd te zien dat hij bij tijd en wijle zo gedrogeerd was dat hij niet kon praten, laat staan lopen. En de medicatie werd geheel openlijk verstrekt.

'Was de medicatie iets wat werd besproken tussen jou en je advocaat?'

'Nee. Nooit.'

'Geen enkel vraagteken bij je medicatie?'

'Nooit! Ik heb er nooit een vraag over gehoord.'

Volgens Sture hadden artsen, therapeuten en beveiligers er met zijn allen voor gezorgd dat hij voortdurend vrije toegang tot drugspreparaten had.

'Ja, tegenwoordig is dat onbegrijpelijk, maar toen was ik dankbaar dat die vraag niet werd gesteld. Het betekende immers dat ik kon doorgaan met mijn consumptie.'

Sture beweerde dat hij bijna tien jaar lang constant gedrogeerd was geweest. Tijdens die jaren werkte hij mee aan zijn veroordeling voor acht moorden die hij niet had gepleegd. Later kwam daar plotseling een eind aan.

'Op een dag, het moet halverwege het jaar 2001 zijn geweest, kwam er een besluit van de nieuwe chef-arts van de Säterkliniek, Göran Källberg. Alle medicijnen moesten de deur uit. Geen benzo meer. Ik werd overvallen door een enorme angst voor de ontwenningsverschijnselen en bijwerkingen.'

Ik moest denken aan wat Källberg een aantal maanden geleden had gezegd, dat hij niet wilde meewerken 'aan het in de doofpot stoppen van een gerechtelijke dwaling'. Ik begon te vermoeden hoe de lijn van Käll-bergs gedachten rond Quick, de moorden en de medicatie was gelopen.

Sture had zijn bekentenissen van de moorden en de vrije toegang tot de medicijnen ervaren als een stilzwijgende overeenkomst tussen hem en de Säterkliniek, maar nu was de afspraak opgezegd, van de ene op de andere dag. Sture reageerde met woede, verbittering en angst.

'Hoe zou ik kunnen leven zonder medicijnen? Wat betekende dat fysiek?'

Sture zat op zo'n hoge dosis benzodiazepine dat de medicatie geleidelijk aan verminderd moest worden over een periode van acht maanden.

'Het waren zware maanden waar ik alleen maar op mijn kamer zat. Het enige waartoe ik in staat was, was luisteren naar de radio, naar PI.'

Sture legde zijn armen kruislings over zijn borst met zijn handen in een krampachtige greep om zijn schouders.

'Zo lag ik op mijn bed,' zei hij, terwijl hij hevig schudde.

'Dus plotseling was je clean en voelde je je beter. Maar de realiteit was dat je daar zat, levenslang veroordeeld voor acht moorden.'

'Ja.'

'En je had er zelf aan meegewerkt!'

'Ja, en ik zag geen enkele uitweg. Ik had niemand tot wie ik me kon wenden om steun.'

'Waarom niet?'

Hij zweeg, keek me verbaasd aan, lachte en zei: 'Tot wie had ik me moeten wenden? Ik heb immers niet eens steun gekregen van mijn advocaten, die ook deel uitmaakten van wat uiteindelijk tot al deze veroordelingen heeft geleid. Dus ik ben hierbinnen erg eenzaam geweest...'

'Niemand om mee te praten?'

'Nee, ik heb niemand kunnen vinden. Nu zouden er waarschijnlijk wel mensen te vinden zijn geweest...'

'De mensen die nu om je heen zijn op de afdeling, weet je hoe die tegenover de schuldvraag staan?'

'Strikt genomen geloof ik dat ze denken dat ik schuldig ben. Ik neem aan dat er onder het personeel mensen zijn die er anders over denken. Maar het is iets waar niet over gepraat wordt.'

Na het artikel in *Dagens Nyheter* in november 2001 waar Quick zijn time-out bekendmaakt, stopten de politieverhoren. Korte tijd later legde

Christer van der Kwast alle lopende vooronderzoeken neer. Quick ontving geen journalisten meer en hulde zich de volgende zeven jaren in een lang stilzwijgen.

Wat daarentegen niet bekend was, was het feit dat Sture tegelijkertijd met de therapie stopte. Zonder de medicijnen had hij niets te vertellen. Hij wilde niet verdergaan met het verhaal over het seksueel misbruik in zijn jeugd en de moorden die hij op volwassen leeftijd had gepleegd – en zonder de benzodiazepine kón hij ook niet vertellen. Het waren de medicijnen die hem zo ongeremd maakten dat hij in de therapie en in de politieverhoren kon ageren.

'Birgitta Ståhle zag ik een aantal jaren helemaal niet. Daarna spraken we een keer in de maand af voor een "sociaal gesprek". Maar verdomd, het sloop toch in de gesprekken die ik met haar had: "Voor de nabestaanden moet je doorgaan met vertellen." Dat is dus een nachtmerrie geweest!'

Een andere nachtmerrie was dat Sture bijna geen enkele duidelijke herinnering had aan wat er was gebeurd in die jaren dat hij Thomas Quick was geweest. Het is algemeen bekend dat hoge doses benzodiazepine het cognitieve vermogen uitschakelen – de leerprocessen werken gewoon niet.

Aanvankelijk verdacht ik Sture ervan dat hij zijn geheugenverlies simuleerde, maar algauw kwam ik tot de ontdekking dat hij echt geen flauw idee had van de belangrijke gebeurtenissen die hij mij in zijn eigen belang zou moeten vertellen. Ik besefte dat dit een omstandigheid was die het voor hem nagenoeg onmogelijk maakte om zijn bekentenis te herzien.

'Ik hoop oprecht dat de medicatie zorgvuldig werd genoteerd in de dossiers,' zei hij. 'Ik weet immers niet hoe het is genoteerd.'

Wat Sture vertelde betekende niet alleen dat de zaak-Thomas Quick een gigantische gerechtelijke dwaling was, maar ook een zorgschandaal van enorme omvang – een forensisch psychiatrisch patiënt die verkeerd is behandeld met niet-serieuze therapie en onzinnige medicatie. De veroordelingen voor acht moorden waren een gevolg van deze verkeerde behandeling. Als Sture de waarheid sprak, althans. En hoe zou ik ooit het waarheidsgehalte kunnen controleren?

'Het zou waardevol voor me zijn als ik je dossiers mag inzien,' zei ik.

Sture keek erg ongemakkelijk. 'Ik weet niet of ik dat wil,' zei hij.

'Waarom niet?'

Hij aarzelde met het antwoord. 'Ik vind het zo verschrikkelijk gênant om iemand van buitenaf alles te laten lezen wat ik in al die jaren heb gezegd en gedaan.'

'Mijn hemel! Iedereen heeft kunnen lezen hoe je je aan kinderen hebt vergrepen, hoe je ze hebt vermoord, in mootjes hebt gehakt, ervan hebt gegeten! Wat kan er nog meer zijn dat misschien pijnlijk voor je is? Alles is immers zo pijnlijk als het maar zijn kan!'

'Ik weet het,' herhaalde Sture. 'Maar ik moet erover nadenken.'

Zijn antwoord maakte me wantrouwend. Kon het zo zijn dat Sture me de dossiers wilde onthouden omdat ze een andere waarheid onthulden?

'Denk er maar eens over na,' zei ik. 'Maar als je wilt dat de waarheid boven tafel komt vereist dat totale openheid. De waarheid en niets dan de waarheid…'

'Ja, natuurlijk,' zei Sture. 'Ik schaam me alleen zo verschrikkelijk…'

We namen afscheid na een lang en uitputtend gesprek. Toen ik klaar was om te vertrekken en Sture de beveiliger wilde bellen, schoot me iets belangrijks te binnen.

'Sture, mag ik je nog een laatste vraag stellen over iets wat me al een half jaar heeft beziggehouden?'

'Ja?'

'Wat deed je tijdens je verloven in Stockholm?'

Hij glimlachte breed en antwoordde zonder enige aarzeling. Zelfs ik moest glimlachen om zijn antwoord.

Deel II

'Als jij zegt dat een politieman samen met een psycholoog de
rechterlijke instanties in Zweden ertoe heeft aangezet om een
onschuldige te veroordelen, dan zeg ik je dat dit nog nooit
in de rechtsgeschiedenis is voorgekomen. Degene die dat kan
aantonen, heeft de beste scoop ter wereld in handen!'

Claes Borgström, advocaat van Thomas Quick van 1995-
2000, in een interview met de auteur op 14 november 2008

Een leven vol leugens

Ik sta bij de deur van de bezoekerskamer en wacht tot de beveiliger voor me zal opendoen om me eruit te laten, maar eerst moet Sture antwoord geven op mijn vraag.

In het onderzoeksmateriaal van de politie stonden Thomas Quicks verloven naar Stockholm genoteerd. Nadat hij van een zijn verloven was teruggekeerd had hij 'een hypnotische reis in een tijdmachine' gemaakt, en kon hij verbazingwekkende details over de moord op Thomas Blomgren in Växjö geven. In elk geval interpreteerde zijn therapeute de plotselinge terugkeer van herinneringen op die manier.

'Ja, dat kan ik je wel vertellen,' zegt Sture triomfantelijk. 'Toen zat ik in de bibliotheek van Stockholm krantenartikelen te lezen over de moord op Thomas Blomgren. Microfilms door te pluizen. Ik schreef alle belangrijke informatie op en maakte een tekening van het schuurtje. Later smokkelde ik die mee naar binnen en leerde alles uit mijn hoofd voordat ik het vernietigde.'

Hoewel ik al een vermoeden had dat het zo gegaan moest zijn, is het eng om Sture te horen vertellen hoe krankzinnig slim hij is geweest. Waarom in vredesnaam heeft hij zo veel moeite gedaan om het politieonderzoek te frustreren?

Volgens Sture was zijn motief niet het misleiden van de rechercheurs. Alles was erop gericht om door zijn therapeute geloofwaardig gevonden te worden, om te proberen een interessante patiënt te zijn.

'Kjell Persson dreef me naar de bibliotheek,' legt Sture uit. 'Je moet begrijpen dat er ongelooflijk veel van me werd verwacht in de therapie. Drie keer in de week een therapiesessie van een paar uur. En ik vertelde en vertelde, maar ik kon geen enkele juiste informatie geven. Wat ook meespeelde was dat Kjell Persson en [chef-arts] Göran Fransson iets aan Penttinen en Kwast wilden geven. Het leek ongevaarlijk om over de moord op Thomas Blomgren te vertellen, een misdrijf dat verjaard was, waarbij ik niet het risico liep dat ik ervoor vervolgd zou worden.'

Ik hoor wat Sture zegt, maar hoe ik ook probeer om het te begrijpen, het is allemaal te absurd.

'Bovendien,' vervolgt Sture en hij kijkt me verwachtingsvol aan, 'bovendien heb ik een alibi voor de moord op Thomas Blomgren! Een ontzettend sterk alibi!'

Ik heb nog steeds niet kunnen bevatten wat hij over de bibliotheek heeft gezegd.

'Mijn tweelingzusje en ik deden in het pinksterweekend van 1964 belijdenis,' vertelt Sture enthousiast. 'Twee dagen lang belijdenis! Thuis in Falun. In klederdracht! We zaten bij een volksdansgroep en deden in dat weekend allemaal belijdenis.'

'Weet je dat echt zeker? Dat het de juiste datum en het juiste jaar is?'

'Ja,' zegt hij nadrukkelijk. 'En ik zat de hele tijd in de piepzak of ze dat met die belijdenis zouden ontdekken. Mijn broers en zussen weten er immers van! En al mijn vrienden die tegelijk met mij belijdenis deden. Het was niet zo moeilijk geweest om daarachter te komen!'

Daar is de beveiliger om me eruit te laten, waardoor we snel afscheid moeten nemen.

Ik ben behoorlijk beduusd wanneer ik buiten in de herfstlucht sta en naar de auto loop. Ik heb de hele weg naar Göteborg genoeg om over na te denken.

Dat Sture Bergwall zijn bekentenissen van alle moorden heeft ingetrokken, verandert het hele uitgangspunt van mijn geplande tv-documentaires.

Stures aanvankelijke twijfel om de dossiers af te geven ebt algauw weg, en hij stelt materiaal beschikbaar waarop ik nooit had durven hopen. Allereerst zijn patiëntendossiers, medicijndagboeken en dergelijke, maar hij blijkt ook een enorme hoeveelheid correspondentie, dagboeken, persoonlijke aantekeningen en oude processen-verbaal van het vooronderzoek te hebben bewaard.

Sture geeft me alles wat ik wil hebben en leest niet eens eerst door wat hij aan mij geeft.

'Ik weet heel zeker dat er in het materiaal niets te vinden is wat tegen me pleit. Voor het eerst heb ik niets te verbergen. Niets!'

'De waarheid zal ons vrijmaken,' zeg ik op gekscherende toon, maar tegelijkertijd in alle ernst.

Als de nieuwe versie van Sture de waarheid is, zal zijn verhaal een verlossing voor hem zijn.

De tijd na Stures totale ommezwaai hebben we het vaak over de verwoestende gevolgen als hij tegen me zou liegen, dat de kleinst mogelijke leugen ons beiden in het ongeluk zou storten. In mijn hart weet ik dat hij de waarheid spreekt. Ik weet het. Maar uit puur zelfbehoud ben ik vastbesloten om alles wat hij zegt te wantrouwen.

In de ogen van de omgeving is hij de grootste gek van het land, iemand die totaal geen geloofwaardigheid geniet. Dat hij nu beweert dat alles is verzonnen, zal daar natuurlijk niets aan veranderen.

Alle vonnissen tegen Thomas Quick worden bovendien ondersteund door aanvullend bewijs. Ik realiseer me dat ik elk bewijs moet onderzoeken – en moet afschrijven. Als er ook maar een flintertje bewijs is dat Sture mogelijk schuldig is, dan zal zijn verhaal als een kaartenhuis in elkaar vallen.

Samen met researcher Jenny Küttim ga ik een tweedelige documentaire maken die op 14 en 21 december 2008 zal worden uitgezonden. Dat is over precies drie maanden.

Dagelijks hebben we vragen aan Sture en we kunnen niet meer vertrouwen op de patiëntentelefoon op zijn afdeling. We kopen een eenvoudige mobiele telefoon die we naar de Säterkliniek sturen en opeens kunnen we praten zo vaak we willen.

Sture Bergwall heeft geen geld voor de juridische hulp die hij nu nodig heeft, maar advocaat Thomas Olsson, die ik heb leren kennen toen ik werkte aan *De zaak-Ulf*, is bereid om de zaak pro Deo op zich te nemen, zonder kosten voor de cliënt.

Jenny Küttim en ik storten ons met hart en ziel op het natrekken van Stures informatie en het doornemen van de gigantische hoeveelheid documenten die we nu tot onze beschikking hebben. Stures dossiers bestrijken een periode van 1970 tot nu. Ze bevestigen Stures beeld van de buitenproportionele medicatie.

Het lezen is een onthutsende ervaring. Wat we zien is een bijna niet te bevatten zorgschandaal.

De seriemoordenaar komt in beeld

Na de mislukte bankoverval in Grycksbo in 1990 werd Sture Bergwall eerst in de Forensisch Psychiatrische Kliniek in Huddinge onderzocht.

In haar elf pagina's lange verslag vatte maatschappelijk werkster Anita Stersky het leven van haar patiënt tot nu toe samen: aanrandingen van jongetjes eind jaren zestig, de daaropvolgende gedwongen psychiatrische verpleging op een gesloten afdeling, een verblijf in de Sidsjönkliniek in Sundsvall, daarna proefverlof en een studie op de volkshogeschool van Jokkmokk. 'Maar daarna ging het mis,' schreef Stersky. 'SB liet zich in met homoseksuelen die verslaafd waren aan drank en drugs. Ondanks alles voelde hij een zekere saamhorigheid met deze groep, die hem een identiteit gaf, al was het een negatieve.'

In januari 1973 werd Sture voor het eerst opgenomen in de Säterkliniek, hij kreeg proefverlof, studeerde in Uppsala en het leek met hem de goede kant op te gaan, tot maart 1974 toen hij een homoseksueel aanviel, die hij net niet doodstak. Maatschappelijk werk maakte een opsomming van meerdere opsluitingen, meerdere proefverloven, 'doodsverlangen', zelfmoordpogingen. In 1977 werd hij definitief ontslagen uit de Säterkliniek. Anita Stersky schreef dat Sture Bergwall zich aangetrokken voelde tot jonge jongens, en dat hij 'heeft aangeleerd dat hij niet aan zijn driften mag toegeven'. 'Een van de belangrijkste redenen dat SB zijn driften onder controle kon houden, was het feit dat hij geen drank en drugs meer gebruikte.'

Daarna volgde een beschrijving van al zijn jaren in Grycksbo: de kiosk, zijn leven met Patrik, de stopgezette WAO-uitkering, het faillissement, de financiële problemen, zijn tijd als bingogastheer en uiteindelijk de uit de hand gelopen overval op dc Gotabanken.

In haar eindrapport schreef Stersky: 'SB was bij onze gesprekken vaak zeer angstig en nerveus en barstte af en toe in kortstondig huilen uit. Toen we het over bijzonder beladen onderwerpen hadden, kreeg SB af en toe op hysterie lijkende aanvallen, waarbij hij in zijn baard beet of eraan trok, zijn ogen sloot en op bijna krampachtige wijze schudde. Maar hij kon ook een paar minuten onbeweeglijk blijven zitten met zijn ogen dicht, zodat je geen contact met hem kon krijgen [...] Naar mijn mening lijdt SB aan een zeer ernstige psychische stoornis en moet hij behandeld worden op een gesloten afdeling. In een kliniek die gespecialiseerd is in de behandeling van veeleisende patiënten, omdat hij zo gevaarlijk is.'

Sture vertelt me over de verschrikkelijke wanhoop die hij in die tijd voelde: 'Ik had een goed leven in Grycksbo. Ik had veel vrienden en werkte als bingogastheer in Falun. Ik was geliefd bij de oudere dames. Veel vrouwen kwamen juist op de dagen dat ik daar werkte. Ik was bingo-omroeper en verkocht bingoformulieren, zorgde voor de dames, haalde koffie, maakte grapjes met hen. Ik zorgde ervoor dat ze het naar hun zin hadden. Het was gezellig en ik was goed in mijn werk. Het feit dat ik werd opgepakt voor de bankoverval, zette een streep door mijn verleden. Mijn familie, mijn vrienden, mijn werk, ik was alles kwijt.

Ik had daarvoor ook wel ernstige dingen uitgehaald, maar dat was lang geleden, in mijn jeugd in de jaren zestig en zeventig. Na de overval kon ik me niet eens voorstellen dat ik mijn broers en zussen ooit weer onder ogen kon komen. Ik was helemaal alleen en er was niets om naar terug te keren.'

De tijd in Huddinge leverde hem twee dingen op, vertelde hij.

'In de Forensisch Psychiatrische Kliniek in Huddinge leerde ik dat zelfs zo'n verschrikkelijke massamoordenaar als Juha Valjakkala bij een aantal leden van het personeel gevoelens van bewondering kon oproepen. Hij was op een bijzondere isoleerafdeling geplaatst en stond onder constante bewaking. Er heerste een huiveringwekkende fascinatie voor Juha en voor wat hij had gedaan.'

Juha Valjakkala had samen met zijn Finse vriendin Marita in 1988 in Åmsele in Västerbotten een heel gezin vermoord. Nadat ze ergens in de wildernis van Finland waren opgepakt, werd Juha uitgebreid psychiatrisch onderzocht in de Forensisch Psychiatrische Kliniek in Huddinge. Er was al vrij veel tijd verstreken sinds Valjakkala de kliniek had verlaten, maar hij was nog steeds zeer nadrukkelijk aanwezig op de afdeling.

'Sommige personeelsleden spraken voortdurend met mij over Juha en ik werd een soort van uitlaatklep voor hun behoefte om over Juha en de moorden te praten,' zegt Sture. 'Het viel me op dat je zelfs als afschuwwekkende misdadiger bewonderd en geliefd kon worden.'

Dat was het ene. Het andere was, legt Sture me uit, dat Anita Stersky hem vertelde over de 'fantastische psychodynamische therapie' die in de Säterkliniek werd ontwikkeld. Daar verheugde hij zich op.

De donkerblauwe Volvo reed langs de golfbaan van Säter, sloeg met een matige snelheid de Jonshyttevägen in en reed tot aan de groene oevers van het Ljusternmeer. De passagier op de achterbank had er geen idee van dat hij internationaal beroemd zou worden en in aantal moorden internationale grootheden als Jack the Ripper, Ted Bundy en John Wayne Gacy zou overtreffen.

Maar het was nog vroeg in het voorjaar van 1991, de stapels takken die werden verzameld voor de viering van Walpurgisnacht waren nog niet in brand gestoken en Thomas Quick heette nog Sture Bergwall. Hij wist toen niet dat zijn levensverhaal nog decennialang psychologen, artsen, onderzoekers, journalisten en een groot deel van de Zweedse justitie zou gaan bezighouden. Hij had er geen idee van dat internationaal vooraanstaande onderzoekers zijn zaak zouden beschouwen als uniek in de wereld en zijn bijzondere lot met grote interesse zouden volgen.

Toen Sture Bergwall op 29 april 1991 in de Säterkliniek kwam, was het fenomeen seriemoordenaar op zich relatief nieuw voor de gemiddelde Zweed. Een aantal zaken in de Verenigde Staten had de FBI, de federale Amerikaanse politie, ertoe gedwongen een nieuwe term te bedenken en nieuwe opsporingsmethoden in te voeren, in de eerste plaats de zogeheten daderprofilering, om de moeilijk te pakken daders op te sporen. Eind jaren tachtig was het fenomeen uitgebreid onderzocht door Amerikaanse criminologen en gedragswetenschappers en een paar jaar later waren auteurs en filmmakers binnen de populaire cultuur het gaan exploiteren.

Voorjaar 1991 veroverde de nieuwe antiheld in grootse stijl het doek: het personage Hannibal 'The Cannibal' Lecter in de verfilming van Thomas Harris' roman *The Silence of the Lambs*. In de film helpt de briljante seriemoordenaar de rechercheurs met behulp van ondoorgrondelijke cryptische aanwijzingen met het identificeren van de seriemoordenaar 'Buffalo Bill', die vrouwen vangt en vervolgens doodt met de bedoeling om van hun huid een kostuum te naaien. Dokter Lecter geeft scherpzinnige puzzelstukjes, getuigend van psychologisch inzicht, in de vorm van anagrammen en persoonlijke vragen aan FBI-agente Clarice Starling, vaak met geleerde verwijzingen en citaten van de Romeinse keizer Marcus Aurelius. De intelligente aanwijzingen van de kannibaal zijn echter zo geraffineerd en cryptisch dat ze zich nauwelijks laten duiden.

Sture kon niet naar de bioscoop gaan, maar hij huurde later de film op video en net als iedereen in Zweden leerde hij hoe seriemoordenaars te werk gaan en hoe de jacht op hen verloopt.

In diezelfde tijd kwam de succesroman *American Psycho* uit, waarin de keiharde sadist, miljonair en seriemoordenaar Patrick Bateman, die levensmoe is en verstrooiing zoekt voor de kick, met berekenende onverschilligheid zijn slachtoffers met drilboren en een spijkerpistool bewerkt.

De bibliotheek in de Säterkliniek schafte het boek aan en Sture Bergwall had het onmiddellijk gelezen.

'De hoofdpersoon van de roman, Patrick Bateman, is ongelooflijk intelligent, wat belangrijk voor me was, denk ik. Ik zag dat je intelligent en tegelijk seriemoordenaar kon zijn. *The Silence of the Lambs* en *American Psycho* kregen immers zelfs een zekere status doordat ze werden besproken op de cultuurpagina's in *Dagens Nyheter* en *Expressen*. Daardoor werden seriemoordenaars ook voor mij interessant,' herinnert Sture zich.

Voor Sture Bergwall was het belangrijk dat hij werd gezien als intelligent, en hij merkte dat zijn artsen en psychologen zich voor dit nieuwe fenomeen interesseerden. En met een bijna onwaarschijnlijke timing werden deze successen uit de populaire cultuur dadelijk ondersteund door reële gebeurtenissen.

Op een warme avond eind juli 1991 reden twee politieagenten door een zwaar criminele wijk in Milwaukee in Wisconsin, toen een jonge zwarte man met handboeien bungelend aan zijn pols op hen af kwam rennen.

De man heette Tracy Edwards en hij vertelde hijgend over een 'merkwaardige snuiter' die hem in zijn flat handboeien had omgedaan, maar hij had weten te ontsnappen.

De deur van flat 213 werd onmiddellijk opengedaan door de bewoner, Jeffrey Dahmer, een keurige blonde man van eenendertig jaar oud, die geen spoortje van nervositeit vertoonde. Hij bood volkomen ontspannen aan de sleutel van de handboeien uit zijn slaapkamer te halen. Dahmer leek een vertrouwenwekkende man die in een voor de wijk ongewoon nette en schone flat woonde. Toch wilde een van de twee agenten zelf een kijkje nemen in de slaapkamer waar de sleutel werd bewaard.

Daar ontdekte de agent een grote tank gevuld met driehonderd liter zuur, waarin drie in verregaande staat van ontbinding verkerende lichamen waren gestouwd. Zijn collega opende de koelkast en stond oog in oog met vier hoofden die naast elkaar op een glazen plaat stonden. In de koelkast werd geen eten bewaard, maar menselijke lichaamsdelen. In de garderobe lagen nog eens zeven schedels, en in een kreeftenkooi had Dahmer de penis van een van zijn slachtoffers vastgepind.

De aardige jongeman met het innemende uiterlijk had zijn slachtoffers eerst gedrogeerd, vervolgens een gat in hun schedel geboord en zo meerdere chemische stoffen rechtstreeks in hun hersenen gegoten. Daarna had hij hen verkracht, in stukken gesneden en uiteindelijk een aantal delen van hun lichamen uitgekozen en die opgegeten.

Hoe verklaar je zulk gedrag? En hoe noem je een persoon die zich aan dit soort gruweldaden schuldig heeft gemaakt? De kranten deden hun best om een passende benaming te vinden. 'Satan', 'De kannibaal van Milwaukee' en 'Een levend monster' waren enkele namen die aan Jeffrey Dahmer werden gegeven, maar de woorden leken nooit toereikend te zijn.

Welke weerzinwekkende details de media ook over Jeffrey Dahmer onthulden, algauw zouden ze over een nog ergere seriemoordenaar berichten. 'De duivel van Rusland' – schuldig bevonden aan minstens tweeenvijftig moorden.

Ook deze keer was het een op het oog onschuldig en vriendelijk mens die werd ontmaskerd als de personificatie van het kwaad. De vijfenvijftigjarige Andrej Tjikatilo werd omschreven als een 'timide taalleraar' die een rustig leven leidde met zijn vrouw en kinderen in de Zuid-Russische stad Novatjerkassk. Zijn vrouw had in de zevenentwintig jaar dat ze getrouwd waren haar man nooit verdacht van dit soort duistere geheimen.

De seriemoordenaar kon iedereen zijn. Jij, ik, de buurman of je geliefde.

In de twaalf jaar dat de jacht op de Russische seriemoordenaar duurde, had de politie een groot aantal andere mensen opgepakt. Een van deze ten onrechte verdachte personen werd onder druk gezet om een bekentenis af te leggen en kreeg helaas de doodstraf voor de moorden die Tjikatilo bleek te hebben gepleegd. Een andere verdachte pleegde zelfmoord voordat het proces was begonnen.

Tijdens Sture Bergwalls eerste herfst in de Säterkliniek begon een onbekende dader te schieten op hem onbekende mensen in Stockholm. Voordat het schot viel, verscheen er een klein rood lichtstipje op het slachtoffer, wat voor de boulevardpers aanleiding was om hem de naam de Laserman te geven.

Op 8 november schoot de Laserman zijn vijfde slachtoffer neer, het eerste en het enige slachtoffer dat kort daarna overleed. Alle slachtoffers waren allochtonen. De rijksrecherche stond onder grote druk omdat men besefte dat de Laserman allochtonen zou blijven neerschieten tot hij werd gepakt, wat vooral gênant voor de politie was omdat ze geen flauw idee had waar of in welke kringen zo'n dader gezocht moest worden.

De handelwijze van de Laserman kwam overeen met veel clichés die er over seriemoordenaars bestonden. Hij koos slachtoffers die van niet-Europese afkomst waren; hij opereerde in een afgegrensd geografisch gebied; hij had geen relatie met de tien slachtoffers; hij was gedisciplineerd en hij liet in principe geen enkel spoor na. Maar de Laserman was er niet in geslaagd om alle tien te doden, alleen het vijfde slachtoffer was aan zijn verwondingen bezweken, wat toegeschreven moest worden aan het ongelukkige toeval dat hij de geluiddemper verkeerd op zijn wapen had gemonteerd.

Uit frustratie dat zijn eerste vier slachtoffers het hadden overleefd was de Laserman daarom afgeweken van zijn gebruikelijke handelwijze, en was hij zijn vijfde slachtoffer van achteren genaderd, had de loop van het pistool op het achterhoofd van de vierendertigjarige man gezet en de trekker overgehaald. Zelfs een verkeerd gemonteerde geluiddemper had hem niet kunnen redden.

In de Säterkliniek werd Sture Bergwall op een psychiatrische afdeling geplaatst met veel zware criminelen. De status van de patiënten werd voor een groot deel bepaald door hoe interessant hun levensgeschiedenissen en misdaden waren. In dat opzicht stond Sture met lege handen.

Een bijzondere patiënt

Kjell Persson en Göran Fransson waren beiden chef-arts in de Säterkliniek begin jaren negentig, en hadden door de jaren heen af en toe nauw met elkaar samengewerkt.

Al ten tijde van het onderzoek, voordat Sture Bergwall werd veroordeeld tot behandeling in een gesloten inrichting, incasseerde Göran Fransson zeshonderdvijftig kronen voor een psychiatrische beoordeling van de mislukte bankovervaller. De rapportage, die in het dagelijks taalgebruik 'de P7' wordt genoemd, wordt gedaan om te bepalen of de gedaagde uitvoerig onderzocht moet worden om de toerekeningsvatbaarheid te bepalen. Het bepalen van de mate van gevaarlijkheid is geen onderdeel van de opdracht om een P7 op te stellen — laat staan dat er gespeculeerd mag worden over de eventueel niet ontdekte delicten van de onderzochte persoon – maar Fransson meende dat hij juist hiervoor de aangewezen persoon was:

De delicten waarvoor hij eerder veroordeeld is, tonen tekenen van ernstige seksuele perversiteiten waarbij het risico van herhaling gewoonlijk aanzienlijk is, waardoor het opmerkelijk lijkt dat hij niet opnieuw voor dergelijke delicten vervolgd wordt.

Göran Franssons veronderstelling, dat Sture Bergwall zware delicten had gepleegd die niet ontdekt waren, zou algauw profetisch blijken te zijn. Dat de uitspraak ongepast was, heeft Fransson naderhand zelf toegegeven.

'Ik heb er spijt van dat ik dat toen zo heb opgeschreven. Dat had niet zo in een P7 mogen staan. Maar ik heb gelijk gekregen,' zei hij in een interview in *Dala-Demokraten* in juni 1996.

De overtuiging dat er onontdekte delicten in Stures verleden te vinden waren, werd snel algemeen onder degenen die verantwoordelijk waren voor de behandeling van Sture Bergwall. En wie zoekt, zal vinden.

Stures patiëntendossier, medicijndagboeken en documenten gaven mij een uitvoerig inzicht in zijn leven in de Säterkliniek, vanaf de eerste dag. Sture werkte lusteloos mee aan de routinematige onderzoeken bij de inschrijving, hij kleedde zich op commando aan en uit en vond het goed dat een arts-assistent hem met een zaklampje in zijn ogen scheen, hem met een reflexhamer op zijn knieën sloeg en zijn huid inspecteerde op injectielittekens of andere tekenen die gesignaleerd moesten worden.

De volgende dag zag hij een arts die op bepaalde momenten zijn carrière zou veranderen. Chef-arts Göran Källberg had een intakegesprek met Sture en noteerde het volgende in het dossier:

Hij was rustig en bedaard en begreep wat de behandeling inhield. Hij had immers al een lange ervaring met een behandeling in een gesloten psychiatrische inrichting. We praatten wat in het algemeen over zijn situatie en zijn problemen. [...] Hij kreeg af en toe hevige angstaanvallen en ook tijdens het gesprek werd hij zeer gespannen, emotioneel en zijn ademhaling stokte af en toe. In de loop van het gesprek kalmeerde hij langzaamaan weer. Liet overigens tijdens het gesprek een goed formeel contact toe.

Toen Göran Källberg vraagtekens zette bij de actuele medicatie was hij verbaasd over Stures krachtige protest. Hij liet de medicatie voorlopig doorgaan, maar noteerde in het dossier dat Sture 'blijkbaar afhankelijk was van de kleine dosis Sobril die hij al jarenlang kreeg'.

Stures leven in de Säterkliniek ging algauw weer zijn gewone gangetje. Uit zijn dossier blijkt dat hij zich zonder problemen aanpaste en een teruggetrokken bestaan leidde.

Maar in de dossiers staan ook herhaaldelijk aantekeningen dat Sture aan het personeel vertelt dat hij zich niet goed voelt en zelfmoordgedachten heeft. Op 17 mei 1991 schrijft Kjell Persson:

Sture Bergwall kwam vanmorgen bij me en zei dat hij graag met een van de artsen wil spreken. Hij heeft het erover dat hij 's nachts veel ligt te piekeren, angstig is, ligt te zweten en de behoefte heeft om te huilen. 'Ik moet het van me af praten.'

Ondanks het feit dat Persson geen psychotherapeut is, ontfermt hij zich over Sture en laat hem af en toe bij zich komen om dingen van zich af te praten. De informele gesprekken nemen geleidelijk aan steeds meer de vorm aan van gesprekstherapie. Een terugkerend onderwerp is Stures gevoel dat hij geen bestaansrecht heeft, dat hij zich eigenlijk van het leven zou moeten beroven. Hij heeft veel verdriet omdat hij na de bankoverval zijn vroegere beste vriend kwijt is geraakt, de tweeëntwintig jaar jongere Patrik. Als de oudste van hen beiden voelt hij zich ook schuldig aan het feit dat Patrik nu in de gevangenis zit. Op 24 juni 1991 maakt Persson de volgende aantekening in het dossier:

Wanneer we hierover of over vergelijkbare onderwerpen praten, krijgt de patiënt veel tics, een snelle, gejaagde ademhaling en maakt hij vreemde brommende geluiden. Bij de ronde vandaag wordt gerapporteerd dat men dit gedrag steeds minder ziet op de afdeling. Er zijn geen andere problemen geweest.

Sture Bergwall lijkt de vurige wens te koesteren om met psychotherapie te beginnen, wat echter lastiger lijkt te zijn dan hij dacht. Want los van de vraag of zijn angstaanvallen, tics en gebrom gespeeld of echt zijn, stellen de artsen zich tamelijk onverschillig op. Het is heel simpel, Sture vinden zc gewoon geen interessante patiënt. Op 2 juli schrijft Kjell Persson in zijn dossier:

De patiënt heeft de laatste dagen een toenemende last van angst, moeite om 's nachts in slaap te vallen en hij ligt veel te piekeren. Hij heeft zelfmoordgedachten, maar zegt dat hij eigenlijk niet het lef heeft om zichzelf iets aan te doen. Dit is iets waar hij al die jaren, de ene keer sterker dan de andere keer, mee heeft rondgelopen. Hij vertelt dat hij op de avond voor de bankoverval op het punt heeft gestaan om zichzelf van het leven te beroven. Hij vertelt dat hij al een plek had uitgezocht waar hij met zijn auto van de weg af kon rijden, maar dat hij toen het zover was om het ten uitvoer te brengen, zijn hond achter in de auto zag zitten. Nu zegt hij dat hij eigenlijk een soort van bevestiging wil dat hij zo'n slecht mens is dat hij eigenlijk een eind aan zijn leven zou moeten maken.

Uit het dossier komt naar voren dat Göran Fransson het sterk kalmerende geneesmiddel Somadril ('dat zo heerlijk in de hersenen zoemde') niet meer voorschrijft en de artsen proberen het ene na het andere alternatief. Maar Sture zegt dat andere preparaten hem nog depressiever maken. Ten slotte wordt opnieuw Somadril voorgeschreven en de rust keert tijdelijk weer. Op 10 juli noteert Göran Källberg:

Na een volledige beoordeling van de suïcidedreiging kom ik tot de conclusie dat we voorlopig geen bijzondere veiligheidsmaatregelen hoeven te nemen. Alleen al het feit dat de patiënt erover kan praten en zijn hart kan luchten, lijkt verlichting te geven. Ook moet worden vermeld dat de suïcidegedachten vooral voortkomen uit een soort van existentiële problematiek. Dat wil zeggen: wanneer hij terugkijkt op zijn leven, op hoe moeilijk het is geweest en hoe mislukt hij zich voelt. In zijn manier van denken zit niet iets depressiefs, melancholisch of psychotisch. Voor het overige kan gezegd worden dat de patiënt zich goed aanpast op de afdeling. Hij heeft de oprechte wens om met zichzelf in het reine te komen, maar voelt dat hij dat niet alleen kan. In zijn denken is de patiënt zeer intellectueel en hij bedient zich graag van theoretische termen. Tegelijkertijd is hij zich ervan bewust dat dit voor hem een manier is om zich te distantiëren.

In de zomer mag Sture urenlang op begeleid verlof en dit verloopt zonder problemen. De sessies met Kjell Persson gaan door, maar de artsen twijfelen of psychotherapeutische behandeling zinvol is. Op 9 september noteert Persson in Stures dossier:

> De patiënt heeft sinds hij naar afdeling 31 is overgeplaatst, direct nadat hij hier binnenkwam, de kliniek met klem om psychotherapeutische behandeling gevraagd. In hoeverre hij hier een geschikte kandidaat voor is, was twijfelachtig. Hierbij moet ook rekening worden gehouden met onze beperkte psychotherapeutische middelen. Als een tijdelijke oplossing ben ik daarom dit contact met de patiënt aangegaan, onder de noemer 'artsgesprek'. Het blijkt echter dat de patiënt deze sessies gebruikt om met een oprechte motivatie over zichzelf, zijn handelingen en zijn situatie na te denken.
>
> De sessies lijken veel angst en spierspanning op te wekken en de patiënt vraagt met klem om meer sessies omdat hij kennelijk merkt dat hij baat heeft bij het ordenen van zijn gedachten.

Sture is ambivalent tijdens de gesprekken. Deels zoekt hij contact, deels is hij gesloten. 'Hij drukt zich het liefst uit in algemene termen, in plaats van over concrete gebeurtenissen uit zijn leven te vertellen,' schrijft Persson en hij vervolgt:

> Wat voorlopig centraal lijkt te staan, is een gevoel van absoluut geen bestaansrecht te hebben. Op de afdeling gedraagt hij zich onberispelijk, maar hij heeft geen onbegeleid verlof gekregen. Tot nu toe hebben we hem beoordeeld als te gesloten en moeilijk toegankelijk, moeilijk om hoogte van hem te krijgen.

Sture was al eerder in psychotherapie geweest en toen was hem gevraagd over zijn kindertijd te vertellen. Hij had geantwoord dat hij geen duidelijke herinneringen had en vond aanvankelijk dat zijn jeugd in het kinderrijke en vrij arme gezin geen spannende elementen had bevat. Sture merkte dat Kjell Persson viste naar traumatische gebeurtenissen in zijn kindertijd, en zijn beleving dat hij een oninteressante patiënt was, versterkte zijn gevoel van mislukking. Hij deugde zelfs niet als psychiatrisch geval. Sture vertelde mij: 'Ik had intellectuele interesses maar had geen opleiding en had een minderwaardigheidscomplex tegenover mijn broers en zussen.

Zij hadden de universiteit bezocht en hadden een academisch beroep terwijl ikzelf mislukt en verschrikkelijk eenzaam was. Ik was helemaal weg van psychoanalyse en had mijn zinnen erop gezet om met zo'n diepgaande therapie te beginnen. Maar niet omdat ik vreemde gedachten en ideeën bij mezelf wilde verwerken. Het was het sociale contact dat ik zocht. Een intellectueel zijn, vrij mogen associëren, met een gelijke kunnen praten, dat leek me aantrekkelijk. Voor een groot deel was het me er ook om te doen om bevestiging te krijgen dat ik een intellectueel persoon ben.'

De therapie in de Säterkliniek baseerde zich op de zogeheten objectrelatietheorie. Deze richting in de psychoanalyse ontstond in de jaren dertig, en hecht groot belang aan de allereerste levensjaren van het kind. In het kort gaat deze theorie er, onder meer, van uit dat verschillende persoonlijkheidsstoornissen herleid kunnen worden naar mishandeling, geestelijk of lichamelijk, door de ouders. Aangezien mensen in het algemeen geen herinnering hebben aan hun eerste levensjaren, vormt het oproepen van deze herinneringen, of het duiden van de eventueel aanwezige vage gewaarwordingen zodat ze begrijpelijk worden en passen in het therapeutische patroon, belangrijke informatie voor de therapeut. Een centraal onderdeel van de theorie is bovendien dat pijnlijke herinneringen verdrongen kunnen worden of zelfs 'gedissocieerd kunnen worden', dat wil zeggen ontkoppeld worden. De therapeut moet dan aan de slag met het vinden van de werkelijke gebeurtenissen achter de metafysische en vaak symbolische verhalen, herinneringen en dromen.

Een van Zwedens meest vooraanstaande voorstanders van de objectrelatietherapie was Margit Norell. In de jaren zestig brak zij met de psychoanalytische vereniging om vervolgens een eigen vereniging voor 'holistische' psychoanalyse op te richten waar ze later ook weer uitstapte.

Toen Sture Bergwall werd opgenomen in de Säterkliniek, werkte deze achtenzeventigjarige veteraan op het gebied van de objectrelatietheorie als begeleidster van de psychologen en de therapeuten in de kliniek. Volgens Sture werd ze met enorm veel ontzag tegemoet getreden door het personeel, en zelf noemde hij haar soms in zijn aantekeningen 'de grote'.

In de bibliotheek van de Säterkliniek bestudeerde hij de theorieën achter hun therapeutische behandelingsmethoden, vertelt hij mij.

'Ik zat nog niet zo lang in de Säterkliniek toen ik Alice Miller begon te lezen. Zij was van mening dat aangezien het kind afhankelijk is van de ouders, het niet kan omgaan met de herinnering aan het misbruik van de ouders. Die moeilijke herinneringen werden verdrongen waardoor ze onbereikbaar zijn geworden. Ik ontdekte al snel dat de theorieën van Alice Miller erg goed overeenkwamen met de opvatting van de kliniek, dat je in de jeugd een verklaring kunt vinden voor hoe je als volwassene bent. En dat moeilijke herinneringen worden verdrongen. Toen Kjell Persson en ik met onze sessies begonnen had ik me dat zo eigengemaakt dat ik wist wat hij dacht. Ik kon op zo'n manier vertellen dat het positief werd ontvangen. Deze aanpassing deed ik om ervoor te zorgen dat ik kreeg wat ik wilde hebben, namelijk menselijk contact.'

Dat contact gebruikte Sture om van alles en nog wat te bespreken, onder meer de inhoud van Bret Easton Ellis' veelbesproken bestseller.

'Voor mij was het erg belangrijk om met Kjell over het boek te kunnen discussiëren, om Patrick Batemans fantasieën met die van mij te vergelijken. Het boek *American Psycho*, de theorieën van Alice Miller over de verdrongen jeugdherinneringen, de ideeën van de kliniek – dat alles vormde een zeer bijzondere basis voor mijn verhaal als seriemoordenaar. Je moet niet vergeten dat er in deze kliniek gewelddadige mensen worden behandeld. Ik zat midden in dat milieu, ging met deze mensen om, werd een deel van dat alles. En ik wilde uiteindelijk deel uitmaken van deze wereld, want ik had niets anders.'

Misbruik en therapie

Met behulp van Kjell Persson begon Sture de traumatische herinneringen van zijn jeugd, die zo pijnlijk waren geweest dat ze 'gefragmenteerd' en ver weggestopt waren, weer 'op te roepen'. Geleidelijk kwamen er flarden van herinneringen bovendrijven, die uiteindelijk werden samengevoegd tot gebeurtenissen die met elkaar een gedetailleerd verhaal vormden over een verschrikkelijke jeugd vol geweld, seksueel misbruik en dood.

Stures inzet in de therapie werd als zeer positief ontvangen en hij kreeg nu de waardering die hij nooit eerder in zijn leven had gekregen.

En hij kreeg 'beloningen' in de vorm van verlof dat geleidelijk aan steeds verder werd uitgebreid. Perssons aantekeningen, hier van 2 oktober, worden steeds positiever van toon:

Blijf een keer in de week met de patiënt praten. Hij wordt heen en weer ge-slingerd, de ene keer is hij opener en de andere keer geslotener. Wanneer hij gesloten is, doet hij zich vrolijk voor, en dan is duidelijk te zien dat hij een hekel aan zichzelf heeft.

Tegen de herfst heeft Sture dagelijks drie uur verlof en volgens de aante-keningen van het personeel gaat hij probleemloos om met deze vrijheid. Persson schrijft dat de behandeling van de patiënt 'geen enkel probleem oplevert' en dat hij 'altijd zeer beleefd en meegaand' is. De sessies worden op verzoek van Sture uitgebreid naar twee keer per week, tekent Persson op 4 november op: 'In de sessies staat zijn gevoel van buitengesloten zijn centraal. Hij durft zichzelf niet te laten zien en heeft het gevoel dat hij nauwelijks bestaansrecht heeft.'

Stures dossiers en eerdere vonnissen vertellen over een leven waarin zwaar misbruik van alcohol, drugs en medicijnen hem keer op keer in moeilijkheden heeft gebracht. Maar van deze problematiek wordt nergens in de dossiers verslag gedaan.

Stures door de artsen voorgeschreven drugsgebruik escaleert op-nieuw, maar het lijkt erop dat zijn goed gedocumenteerde levenslange misbruik in zijn therapiesessies nooit aan de orde is geweest. Voor iemand die deze dossiers later leest blijft dit een mysterie, evenals het feit dat Stu-re liever over zichzelf praat als een lustmoordenaar, seriemoordenaar en kannibaal dan als levenslange alcohol- en drugsverslaafde.

Gedurende zijn eerste maanden in de Säterkliniek constateert Sture dat er zowel onder het personeel als onder de patiënten mensen zijn die hij graag mag, maar ook mensen die bijna niet te verdragen zijn. En in beide groepen zitten mensen die nuttig voor hem zijn. Een van die mensen die Sture mag en van wie hij gebruik kan maken, is de tweeëntwintigjarige Jimmie Fagerstig, een intelligente jongen, meermalen veroordeeld voor geweldsdelicten en met tatoeages over zijn hele lichaam.

'Ik herinner me dat Sture op de afdeling kwam. Hij hoorde daar niet thuis, dacht ik toen. Een slim persoon met veel ideeën. Later kreeg hij angsten en verlangde hij erg naar de dood. Hij vroeg me of ik hem met een of ander stom houten meubel wilde doodslaan. Hij ging op de grond liggen en zei: "Sla me dood, Jimmie!"'

Sture stijgt geleidelijk in Jimmies achting, niet alleen omdat hij ie-dereen met het spelletje Scrabble verslaat, maar ook omdat hij vertelt dat hij voor een zware overval is veroordeeld. Sture is een kerel van Jimmies eigen kaliber. Maar ouder en meer ervaren.

'Ja, ik vond het erg cool, om je als kerstman te verkleden en een bank te beroven! Dus daar teerde hij een tijdje op,' zegt Jimmie als ik hem spreek.

Ze verbroederden nog meer door hun gemeenschappelijke interesse in drugs, en Jimmie was onder de indruk van Stures verbazingwekkende vermogen om extra doses medicijnen los te krijgen.

'Hij liet zich dan op de vloer in het dagverblijf vallen en begon te schreeuwen. En dan kwamen ze niet met een dosis aanzetten maar met het hele potje! "Sture, hoeveel wil je er hebben?" Hij was zo slim! Voerde zijn angstaanvallen op en kreeg zo veel Halcion en Xanor als hij maar wilde hebben.'

De artsen hadden al snel door dat Sture niet genoeg had aan de medicijnen van de afdeling, maar dat hij zich ook voorzag van illegale drugs. En zijn belangrijkste 'aanvoerlijntje' was Jimmie Fagerstig: 'We hadden zo verdomd veel drugs voorhanden dat ze zelfs van buiten de kliniek belden,' vertelt Fagerstig. 'Was er geen heroïne in Hedemora voorhanden, dan belden ze mij. "Tuurlijk, kom maar om negen uur," zei ik.'

'Potje vissen' betekent dat degenen die binnen vastzaten een potje met drugs aan een touw door een ventilatierooster naar beneden lieten zakken. Als het potje weer werd opgehaald, lag het geld erin.

In de herfst en winter van 1991 wordt Sture voldoende betrouwbaar en stabiel bevonden om zonder begeleiding 's zondags de kerkdienst bij te wonen en in zijn eentje rond het Ljusternmeer te hardlopen.

Maar op 18 december keert hij tot verbijstering van zijn behandelaars samen met een andere patiënt niet terug van zijn verlof. Uit het dossier:

We wachten tot 18.00 uur, wanneer het verlof officieel is afgelopen. Komt niet naar de afdeling.
18.19 uur fax verstuurd. Politie van Falun op de hoogte gebracht.

Bij het doorzoeken van Stures kamer worden meerdere afscheidsbrieven aan artsen en verpleegkundigen gevonden waarin Sture te kennen geeft dat hij heeft besloten een eind aan zijn leven te maken.

Patiënt en medepatiënt zijn nu dus ontsnapt en de patiënt heeft op zijn kamer een hele stapel afscheidsbrieven achtergelaten, de meeste dateren van september en oktober dit jaar, maar met een aanvulling op de dag van de ontsnapping. De patiënt verontschuldigt zich voor zijn gedrag. Hij geeft relatief uitvoerige instructies hoe na zijn dood te handelen, en hij schrijft in de desbetreffende mededeling dat zijn lichaam dicht bij het terrein van de kliniek te vinden zal zijn. Later blijkt echter dat de patiënt op de ochtend van de ontsnapping een paar keer beneden bij de kliniekkas is geweest en naar zijn pensioenuitbetaling heeft gevraagd die toen nog niet binnen was. Het personeel heeft buiten op het terrein rondom de kliniek gezocht, maar heeft daarbij niemand gevonden. Vandaag kwam de politie met de informatie dat de patiënt en de medepatiënt vermoedelijk een auto hebben gehuurd in Sala.

De volgende dag keren Sture en de medepatiënt terug naar de Säterkliniek in een gehuurde Volvo. Sture geeft toe dat hij amfetamine heeft genomen voor de ontsnapping en dat ze onder meer in Åre zijn geweest. Hij zei dat hij was ontsnapt omdat hij zelfmoord wilde plegen door tegen een bergwand aan te rijden, maar hij kon zijn plan niet ten uitvoer brengen vanwege de medepatiënt die hij in de auto had. Aan zijn arts Kjell Persson legt hij uit dat hij ontsnapt is omdat hij amfetamine had gekocht op het terrein van de kliniek en daar een slecht geweten over had gekregen.

Uit de dossieraantekeningen na de ontsnapping blijkt dat men Sture ervan verdenkt dat hij zichzelf van medicijnen voorziet en dat hij naast de artsen van de kliniek nog andere leveranciers heeft. Het personeel krijgt de bevoegdheid om Sture elke keer na een verlof te visiteren en men betrapt hem er een aantal keren op dat hij probeert verboden preparaten of medicijnen de afdelingen op te smokkelen.

In de therapie is Sture begonnen met het vertellen van steeds meer angstaanjagende gebeurtenissen uit zijn jeugd. Hij zegt tegen Kjell Persson dat hij nooit enige herinnering aan zijn jeugd heeft gehad, maar dat nu het ene schrikbeeld na het andere opdoemt. Het begint ermee dat zijn ouders gevoelloos en onverschillig voor zijn behoeften zijn geweest. Daarna komen de herinneringen van het misbruik door zijn vader als hij nog maar drie jaar oud is.

Stures moeder Thyra Bergwall stond in Korsnäs bekend als een warme en zorgzame vrouw die het gezin bij elkaar hield en voor een groot deel de kost verdiende voor de zeven kinderen Tijdens de sessies met Kjell Persson roept Sture de herinneringen op die de gespletenheid van zijn moeder onthullen. Hij vertelt dat ze hem geprobeerd heeft te verdrinken in een wak toen hij vier jaar oud was. Sture verloor het bewustzijn, maar werd op het nippertje gered door zijn vader. Een andere keer probeerde zij Sture vlak voor een rijdende tram de tramrails op te duwen. Op miraculeuze wijze wist hij het ook hier levend van af te brengen.

Stures herinneringen aan het misbruik door zijn ouders escaleren en ten slotte is het hele gezin bij de wandaden betrokken, als slachtoffer en als dader.

Hoe extremer de herinneringen die naar boven komen in de therapie, hoe positiever Persson tegenover zijn patiënt staat.

Gaandeweg is hij steeds opener geworden. Hij heeft zichzelf en zijn seksuele perversies durven onderzoeken op een wijze die kennelijk bij de patiënt tot eigen inzichten heeft geleid, onder meer hoe 'ziek' een deel van zijn handelwijze is geweest, iets wat hij daarvoor heeft verdrongen en niet heeft kunnen integreren. Er is een onmiskenbare gespletenheid bij de patiënt aanwezig, waardoor hij zowel teruggetrokken en meegaand, bijna kruiperig, gedrag op de afdeling vertoont, als stormachtige gevoelens die achter dit masker schuilgaan, die hij niet durft te tonen of waar hij niet over durft te praten.

Kjell Perssons aantekening van 9 april vermeldt dat Sture teruggetrokken en meegaand is in het dagelijks leven op de afdeling. In de therapiesessies heeft hij echter ingezien dat dit gedrag slechts een masker is waarachter Sture zijn 'dubbele natuur' verbergt. De therapie zal zich richten op het blootleggen van deze gespletenheid.

In dezelfde dossieraantekening schrijft Persson verder:

De patiënt heeft zijn jeugdherinneringen onderzocht, die daarvoor blijkbaar tamelijk goed verborgen zijn geweest, maar nu steeds meer terugkomen. Hij heeft ook dromen onderzocht. Samengevat kan er worden gesteld dat de sfeer in het gezin zeer gespannen is geweest, en dat er nauwelijks ruimte voor de eigen behoeften van de patiënt lijkt te zijn geweest.

In de dossieraantekeningen draait Kjell Persson als een kat om de hete brij heen, aangezien hij zijn geheim zo lang mogelijk wil bewaren. Hij is ervan overtuigd dat hij in de therapiesessies Sture helpt zijn lang verdrongen herinneringen aan het verschrikkelijke misbruik in zijn jeugd naar boven te brengen.

Volgens de theorie van de Säterkliniek is dit Persson gelukt omdat hij een bekwame en goede therapeut is.

In het voorjaar van 1992 zit Sture op de gesloten afdeling 36, maar hij krijgt steeds meer vrijheden. De schaarse dossieraantekeningen vertellen dat Sture wandelingen maakt, hardloopt rond het Ljusternmeer en verlof krijgt om naar Avesta te gaan. Af en toe wordt hij gekweld door angst en dan krijgt hij Stesolid en andere drugsgeclassificeerde preparaten voorgeschreven, met name verschillende vormen van benzodiazepine.

Wanneer de zomer nadert achten de artsen Sture zo stabiel dat hem op 6 juni 1992 onbegeleid verlof wordt verleend, dat wil zeggen dat hij zich overdag door het dorp mag bewegen.

Het harmonische beeld dat uit de summiere aantekeningen naar voren komt verhult echter het grote drama dat zich drie keer in de week afspeelt, met stormachtige gevoelens en verhalen over seksueel misbruik en geweld. Kjell Persson weet dat de waarheid over Sture niet mondjesmaat naar buiten zal komen, maar dat die als een bom zal inslaan. De patiënt en zijn therapeut zullen op de voorpagina's van alle kranten staan. Maar nog niet. De therapie moet nog een tijdje voortduren.

Het uitstapje

Donderdag 25 juni 1992 was een warme zonnige dag, een perfecte dag voor een uitstapje naar de badplaats bij het Ljusternmeer samen met Therese, een van Stures meest geliefde begeleiders. Hij kon goed met haar praten en zij leek het ook prima met Sture te kunnen vinden. Nu lagen ze op het strand. Ze lieten zich door de zon verwarmen, terwijl ze ongedwongen praatten over Stures leven en over de delicten die hij ooit had gepleegd.

'Ik vraag me af wat jullie van me zouden vinden als jullie wisten dat ik iets echt heel ergs heb gedaan.'

Therese keek Sture onderzoekend aan.

'Hoezo erg?'

'Ja, iets echt, echt heel ernstigs. Je begrijpt wel, dus, hoe zou dat jullie beeld van mij beïnvloeden?'

'Ik snap helemaal niet waar je het over hebt! Echt, echt ernstig? Zeg wat je bedoelt.'

'Je kunt een aanwijzing krijgen.'

'Oké.'

Sture dacht even na voordat hij spelde: 'M-O.'

'Mo?' Therese keek hem met een bezorgde glimlach aan. 'Sture, ik snap absoluut niet waar dit over gaat.' Ze vond dit hele gesprek merkwaardig, misschien ook een tikkeltje onbehaaglijk, maar wilde dat niet laten merken. Het was immers niet zo moeilijk te bedenken wat 'iets echt heel ergs' zou kunnen betekenen voor een patiënt in een forensisch psychiatrische kliniek die al een brute overval had gepleegd en kinderen zwaar mishandeld en seksueel misbruikt had. Ze wist het gesprek een andere kant op te sturen, maar toen ze weer terug was op de afdeling rapporteerde ze wat Sture had gezegd.

Göran Fransson en Kjell Persson waren beiden verantwoordelijk voor Sture Bergwall: Persson hield zich bezig met de therapie terwijl Fransson verantwoordelijk was voor de totale behandeling van de patiënten. Toen Fransson de volgende dag op de afdeling kwam, kreeg hij het rapport over de gebeurtenis op het strandje. Hij vroeg onmiddellijk om een gesprek met Sture in de muziekkamer. Toen Sture in de kamer was, sloot Fransson de deur achter hen.

'Sture, ik maak me ernstig zorgen over wat ik vanmorgen op de afdeling te horen heb gekregen. Jouw vraag aan Therese op het strand gisteren,' verduidelijkte hij. 'MO...'

Sture sloeg zijn ogen neer.

'Je hebt structureel onbegeleid verlof omdat we geloofden dat je goed in balans was, dat we wisten wat we aan elkaar hadden. Herinner je je nog dat we het hier eergisteren op de ronde over gehad hebben?'

Sture bromde bevestigend, maar had er verder niets aan toe te voegen.

'Je moet begrijpen dat we ons zorgen maken! Iets echt, echt ergs? Wat betekent dat? En die aanwijzing, de letters M-O?'

Sture keek naar de vloer.

'Weet je überhaupt waar die letters M-O voor staan?'

'Ja. Dat weet ik toch. Natuurlijk... Maar ik kan het niet uitleggen. Niet nu.'

'Maar waarom zeg je zoiets? Is er een reden voor?'

Sture bromde, Fransson zweeg.

'Dit alles,' legde Sture aarzelend uit, 'is mijn manier om mensen die me aardig vinden van me af te stoten.'

'Je hebt niemand van je afgestoten! Therese heeft gerapporteerd wat je hebt gezegd, precies volgens de richtlijnen. Je moet begrijpen dat dit problemen oplevert, voor ons allemaal. En voor je vrijheden vandaag... Begrijp je hoe onaangenaam dit voor ons is?'

'Ik kan ervan afzien om naar buiten te gaan. Dat kan ik doen,' fluisterde Sture als antwoord.

'Ik trek al je verloven voorlopig in. Geen verlof tot we precies weten wat dit betekent.'

Sture stond onbeweeglijk met gebogen hoofd en zei niets.

'We worden erg voorzichtig wanneer je zo in raadselen begint te praten, Sture.'

Wat Sture had aangestipt tijdens het uitstapje – dat hij 'iets echt ergs had gedaan' – bevestigde de vermoedens die Fransson koesterde sinds hij Stures toerekeningsvatbaarheid had onderzocht en had opgeschreven dat hij Sture ervan verdacht zich schuldig te hebben gemaakt aan meerdere grove geweldsdelicten in de periode tussen het misbruik van jongens en de bankoverval in 1990.

'Het betekent dat ik mijn gevoelens niet meer durf uit te spreken,' zei Sture zachtjes. 'Dat ik het personeel niet kan vertellen wat ik voel.'

Fransson zocht zijn blik.

'Ik beloof je, Sture, dat dat helemaal geen probleem is, zolang jij maar niet in raadselen praat. Nu moeten we nadenken over wat er is gebeurd. En dan hebben we het er later nog wel over. Oké?'

En met die woorden verliet Göran Fransson de muziekkamer.

Tien dagen later heeft Sture zijn vrijheden weer terug. De ongerustheid na het zwemuitstapje lijkt te zijn vergeten. Nu is men druk bezig om hem uit de kliniek te ontslaan.

Sture Bergwall dient een verzoek in bij het bevolkingsregister om zijn naam te veranderen in Thomas Quick en zijn verzoek wordt ingewilligd. Hij wil zich ontdoen van zijn verleden en met een schone lei beginnen. Hij heeft een eigen flatje toegewezen gekregen, een studio, Nygatan 6B in Hedemora, vanaf 15 augustus en 'voelt zich op het moment heel goed'.

Zijn enige zorg is hoe hij aan het geld komt om zijn nieuwe huis in te richten. Gedurende die hele zomer zijn er alleen aantekeningen over hoe hij zijn medicatie afbouwt, hardloopt en zich goed houdt aan de verlofregeling die hem in staat stelt om naar Hedemora, Avesta en Stockholm af te reizen.

De verhuizing laat op zich wachten. In september wordt het duidelijk dat hij de huur voor zijn flatje niet bij elkaar krijgt en hij zegt het op. Hij blijft in Säter, vanaf november op een open afdeling.

Terwijl de verantwoordelijken in de kliniek het ontslag van Thomas Quick voorbereiden, gebeuren er achter de schermen echter dramatische zaken.

Geen spelletjes meer

In de therapie met Kjell Persson haalt Thomas Quick de herinnering terug dat hij naar Sundsvall is gegaan waar hij Johan Asplund heeft vermoord. Nu was deze verdwijning toevallig de meest geruchtmakende zaak tijdens de jaren tachtig en Quick is er niet helemaal zeker van of zijn geheugen klopt. Persson besluit om op 26 oktober 1992 samen met Thomas Quick naar Sundsvall te reizen om te kijken of dat hem helderheid verschaft.

Kjell Persson heeft het adres opgezocht, maar toch rijden ze bij de eerste poging verkeerd. Jaren later getuigt Persson in de rechtszaak over de moord op Johan en geeft hij toe dat ze 'mogelijk op zijn initiatief de weg insloegen naar de woonwijk Bosvedjan'.

En het is zelfs meer dan waarschijnlijk, zo blijkt zowel uit Kjell Perssons eigen rapport als uit de informatie die hij geeft in het eerste politieverhoor dat later wordt afgenomen. Wanneer ze bij de afslag naar rechts met het bordje Bosvedjan zijn aangekomen, is het Persson die voorstelt om die weg in te slaan. Quick heeft geen bezwaren, maar kan niet zeggen of het klopt of niet.

Ergens in de wijk krijgt Quick zo'n hevige angstaanval dat Persson zijn privéschouw moet stoppen. De reactie wordt gezien als een teken dat Quick Johan heeft vermoord.

Na het korte bezoek aan Bosvedjan rijden ze lukraak nog wat rond in de omgeving van Sundsvall, totdat ze bij Norra Stadsberget komen waar Quick opnieuw wordt overvallen door hevige angst en meent dat het hier op deze plek was dat de werkelijke moord plaatsvond.

Na terugkomst in de Säterkliniek maakt Persson geen enkele aantekening over het voorval. In plaats daarvan worden de sessies over de moord op Johan in het geheim voortgezet, drie keer per week, zonder dat de politie of de leiding van de kliniek wordt ingelicht, en dat terwijl Persson er zelf van overtuigd is dat zijn patiënt een moord heeft gepleegd.

Als chef-arts Kjell Persson in februari 1993 niet met vakantie was gegaan, dan zou het vermoedelijk beduidend langer hebben geduurd voor Quicks verhaal over de moorden naar buiten was gekomen.

Maar nu was Persson niet in de kliniek, en Quick, die ondertussen gewend was aan deze bizarre sessies drie keer per week, wendde zich tot Birgitta Ståhle, een destijds achtendertigjarige psychologe die ook een toegewijd aanhangster van de objectrelatietherapie was.

'Ons contact zal voor Sture fungeren als uitlaatklep, aangezien het therapieproces dat hij doorloopt zo veel herinneringen oproept dat hij behoefte heeft aan vaste punten als hij met iemand spreekt,' schreef Ståhle in het dossier.

Maar Birgitta Ståhle werd niet de uitlaatklep die ze zich had voorgesteld. Om met haar eigen metafoor te spreken, zou je kunnen zeggen dat de snelkookpan al bij hun eerste ontmoeting ontplofte. Ze schrok zo van wat Quick vertelde dat ze onmiddellijk contact opnam met Göran Fransson, die verantwoordelijk was voor Quicks behandeling.

'Sture heeft verteld dat hij twee mensen heeft vermoord, twee jongens,' vertelde Ståhle.

Göran Fransson wilde niet toegeven dat zijn vaste collega Kjell Persson hem op de hoogte had gehouden van de voortgang van het psychotherapeutische proces. Het zou immers geen goede indruk hebben gemaakt als hij als eindverantwoordelijke voor Quicks behandeling ervan op de hoogte was dat Quick moorden had bekend, zonder dat hij daar verdere actie op had ondernomen.

Door de komst van van Birgitta Ståhle was de geheimzinnigdoenerij rondom Thomas Quicks bekentenissen uit elkaar gespat. Elf dagen lang dacht Göran Fransson na zonder actie te ondernemen. Daarna schreef hij op 26 februari in Quicks dossier:

De therapeut van de patiënt is momenteel met vakantie. Tijdens deze periode heeft de patiënt zich gewend tot een paar sleutelfiguren op de afdeling en tot de psychologe Birgitta Ståhle. Hij heeft haar verteld dat hij twee moorden heeft gepleegd, een toen hij zestien jaar oud was en een ongeveer tien jaar geleden. Het gaat hierbij om twee vermiste jongens van wie de lichamen nooit zijn gevonden. Ik leg hem uit dat dit vanzelfsprekend juridische gevolgen zal hebben en dat hij zelf naar de politie moet stappen als hij zich wil kunnen verzoenen met wat hij heeft gedaan. Hij begrijpt dit. Natuurlijk is hij ook erg bang.

De aantekening wekt de indruk dat Thomas Quick plotseling twee moorden heeft bekend die eerder niet bekend waren in de kliniek, ondanks het feit dat hij het sinds oktober 1992 al heeft gehad over een van de twee moorden, namelijk de moord op Johan Asplund, en ondanks het feit dat zijn artsen een eigen moordonderzoek zijn begonnen. Maar nu, wanneer het geheim wordt onthuld, ziet Fransson kennelijk in dat het wel erg verkeerd is dat een Forensisch Psychiatrische kliniek in het geheim een onderzoek is begonnen naar een door een patiënt bekende moord zonder hiervan aangifte te doen bij de politie.

De situatie overrompelde Quick; alles was spannend, eenvoudig en ongevaarlijk geweest zolang hij en Kjell Persson erover praatten. Hij had de gesprekken ervaren als een stimulerend intellectueel spel. Nu sprak Göran Fransson plotseling over een aangifte, vervolging en een proces. Door Stures loslippigheid tegenover Birgitta Ståhle was de doos van Pandora opengegaan en zijn woorden gingen een eigen leven leiden, dreigend en angstaanjagend, niet meer in bedwang te houden. Het was onmogelijk om de klok terug te draaien, om alle woorden weer in de veilige wereld van de therapie terug te stoppen.

Na zijn vakantie pakte Kjell Persson de therapie weer op, en hij noteerde later in Quicks dossier:

Verder zijn er ook zeer ernstige angstbelevingen van een aantal voorvallen tijdens de jeugd van de patiënt opgedoken, toen hij kennelijk bijna werd gedood door zijn moeder. Het ernstigste voorval is een verdrinkingspoging in het Runnmeer in de winter. De meest traumatische gebeurtenissen betreffende de patiënt lijken te zijn voorgevallen toen hij drie tot vijf jaar oud was, het seksueel misbruik is echter tot na deze leeftijd doorgegaan, hoewel minder frequent.

Wat Quick tot een onschatbaar kleinood van de kliniek maakte, was niet het misbruik maar de koppeling tussen het misbruik en de geweldsdelicten van Sture op volwassen leeftijd. Volgens de objectrelatietheorie waren de geweldsdelicten herbelevingen van het misbruik waar Sture zelf slachtoffer van was geworden tijdens zijn jeugd, of zoals Persson schreef in het dossier:

> Tegelijk met het onthullen van deze bizarre herinneringen, die af en toe glashelder zijn, zijn de herinneringen aan de moord op Johan Asplund steeds duidelijker naar voren getreden. De herinneringen aan het misdrijf waren in het begin van de therapie eerder droomachtige fantasieën, en werden zo langzaamaan steeds duidelijkere, afzonderlijke beelden. Naarmate hij deze beelden van het misbruik en de moord op Johan Asplund heeft verwerkt, zijn deze verweven met de angstbeelden uit zijn jeugd en het misdrijf lijkt een psychische herbeleving te zijn van de situatie in zijn kindertijd met diverse invalshoeken.

In februari 1993 had Göran Fransson op een dag voor Thomas Quicks deur gestaan. Hij wilde horen wat Quick vond van zijn bekentenissen. Quick antwoordde dat zijn gevoelens vandaag helemaal niet zo duidelijk waren als ze daarvoor waren geweest. Hij voelde twijfels en was onzeker over alles.

'Ik wil je de kans geven om jezelf bij de politie te melden. Als je jezelf binnen twee weken niet aangeeft, dan zie ik me genoodzaakt om zelf aangifte te doen,' zei Fransson.

Quick begreep dat de politie op de hoogte moest worden gebracht, maar zei dat hij erg onzeker was of hij wel voldoende over de moord op Johan kon vertellen.

'Je moet je schriftelijk voorbereiden op het verhoor,' zei Fransson. 'En uiteraard zullen we ervoor zorgen dat er iemand van het personeel bij het verhoor aanwezig is.'

Op verzoek van Fransson probeerde Quick naar beste kunnen te vertellen over de moord op Johan Asplund. Hij besefte dat het heel iets anders was dan het aan Kjell vertellen tijdens de therapiesessies. Fransson noteerde de gebeurtenis in het dossier:

> Hij beschrijft het bijna als fantasieën waarbij hij in het midden laat of het wel echt is gebeurd, maar hij heeft die fantasieën bevestigd gekregen in

de psychotherapie. Ik confronteer hem dan met het feit dat hij vorige week twee keer ontwijkend antwoordde op rechtstreekse vragen van mij of er misschien nog meer was. Ik zelf vind het merkwaardig dat er tussen beide delicten vijftien jaar zou zitten. Dan vertelt hij dat hij fantasieën of voorstellingen heeft rond nog twee personen met de namen Peter respectievelijk Mikael. De volgorde is chronologisch. Hij is er echter niet zeker van of het twee slachtoffers van hem zijn.

Sture vertelde me dat hij doodsbang was hoe hij zou gaan reageren op de termijn van twee weken die Göran Fransson hem had gesteld. Als hij zei dat hij over alles in de therapie had gelogen, zou hij zich misschien uit zijn precaire situatie kunnen redden, maar zou iemand hem geloven? Wat zou Kjell Persson zeggen? En Fransson? Hij dacht na over verschillende denkbare ontsnappingsmogelijkheden maar geen enkele leek hem haalbaar. Ten slotte nam hij contact op met Göran Fransson en vroeg hem de politie te bellen. Daarna zou hij wel weer zien.

Op maandag 1 maart 1993 om 11.00 uur arriveert brigadier Jörgen Persson bij de Säterkliniek. Een half uur later heeft hij de bandrecorder opgesteld in de kleine provisorische verhoorkamer en de verdachte begroet. Kjell Persson is getuige van het verhoor. Jörgen Persson controleert of de bandrecorder loopt en gaat zitten.

'Zo, Sture. Dan kunnen we het nu over een aantal dingen hebben. Ik ben van de politie in Borlänge en eigenlijk weet ik niet meer dan dat je hier in de Säterkliniek over een aantal zaken bent gaan praten die je mij graag zou willen vertellen, dus ik weet niets over eerdere onderzoeken en zo, misschien alleen dat wat ik eventueel in de krant heb gelezen, dus ik ben helemaal blanco om het zo maar te zeggen.'

Het verhoor verloopt moeizaam, ondanks Jörgen Perssons hardnekkige pogingen. Ten slotte begint Quick te praten na de simpele vraag: 'Wat is er gebeurd? Wat herinner je je, Sture?'

'Ik leende de auto van een kennis,' zegt Quick. 'En maakte een nachtelijk tochtje en kwam zo ongemerkt in Sundsvall terecht. Ik begon dus in de avondduisternis vanuit Falun te rijden en kwam in Sundsvall aan toen het nog steeds donker was.'

'Ja,' zegt brigadier Persson aanmoedigend. 'Wat deed je toen? Waar ging je naartoe?'

'Het was een doelloze tocht zonder dat... Ik had dus niet een bepaald doel. Maar in elk geval kwam ik bij de buitenwijken van Sundsvall aan.'

'Van wie was de auto? Van wie had je die geleend?'

'Ik kan nu niet op de voornaam komen. Wel op de achternaam. Ljungström heet hij.'

'En hoe, op welke manier ken je Ljungström? Was het familie? Of een bekende?'

'Nee, het was een bekende. We troffen elkaar vaak bij het Lugnetbadet.'

Quick vertelt Jörgen Persson hoe hij in Ljungströms Volvo op een parkeerplaats in de woonwijk Bosvedjan ten noorden van Sundsvall belandde.

'Weet je wat voor gevels, welke kleuren ze hadden of van welk materiaal de gevels en zo waren gemaakt?'

'Dan moet ik ook zeggen dat ik toen, samen met deze getuige Kjell Persson... we waren daar dus deze herfst, dus misschien zijn het ook die herinneringen die... wat precies de herinneringen zijn, is een beetje lastig om aan te geven,' verklaart Quick.

'Je bent op de plek geweest en hebt daar rondgekeken. Dus weet je hoe de huizen eruitzien, bedoel je?'

'Ja.'

Nadat de brigadier deze in elk opzicht opmerkelijke informatie heeft gekregen, kiest hij ervoor om zich verder in deze vraag te verdiepen, en hij vervolgt: 'Wat deed je toen je op die parkeerplaats kwam?'

'Ik zal proberen eerlijk te zijn en te vertellen welke techniek ik toepaste. Ik was op zoek naar een jongen en ik had dus al opgemerkt dat er een school in de buurt was. Er komen twee jongens aanlopen, maar ze gaan algauw ieder een kant op. Ik roep naar hen, nadat ze uit elkaar zijn gegaan. Ik weet niet of ze met elkaar opliepen, maar ze kwamen in elk geval tegelijk. Die jongen die me dus tegemoet loopt, draagt zijn donsjack open en ik roep naar hem dat ik hulp nodig heb omdat ik een kat heb doodgereden, hij komt naar de auto toe lopen, ik sleur hem de auto in en rij weg, rij naar... Stadsberget in Sundsvall en daar dood ik hem. En deze jongen is dus Johan Asplund.'

Quick zwijgt.

Brigadier Persson lijkt niet te weten hoe hij verder moet gaan. Hij heeft net een volledige bekentenis gekregen van de meest opzienbarende moord in Sundsvall van de laatste tijd, de moord op een elfjarige jongen die op 7 november 1980 verdween.

'Aha,' zegt Jörgen Persson terwijl hij een diepe zucht slaakt. 'En hier heb je al die jaren mee rondgelopen?'

'Al die jaren heb ik hiermee rondgelopen, maar dat heb ik niet bewust gedaan,' antwoordt Quick cryptisch.

Het verhoor wordt voortgezet met vragen over Johans kleding, maar Quick kan zich alleen maar herinneren dat hij een donsjack droeg, donkerblauw.

Brigadier Persson realiseert zich nu dat hij iemand die van moord wordt verdacht aan het verhoren is zonder advocaat. Dit is zo'n ernstige kwestie dat hij dit op een bepaalde manier moet aangeven. Hij zegt: 'Zeg Sture, gewoon omdat dit verhoor volgens de regels wordt afgenomen, moet ik je erop wijzen dat je, omdat je zegt dat hem gedood hebt, een verdachte van moord bent, begrijp je dat?'

'Jazeker,' antwoordt Quick.

'Met recht op een advocaat, daar ben je toch van op de hoogte? En je weet ook dat je recht hebt op een advocaat tijdens een politieonderzoek?'

Quick zegt dat hij daar niet aan gedacht heeft. Brigadier Persson zegt dat hij de regels moet volgen en hem hierop moet wijzen.

'Jazeker,' zegt Quick.

'Ja,' zegt Jörgen Persson. 'En hoe kijk je hier tegenaan, die advocaatkwestie? Kan ik dit gesprek met je voortzetten? Dan kunnen we de kwestie of je wel of geen advocaat wilt later bespreken. Wanneer wil je een advocaat inschakelen?'

'Ja, dat is een lastige vraag,' constateert Quick. 'Daar hebben wij helemaal niet aan gedacht.'

'Nee,' beaamt zijn arts en getuige bij zijn verhoor Kjell Persson. 'En die vraag kan ik immers niet voor je beantwoorden.'

'Nee, dat kun je niet,' zegt Quick.

'En ik ben geen advocaat,' zegt Kjell Persson.

'Nee,' beaamt Quick. 'Ik geloof dat als we het op de officiële en juiste manier moeten doen, dat hij er dan waarschijnlijk vanaf het begin bij moet zijn.'

Wanneer hij geen bijval van zijn arts of de politie krijgt, redeneert hij verder: 'In dat opzicht kan een advocaat goed zijn, hij kan hier de wat meer neutrale partij zijn. Ik vraag me af of het eigenlijk niet veel beter zou zijn.'

Maar het loopt anders. Jörgen Persson zet de bandrecorder uit en 'babbelt een beetje over de zaak', zoals hij het naderhand in het proces-verbaal van het verhoor schrijft. En wanneer de bandrecorder weer wordt gestart, gaat het verhoor verder, zonder advocaat.

Wanneer ik vijftien jaar later het verhoor aan Sture Bergwall voorlees, hoe hij met goede zakelijke argumenten ervoor pleitte dat hij vanaf het begin een advocaat zou moeten hebben, zegt hij: 'Ik word zo verschrikkelijk boos als ik hoor hoe het toen ging. Ik ben geschokt. En ik herken de situatie zo goed, mijn wens om Kjell Persson tevreden te stemmen. Als ik zou bekennen dat alles verzonnen was wat ik in de therapie had verteld, dan zou ik immers Kjell Persson in verlegenheid brengen. En ik wou mezelf ook niet in verlegenheid brengen tegenover Kjell.'

Maandenlang, drie keer in de week, had hij het met zijn arts, die plotseling ook verhoorgetuige was, en ten opzichte van wie hij zich als tot behandeling veroordeelde patiënt in een gesloten inrichting in een extreem afhankelijke positie bevond, over de moord gesproken.

'Het was natuurlijk absoluut onmogelijk voor mij om in deze situatie te vertellen dat ik in al die honderden therapiegesprekken had gelogen,' zegt Sture.

Ik vraag hem uit te leggen wat hij in het verhoor van 1993 bedoelde toen hij zei dat een advocaat 'hier de wat meer neutrale factor zou kunnen zijn'.

'Ik bedoel dat een advocaat een temperende factor voor Kjell Persson en mij zou kunnen zijn, dat hij zou kunnen vragen: "Is het echt waar, Sture?" Om te zeggen dat we niet te hard van stapel moesten lopen.'

Wanneer het verhoor weer wordt hervat, krijgt Quick de gelegenheid om uitvoerig te vertellen hoe hij Johan met een smoes naar hem toe lokt, de auto in sleurt en zijn hoofd zo hard tegen het dashboard slaat dat hij bewusteloos raakt.

'Wat gebeurt er daarna?' vraagt brigadier Persson.

'We rijden de wijk uit, en ik weet nog steeds niet waar we naartoe zullen gaan, maar we komen zo langzaamaan uit bij Stadsberget in Sundsvall en parkeren daar de auto. Ik neem Johan mee en we lopen daar een aardig eind het bos in. Daar gebeurt het, daar wurg ik hem dus.'

Even later in het verhoor vraagt brigadier Persson waar hij het lichaam heeft gelaten.

'Dat ligt onder een grote steen, onder een berg stenen,' zegt Quick.

'En wanneer kwam het lichaam daar terecht?' vraagt Jörgen Persson.

'Diezelfde ochtend.'

'Hmm,' zegt brigadier Persson. 'Zullen we nu even stoppen voor de lunch?'

's Middags gaat het verhoor verder op het punt waar het geëindigd is, bij Stadsberget, waarover Quick verteld had dat hij Johan daar had gewurgd en dat hij zijn lichaam daar had verborgen.

'Hoe heb je hem gewurgd?' vraagt brigadier Persson.

'Met mijn handen, dus.'

'Is er iets gebeurd voordat je hem wurgde?'

'Nee, niets bijzonders.'

Maar wanneer hem nog meer vragen worden gesteld over de reden waarom hij Johan met een smoes in de auto lokte, herinnert Quick zich dat hij zich eerst heeft vergrepen aan Johan voordat hij hem wurgde.

'En daarna, als hij dood is, wat doe je dan? Ik vraag dit omdat je immers hebt gezegd dat hij onder een berg stenen bedolven ligt.'

Hier neemt het verhaal opnieuw een onverwachte wending: 'Ik trek zijn schoenen en zijn broek uit. En hier ben ik dus niet zeker van. Ik geloof, maar ik weet het niet zeker, dat ik zijn kleren verstop, op de plek waar we zijn. Ik rol zijn kleren op en stop ze onder een paar stenen of wat het ook maar is. En daarna haal ik een deken uit de auto en leg hem erin. Maar ik geloof niet dat ik zijn lichaam bij Stadsberget verberg, maar ik denk dat ik met hem wegrij. Ik rij ongeveer dezelfde weg als waarlangs we gekomen zijn, naar het noorden, we rijden dus Sundsvall weer uit, naar het noorden, een stukje in de richting van Härnösand. En ik geloof dat ik, langs die weg, een smallere zijweg vind die ik inrij en daar vind ik de plek waar ik het lichaam verstop.'

Quick vertelt over een plek met een 'laagte in de natuur' waar hij een aantal stenen vindt die hij ergens anders kan neerleggen. Als hij de stenen heeft verplaatst brengt hij het lichaam naar die plek en legt vervolgens de stenen weer terug. Jörgen Persson luistert geduldig naar alle versies die Quick vertelt over wat er is gebeurd, of wat er misschien is gebeurd, maar hij staart zich blind op details in het verhaal: 'Laten we het zo zeggen, Sture: jij hebt gezegd "ik geloof" wanneer het over het lichaam gaat. Weet je zeker dat je het lichaam weer in de auto laadt en wegrijdt of weet je het niet helemaal zeker?'

'Ik weet het niet zeker.'

'Dus het kan ook zijn dat je het lichaam in de natuur bij Stadsberget achterlaat. Ja toch?'

'Ja,' zegt Quick.

Brigadier Persson heeft tijdens het verhoor nagedacht over nog een ander detail dat hij vreemd vindt.

'Hoe weet je dat jullie naar Stadsberget reden? Hoe kende je de naam van het gebied? Dat vraag ik me af.'

Quick wendt zich tot Kjell Persson en geeft antwoord terwijl hij Persson aankijkt.

'Dat weet ik na ons tripje, dat het Stadsberget heet, zeg maar. Dat wist ik daarvoor niet. Denk ik.'

'Vertel dan maar hoe het daar is gegaan,' zegt Kjell Persson.

Maar Jörgen Persson laat Quick niet vertellen over het uitstapje. In plaats daarvan richt hij zich tot de verhoorgetuige: 'Jullie zijn daar dus geweest, in Sundsvall?'

'We zijn daar geweest, ja. Dat klopt.'

Het verhoor geeft geen antwoord op de vraag wat de therapeut en Quick daar bij Stadsberget deden en waarom ze daarheen gingen.

Wat daarentegen zeer interessant is vanuit politieoogpunt, is dat Quick vertelt dat de auto vanbinnen onder het bloed zat. Hij vertelt uitvoerig hoe hij de auto heeft schoongemaakt, hoe hij op de terugweg de bloedsporen heeft weggewassen bij een benzinepomp. Tijdens deze onderbreking van de rit heeft hij ook zijn moeder gebeld, bij wie hij in huis woonde, om te zeggen dat ze zich niet ongerust hoefde te maken.

Quick wendt zich tot zijn therapeut en zegt: 'Ik weet dat ik lastig ben, Kjell, maar zou je kunnen kijken of er misschien koffie is?'

Kjell Persson verlaat de kamer om koffie te halen en brigadier Persson maakt van de gelegenheid gebruik om Quick te vragen wat er is gebeurd tijdens het tripje naar Sundsvall dat hij en zijn therapeut hebben gemaakt. Opdat de brigadier het doel van zijn tripje zal kunnen begrijpen, moet Quick hem uitleggen hoe het geheugen bij zulke traumatische gebeurtenissen werkt.

'Op enkele flarden na was ik deze gebeurtenis helemaal vergeten. Later zijn mijn therapeut en ik er erg lang en intensief mee bezig geweest. We hebben elkaar drie keer in de week gesproken en naderhand zijn deze blokkades opgelost. Voor tachtig procent heb ik ergens wel geweten dat ik Johan heb gedood, maar ik hield de optie open dat dit onwaarschijnlijke niet waar kon zijn. Vervolgens rijden we naar Sundsvall. Ik weet niet waar we naartoe zullen gaan en zo. De therapeut rijdt en ik zit naast hem en als we in Sundsvall aankomen weet ik niet welke kant we op moeten.'

'Dat klopt,' zegt Kjell Persson, die net de verhoorkamer binnen komt met koffie.

'Maar zo langzamerhand herken ik dus die plek,' zegt Quick.

'Ik kan eraan toevoegen dat ik wist welke kant we op moesten,' brengt Persson onder de aandacht.

'Ja, precies ja,' zegt Quick.

'Maar ik wilde niet... ik wilde dat jij mij leidde, óns leidde. Ik had van tevoren immers al uitgezocht waar Johan woonde. Ik wilde dat je ons daarheen leidde en dat liet ik je tot op zekere hoogte doen en ik hielp je een beetje,' voegt Kjell Persson eraan toe.

Quick vertelt hoe hij het Obs!-warenhuis herkende en hoe hij globaal de richting had kunnen aangeven. Maar niet de exacte afslag, waar Kjell Persson hem dan aan herinnert.

'Ja, ja,' zegt Quick.

'Ik merkte dat het niet juist was,' zegt Persson.

Uiteindelijk kwamen ze uit bij Johans huis en Quick wil vertellen hoe hij de aanblik van het huis ervoer.

'Ja, en toen ging ik inzien dat dit onwaarschijnlijke, dat dit niet waar kon zijn. Maar wanneer we er dan eenmaal zijn, dan zie ik alles en weet ik dus dat het waar is.'

'Dat voel je dan?'

'Ja, precies.'

'Ben je er nu heel zeker van dat het waar is?'

'Ja, na dat ritje wel. Het was immers die rit die afsloot, afsloot...'

Brigadier Persson heeft naar Quicks uitleg geluisterd en heeft geprobeerd zijn metaforen over luiken die opengaan te begrijpen en hoe de rit naar Sundsvall kennelijk een eind aan de onzekerheid maakte. Tegelijkertijd lijkt hij zich te realiseren dat er concrete informatie in het verhaal ontbreekt die aantoont dat Quick in Sundsvall is geweest en Johan heeft vermoord. Hij vindt het vreemd dat de bekentenis nu komt, twaalfenhalf jaar na de gebeurtenis.

'Sture, heb je geprobeerd aan je omgeving duidelijk te maken dat jij dit had gedaan?' vraagt hij.

'Ik wist niet dat ik het was,' antwoordt Quick.

'Je wist het niet?'

'Dat is nu juist het lastige.'

Quick vertelt dat hij net als iedereen heeft gelezen wat er in de kranten stond over de moord op Johan en dat hij toen had gedacht dat hij weleens degene zou kunnen zijn die de moord had gepleegd. Maar dat soort gedachten had hij weggedrukt. Hij beschrijft het lange proces tijdens de therapie waar de herinneringen aan de moord op Johan langzamerhand naar boven waren gekomen.

'Aanvankelijk meer als fantasieën,' verduidelijkt Kjell Persson.

'Ja, precies,' beaamt Quick.

'Ja, zoals ik het heb opgevat en zoals jij het kennelijk hebt beleefd, volgens mij,' zegt Kjell Persson.

'Ja, precies,' beaamt Quick.

'Hmm,' zegt brigadier Persson. 'Dus je bent daarna daar niet meer geweest en hebt niets veranderd. Kleren gezocht, het lichaam anders neergelegd?'

'Nee,' beweert Quick resoluut.

'Dat weet je heel zeker? Of zou het mogelijk kunnen zijn dat je daar wel geweest bent?'

'Nee, ik geloof niet dat dat mogelijk is, nee.'

'En bij ons bezoek aan Sundsvall, dat kunnen we immers wel zeggen, stopten we toen we Stadsberget vonden en ontdekten dat hier het misdrijf had plaatsgevonden. Daarna zijn we naar huis gereden,' legt Kjell Persson uit.

'Precies,' zegt Quick.

'Ja, meer kon je ook niet aan,' zegt chef-arts Persson.

'Aha,' zegt brigadier Persson. 'Jullie hebben nooit daar in het bos rondgelopen?'

'We zijn er maar een heel klein stukje in gelopen,' antwoordt Persson.

'Een heel klein stukje maar,' beaamt Quick.

'Ja, je herkende het en toen zijn we teruggegaan,' zegt Kjell Persson.

Tijdens dit eerste verhoor bekent Thomas Quick nog een moord op een jongen die vóór 1967 zou hebben plaatsgevonden, ergens in Småland, misschien in Alvesta. Quick vertelt dat hij in een auto reed, samen met een tien jaar oudere man die we hier Sixten Eliasson noemen. Sixten was homo, maar als lid van het Leger des Heils moest hij zijn geaardheid verbergen achter de façade van een huwelijk.

'Hij had een zwarte... hoe heten die auto's ook alweer?' vraagt Quick.

'Een Studebaker,' souffleert Kjell Persson.

'Ja, precies,' zegt Quick.

'Een vrij ongewone auto,' merkt de chef-arts op.

'Ja,' zegt Quick, die zich nu plotseling herinnert welke auto Sixten eigenlijk had. 'Het was een Isabella.'

'Een Borgward Isabella,' corrigeert Kjell Persson.

'Precies,' zegt Quick.

'Wat gebeurde er met de jongen?'

'Hij, hij werd verstopt. Ik verstopte hem.'

'Weet je waar je hem hebt verborgen?'

Quick richt zich tot de therapeut.

'Daar heb ik je toch over verteld? Over die halfvergane ladder die ik optilde waardoor er een soort ruimte ontstond?'

'Zeg je een ladder?' vraagt brigadier Persson.

'Het was een vrij grote ladder, zogezegd, die gedeeltelijk bedekt was met plantengroei en aarde en dus vermolmd was. Toen ik hem optilde kwam er veel aarde mee.'

'Ja, ja, iets wat niet werd gebruikt, maar...'

'Precies, die had daar dus al jaren in de buitenlucht gelegen.'

Brigadier Persson vraagt of Quick iets meer over de jongen kan vertellen. 'Hoe heette hij? Waar kwam hij vandaan? Hoe oud was hij?'

'Ja, hij was van mijn leeftijd of een paar jaar jonger. En hij heette vermoedelijk Thomas.'

'Is het lichaam van de jongen na de moord gevonden?'

Quick weet niet of hij het hier in de therapie over heeft gehad en wendt zich tot Kjell Persson, die zich niet kan herinneren dat Quick er iets over heeft gezegd. Quick zegt dat hij niet gelooft dat het lichaam ooit is gevonden.

Ondanks het feit dat Quick ronduit de moorden bekent op Johan in Sundsvall en Thomas in Småland, is brigadier Persson niet tevreden.

'Ik heb het vermoeden dat er nog iemand is die je hebt... die je hebt vermoord, op dezelfde manier zoals deze jongens over wie je hebt verteld.'

'Nee,' zegt Quick. 'Aangezien deze gebeurtenissen heel goed zijn weggestopt, kan ik daar natuurlijk niet categorisch met "nee" op antwoorden. Wat ik wel kan zeggen: "Nee, ik geloof van niet." Dat is het antwoord dat ik op zo'n vraag kan geven.'

'Maar is er iets waardoor je misschien zelf het gevoel hebt dat er meer kan zijn? Is er een of andere herinnering waardoor je...?'

'Nee, geen herinnering,' antwoordt Quick geduldig, maar Jörgen Persson geeft het niet op.

'Maar iets in je gedachten waardoor je denkt dat het er meer kunnen zijn?'

'Nee, niets anders dan dit, en ik heb net al gezegd dat dit zo goed weggestopt is, zo goed opgeborgen is geweest, dat ik niet kan uitsluiten dat het wel is gebeurd.'

'Heb je meer van dit soort vage herinneringen aan iets?'

'Nee,' antwoordt Quick.

Misschien heeft chef-arts Göran Fransson verteld over Quicks 'fantasieën' of voorstellingen rond... Peter en Mikael. In elk geval geeft brigadier Persson het niet op. Volhardend probeert hij keer op keer Quick ertoe te bewegen om nog meer moorden te bekennen.

'Ik dacht dat er zoiets weggestopt is,' probeert hij. 'Iets waar je een vaag vermoeden van hebt of een aantal ideeën over hebt.'

Maar het is zinloos. Quick weigert erin mee te gaan dat hij meer moorden heeft gepleegd, dus stelt Jörgen Persson uiteindelijk voor dat ze het verhoor hier zullen beëindigen.

Het verhoor heeft drie uur geduurd en Quick wordt officieel verdacht van moord.

Op het politiebureau in Borlänge krijgt hoofdofficier van justitie Lars Ekdahl een mondeling verslag van het verhoor. Dat is het laatste dat de politie van Borlänge ziet van Thomas Quick.

Dwaaltochten en omwegen

Aangezien de moord op Johan Asplund in de provincie Västernorrland was gepleegd, kwam de zaak op het bordje van hoofdofficier van justitie Christer van der Kwast van het regioparket in Härnösand.

Christer van der Kwast was achtenveertig jaar oud, geboren en getogen in Stockholm. Na zijn rechtenstudie was hij eind jaren zestig griffier bij de arrondissementsrechtbank van Södertörn, daarna werkte hij als officier van justitie in opleiding in Umeå en Östersund.

Na een cursus bedrijfskunde werd hij in 1986 benoemd tot districtsofficier van justitie in Härnösand, met hoofdverantwoordelijkheid voor de aanpak van financieel-economische criminaliteit. In 1990 maakten de sociaaldemocraten bekend dat de aanpak van financieel-economische criminaliteit de hoogste prioriteit zou krijgen bij het Openbaar Ministerie, en in datzelfde jaar werd Van der Kwast benoemd tot hoofdofficier van justitie. In misschien wel zijn belangrijkste taak in die jaren als districtsofficier van justitie – de zogenaamde Leasing Consult-affaire, met in totaal twintig gedaagden en een groot aantal verschillende processen in de jaren tachtig – werd echter hoger beroep aangetekend, en in alle gevallen werden er lagere straffen en vrijspraken door de hogere instanties uitgesproken. De witteboordencriminaliteit in de provincie Västernorrland was niet zo omvangrijk, en daardoor kon hij zelfs tijd besteden aan andere delicten. Zijn tot nu toe enige moordonderzoek, van de met messteken omgebrachte Eva Söderström, leverde niets op. In het jaar 1992 besteedde hij zijn tijd bijna uitsluitend aan snelheidsovertredingen.

Het gesprek met het parket in Borlänge op 1 maart 1993 moet een welkome afwisseling voor hem zijn geweest. Er waren al minstens tien andere gestoorden geweest die de moord op Johan Asplund bekend hadden. En nu dus zelfs een patiënt van de Säterkliniek.

Tegelijkertijd moest de bekentenis gecontroleerd worden en dat betekende dat Christer van der Kwast iemand nodig had die het politieonderzoek kon leiden. Zijn keuze viel op Seppo Penttinen, een rechercheur van de afdeling narcotica in Sundsvall die na drieëntwintig jaar in het vak nog steeds de titel brigadier droeg, en net als Van der Kwast gewend was aan een heel ander soort criminaliteit. Hij had tot nu toe een zo goed als anoniem bestaan geleid.

Daar zou deze zaak spoedig verandering in brengen.

De nieuwe rechercheurs hadden nog maar net hun eerste verhoor op de Säterkliniek beëindigd toen Anna-Clara Asplund dat telefoontje van *Expressen* kreeg waarin werd verteld dat 'een vent uit Falun' de moord op haar zoon Johan had bekend.

Kort daarna had misdaadverslaggever Gubb Jan Stigson van een geheime bron – 'een van de rechercheurs' volgens het artikel – hét verhaal van zijn leven gekregen. Op 10 maart 1993 werd zijn eerste artikel over Thomas Quick gepubliceerd in *Dala-Demokraten* met als kop: 'Inwoner Falun bekent moord op verdwenen jongen'.

'Als de bekentenis standhoudt, betekent dit dat een van Zwedens opmerkelijkste rechtszaken is opgelost,' schreef Stigson. 'Een van de rechercheurs' vertelde hem dat het beslissende bewijs nog niet was gevonden; Johans lichaam werd nog steeds vermist.

Ondanks het feit dat het verhaal behoorlijk rammelde en dat 'personen met inside-information over de zaak sterke twijfels hebben over het verhaal van de man', weerhield dat Stigson er niet van om de identiteit van de verdachte bekend te maken. Hij schreef dat de man die de moord op Johan had bekend een 'tweeënveertigjarige inwoner van Falun was, die bekendstond als de gijzelnemer van de bankdirecteur in Grycksbo'. De vraag wie die inwoner van Falun was die Johan had vermoord, was daarmee voor iedereen die Sture Bergwall had gekend beantwoord.

De volgende dag vervolgde Gubb Jan Stigson zijn verslag en wist hij te vertellen dat deze inwoner van Falun de plek had aangewezen waar Johan lag begraven.

'Hij heeft concrete informatie gegeven over het lichaam,' zei de leider van het vooronderzoek Christer van der Kwast tegen *Dala-Demokraten*. 'Het is natuurlijk erg interessant voor ons. De hele zaak liep eerder vast doordat er toen geen lichaam is gevonden.'

Het artikel werd geïllustreerd met een grote foto van Sture Bergwall en zijn hond Upfold, een Scottish deerhound – waarschijnlijk de enige van dat ras in Falun. Vanwege 'de journalistieke ethische code' had men Stures gezicht wazig afgedrukt. Een paar dagen later had Stigson een foto van Sture weten te bemachtigen waarop hij op zijn sportfiets zat. Opnieuw had de krant hem 'onherkenbaar' gemaakt door zijn gezicht wazig af te drukken.

Toen er over het onderzoek geen informatie meer lekte, voerde Stigson als getuige de bankovervaller Lars-Inge Svartenbrandt op, die samen met Quick in de Säterkliniek had gezeten.

'Hij spreekt waarschijnlijk de waarheid,' zei 'de Svarten' in *Dala-Demokraten*.

Op zaterdag 13 maart rijdt Kjell Persson voor de tweede keer met Thomas Quick naar Sundsvall. In de auto bevinden zich ook Göran Fransson en een psychiatrisch verpleegkundige van de Säterkliniek. In Myre in Njurunda ontmoeten ze Christer van der Kwast, advocaat Gunnar Lundgren, politie-inspecteur C.G. Carlsson en brigadier Seppo Penttinen.

Nadat Penttinen het stuur heeft overgenomen van de Volvo waarin Quick zit, gaat de rit verder in de richting van Norra Stadsberget in Sundsvall. De reis verloopt voorspoedig, maar Quick is zeer gespannen. Eenmaal op de plek aangekomen wordt Quick naar het pad geleid dat hij al een keer met Kjell Persson heeft gelopen.

Deze keer roept de wandeling, waarbij hij ondersteund moet worden door Fransson en Persson, grote angst op bij Quick. Hij geeft aan dat hij iets meer naar rechts wil, maar dit roept zulke ernstige symptomen op dat hij 'nu achteroverhangt in de armen van de begeleidende artsen'.

Ten slotte komen ze bij de plaats waar Quick naar eigen zeggen Johan heeft vermoord. Hij gaat op een steen zitten, spreidt zijn armen in een hoek van vijfenveertig graden en zegt dat hij binnen dit gebied Johans kleren en schoeisel heeft verstopt. Wanneer Quick de plek nader moet definiëren wordt hij vaag. Hij kan niet zeggen hoe ver de politieagenten het terrein op moeten gaan om te zoeken en ook niet hoe het er bij de bergplaats uitziet. Terwijl hij doodsangsten uitstaat, vertelt hij dat hij Johan later naar de auto heeft terug gedragen.

In zijn rapport schrijft Göran Fransson:

De patiënt wordt nu verhoord door de politie nadat hij de sinds lange tijd onopgeloste moord op de jongen Johan Asplund in Sundsvall heeft bekend. Volgende week staat er een schouw gepland, maar aangezien er een lek is bij de politie en er veel belangstelling van de pers is wordt de schouw vandaag in het grootste geheim gehouden [...] Tijdens de wandeling [in het bos bij Norra Stadsberget] wordt de patiënt steeds angstiger. Hij verliest vaak het contact met de werkelijkheid en vraagt ons hem terug te halen naar de werkelijkheid door de feitelijke tijd en plaats te noemen. Het laatste stukje moeten Kjell en ik hem bijna meeslepen. Hij is nu zeer angstig en hyperventileert. Moet ademen in een plastic zak.

Na een tijdje rust en toiletbezoek, plus wat versnaperingen in de vorm van koffie en broodjes, geeft Quick aan dat hij nu wel verder kan gaan met de schouw, noteert Seppo Penttinen in het politierapport. De tocht gaat lukraak verder. Quick is erg onzeker over welke kant ze op moeten. Hij zegt dat hij 'waarschijnlijk de kleinere wegen heeft genomen' naar het Obs!-warenhuis. Dat blijkt niet te kunnen, maar hij 'wil zich herinneren' dat hij zo reed, en hij 'ervaart dat hij zo moet hebben gereden'.

De politieagenten brengen een aantal 'routecorrecties' aan. Quick is tijdens de schouw onzeker en 'probeert uit te rekenen welke weg hij logischerwijze zou hebben gekozen'. Göran Fransson beschrijft in het dossier hoe de zoektocht verliep:

> De patiënt tast als het ware af en krijgt hulp van Kjell [Persson] om zijn gevoelens te duiden. Wanneer hij een bepaald stuk terrein meent te herkennen, krijgt hij een zeer heftige angstaanval met hevige pijn op de borst. Hij heeft nu ook zeer zware hoofdpijn. Hij hyperventileert en moet opnieuw ademen in een plastic zak. Krijgt nog 5 mg Stesolid en 2 Citodon tegen de hoofdpijn.

Nadat ze zo twee uur volgens de instructies van Quick hebben rondgedoold, wordt er besloten dat ze niet meer naar hem luisteren:

> De politie stelt voor een andere weg te nemen waarop hij sterk reageerde. Na ongeveer tien minuten die weg te hebben gereden, naderen we een gebied dat hij eerder goed heeft beschreven tijdens de politieverhoren. Daar krijgt hij opnieuw een zware angstaanval, maar is hij ook geconcentreerder dan bij eerdere gelegenheden.

De auto's draaien een open terrein op waar men de auto's parkeert. Seppo Penttinen noteert in zijn proces-verbaal van de schouw:

> Om 16.15 uur stapt Quick uit de auto. Hij zegt dat hij deze plek herkent. Hij heeft in de auto ernstige angstsymptomen vertoond en durft niet naar rechts te kijken, waar zich een bergwand met zichtbare grote stenen bevindt. Hij loopt langs de rechterkant van het gebied, probeert de plek aan te wijzen waar hij het lichaam van Johan Asplund heeft verborgen. Hij wordt omringd door zijn artsen en psychiatrisch verpleegkundige. Het is zichtbaar moeilijk voor hem om naar de bergwand te kijken.

Thomas Quick onthult nu dat hij Johan Asplunds lichaam in stukken heeft gesneden. Hij wijst aan waar hij het hoofd 'zo goed als zeker' heeft verstopt en waar de politie naar andere lichaamsdelen moet zoeken. Na drieënhalf uur schouw is hij uitgeput en Christer van der Kwast oordeelt dat de verdachte alle informatie waarover hij beschikt heeft verstrekt. De schouw wordt beëindigd.

In het voorjaar van 1993 heerst er groot optimisme bij de hondenpatrouilles met de lijkenhonden, de technisch rechercheurs en ander personeel dat de door Quick aangewezen plaatsen uitkamt. De lezers van *Dala-Demokraten* kunnen elke dag de verslagen van Gubb Jan Stigson volgen over de zoektocht naar het lichaam van Johan Asplund.

Op 19 maart publiceert de krant het zevende artikel over Quick in tien dagen: 'Resultaat nihil', schrijft Stigson. De teleurstelling is overduidelijk.

'Ons uitgangspunt is vreemd, ongebruikelijk,' verklaart Christer van der Kwast in het artikel. 'Bij wijze van uitzondering hebben we hier iemand die een zwaar misdrijf bekent. We zullen later op een of andere manier bevestigen of het juist is wat hij zegt.'

In de verhoren, die gelijktijdig met de zoektocht plaatsvinden, vertelt Thomas Quick voortdurend nieuwe versies van wat er is gebeurd. Op 18 maart zegt hij dat hij met een beugelzaag het lichaam in stukken heeft gezaagd. Seppo Penttinen vraagt zich af hoe hij het hoofd van de romp heeft weten te scheiden.

'Is het lastig om de zaag door het eigenlijke weefsel te laten gaan?'

'Ja,' zegt Quick. 'Dat is een behoorlijk gedoe.'

Hij zegt dat hij het hoofd achterliet op een bergkam in Åvike, vlak buiten Sundsvall. Daarna reed hij naar een andere berg, droeg Johans lichaam naar de top en gooide het daar langs de andere kant van de berg naar beneden.

Op 12 april vertelt Quick vervolgens dat hij Johans romp in de bekleding van de auto wikkelde. Het hoofd liet hij achter in Åvike, terwijl hij alle andere lichaamsdelen in een kartonnen doos met het opschrift KORS-NÄS BRÖD stopte. Hij reed in de richting van Härnösand en stopte op de Sandöbron waar hij de doos met inhoud in de rivier de Ångermanälven dumpte. Het verhoor moet uiteindelijk worden beëindigd vanwege de hevige angstaanvallen van Quick.

De auto die Sture Bergwall bij de moord op Johan had gebruikt, had hij van een homoseksuele kennis geleend, vertelde hij. Op zich was daar niets vreemds aan. Tot de rechercheurs de zaak gingen natrekken.

Voor de eigenaar van de auto, Tord Ljungström, zoals we hem hier zullen noemen, kwam het telefoontje als een schok. Hij begreep niet waarom een rechercheur hem zou willen spreken. Hij wilde dat het verhoor op een neutrale en discrete plaats werd afgenomen. Het werd kamer 408 van het Scandic Hotel in Falun.

'Ik ken geen Thomas Quick en ook geen Sture Bergwall,' verzekerde Ljungström.

Pas toen Seppo Penttinen Sture Bergwalls uiterlijk beschreef, begon het Ljungström te dagen.

'Kan het die Sture zijn die momenteel in de Säterkliniek is opgenomen?' Ja, hem herinnerde Ljungström zich. Hij vertelde dat ze tien, twaalf jaar geleden bekenden van elkaar waren.

'We hebben elkaar misschien zeven, acht keer ontmoet en hadden seks met elkaar,' gaf hij toe. 'We spraken altijd af bij het zwembad van het sportcomplex Lugnet. En altijd op een dinsdag, omdat dinsdag mijn vrije dag was. Ik werkte in die tijd in een levensmiddelenzaak.'

De ontmoetingen verliepen altijd op dezelfde manier. Hij kwam met de auto, terwijl Sture van zijn huis in Korsnäs naar Lugnet fietste.

'Hebt u misschien een lichtblauwe Volvo uit het jaar 1980 gehad?' vroeg de verhoorleider. Ljungström antwoordde dat hij heel wat auto's had gehad, de meeste van het merk Volvo, maar nooit een lichtblauwe. Was een donkerblauwe goed genoeg?

Uit het proces-verbaal van het verhoor blijkt ondubbelzinnig dat Ljungström oprecht antwoord gaf op de vragen en probeerde de politie te helpen. Maar toen brigadier Carlsson beweerde dat Ljungström zijn Volvo had uitgeleend aan Sture Bergwall, was het afgelopen met Ljungströms bereidwilligheid.

'Dat klopt absoluut niet! Ik ben erg zuinig op mijn auto's en heb mijn auto nog nooit aan iemand uitgeleend. Ja, behalve aan mijn vrouw, natuurlijk,' zei hij.

Tord Ljungström gaf antwoord op de gevoeligste vragen, maar ontkende categorisch dat hij zijn auto aan Sture had uitgeleend. Het verhoor werd beëindigd zonder dat de rechercheurs hem ook maar een millimeter daarvan af hadden weten te brengen.

De volgende dag vertelde Christer van der Kwast de journalisten dat Thomas Quick de persoon had aangewezen die hem de auto had uitgeleend die bij de moord was gebruikt. Maar in zijn beschrijving lijkt de 'auto-uitlener' een gladde aal die geprobeerd heeft de dans te ontspringen.

'Hij ontkende eerst dat hij de tweeënveertigjarige man kende, maar uiteindelijk heeft hij het toegegeven. Ze hadden zo'n relatie dat het bekendmaken van de identiteit van deze persoon hem kan beschadigen.'

De dag na het verhoor met Tord Ljungström rijdt Seppo Penttinen naar de Säterkliniek om Quick te verhoren. Göran Fransson is daarbij aanwezig.

'Laten we om te beginnen het even over je rijbewijs en zo hebben,' begint Penttinen. 'Wanneer heb je je rijbewijs gehaald?'

'In 1987,' antwoordt Quick.

Iedereen in de kamer moet zich hebben gerealiseerd dat het een merkwaardig antwoord was.

'1987?' vraagt Penttinen met oprechte verbazing.

Hij blijft het proberen en stelt de vraag steeds op verschillende manieren, maar het antwoord blijft hetzelfde. Sture haalde zijn rijbewijs in 1987 en had voor die tijd niet veel rijervaring gehad.

'Maar het rijden naar Sundsvall dan, kostte het je dan geen enkele moeite om alleen in de auto te rijden?' vraagt Penttinen.

'Nee. O nee! Geen enkel probleem,' verzekert Quick hem.

De dag daarop krijgt Quicks jongere zusje Eva bezoek van Penttinen.

'Eva, ben jij van mening dat Sture in die bewuste tijd in 1980 op een veilige manier een voertuig kon besturen?'

'Nee, voor 1987 heb ik Sture nooit in een auto zien rijden,' antwoordt ze. 'De eerste keer was in 1987, toen hij zijn rijbewijs had gehaald.'

Eva weet nog dat Sture zo'n belabberde chauffeur was dat hij problemen had met schakelen, zelfs nadat hij zijn rijbewijs had gehaald.

In allerijl wordt autobezitter Tord Ljungström nog dezelfde avond voor een nieuw verhoor opgeroepen. Ondanks de grote inspanningen van de verhoorleider blijft deze bij zijn verhaal.

'Ljungström blijft erbij, is er honderd procent zeker van dat hij zijn auto nooit aan Sture Bergwall heeft uitgeleend,' noteert Penttinen in het proces-verbaal van het verhoor.

De volgende dag, op 18 maart, is hij terug in de Säterkliniek om deze

155

hardnekkige kwestie op te lossen. Hij legt een aantal kleurstalen neer. Quick kiest de kleur Tintomara 0040-R90B.

'Zo licht?' roept Penttinen uit. 'Als kleur van een auto?'

'Hmm.'

'Ja. Dan vertel ik je nu dat we gisteravond laat nog met Ljungström hebben gesproken en hebben kunnen constateren dat hij in de tijd waar we over spreken geen Volvo in deze kleur blauw had.'

'Hmm.'

'Wat heb je hierop te zeggen?'

'Ja, wat moet ik daar nu op zeggen? In dat geval is het zoals het is.'

De Zweedse Rijksdienst voor het Wegverkeer meldde Seppo Penttinen later dat Ljungström twee weken voor de moord op Johan bij Falu Motor een nieuwe Volvo 244 uit 1981 had gekocht. Geen blauwe, zoals Quick had gezegd, maar een rode.

Volgens Quicks verhaal zou de winkelbediende Tord Ljungström op afbetaling een spiksplinternieuwe Volvo hebben gekocht, voor een bedrag dat overeenkwam met een jaarsalaris, om vervolgens de auto onmiddellijk uit te lenen aan de werkloze Sture Bergwall, die hij amper kende; iemand die niet kon autorijden en geen rijbewijs had.

Quick had bovendien verteld dat Johan in de auto had gebloed en dat hij het in stukken gesneden lijk later had vervoerd in de kofferbak in een kartonnen doos die zo doordrenkt was van bloed dat de bodem losliet. Daarom werd Ljungströms oude auto opgespoord en door de politie bij de huidige eigenaar opgehaald. Als Quicks verhaal waar was en er een in stukken gesneden lijk in de auto was vervoerd, dan zouden er redelijker-wijs nog sporen in de vorm van bloedvlekken in de auto te vinden moeten zijn. Het Zweeds Forensisch Instituut (SKL) onderzocht de autostoelen, de mat in de kofferbak en andere oppervlakken, zonder een bloedspoor te vinden.

Ljungström hield tot aan zijn dood vol dat hij zijn auto nooit aan Sture had uitgeleend. Hij werd niet verdacht van een strafbaar feit, alleen van het feit dat hij zijn auto had uitgeleend. Hij had geen enkele reden om een moordenaar te beschermen. Tijdens de politieverhoren had hij geheel naar waarheid over zijn homoseksualiteit verteld en andere gevoelige vragen beantwoord, terwijl Quick keer op keer werd betrapt op leugens en voortdurend zijn verhaal veranderde. Toch kozen de rechercheurs ervoor om te geloven dat Quick de waarheid sprak, terwijl ze Tord Ljungström ervan verdachten dat hij loog.

Op 26 april vertrekken Thomas Quick, Kjell Persson, Seppo Penttinen en politie-inspecteur Björn Jonasson naar het plaatsje Ryggen ongeveer tien kilometer ten oosten van Falun om te zoeken naar een van Johan Asplunds handen.

Quick moet zich eerst oriënteren en loopt samen met Persson door het gebied. Na een wandeling van een uur keren ze terug bij de rechercheurs om te zeggen dat ze meer tijd nodig hebben. Na anderhalf uur lopen wordt Quick zo angstig dat hij moet 'rusten' en de dienstwagen komt voorrijden. Nadat hij een uur met zijn artsen heeft doorgebracht – en misschien medicatie heeft gekregen – verklaart Quick dat hij bereid is om aan te wijzen waar hij de hand heeft verstopt.

Hij vindt het beekje niet waarin hij naar eigen zeggen de hand heeft verborgen, in het gebied is alleen een slootje. Quick praat onsamenhangend, beschrijft de zaklantaarn die hij bij zich had toen hij de hand verstopte, vertelt over de stenen waaronder hij de hand verborg, herinnert zich een Mora-mes dat hij heeft verstopt en een slagboom die dicht was. Maar Quick kan het gezelschap niet naar een hand leiden.

Even later komt de technische recherche de plaats onderzoeken maar ze vinden niets van belang. Opnieuw heeft Quick beloofd aan te wijzen waar hij lichaamsdelen heeft verstopt, en opnieuw vinden politiemensen daar naderhand niets.

Kjell Persson noteert teleurgesteld in het dossier dat Quicks verhaal 'door de politie en de officier van justitie met wisselend vertrouwen wordt beoordeeld. Het feit dat men nu niets vindt, doet die twijfel alleen maar toenemen.'

Op 5 mei schrijft Quicks advocaat een brief aan Christer van der Kwast. Daarin staat dat Gunnar Lundgren uitvoerig 'overleg' heeft gehad met Quick, die nog steeds de wil heeft om de moord op Johan op te lossen. De advocaat eindigt de brief met de volgende regels:

> Hij heeft mij nu echter meegedeeld dat hij geen informatie meer kan geven, maar dat hij wil dat u hem of in staat van beschuldiging stelt of de zaak afsluit.

Nadat Van der Kwast hier een paar weken over heeft nagedacht, belegt hij een persconferentie waar hij meedeelt dat hij niet genoeg bewijsmateriaal heeft om Quick in staat van beschuldiging te stellen. Maar Quick geldt nog steeds als verdachte en het onderzoek is niet afgesloten. In werkelijkheid zakt het onderzoek langzaam maar zeker in tijdens de zomer.

Wanneer ik het gerechtelijk vooronderzoek lees, komt daaruit in feite naar voren dat Thomas Quick geen enkele informatie heeft kunnen geven waaruit blijkt dat hij überhaupt iets weet over Johans verdwijning. Tegelijkertijd is er meer dan voldoende informatie die erop wijst dat hij alles heeft verzonnen.

Maar in de Säterkliniek wordt Thomas Quicks psychotherapeutische behandeling voortgezet en is men ervan overtuigd dat hij schuldig is.

Eind mei schrijft Kjell Persson dat Quick er niet aan twijfelt dat hij de moord op Johan echt heeft gepleegd en dat het onbevredigend is dat er op de plaats delict geen vondsten zijn gedaan. Hij voegt eraan toe dat Quick 'ook gedachten en fantasieën heeft over andere moordzaken'.

Thomas Quicks dossiers getuigen van hevige angstaanvallen en zelfmoordpogingen tijdens het onderzoek. Wanneer in het voorjaar en de zomer de verhoren stoppen neemt de angst af en in juli wordt Quick weer onbegeleid verlof verleend. Op 2 augustus stopt zijn medicatie met Stesolid en een week later worden de overige benzodiazepines van Quicks medicijnenlijst gehaald. In verband hiermee wordt Quick overgeplaatst naar een andere, open afdeling.

'Zijn mate van gevaarlijkheid wordt beoordeeld als aanzienlijk verminderd, en hij bevindt zich momenteel in een buitengewoon goede psychische toestand,' schrijft Kjell Persson. Deze harmonieuze aantekening wordt afgesloten met de onheilspellende notitie dat Seppo Penttinen hem heeft laten weten dat het opsporingsonderzoek gewoon doorgaat.

Maar ondanks het feit dat de verdenkingen van de moord op Johan Asplund niet zijn weggenomen en ondanks het feit dat daarmee een inhechtenisneming volgens het Zweedse Wetboek van Procesrecht verplicht is, wordt Thomas Quick niet in hechtenis genomen en worden hem nog steeds geen beperkingen opgelegd wat betreft kranten, telefoontjes en bezoek.

Wat dan volgt in het dossier gaat bijna uitsluitend over de verschillende verloven die Quick worden verleend, naar Borlänge, Avesta en Hedemora. Maar ook meerdere keren naar Stockholm. Aantekeningen over het doel van deze reisjes staan niet in het dossier vermeld.

Achter de schermen wordt druk overleg gevoerd over het vervolg van de zaak. Er moet nog aanvullend onderzoek worden gedaan naar Johan Asplund, maar zelfs Kjell Persson gelooft niet dat Quick nog meer informatie heeft over deze kwestie. De artsen en de politie hebben het nu veelvuldig over een verjaard misdrijf, de moord op Thomas Blomgren in Växjö in 1964.

Ver terug in de tijd

Na intensief overleg tussen Seppo Penttinen en Quicks artsen besluit men dat er nieuwe politieverhoren zullen worden afgenomen, waarbij ook Göran Fransson en Kjell Persson aanwezig zullen zijn.

Op woensdag 22 september 1993 vertrekt Thomas Quick tijdens een onbegeleid verlof naar Stockholm. Göran Fransson, die toestemming geeft voor het uitstapje, noteert zoals gebruikelijk niets over het doel van Quicks reis in zijn dossier.

Toen Thomas Quick tijdens het eerste politieverhoor naar aanleiding van de moord op Johan Asplund een andere moord bekende, een van 'voor 1967, ergens in Småland, misschien in Alvesta', vertelde hij ook over zijn handlanger Sixten en diens opvallende auto, en dat het slachtoffer vermoedelijk Thomas heette. Nu, bijna zeven maanden later, is het tijd voor Quick om de feiten uit te zoeken. In de Koninklijke Bibliotheek in Stockholm bestelt hij microfilms van oude kranten uit het magazijn.

De moord op Thomas Blomgren was een van de meest besproken moorden in de jaren zestig.

Het is twintig voor tien als Thomas Blomgren op de avond voor Pinksteren in 1964 via de voordeur zijn ouderlijk huis in de Riddaregatan in Växjö verlaat.

'Niet ongerust worden! Ik ben zo weer thuis,' riep hij naar zijn ouders.

De toon waarop hij het zei was half grappig, maar ook zeker serieus bedoeld. De laatste keer dat hij in Folkets Park was geweest, hadden zijn ouders hem voor gek gezet door hem daar te komen ophalen. Nu liep hij door de Dackevägen en passeerde verschillende inwoners van Växjö die op hun dooie gemak naar Folkets Park slenterden. Een aantal van hen merkte een man op in het bosje waar de Dackevägen uitkwam op de Ulriksbergspromenaden.

In het latere politieverhoor zouden de getuigen de man beschrijven als rond de vijfenveertig jaar oud, ongeveer 1.75 meter lang, stevig postuur, rond gezicht, geen hoofddeksel, donker achterovergekamd haar, donker colbertje, wit overhemd en donkere stropdas. Men dacht dat hij niet uit Växjö of omstreken kwam. Er waren meer mensen nieuwsgierig geworden en sommige hadden nog eens extra nauwkeurig naar de man gekeken die zich daar in zijn eentje op een eigenaardige plek ophield. De man trok zich echter niets aan van de blikken die zijn kant op werden geworpen, maar bleef rustig in het bosje staan, alsof hij ergens op wachtte.

Het was kwart voor tien toen hij in de Dackevägen een jongen zijn kant op zag komen. Thomas week af van de Dackevägen en liep naar het stukje groen, recht naar de plek waar de man stond. Het was zijn gebruikelijke sluippaadje naar Folkets Park.

Nadat hij naar de Ing-Britts Cocktail-show op het podium had gekeken ging Thomas niet meteen naar huis, zoals hij zijn ouders had beloofd, maar slenterde hij nog wat door het park en toen hij de schiettent passeerde vroeg de eigenaar Peter Törnqvist of Thomas niet een worstje voor hem zou willen kopen. Hij betaalde met een aantal fiches en later schoot Thomas een paar series. Toen Thomas uiteindelijk Folkets Park verliet, was het al veel te laat. Hij was een uur later dan hij had beloofd en had nog maar een paar minuten te leven.

Op dat moment waren automonteur Olle Blomgren en zijn vrouw Berta al zo ongerust geworden dat ze ondanks alles toch op zoek waren gegaan naar hun zoon. Om half twee belde Olle de politie, maar ondanks een groot opgezette zoekactie waarbij de omgeving werd uitgekamd, vond men de jongen niet.

Op eerste pinksterdag om half elf ging conciërge Erik Andersson een zak uien halen uit het gereedschapsschuurtje van zijn zwager aan Dackevägen 21. Toen hij de van buitenaf vergrendelde deur opendeed vond hij pal achter de deur het levenloze lichaam van een jongen die met zijn hoofd tussen de fietsen en het gereedschap lag. De riem van zijn broek was los, de gulp was opengeritst en zijn gezicht zat onder het bloed.

Thomas Blomgren was blijkbaar slachtoffer geworden van grof seksueel misbruik met dodelijke afloop.

Na Thomas Quicks reisje naar Stockholm schrijft Kjell Persson in het dossier dat zijn patiënt 'echt ver in de tijd is teruggegaan' en dat 'alle herinneringen zijn teruggekomen'. Eerder had Quick niet eens kunnen vertellen in welke stad de moord had plaatsgevonden, maar nu kan hij plotseling een verbazingwekkend gedetailleerde beschrijving geven van de moord in Växjö in 1964.

Op maandag 27 september 1993 komt Penttinen weer naar Säter.

'Als we eens beginnen met het tijdaspect, kun je preciseren wanneer dit was in de jaren zestig?' vraagt Penttinen, zoals te horen is op de opname van het verhoor.

'Vierenzestig,' antwoordt Quick zonder aarzeling.

'Dat weet je zeker?'

'Ja.'

'Hoe kun je dat jaartal onthouden?'

Quick zegt dat hij het jaartal verbindt aan een gebeurtenis in het voorjaar van 1963.

'Bepaalde feiten,' onderbreekt Kjell Persson, die erbij zit.

'Ja,' zegt Quick.

'Ik weet niet of je daar verder op door moet gaan... het heeft immers niets met deze gebeurtenis in Småland te maken,' gaat Persson verder. 'Maar alles met waar je zelf slachtoffer van bent geworden.'

Waar Kjell Persson op doelt, is dat Quick in de therapie heeft verteld over de laatste keer dat hij door zijn vader werd verkracht. Deze verkrachting zou in 1963 in het bos hebben plaatsgevonden. De moord op Thomas Blomgren is een herbeleving van deze laatste verkrachting van Sture door de vader, volgens de theorieën die men in de Säterkliniek aanhangt. Van de verkrachting buiten in het bos is het, zoals Quick later zou uitleggen, 'een kleine stap' naar Folkets Park in Växjö die avond voor Pinksteren in 1964.

Quick plaatst de gebeurtenis in de late lente en hij 'heeft herinneringen aan seringen en vogelkers'.

Seppo Penttinen heeft zelf in het vooronderzoek van de moord op Thomas Blomgren zitten lezen. Getuigen hebben een jongen met beatlehaar in Folkets Park gezien.

'In die tijd was dit beatlekapsel immers in de mode,' probeert Penttinen. 'Heb jij ooit zulk lang haar gehad in die tijd?'

Nee, zulk lang haar heeft Quick niet gehad.

'Weet je of er ook een foto van jou uit die tijd bestaat waarop te zien is hoe je er in die tijd uitzag?'

Dat weet Quick niet.

'Geen belijdeniskaart of zoiets? Ik herinner me dat we bij je zus thuis heel wat foto's hebben bekeken en als ik me goed herinner, waren daar ook foto's van jou bij, maar ik weet alleen niet meer of het uit die tijd was.'

'Nee, dat weet ik ook niet,' zegt Quick kortaf.

Hij wil liever over het danspodium en het loterijtentje in het park vertellen. Alles klopt precies. Maar de plaatsnaam is te traumatisch om uit te spreken.

'Ik kan zeggen dat het een plaatsje in Småland is en dat het met de letter V begint,' zegt hij.

'Bedoel je Växjö?'

Quick knikt.

Tijdens het verhoor op 1 maart had Quick gezegd dat de moord in Alvesta of in Ljungan had plaatsgevonden. Kjell Persson legt nu aan Penttinen uit dat Quick de verkeerde plaatsnamen moet hebben opgegeven aangezien de naam Växjö zulke pijnlijke gevoelens bij hem oproept.

'Op een bepaalde manier gaat het erom het gebeurde ongedaan te maken,' verklaart hij.

'Het is hetzelfde psychische mechanisme als het aanwijzen van de route op onze reisjes,' vervolgt Persson. 'Dat komt omdat Quick niet ronduit durft te zeggen waar het om gaat.'

Penttinen breekt de psychologische verhandeling af door Quick te vragen hoe hij in Växjö is gekomen, aangezien hij toen veertien jaar oud was en in Korsnäs even buiten Falun woonde, vijfhonderdvijftig kilometer van Växjö.

'Met de auto,' antwoordt hij.

'Met wie dan?' vraagt Penttinen.

'Dat wil ik niet zeggen.'

Tijdens het verhoor op 1 maart had Quick verteld dat hij met de heilsoldaat Sixten Eliasson in zijn Borgward Isabella was meegereden. Maar nu verklaart Quick dat hij de vraag met wie hij meereed niet zal beant-woorden, nu niet en in de toekomst niet. En de reden hiervoor wil hij ook niet geven.

Quick begint uit te leggen hoe hij in Folkets Park kwam op de avond waarvan hij zich meent te herinneren dat hij Thomas bij een kraampje zag ballengooien of schieten.

Kjell Persson is niet tevreden. Hij vertelt Penttinen hoe de therapie werkt. De herinneringen komen zo duidelijk naar boven dat Quick volgens hem alles opnieuw beleeft, met alle reacties, gevoelens en geuren. 'Het is bijna als een hypnotische reis in een tijdmachine,' zegt hij.

Een gevoel alsof hij erbij was geweest, iets wat hij in de verhoorsituatie samen met Penttinen helemaal niet ervaart. Omdat, legt hij uit, ze ge-woonlijk niet met vraag en antwoord werken, zoals Penttinen dat doet.

'Ik laat het los,' verklaart Persson. 'En dan luister ik en ga mee,' legt hij uit. 'En dan bovendien in combinatie met heel veel gevoel.'

'Is het onmogelijk om in een gesprek zoals we hier met zijn vieren rond deze tafel hebben, dat niveau ook te halen?' vraagt Penttinen.

'Ja, dat is onmogelijk,' zegt Quick.

'Dat gaat niet,' bevestigt Kjell.

'Dus dan moeten we ons beperken tot deze simpele manier van pra-ten,' constateert Penttinen teleurgesteld.

Kjell Persson wil zich niet gewonnen geven.

'Ik geloof dat hij hier heel goed kan verklaren wat er bij die gelegenheid naar boven kwam.'

Persson richt zich tot Quick en verduidelijkt: 'Toen je terugging in de tijd…'

Penttinen vraagt Quick of hij dat op dit moment doet.

'Dat is wat we op dit moment doen,' bevestigt Quick.

En dan vertelt Quick over Thomas, die klein en tenger was, minstens een kop kleiner dan hijzelf, met rood haar en gekleed in een nylonjas. Wanneer Thomas Folkets Park verlaat, vraagt Sture zijn onbekende chauffeur of hij hem wil volgen.

Wanneer ze een paar honderd meter van het park verwijderd zijn, haalt de chauffeur hen in. Hij pakt Thomas beet en houdt de armen van de jon-gen vast terwijl Sture de jongen van achteren grijpt en zijn rechterhand over de neus en mond van Thomas legt. De jongen krijgt een bloedneus en overlijdt kort daarna.

De chauffeur, overrompeld door de wrede aanpak, rent weg om de auto te halen.

'Ik til hem op en draag hem naar dat schuurtje. Leg hem daar neer en doe de deur weer dicht. Dan komt de auto, ik stap in en we rijden weg. Terwijl we wegrijden van die plek herhaalt de onbekende chauffeur: 'Dit is niet gebeurd. Dit is niet gebeurd...'

Wat Quick vertelde over de moord van negentwintig jaar geleden was werkelijk zeer gedetailleerd. Het kwam zo goed overeen met de bekende feiten dat Seppo Penttinen nauwelijks moet hebben getwijfeld aan de betrouwbaarheid van de herinnering. Quick kon zelfs een verbazingwekkend gedetailleerde schets tekenen van het gereedschapsschuurtje waar hij het lichaam had verborgen. En dat ondanks het feit dat hij hoogstens een minuut in dat schuurtje was geweest en het toen pikdonker was. Nog merkwaardiger was dat hij een half jaar eerder had verteld dat hij Thomas Blomgrens lichaam onder een vermolmde ladder in het bos had verstopt. Hij had toen ook beweerd dat hij de jongen had gewurgd – niet gesmoord, wat de juiste doodsoorzaak was.

Maar het was alsof door de kracht van het nieuwe verhaal alle eerdere tegenstrijdigheden wegvielen. Zelfs een overtuigde Quick-scepticus als Leif G.W. Persson begon te twijfelen toen hij later Quicks uiteenzetting over de moord op Thomas Blomgren te horen kreeg. Quick had verteld over het bloed uit Thomas' neus dat over zijn rechterhand stroomde en dat hij daarna zijn hand op het hemd op de plek van het hart van de jongen had gelegd. De technische recherche had precies op die plek een bloederige handafdruk gevonden, alsof de moordenaar zich ervan had willen vergewissen dat het hart werkelijk was opgehouden met slaan. Het commentaar van Leif G.W. Persson op Quicks informatie van de bebloede hand luidde: 'Dit is wel verdomde sterk.'

Göran Fransson gaf onmiddellijk daarna toestemming voor weer een onbegeleid verlof van Thomas Quick, die op dinsdag 19 oktober nog een keer naar Stockholm vertrok. De dag daarna werd hij opnieuw verhoord over de moord in Växjö en hij kon opnieuw alle vragen van de verhoorleider correct beantwoorden. In Stures dossier staat Kjell Perssons beschrijving van de revolutionaire doorbraak in de therapie. Op 22 oktober schrijft hij:

Dit ver teruggaan in de tijd is in zoverre een geheel dat alle herinneringen aan die bewuste gebeurtenissen zijn teruggekomen, inclusief de gedachten die de patiënt heeft gehad, de verschillende stemmingen, geur, herinneringen aan wat de patiënt heeft gezien en de reacties van de omstanders enzovoort.

Kjell Persson was ervan overtuigd dat hij, door zijn psychotherapeutische behandelmethoden, erin geslaagd was Stures verdrongen herinneringen rondom de moord op Thomas Blomgren weer naar boven te halen. Helaas moest hij ook constateren dat 'de zaak-Johan Asplund nog steeds op zijn definitieve bewustwording wachtte, omdat veel details nog steeds te moeilijk zijn voor de patiënt en de patiënt het niet aankan de sterke gevoelens naar boven te halen, vooral door het beleven van de gebeurtenissen en de agressie die daaraan verbonden is'.

Thomas Quicks kennis van de moord op Thomas Blomgren was zo'n grote doorbraak in het onderzoek dat Christer van der Kwast er niet aan twijfelde dat Quick nu aan zijn eerste moord was verbonden. De verdenkingen betreffende de moord op Johan werden daardoor ook versterkt, meende de officier van justitie.

Het opsluiten van de vermoedelijke dubbele moordenaar was niet aan de orde. Ondanks het feit dat Quick was veroordeeld tot opname in een gesloten inrichting en sindsdien verdacht werd van minstens twee moorden, waren de officier van justitie en de artsen van de Säterkliniek het erover eens dat hij zich voortaan vrij buiten in de maatschappij mocht bewegen en zonder meer op onbegeleid verlof kon gaan.

Stures alibi

Wanneer researcher Jenny Küttim en ik de oude krantenartikelen bestellen over de moord op Thomas Blomgren, blijkt dat alle correcte informatie die Quick over de moord heeft gegeven daarin vermeld staat. Sture vertelt mij dat hij zich in het bijzonder een luchtfoto van Växjö herinnert, waar de weg van Folkets Park naar het gereedschapsschuurtje op ingetekend stond. Zelfs het huis waar Thomas Blomgren woonde staat aangegeven. We vonden de foto in *Aftonbladet* van 19 mei 1964 onder de kop: DIT IS HET TRAJECT VAN DE DOOD.

Politieman Sven Lindgren uit Växjö is vijfentachtig jaar oud, maar zijn geheugen is nog prima wanneer hij me vertelt over de vierenveertig jaar oude moord op Thomas Blomgren, waaraan hij tot 1989, toen de zaak verjaarde, heeft gewerkt.

'Ik weet dat Thomas Quick onschuldig is aan de moord op Thomas Blomgren,' zegt de bejaarde politieman tegen me als ik hem bel.

Zijn stem is onvast en hij hoort zo slecht dat ik elk woord moet schreeuwen om me verstaanbaar te maken.

Sven Lindgren zegt dat hij er zo van overtuigd is, omdat hij weet wie de werkelijke moordenaar was. Zijn toenmalige collega, commissaris Ragnvald Blomqvist, kan kennelijk meer over de zaak vertellen. Even later zit ik in de auto op weg naar Småland.

Blomqvist ontvangt me in een keurig jarenzestighuis in Växjö. Ook hij ontkent dat Thomas Quick iets met de moord te maken zou hebben: 'We konden de hele avond van Thomas Blomgren in kaart brengen, vanaf het moment dat hij de deur van het ouderlijk huis achter zich dichttrok tot aan het moment dat hij Folkets Park verliet. Het is een onafgebroken keten van gebeurtenissen en ontmoetingen met personen in het park. Er is in dit verhaal gewoon geen ruimte voor een vreemde jongen als Thomas Quick.'

Een van de hardste bewijzen dat Quick Thomas Blomgren niet heeft vermoord, is de verklaring van een 'zeer betrouwbare kroongetuige' die tegen sluitingstijd in een auto voor Folkets Park had gezeten. Het was half twaalf geweest toen hij Thomas Blomgren in gezelschap van een man van in de veertig het park zag verlaten. Ze waren in de richting van het bosje gelopen waar diezelfde man eerder op de avond gesignaleerd was.

Quick had beweerd dat hij met Thomas Blomgren in Folkets Park was geweest en dat ze daar samen weggegaan waren. Dit was gewoon onmogelijk, volgens Ragnvald Blomqvist.

Sven Lindgren had hetzelfde tegen journalisten gezegd toen hij voor het eerst van Quicks bekentenis had gehoord. *Dala-Demokraten* van 3 november 1993: 'Als het een jongen van buiten de stad was geweest, dan hadden we hem in het onderzoek gehad. Daarom geloof ik dit niet.'

Ragnvald Blomqvist vertelt dat de politie uiteindelijk 'de man in het bosje' wist te identificeren, dat hij in 1971 op Driekoningen werd aangehouden en door de rechtbank in Växjö in hechtenis werd genomen als verdachte van de moord. Volgens 'de kroongetuige' was de gearresteerde man dezelfde man die het park samen met Thomas Blomgren had verlaten. De man zat lange tijd vast. Zijn advocaat ging in beroep tegen verlenging van het voorarrest en het gerechtshof stelde de verdachte op vrije voeten, maar wel met een nipt verschil: drie stemmen voor, twee tegen. De politiecommissarissen in Växjö accepteerden de beslissing van het gerechtshof, maar beschouwen de zaak nog altijd als 'politioneel opgelost'.

Wanneer ik de facsimile-uitgaven van de krant van 1964 lees, wordt duidelijk dat het politieonderzoek naar de moord op Thomas Blomgren vanaf de allereerste dag zo lek was als een mandje. In principe verscheen alle politie-informatie over de moord en de verwondingen van de jongen onmiddellijk in de kranten. Een aantal artikelen bericht dat er vermoedelijk sprake was van een 'homolustmoord', maar waar deze bewering op is gebaseerd, wordt niet aangegeven. De politie had het technisch bewijs dat in die richting wees veiliggesteld, maar uitgerekend deze informatie werd niet naar buiten gebracht.

Ik rij met Ragnvald Blomqvist naar Folkets Park. Hij laat me zien waar de verschillende getuigen hebben gestaan en via welke route Thomas Blomgren het park heeft verlaten in gezelschap van 'de man in de bosjes'. Blomqvist toont me de plek waar het bewuste bosje was en aangezien de man die ze voor de moord in hechtenis hadden genomen niet meer leeft, meent Blomqvist dat hij nu wel het enige geheim dat de politie al die jaren heeft weten te bewaren, kan vertellen.

'We hadden monsters van de aarde en van plantenmateriaal genomen en die laten analyseren. De ceintuur van Thomas was losgemaakt en ook zijn broek was los. In Thomas' broek en onderbroek werd vegetatie gevonden. Het technisch onderzoek wees uit dat de plantaardige delen, de aarde enzovoort, afkomstig waren uit dit bosje. De broek moest dus hier in dit bosje, waar deze vegetatie voorkomt, naar beneden getrokken zijn.'

De informatie dat de broek en de onderbroek van Thomas Blomgren naar beneden getrokken waren geweest en dat de jongen op de grond in het bosje had gelegen, voordat de moordenaar het lichaam in het schuurtje had gedumpt, was al die tijd geheimgehouden tot aan het moment dat Ragnvald Blomqvist het mij vertelde. Daarom had Thomas Quick er in de kranten niet over kunnen lezen en had hij er ook niet over kunnen vertellen. Volgens zijn getuigenverklaring waren ze rechtstreeks naar het schuurtje gelopen.

Verschillende getuigen hebben omstreeks de tijd van Thomas' verdwijning een gil gehoord. De politie had ook niet eerder verteld dat op dat tijdstip een vrouw vlak bij dat bosje haar hond uitliet. De hond had naar het bosje staan blaffen en had geweigerd verder te lopen. De politie is ervan overtuigd dat Thomas gegild moet hebben en dat de moordenaar toen heeft geprobeerd hem de mond te snoeren. Zolang de vrouw met de hond bij de bosjes bleef staan, durfde de man zijn greep niet te verslappen en zo smoorde hij Thomas tot hij dood was.

De politie van Växjö heeft nooit begrepen hoe Christer van der Kwast heeft kunnen beweren dat Thomas Quick aan het delict was verbonden. En nog merkwaardiger was het dat Van der Kwast geen hulp wilde aannemen van de politieagenten die de zaak als hun broekzak kenden. Ragnvald Blomqvist en Sven Lindgren waren gefrustreerd dat ze Quick niet hadden mogen verhoren.

'We wisten immers heel veel, ook dat soort dingen die niet zijn opgeschreven. Als we Quick hadden mogen verhoren, hadden we hem met zijn leugens om zijn oren kunnen slaan.' Daar waren Blomqvist en Lindgren het roerend over eens. Maar die mogelijkheid wilde Christer van der Kwast hun kennelijk niet geven.

Het mysterie wordt alleen nog maar groter wanneer we Stures uitspraak controleren dat hij uitgerekend voor deze moord een sluitend alibi had. Jenny Küttim weet het overgrote deel van Stures vrienden die tegelijk met hem belijdenis deden, op te sporen. Zij kunnen bevestigen dat de informatie klopt. Ik bel Sven-Olof die tegenwoordig in Svärdsjö in Dalarna woont.

'Ja,' zegt hij. 'Pinksteren 1964 deden we belijdenis in de Kopparbergskerk. Dat duurde twee dagen. De eigenlijke belijdenis was op zaterdagmiddag. Die bestond uit een gesprek waarin geloofsvragen werden gesteld. Het avondmaal was tijdens de zondagsdienst. Ik herinner me vooral dat Sture het doopvont droeg.'

De reden voor dat laatste was dat de leden van het gezin Bergwall aanhangers waren van de pinksterbeweging en daarom niet in de Zweedse staatskerk gedoopt waren. Sture en zijn tweelingzusje Gun zouden daarom ook gedoopt worden tijdens de belijdenis. Sven-Olof mailde me foto's waarop Sture het doopvont draagt.

Ik ben verbijsterd. Thomas Quick heeft net een alibi gekregen voor misschien wel de belangrijkste moord van allemaal. Want het was door zijn gedetailleerde verhaal over Thomas Blomgren dat Quick de basis legde voor zijn geloofwaardigheid als moordenaar. Dat hij al als veertienjarige was begonnen met moorden was ook een uitstekend motief voor de mythe over de gestoorde seriemoordenaar Thomas Quick.

'Dat weekend zou hij ook in Växjö zijn geweest en daar iemand hebben vermoord,' zegt Sven-Olof met een glimlach die zelfs door de telefoon heen te horen is.

'Wist je dat?'

'Ja,' antwoordt hij in het zangerige Dalarna-dialect. 'Je blijft je vrienden toch een beetje volgen! Dus aan die moord was hij in elk geval niet schuldig... Wij hebben dat in elk geval nooit geloofd.'

Dit was iets waar Sven-Olof en veel andere mensen in Dalarna jarenlang over gepiekerd hadden. Volgens hen kon het gewoon niet kloppen.

Ook Stures tweelingzus Gun bevestigt het feit. Bovendien vertelt ze dat ze is verhoord door de Quick-rechercheurs. Ze wisten ervan.

Nog een verbijsterende mededeling. We hebben alle processen-verbaal van het vooronderzoek en de verhoren in het Quick-onderzoek opgevraagd, zelfs de zogeheten 'prullenbak' – ongeordend werkmateriaal dat niet geregistreerd hoeft te worden, maar dat toch bewaard moet blijven omdat het openbare documenten zijn. Nergens tussen al die duizenden bladzijden is dit verhoor terug te vinden.

Een ander raadsel betreft de chauffeur die beweerde dat hij de jonge Sture naar Växjö had gereden. Waarom was die chauffeur Sixten niet verhoord? Wat was zijn reactie geweest toen Quick hem had aangewezen als handlanger bij de moord op een veertienjarige jongen? Ik vind de vraag zo belangrijk dat ik onmiddellijk contact met hem wil hebben. Maar ik kan geen telefoonnummer vinden. Wel een adres, en het volgende moment stuur ik een bos bloemen naar Sixten Eliasson in Dalarna. Het kan onbezonnen overkomen, onethisch zelfs misschien, maar via internet koop ik een bloemetje en laat het samen met mijn wens bezorgen op Sixtens adres in Dalarna:

BEL ME!

HANNES

0708-84 XX XX

Wanneer mijn mobieltje gaat, verontschuldig ik me meteen voor mijn actie en ik leg hem uit waar het over gaat. Sixten klinkt zo ontdaan door het feit dat die oude kwestie weer wordt opgerakeld dat mijn geweten begint te spreken, maar mijn nieuwsgierigheid wint het.

'Alles wat ik hierover te zeggen heb, heb ik al tegen de politie gezegd.'

'Wat? Bent u gehoord in het onderzoek?'

'Jazeker. Drie keer!'

'Wat was uw reactie op Quicks bewering dat u hem in 1964 naar Växjö hebt gereden?'

'Alles wat ik daarover te zeggen heb, heb ik al tegen de rechercheurs gezegd. Ik ben niet helemaal gezond en dit heeft mijn leven al genoeg overhoopgehaald.'

'Maar kunt u me niet zeggen of u hem wel of niet naar Växjö hebt gebracht?'

Ik moet al snel accepteren dat Sixten niet van plan is om ook maar een woord te zeggen over zijn rol in het onderzoek, maar hij heeft me al veel belangrijker informatie gegeven dan waar ik op had durven hopen. Er bestaan dus drie verhoren met Sixten, en het zou slechts een kwestie van tijd moeten zijn voor ik die te pakken heb.

Maar ook deze verhoren zijn onvindbaar in al dat vooronderzoeksmateriaal. We doen navraag bij Christer van der Kwast en Seppo Penttinen – maar zij ontkennen dat er achtergehouden verhoren zouden zijn. Jenny en ik nemen opnieuw alle knipsels en documenten door, maar zonder resultaat.

Wel ontdekken we dat meer mensen zich hiermee hebben beziggehouden.

Op 24 november 1995 pakte *Dala-Demokraten* groot uit. Een hele pagina was gewijd aan Gubb Jan Stigsons laatste scoop:

DD-VERSLAGGEVER ONTHULT WIE QUICK REED
'Ik ben heel zeker van de identiteit van de man'

Volgens Stigson had de chauffeur van de auto 'meer dan eenendertig jaar lang een moordenaar beschermd'. Stigson had aan de rechercheurs doorgegeven dat hij wist wie Quick had gereden. Onbegrijpelijk – voor

Stigson – was dat Christer van der Kwast niet in het minst geïnteresseerd was in het ontvangen van deze informatie. Hij weigerde gewoon om de telefoon op te nemen als Stigson belde.

'Het is ongelooflijk irritant om keer op keer Van der Kwast te bellen over dringende zaken om slechts de mededeling te krijgen dat hij geen telefoontjes aanneemt,' zei Stigson tegen een collega.

Gubb Jan Stigson diende een klacht in tegen de hoofdofficier van justitie bij de Justitieombudsman, de door het Zweedse parlement aangestelde procureur-generaal, omdat hij 'zich had afgeschermd voor de mogelijkheid om voor het onderzoek wezenlijke informatie te verkrijgen'.

In een schrijven aan de Justitieombudsman had Christer van der Kwast geantwoord dat de identiteit van de chauffeur onbekend was in het onderzoek.

In een artikel vroeg Gubb Jan Stigson zich af wat hij zelf met deze sensationele informatie aan moest: 'Het is een ongelooflijk moeilijke vraag. Het risico is natuurlijk groot dat de man dicht bij een psychische inzinking is. Het is belangrijk dat de man alle informatie heeft om zo veel mogelijk moorden op te lossen.'

Sixten Eliasson had me nu een late verklaring gegeven voor de hele opschudding – Christer van der Kwast wilde doodeenvoudig onder geen beding aan Stigson, of iemand anders, onthullen dat de aangewezen man drie keer was verhoord en overtuigend had kunnen bewijzen dat Quick hem had voorgelogen.

In plaats daarvan bleef Van der Kwast beweren dat Quick een rol had gespeeld bij de moord op Blomgren.

De strijd tussen de artsen

Na het succes met de moord in Växjö bekende Thomas Quick dat hij ook de vijftienjarige Alvar Larsson had vermoord. De jongen was in 1967 op het eilandje Sirkön in de gemeente Urshult verdwenen toen hij buiten hout was gaan halen. Quick bekende bovendien dat hij de achttienjarige Olle Högbom had vermoord, die op 7 september 1983 na een schoolfeest in Sundsvall was verdwenen. Quick kreeg opnieuw zware medicatie. De rechercheurs wisten niet wat ze van deze steeds nieuwe moordverhalen moesten geloven. IS HIJ ZWEDENS EERSTE SERIEMOORDENAAR? stond er in de *Dala-Demokraten* van 8 november 1993.

Gubb Jan Stigson schreef dat nu niet alleen de reeds bekende moorden op Johan Asplund en Thomas Blomgren werden onderzocht, maar dat ook meteen werd bekeken of Quick zich schuldig had gemaakt aan nog drie moorden. 'Mocht dit inderdaad het geval zijn, dan zou dat betekenen dat de tweeënveertigjarige moordenaar van Johan daarmee een plaats krijgt in de misdaadgeschiedenis van Zweden als de eerste echte seriemoordenaar.'

Toen dit bekend werd in de Säterkliniek, was dit het begin van een kat-en-muisspelletje vergelijkbaar met het spel in *The Silence of the Lambs*, maar zonder de geraffineerde elegantie van het Amerikaanse origineel. Thomas Quick wilde bijvoorbeeld dat er een onderzoek werd gestart naar Olle Högboms verdwijning, die werd onderzocht door de politie in Sundsvall, het politiedistrict van Seppo Penttinen. In een verhoor over de moord op Thomas Blomgren wilde Quick een aantal belangrijke jaartallen in zijn leven noemen. Penttinen tekende het volgende op in het proces-verbaal:

Hij noemt onder meer het jaar 1983 als zo'n belangrijk jaar. Hij vertelt dat in de loop van dit jaar zijn moeder overlijdt en dat er in diezelfde week 'een in meerdere opzichten dramatische gebeurtenis' plaatsvindt. Quick wordt angstig wanneer hij dit vertelt en wil niet in duidelijke taal zeggen wat hij met deze uitspraak bedoelt. Hij wil wel een kleine aanwijzing geven in de vorm van een paar regels uit een bekend kinderversje. Vervolgens zegt hij alleen de titel: 'Mors lilla Olle'.

Voor Seppo Penttinen was het niet moeilijk om het raadseltje van de bereidwillige seriemoordenaar te duiden. De verdwijning van Olle Högbom was na de moord op Johan de opvallendste zaak in zijn politiedistrict van de laatste tijd, een raadsel waar de politie met lege handen stond. Ze had geen enkel spoor en geen idee in welke hoek ze de verdachte moest zoeken.

De nieuwe namen Alvar en Olle kwamen op de lijst met Quicks potentiële slachtoffers te staan.

Een paar maanden eerder was Göran Källberg aangesteld als nieuwe chef-arts in de Säterkliniek en was daarmee de eindverantwoordelijke voor Thomas Quicks behandeling. Over de bekentenissen van de moorden op Johan Asplund en Thomas Blomgren was veel geschreven en al na vier dagen in zijn nieuwe functie nam Källberg de kwestie op met Quicks artsen. Källberg zei dat hij twijfelde of hij iemand die verdacht werd van een dubbele moord waarnaar het onderzoek nog liep, verlof moest toestaan. Göran Fransson verzekerde dat Kjell Persson en hij het allemaal onder controle hadden. Ze benadrukten ook dat de regeling in overleg met de officier van justitie en politie tot stand was gekomen.

Wat Fransson voor het gemak niet vertelde, was dat Kjell Persson en hij in het diepste geheim verdergingen met hun eigen opsporingsonderzoek. Samen met Quick waren de twee artsen op eigen houtje teruggegaan naar Ryggen om daar naar Johans verstopte hand te zoeken. In een onbewaakt ogenblik slenterde Quick naar een 'bergplaats' waarin hij zoals hij later beweerde twee vingers had gevonden. Toen de artsen hem vroegen wat hij met die twee vingers had gedaan, antwoordde hij dat hij ze had opgegeten. Na dit voorval spraken Persson en Fransson met Quick af dat hij dit niet aan de rechercheurs zou vertellen. Een paar dagen later waren ze nog een keer teruggegaan naar Ryggen om naar Johans lichaam te zoeken, echter zonder resultaat. Later hadden ze nog wat rondgereden en op verschillende locaties naar lichaamsdelen gezocht.

Begin 1994 kwam Källberg erachter dat Quick tijdens de therapie nog een moord had bekend. Uit zijn aantekeningen:

> Op 14 januari werd ik door een van de personeelsleden ingelicht dat de patiënt had verklaard dat het zou gaan om zes moorden op jongens en dat de herinneringen hieraan langzaam terugkwamen.

Dit was kennelijk de grens voor wat de chef-arts kon tolereren en hij sprak opnieuw zijn ongerustheid uit tegen Kjell Persson.

> Meegedeeld dat ik het verlof niet kan steunen en dat ik noch hem noch Frasse [Göran Fransson] kan steunen als er iets gebeurt. Frasse heeft bij eerdere gelegenheden aangegeven dat het voor hem rampzalig zou zijn als er iets gebeurt. Kjell accepteert dat het een ramp zou zijn, maar doet een dringend beroep op me om me er niet mee te bemoeien.

Na dit gesprek meldt Kjell Persson zich ziek. Källberg breekt zich het hoofd over hoe hij deze situatie zal hanteren. Als hij 'Frasse' wil bellen om zijn besluit om alle verloven van Quick in te trekken met hem te bespreken, hoort hij dat ook hij zich ziek heeft gemeld.

Thomas Quick zat nog op de open afdeling 37, de 'zusterafdeling' van afdeling 36, waar plegers van zware geweldsdelicten verbleven. De administratie van beide afdelingen bevond zich in de vertrekken van afdeling 36. Op vrijdag 21 januari 1994 vroeg in de ochtend ging Thomas Quick naar de administratie om daar een kop koffie te drinken.

Na kort overleg met het personeel bracht Göran Källberg Thomas Quick persoonlijk op de hoogte van zijn besluit om al zijn verloven in te trekken. Het betekende dat Quick werd overgeplaatst naar afdeling 36, de afdeling waar de gevaarlijkste misdadigers zaten.

Dit beviel de ziek thuiszittende Kjell Persson helemaal niet en een week later nam hij contact op met Källberg. Hij was verontwaardigd over het besluit, dat er volgens hem toe kon leiden dat de seriemoordenaar Thomas Quick zichzelf van het leven zou kunnen beroven voordat hij een volledige bekentenis had kunnen afleggen en voor zijn misdaden berecht zou kunnen worden. Persson karakteriseerde het als 'een nationaal schandaal'.

Göran Källberg vond dat te vergezocht, maar het gesprek met Persson had hem toch wel zodanig verontrust dat hij onmiddellijk naar afdeling 36 belde om te horen hoe het met Quick ging. Tijdens dit telefoongesprek maakte hij de aantekening dat het personeel 'niets bijzonders aan de patiënt was opgevallen. Terwijl wij zaten te praten zat hij te scrabbelen met het personeel.'

Het besef dat er in de Säterkliniek een seriemoordenaar verbleef zorgde niet alleen bij het personeel van de kliniek voor spanningen, maar ook bij de rechercheurs en de behandelaars onderling. Göran Källberg kwam er al snel achter dat het besluit om Thomas Quick naar een gesloten afdeling over te plaatsen tot grote verontwaardiging bij de politie had geleid. Diezelfde dag nog kreeg hij een telefoontje van Christer van der Kwast, die hem uitlegde dat het intrekken van de verloven het hele verdere onderzoek zou kunnen bemoeilijken.

Thomas Quick 'moet beloond worden' voor zijn bekentenissen, meende Van der Kwast, maar hij kreeg geen gehoor voor zijn mening. Integendeel, Källberg werd pisnijdig omdat een officier van justitie zich bemoeide met de behandeling van een van zijn patiënten. Vrijheden en verlofregelingen in ruil voor moordbekentenissen? 'Daar kan ik niet aan meedoen,' noteerde Källberg in het dossier.

Met het conflict met Van der Kwast kon Källberg leven. Erger was dat steeds meer mensen van zijn eigen kliniek zich tegen hem keerden. Dat Thomas Quick teleurgesteld was, kon Källberg begrijpen, maar het echte probleem waren de reacties van zijn beide artsen Fransson en Persson.

Kjell Persson had al eerder overwogen om de Säterkliniek te verlaten voor een nieuwe baan in de Sankt Lars Psychiatrische Kliniek in Lund en zette alles op alles om zijn patiënt mee te nemen. Quick gooide nog wat olie op het vuur door te dreigen dat hij de samenwerking met de politie zou beëindigen als hij zijn therapie met Persson niet mocht voortzetten. Källberg ervoer de situatie als regelrechte chantage.

In februari 1994 belde Van der Kwast opnieuw naar het hoofd van de Säterkliniek om hem nog een keer duidelijk te maken wat de beste behandeling voor Quick was. Hij 'benadrukte dat een blijvend nauw contact met chef-arts Kjell [Persson] in het belang van het politieonderzoek was'.

Toen Kjell Perssons inspanningen om Quick mee te nemen naar Lund op niets uitliepen, wist hij in plaats daarvan een plek te regelen in de Forensisch Psychiatrische Kliniek in Växjö. De chef-arts daar, Ole Drottved, sloeg Perssons aanbod om de therapie met Quick voort te zetten af. Daar zou het eigen personeel van de kliniek zorg voor dragen.

Christer van der Kwast, die van mening was dat het politieonderzoek stond of viel met Kjell Perssons therapie, bemoeide zich wederom met de behandelvraag. Hij belde Drottved, die zich liet overhalen om Persson toch de therapie met Quick te laten voortzetten.

En opnieuw zag chef-arts Göran Källberg zich voor een fait accompli gesteld zonder dat hij ook maar geraadpleegd of geïnformeerd was. 'Dit is een beslissing van niet-dienstdoend en niet-medisch personeel,' schreef Källberg in het dossier. Een opmerking die duidelijk bedoeld was voor Van der Kwast.

Maar er waren meer mensen die zich met de overplaatsing bemoeiden en een vinger in de pap wilden hebben. Göran Fransson bleef tijdens zijn ziekteverlof contact houden met Thomas Quick via de patiëntentelefoon op de afdeling. Een psychologiestudente die in de vakanties inviel als Quicks therapeute mengde zich ook in de strijd. In een brief aan Quick probeerde ze hem te laten begrijpen waarom Göran Källberg dat besluit om opsluiting op afdeling 36 had genomen.

Als je zes moorden hebt gepleegd, en wanneer je midden in een zwaar proces zit met je herinneringen hieraan, is het redelijk dat je 'iets steviger wordt aangepakt'. Helaas denk ik dat er een hoop heisa van komt als het publiek doorheeft dat een seriemoordenaar zo vrij mag rondlopen. Je weet hoe de mensen en de massamedia zijn...

Toen Kjell Perssons ziekteverlof afliep, weigerde hij weer volledig aan het werk te gaan. Hij wilde voor vijfentwintig procent aan de slag en dan enkel en alleen met Thomas Quick. Geen rondes, geen andere patiënten. Anders zou hij zich weer volledig ziek melden.

Perssson deelde dit Källberg mee tijdens een vergadering op 7 februari. Persson had hierna telefonisch contact met Van der Kwast om de komende politieverhoren in te plannen. Daarna verliet hij de kliniek en ging naar huis.

In deze warboel van conflicten wordt het onderzoek voortgezet met nieuwe verhoren.

Uit de aantekeningen van Göran Källberg blijkt dat hij rond deze tijd begint te twijfelen aan de aanpak van Quicks therapie. Källberg en Kjell Persson waren elkaar toevallig in de trein tegengekomen en hadden het toen over het vervolg van Quicks therapie gehad als hij naar Växjö werd overgeplaatst.

Kjell vertelt ook dat hij nu een grote verantwoordelijkheid op zich neemt in verband met de therapie. [Ik] betwijfel tegelijkertijd of het hier om therapie gaat. [Kjell] vertelt dat hij vooral zwijgt en dat de patiënt zich dingen begint te herinneren zodra Kjell in de kamer is.

Göran Fransson, die nog steeds met ziekteverlof thuiszit, deelt op 21 februari mee dat hij niet van plan is terug te keren op zijn werk in de kliniek. Hij heeft 'het gevoel dat hij slachtoffer is van een of ander complot en dat hij wordt tegengewerkt'.

Göran Källberg schrijft in zijn notities na het gesprek dat hij Fransson 'duidelijk paranoïde' vond. Kortom, de sfeer in de kliniek was niet al te best.

Kjell Persson keerde na zijn ziekteverlof niet terug in de Säterkliniek. Hij besteedde met veel plezier zijn tijd aan de overplaatsing van Thomas

Quick. Zelf kon hij in het Sankt Lars in Lund aan de slag en hij pendelde twee keer per week naar Växjö voor de therapiesessies met Quick.

Vlak voor Quicks vertrek naar Växjö werd Persson ingelicht over de regels die er in Växjö golden, onder meer dat elke vorm van benzodiazepine taboe was in de kliniek. Dit was een onverwacht probleem. Zou Quick dat accepteren? En zelfs als hij het accepteerde, dan moest hij afkicken voordat hij naar Växjö kon worden overgeplaatst.

Op 28 februari schrijft Källberg:

> Begin vermindering van benzodiazepine voor TQ. Helaas heb ik me niet gerealiseerd dat hij zo veel benzodiazepine heeft gekregen. Hij is zelf gemotiveerd om snel af te bouwen.

Sture Bergwall vertelt mij dat het allemaal een rookgordijn was: 'Het was wel even schrikken, dat bericht dat ze in Växjö geen benzo voorschreven. Kjell zei eerst dat het wel in orde kwam, dat hij met chef-arts Drottved zou praten. Toen ze er niet mee akkoord gingen, zei Kjell dat het later wel geregeld zou worden als ik eenmaal daar was.'

Thomas Quick leed aan ontwenningsverschijnselen die een paar weken duurden, maar was erop gebrand om het zo snel mogelijk achter de rug te hebben. Als hij goed en wel daar zat, zou alles wel 'goed komen'.

Op 3 maart noteert Källberg dat TQ ontwenningsverschijnselen heeft, 'maar hij wil nog steeds een snelle afbouw'.

Nauwelijks twee weken later vertrok de verhuiswagen met Thomas Quick naar de Forensisch Psychiatrische Kliniek in Växjö, die al bij aankomst van een heel ander soort bleek te zijn dan de Säterkliniek. De hoop dat het allemaal wel 'goed zou komen' met de benzodiazepine werd heel snel de grond in geboord. De kliniek in Växjö zette in op het 'veiligheidsaspect, grenzen trekken en beoordeling van delictgevaarlijkheid', kreeg Quick te horen.

De overplaatsing werd ook een teleurstelling voor Kjell Persson, die zich erop verheugd had om zijn eerdere succesvolle therapie met Quick voort te zetten. Volgens Sture Bergwall kwam Persson twee keer langs voor de therapie, maar beide keren tevergeefs.

'Ik kon geen woord uitbrengen. Zonder benzo kon ik niet vertellen dus we zaten daar maar,' zei hij en schoot in de lach toen hij eraan dacht.

De beroemde patiënt uit Säter voldeed ook niet aan de verwachtingen van het personeel in Växjö, dat het volgende in het dossier noteerde:

De patiënt verblijft nu twee weken op onze intakeafdeling . Hij wordt door de afdeling ervaren als teruggetrokken en gesloten in het contact. De patiënt heeft via zijn therapeut Kjell [Persson] laten weten dat hij de behandelingsvorm die in onze kliniek wordt gepraktiseerd niet verdraagt. De therapeut Kjell [Persson] is ook van mening dat hij zijn therapie onder de gegeven omstandigheden niet kan voortzetten.

Thomas Quick communiceerde met het personeel louter via Kjell Persson, en de leiding van de kliniek constateerde dat het onmogelijk was de verschillende behandelmethoden die in Säter en in Växjö werden gebruikt met elkaar te verenigen, 'wat betekent dat we niet tegemoet kunnen komen aan de opvattingen en wensen van de patiënt wat betreft vrijheden, medicatie etc.'.

Op het moment dat dit in het dossier werd aangetekend, had Thomas Quick al naar afdeling 36 in de Säterkliniek gebeld en gezegd dat hij het niet langer uithield. Hij wilde terug.

'We komen je morgen halen,' werd er meteen gezegd.

Al de volgende dag kwamen er drie begeleiders naar Växjö om hem te halen. Sture vertelt met blijdschap over de autorit terug naar Säter: 'Het was fantastisch! Zodra we in de auto zaten, pakten ze een papieren zak vol Stesolid! Eindelijk weer thuis!'

Ze stopten even in Gränna om in een restaurant een hapje te eten en bij de Svampen in Örebro kochten ze wat snoep. Op afdeling 36 werd hij door het voltallige personeel met open armen ontvangen. In de voorste rij stond Birgitta Ståhle.

Nu ging het echt beginnen.

Birgitta Ståhle neemt het over

Na zijn terugkeer in de Säterkliniek op 30 maart 1994 verhuisde Thomas Quick weer naar zijn oude kamer en de artsen gaven hem een matige medicatie met benzodiazepine. Er daalde een bevrijdende rust neer in de kliniek die zo lang geplaagd was door slopende conflicten.

Voor Quick echter was het verlies van zijn therapeut Kjell Persson bijna ondraaglijk. Birgitta Ståhle schreef in zijn dossier dat Quick na het korte verblijf in Växjö zeer gemotiveerd was om de therapie weer te hervatten en dat hij per se wilde dat die therapie in de Säterkliniek plaatsvond, omdat hij zich zo veilig en thuis voelde op de afdeling. Hij vroeg Ståhle hem te helpen, wat ze toezegde.

Sinds de beide chef-artsen Fransson en Persson van het toneel waren verdwenen, kwam Birgitta Ståhle dus als een onomstreden overwinnaar uit een bittere strijd waaraan ze niet eens had hoeven deelnemen.

Op 14 april 1994 om drie uur 's middags komt de nieuwe kern van het Quick-onderzoek bijeen in de muziekkamer op afdeling 36. In de vier rood-zwart gestreepte fauteuils zitten Seppo Penttinen, Thomas Quick, Birgitta Ståhle en advocaat Gunnar Lundgren. Als het vijfde wiel aan de wagen, op een ander soort stoel, zit Sven Åke Christianson erbij, de docent psychologie aan de universiteit in Stockholm. Hij is daar in de hoedanigheid van geheugenexpert met een grote belangstelling voor seriemoordenaars.

Thomas Quick heeft voor het verhoor al aangekondigd dat hij belangrijke informatie voor hen heeft over de moord op Johan Asplund. In de loop van de dag heeft hij grote hoeveelheden benzodiazepine toegediend gekregen. Zijn verhaal wordt erg breedvoerig, maar Seppo Penttinen luistert geduldig, stelt vragen en probeert het verhaal eruit te trekken.

Aan het eind van het lange verhoor ontstaan er moeilijkheden wanneer Quick via Ståhle aan de politie onthult dat de artsen met hun eigen onderzoek bezig zijn geweest.

TQ: 'Ik geloof dat we ook concrete vondsten hebben gedaan.'
PENTTINEN: 'Wat voor vondsten waren dat dan?'
TQ: 'Twee... twee... Zo een en zo een...'
PENTTINEN: 'Hmm. Je kijkt naar twee botjes van je middelvinger. Waar zijn die nu dan?'
TQ: 'Ik moet de kamer uit als Birgitta zegt waar ze zijn.'

Thomas Quick verlaat de kamer en Birgitta Ståhle vertelt wat er in de therapiesessies naar boven is gekomen over Johans vingerkootjes die zijn teruggevonden.

'Dit is het moeilijkste,' begint ze aarzelend. 'Dit is wat hij me heeft verteld. Eh... hij heeft verteld dat hij bij het beekje botjes van de hand vond en dat hij ze aan Göran en Kjell liet zien en ze vervolgens opat, zodat ze niet meer beschikbaar zijn.'

Penttinen zegt niets.

Dat twee artsen op eigen houtje een onderzoek zijn gestart en bewust informatie hebben achtergehouden voor de rechercheurs is al schokkend genoeg. Erger is het dat Quick beweert dat hij het enige technisch bewijs dat in het onderzoek heeft bestaan, heeft opgegeten.

Birgitta Ståhles korte bijdrage staat op tape en zou worden uitgeschreven en openbaar worden op de dag dat Quick gedagvaard werd voor de moord op Johan Asplund. Seppo Penttinen heeft genoeg gehoord.

'Ja,' zegt hij kortaf. Om 16.06 uur wordt het verhoor onderbroken voor een pauze.

Kjell Perssons opvolger Birgitta Ståhle leende zich nooit voor dat soort onderzoeksacties, maar koos voor een volledige samenwerking met de politie. Minstens drie keer in de week voerde ze therapeutische gesprekken met Thomas Quick, en zodra er in die gesprekken iets interessants voor de politie ter sprake kwam, rapporteerde ze dat aan Seppo Penttinen.

Het lastigste was dat Quick, toen hij in 1991 in de Säterkliniek werd opgenomen, zich helemaal niet bewust was van het feit dat hij een aantal moorden had gepleegd. Deze herinneringen waren totaal verdrongen, net als het vele misbruik waar hij in zijn jeugd slachtoffer van was geworden.

Onder leiding van Ståhle was Quick in staat geestelijk terug te keren naar zijn kindertijd in Falun in de jaren vijftig. Hij leek tijdens de sessies weer in het kleine jongetje Sture te veranderen die in kindertaal gedetailleerd over zijn ervaringen vertelde, terwijl Ståhle voortdurend zijn verhalen en reacties optekende.

Dat soort gebeurtenissen waren door Kjell Persson vergeleken met 'hypnotische reizen in een tijdmachine'. De psychologische term voor dat soort tijdreizen is 'regressie', wat inhoudt dat de patiënt terugkeert naar een eerder stadium in zijn ontwikkeling, vaak om traumatische ervaringen te herbeleven en te verwerken. Thomas Quicks benaming van dit gedrag was 'tijdval' en hij leek in de therapie bewust terug te kunnen vallen in de tijd, hetzij naar de vermeende verschrikkelijke jeugd, hetzij naar de momenten dat hij als volwassene moorden had gepleegd.

Volgens de in de Säterkliniek heersende theorieën waren zware geweldsdelicten 'herbelevingen' van trauma's in de jeugd, en de geweldpleger droeg daarom zowel het slachtoffer als de dader binnen in zich. De koppeling van slachtoffer en dader in dezelfde persoon zorgde ervoor dat de opgeroepen herinneringen aan misbruik in de jeugd konden worden gebruikt om naar boven te halen hoe het misbruik herbeleefd werd op volwassen leeftijd. Sture Bergwall herbeleefde het misbruik van zijn ouders door zelf jonge jongens te verkrachten en te vermoorden.

Gaandeweg werd Birgitta Ståhles therapie met Thomas Quick een kweekvijver van verdrongen herinneringen, waarvan een aantal zich verder ontwikkelden tot verhalen die het hele traject standhielden, tot aan zijn veroordeling voor moord.

Tegenwoordig wordt dit geloof in verdrongen herinneringen die tijdens therapie worden teruggevonden, met scepsis bekeken, niet in het minst binnen de gerechtelijke instanties wereldwijd, maar in de jaren negentig was deze theorie de leidraad voor de behandeling van Thomas Quick en andere geweldplegers die in de Forensisch Psychiatrische Kliniek in Säter werden behandeld.

Noch de artsen noch de psychologen in de Säterkliniek hebben ooit hun vraagtekens gezet bij het feit dat Quick helemaal niets meer wist over zijn moorden en desondanks toch de grootste seriemoordenaar van Zweden was. De algemene opvatting was dat dit soort gebeurtenissen zo ondraaglijk waren dat de herinneringen 'gedissocieerd werden' en ver weg in een donker hoekje van het brein werden weggestopt. Ook werden er nooit vraagtekens gezet bij Ståhles vermogen om met behulp van regressie herinneringen op te roepen.

Toen de herinneringsfragmenten terugkwamen begon een intellectueel uitdagend proces waarin de verschillende stukjes werden samengevoegd – 'werden geïntegreerd' – terwijl Birgitta Ståhle en haar merkwaardige patiënt met ontzetting het beeld aanschouwden van de seriemoordenaar Thomas Quick dat voor hun ogen ontstond.

Ik wist dat Ståhle elke week begeleiding kreeg van objectrelatiegoeroe Margit Norell voor de therapie met Quick, maar wat ze bespraken, evenals het verloop van de eigenlijke therapie, was een goed bewaard geheim. Daarover was niets gedocumenteerd, behalve dan Sture Bergwalls vage en onbevestigde herinneringen.

Birgitta Ståhle had van elke sessie zorgvuldig aantekeningen gemaakt. Nadat Sture tegenover mij al zijn bekentenissen heeft ingetrokken, vraagt hij haar of hij deze aantekeningen, die juridisch gezien een deel van zijn dossier zijn, mag lezen.

Het antwoord is verbijsterend: Ståhle beweert dat zij ze allemaal heeft vernietigd.

Sture vertelt zelfs dat Margit Norell en Birgitta Ståhle een boek over Thomas Quick hebben geschreven. De auteurs hebben gezegd dat het boek over Quicks therapie een baanbrekend werk zou worden van hetzelfde kaliber als Sigmund Freuds studie over 'de Wolvenman'. Maar om een of andere reden is dat boek nooit gepubliceerd. Sture en ik beseffen dat we nooit inzage in dat manuscript zullen krijgen.

Blijkbaar is mijn enige bron om iets te weten te komen over Birgitta Ståhles tien jaar durende therapie met de seriemoordenaar Quick, Sture Bergwall zelf – de persoon die op dat moment de minst geloofwaardige persoon van heel Zweden is.

Nadat Sture Bergwall zijn bekentenissen heeft ingetrokken, past de ziekenhuisleiding een aantal strafmaatregelen toe tegen de weerspannige seriemoordenaar. De artsen trekken onder meer het zogeheten 'luchtverlof' in. Tevens besluit men dat de jaloezieën in zijn kamer die bescherming bieden tegen de zon en de inkijk, moeten worden weggehaald en dat de boekenkasten, de boeken en de cd's die al bijna twintig jaar op zijn kamer hebben gestaan, moeten worden verwijderd.

Wanneer Sture de inhoud van de laatste boekenkast in verhuisdozen stopt, vindt hij helemaal onder in een van die dozen, onder een stapel oude lp's, een verfomfaaide map zonder etiket. Sture opent de map en leest verbaasd de bovenste regels op de eerste pagina:

INLEIDING
In dit boek wordt een zeer moeilijk en ongewoon proces beschreven dat ik in de jaren 1991-1995 in de hoedanigheid van begeleider heb gevolgd…

Sture gelooft zijn ogen niet: hij heeft Margit Norells en Birgitta Ståhles manuscript gevonden waarvan iedereen dacht dat het verdwenen was. Hij leest verder:

Voordat het therapeutische proces begon had Sture geen enkele herinnering aan zijn eerste twaalf levensjaren. Het contact met de door hem gepleegde moorden – de eerste pleegde hij op veertienjarige leeftijd – is pas tijdens het therapeutische proces tot stand gekomen. In de politieonderzoeken naar deze delicten is hij nooit een verdachte geweest. Toen de moord en de details rondom die moord voldoende duidelijk waren geworden in de sessies, heeft Sture zelf gevraagd of we de politie wilden informeren zodat hij verhoord werd en de zaak onderzocht kon worden.

Een paar dagen later houd ik zelf het begerenswaardige manuscript in mijn handen, vierhonderdvier pagina's niet-geredigeerde tekst, gedeeltelijk onleesbaar door het ingewikkelde en specifieke psychologische vakjargon – maar niettemin de beschrijving van Thomas Quicks therapie door zijn therapeuten.

Tijdens mijn eerdere research naar Thomas Quick ben ik vaak het begrip 'Simon-illusie' tegengekomen. Ik begrijp dat het een centraal thema in de therapie is, maar ik vind het moeilijk te begrijpen waar deze illusie voor staat. Zodra ik de kans krijg vraag ik Sture om het me uit te leggen.

'Simon kwam in beeld tijdens de therapie met Birgitta Ståhle. Hij werd geboren toen ik zowel door mijn vader als door mijn moeder seksueel misbruikt werd. Ik weet nu niet meer goed hoe ik het toen heb verteld, maar hij werd onthoofd. Zijn hoofd werd met een mes van de romp gescheiden. Daarna werd het kind in krantenpapier verpakt en op de bagagedrager van een fiets gebonden. Mijn vader en ik zijn er toen mee weggefietst en hebben het dode kind op de Främby-landtong begraven.'

Sture was vier jaar oud toen hij getuige was van de moord op zijn broertje, en het idee werd geboren dat Sture 'Simon zou repareren', dat hij hem heel en levend zou maken. Die voorstelling ging op een bepaalde manier over in het idee dat Sture 'leven kon winnen' door zelf te doden. In de therapie met Birgitta Ståhle werden deze gedachten de verklaring voor het feit dat Sture zich had ontwikkeld tot een moordenaar van jongens.

Niemand had ooit eerder van Simon gehoord tot het moment dat Thomas Quick Birgitta Ståhle over hem vertelde, en volgens Sture waren het pure fantasieën die in de therapiesessies waren ontstaan.

Nu zit ik met het manuscript in mijn handen waarin Ståhle met haar eigen woorden beschrijft hoe Thomas Quick in regressie ging en veranderde in een 'vierjarig jongetje dat verklaarde hoe zijn ouders zijn kleine broertje vermoordden en in stukken sneden'.

Een in doodsangst verwrongen gezicht met de mond wagenwijd open. Ik, Birgitta, kan met Sture communiceren, wat erop wijst dat hij zich weliswaar in een diepe regressie bevindt, maar toch contact heeft met het heden.

De eerste messteek raakt de rechterkant van de romp en wordt toegebracht door mama. Daarna pakt papa het mes. Het stoffelijke omhulsel Sture zegt herhaaldelijk 'niet in de hals, niet in de hals', en hij maakt daarna de hals vrij. Het mes hakt en snijdt in de romp en dan wordt het rechterbeen eraf gehaald.

M [mama] pakt het vlees van Simon en stopt het in de opengesperde mond van het stoffelijke omhulsel Sture.

Het Sture-omhulsel zegt: 'Ik heb geen honger.' Sture zegt dat P en M elkaar omhelzen en hij geeft aan dat hij dat akelig vindt. Dan strekt hij zijn hand uit om Simons hand vast te pakken. Ontdekt dat die loszit, dat die niet meer vastzit. Zegt: 'Ik heb het handje van mijn kleine broertje losgetrokken.'

In de therapie wordt de geboorte van Simon en het feit dat zijn ouders hem hebben vermoord voor waar aangenomen. Het kind Sture was hier getuige van. Later zou hij dit herbeleven door de moord op Johan Asplund, Charles Zelmanovits en de andere jongens. De herinneringen zijn verdrongen, maar de volwassen Sture 'vertelde' over deze vroegere gebeurtenissen door middel van het vermoorden, schenden en in stukken snijden van de lichamen, precies zoals zijn ouders zijn broertje in stukken hadden gesneden.

In het boek wordt de moeder van Sture zonder uitzondering 'M' of 'Nana' genoemd, een eufemisme voor zo'n kwaadaardig wezen van wie de werkelijke naam te angstaanjagend was om volledig uit te kunnen spreken. Birgitta Ståhle beschrijft in het boek verschillende wandaden van de kwaadaardige moeder:

Sture begint hakkelend te vertellen. Nana heeft net haar handen om Stures nek gelegd. Hij voelt haar handen. Nu loopt ze naar Simon, waar Sture zich bevindt, achter zijn gesloten ogen. Ze staat voor Simons gezicht. Het lichaam is kapot, maar Sture kan zich op het gezicht concentreren om niet naar het kapotte lichaam te hoeven kijken. Sture kijkt naar Nana's met bloed besmeurde vuist. Zegt na een tijdje: 'Dat rode is misschien bessensap?'

Het feit dat Thomas Quick dacht dat het bloed van zijn in stukken gesneden broertje bessensap was, werd door Margit Norell gezien als bewijs dat hij de waarheid sprak. Ze schrijft:

Hoe kunnen we weten dat het waar is wat Sture beschrijft?

Wat betreft de kindervaringen: de kindertaal, de typische reacties van een kind, hoe de regressie verloopt, de gevoelens – en de steeds duidelijker wordende herinneringen.

Wat betreft de verdrongen volwassen ervaringen: de reconstructies en de overeenkomst met het materiaal van de politie en ten slotte het verband tussen die twee dingen.

De rechercheurs zochten bij de Främby-landtong tevergeefs naar het begraven lichaam van Simon. Ze vroegen het patiëntendossier van de moeder op bij het ziekenhuis van Falun, waaruit bleek dat Thyra Bergwall rond die tijd geen kind had gebaard en ook geen miskraam had gehad. Niemand uit de omgeving van het gezin was de voldragen zwangerschap opgevallen, ook de zes broers en zussen van Sture niet. Toch leek niemand van het onderzoeksteam ook maar de minste twijfel te hebben dat Stures verhalen authentiek waren. Niemand van de politieagenten, de officier van justitie niet, de rechtbanken niet en ook Margit Norell niet:

Zoals alle kinderen doen, heeft Sture geprobeerd vast te houden aan een positief beeld van zijn ouders. Met name heeft hij dat gedaan bij zijn vader, die immers zo af en toe ook wel aardige kanten van zichzelf kon laten zien – al was het soms sentimenteel. Maar Sture was vooral het bangst voor zijn moeder, wat onder meer tot uitdrukking kwam in het feit dat hij zich lange tijd haar gezicht niet durfde te herinneren of voor zich durfde te zien.

Wanneer dat onvermijdelijk is – in verband met de dood en het in stukken snijden van baby Simon – splitst Sture het vaderbeeld in tweeën – P en Ellington – waarbij Ellington voor het verschrikkelijk angstaanjagende, het kwaadaardige deel van de vader, staat.

Thomas Quick vertelt tijdens een regressie – 'terug naar 1954' – dat P na de moord op Simon de kamer verliet en meteen daarna terugkwam in een schoon overhemd. 'Dat is een meneer die het overhemd van mijn vader heeft geleend,' dacht het kind Sture en hij gaf de kwade genius van zijn vader de naam Ellington. In de therapie gebruikt Quick vaak de alter ego's 'Ellington' en 'P' voor de vader, maar hij kan het woord 'papa' zonder grote problemen hardop uitspreken. Als hij het over zijn moeder heeft, kan hij echter onmogelijk 'mama' zeggen.

Het is een vreemd verhaal. Maar nog vreemder is de ontwikkeling van de figuur Ellington.

In de therapie verandert Ellington van het kwaadaardige alter ego van de vader in een persoonlijkheid die maar al te vaak de regie overneemt van Thomas Quicks lichaam. Birgitta Ståhle is vele malen getuige van deze gedaanteverandering en een daarvan staat beschreven in het manuscript:

Ik verzeker je dat de gedaanteverandering die ik te zien kreeg de personificatie van de Duivel ten voeten uit was, in letterlijke zin. Hij geeft zich over en daarna komt de ontkenning in woorden, nee, dit is papa niet, dit is een grammofoonplaat die uit hem is gesprongen en dit zegt. De Duivel heeft het volgende tegen hem gezegd: 'Je zult de dood proeven.'

De verschillende rollen van Ellington in Thomas Quicks verhaal zijn een voorbeeld van hoe de personen in Quicks verhalen voortdurend van karakter veranderen, geen persoonlijkheid ligt vast maar symboliseert steeds een andere. Ellington staat voor de vaderfiguur waarin Quick transformeert als hij zijn moorden pleegt.

De zaken die in het begin van de therapie met Birgitta Ståhle actueel waren, waren die van Alvar Larsson, Johan Asplund, Olle Högbom en de jongen die soms met 'Duska', en soms met een heel andere naam, werd aangeduid. De laatste naam die daarvoor, in de tijd van Kjell Persson, aan de lijst was toegevoegd was Charles Zelmanovits. In deze zaak verscheen voor het eerst Ellington als de moordenaar van jongens op het toneel.

Charles was vijftien jaar toen hij in de nacht van 13 november 1976 verdween op weg van een schoolfeest in Piteå naar huis. Nadat Thomas Quick weer terug was na zijn verblijf in Växjö kreeg de moord op Charles ineens de hoogste prioriteit, zowel in de therapie als in het politieonderzoek.

Gesloten vragen

In de zomer van 2008, ver voor de dramatische ontmoeting met Sture in de Säterkliniek waarbij hij al zijn bekentenissen aan mij herroept, breng ik een bezoek aan de rechtbank van Falun om de documenten van Sture Bergwalls jeugdovertredingen en de moord op Gry Storvik en Trine Jensen te kopiëren. Daar zijn ze niet alleen zeer behulpzaam, maar ook spraakzaam. Een jonge griffier vertelt dat een Noors productiebedrijf kopieën van de twee vooronderzoeken over Thomas Quicks moorden heeft opgevraagd.

'Toen ze de factuur van veertigduizend kronen kregen, weigerden ze te betalen,' vertelt hij.

Ik word nieuwsgierig en een beetje onrustig wanneer ik hoor dat er in Noorwegen ook wordt gewerkt aan een tv-productie, maar kom er al snel achter dat het een serie over daderprofilering is. Een van 's werelds meest vooraanstaande profilers, de voormalige FBI-agent Gregg McCrary, heeft daderprofielen uitgewerkt van de dader of de daders die Therese Johannesen, Trine Jensen en Gry Storvik heeft of hebben vermoord.

Gregg McCrary heeft geen verhoren van of andere informatie over Thomas Quick tot zijn beschikking gekregen. Hij heeft louter technische processen-verbaal, verhoren met naaste verwanten en dergelijk materiaal. Natuurlijk weet hij niet dat één persoon voor alle drie de moorden is veroordeeld.

Volkomen schaamteloos besluit ik om te parasiteren op mijn Noorse collega's en vraag een interview aan met Gregg McCrary in Virginia, USA.

Eind september ontvangt hij mij op zijn grandioze landgoed in een *gated community* achter dikke muren en met bemande wachtposten. Voor McCrary is het volkomen duidelijk dat er vanzelfsprekend drie verschillende personen schuldig zijn aan de moorden in Noorwegen waarvoor Thomas Quick veroordeeld is. Geen enkel daderprofiel van de daders heeft ook maar enige overeenkomst met Thomas Quick. Twee daderprofielen veronderstellen bovendien dat de dader erg goed op de hoogte is van de lokale situatie.

Wanneer ik McCrary vertel over mijn eigen onderzoek, zegt hij: 'Het enige wat we met zekerheid weten is dat hij een leugenaar is; hij heeft eerst de moorden bekend en nu heeft hij zijn bekentenissen weer ingetrokken. Nu gaat het erom te achterhalen welke versie de waarheid is. Misschien heeft hij een moord gepleegd, of een paar, misschien ook wel allemaal. Ik ben ervan overtuigd dat hij er in elk geval drie heeft gepleegd, de drie moorden waarvan ik de dossiers het beste ken. Over die andere ben ik uiterst sceptisch.'

En hij gaat verder: 'Ik ben heel vaak opgeroepen om verhoren te onderzoeken waarvan men het vermoeden had dat er sprake was van een valse bekentenis. Het eerste wat ik altijd doe, is snel het proces-verbaal doorbladeren om te kijken wie er aan het woord is. Er moet een krachtig overwicht op de verdachte zijn, anders bestaat er een grote kans dat degene die het verhoor afneemt informatie aan de verdachte overbrengt.'

Gregg McCrary vertelt over de zaken waar hij zelf aan gewerkt heeft en waarin bleek dat er sprake was van een valse bekentenis, ondanks het feit dat de verdachte informatie had gegeven waar alleen de dader en de politie van op de hoogte konden zijn. In al deze zaken waren degenen die het verhoor afnamen ervan overtuigd geweest dat ze die informatie niet onthuld hadden, maar nadat ze de verhoren nog eens nauwkeurig hadden bekeken waren ze tot de ontdekking gekomen dat dit juist wel gebeurd was. Het kan door middel van minieme aanwijzingen gebeuren of door de manier waarop de vragen gesteld worden.

De leider van het verhoor moet open vragen stellen: 'Wat is er gebeurd? Vertel!' Stelt hij in plaats daarvan gesloten vragen, die met 'ja' of 'nee' beantwoord kunnen worden, dan wordt het verhoor niet op de juiste manier afgenomen.

McCrary's boodschap klonk als een echo van het advies dat de Quick-kritische politieagent Jan Olsson mij had gegeven: 'Bedenk één ding: heeft hij ooit enige informatie gegeven die de politie niet al wist? Ik vind dat je dat voortdurend in je achterhoofd moet houden.'

Charles Zelmanovits' verdwijning

Charles Zelmanovits lag op de grond terwijl zijn broertje Frederick hem hielp met het aantrekken van zijn strakke Wrangler-jeans.

Freddie zwoegde en trok aan de broekriem, Charles hield zijn buik in en het lukte hem ten slotte om de knoop dicht te krijgen. Stijf en onhandig stond hij op en hij liet zijn hand over de spijkerstof gaan die als een slangenvel om zijn bovenbeen sloot. De broek had wijde pijpen zodat zijn voeten niet te zien waren.

Frederick Zelmanovits was nog maar twaalf jaar oud toen het gebeurde, maar hij herinnert zich die avond van 12 november 1976 nog heel goed, vlak voor die onvoorstelbare gebeurtenis. Ik heb met hem afgesproken in zijn eetcafe in Piteå en zie dat het kleine broertje van Charles volwassen is geworden, het krullende haar is dunner geworden, grijzer en kort geknipt. Hij heeft zelf ook kinderen gekregen en wordt binnenkort vijfenveertig. Hij vertelt over Charles' verdwijning, die voor altijd een grote leegte in zijn hart heeft achtergelaten: 'Ik verloor mijn beste vriend.'

Charles was degene tot wie Frederick zich altijd wendde als er ruzie in het gezin was, wanneer er problemen waren, maakt niet uit van welke aard. Die laatste avond met Charles was gewoon verlopen. Frederick herinnert zich dat hij eerder op de avond een waterbak van de hond naar Charles had gegooid. Daarna had hij hem geholpen met het aantrekken van zijn nieuwe spijkerbroek en de waterbak van de hond was vergeten.

Charles en Frederick waren onafscheidelijk voordat ze uit hun geboorteland Spanje vertrokken en met het hele gezin naar Piteå verhuisden, naar de kou en de duisternis in het hoge noorden. Het was hun Zweedse moeder Inga die erop had aangedrongen om uit Fuengirola weg te gaan, zodat de jongens een betere opleiding konden krijgen. Haar Spaanse echtgenoot was chirurg, maar had een baan als bedrijfsarts op de zagerij in Munksund aangenomen.

Inga Zelmanovits had altijd Zweeds met haar zonen gesproken, dus Charles had geen problemen met de taal toen hij op de Pitholmsschool kwam, alleen af en toe zei hij een woord verkeerd. Hij werd geaccepteerd door de andere leerlingen en hoorde algauw bij de populairste leerlingen van de klas. Zijn glanzende donkerblonde schouderlange haar, zijn mooie bruine ogen en een glimlach die een rij stralend witte tanden ontblootte, hielpen daarbij.

Ondanks zijn *good looks* was hij nog steeds een beetje de buitenlander, een buitenstaander, in de ogen van sommigen. Zo was de situatie in Piteå in 1976.

Op deze avond werd Charles er weer even aan herinnerd dat zijn plaats in de vriendengroep niet vanzelfsprekend was. Zijn klasgenote Anna was dit weekend alleen thuis, dus het was *party time* in de statige villa. Iedereen was er, maar niemand had eraan gedacht Charles uit te nodigen.

Een laatste blik op zijn spijkerbroek, waarna hij zijn lange leren jas aantrok, een handgemaakte, speciaal in Spanje bestelde jas. In zijn zak brandde een klein flesje Bacardi waar zijn eigen broer niet eens van op de hoogte was – maar wat wij weten dankzij de politie, die nauwkeurig de laatste avond van zijn leven in kaart bracht.

Charles raapte al zijn moed bij elkaar en draaide haar nummer. Anna nam op en Charles hoorde dat het indrinken al in volle gang was, hoewel het nog maar half zeven was. Natuurlijk was hij welkom, geen probleem.

Kort daarna belde Charles aan. De andere jongens hadden bier, wijn en sterkedrank bij zich waarop zij de meisjes trakteerden. Charles haalde zijn Bacardi tevoorschijn en ging op een voetenbankje zitten.

Om half negen waren de meesten dronken, iemand belde een taxi, waarna het feest een abrupt en chaotisch einde kreeg. Charles en de anderen voor wie geen plaats in de taxi was liepen de drie kilometer naar het schoolfeest in de Pitholmsschool.

Charles zag Maria meteen toen hij de kantine binnenkwam. En zij zag hem. Ze dansten en zoenden wat, waarna ze met hem mee naar buiten ging. Ze zochten een beschut plekje op, dronken van de rum. Het vroor zes graden, het vrijen duurde heel kort. Maria was duidelijk chagrijnig toen ze weer naar binnen gingen.

Charles was al snel weer buiten. Daar stonden ook alle zeventien- en achttienjarigen die niet naar binnen mochten. De rum was bijna op en Charles was nu echt dronken. Hij had geen flauw idee waar Maria was.

'Charles!'

Leif riep hem. Charles vond de negentienjarige Leif echt aardig. En hij was een vriend van Maria.

'Wil je een slok?' vroeg Charles en hij reikte hem de fles met nog een bodempje aan.

Leif schudde zijn hoofd en zei: 'Maria heeft het me verteld. Je hebt haar heel erg verdrietig gemaakt. En boos.'

Charles dronk zelf het laatste beetje uit de fles, zonder antwoord te geven. Maar Leif ging verder: 'Je kunt haar godverdomme niet alleen even nemen en dan de rest van de avond niet naar haar omkijken. Je moet de hele avond met haar doorbrengen! Wat je daarna doet moet je zelf weten…'

Charles wist hier geen goed antwoord op te geven en bleef zonder iets te zeggen met de lege fles in zijn hand staan. Leif herhaalde dat hij het een rotstreek van Charles vond en liet hem daarna alleen in het donker achter.

Het gerucht verspreidde zich snel: 'Charles heeft Maria geneukt.'

Ze was per slot van rekening het mooiste meisje van de school, dat vonden de achttienjarigen ook. Algauw ging het praatje rond dat 'de Griek' haar verkracht had.

Lars-Ove was achttien jaar en had de hele avond niet gedronken omdat hij zou rijden. Toen hij Maria in het oog kreeg haastte hij zich naar haar toe en stelde voor om een eindje te gaan rijden. Ze reden naar het centrum, maar het liep anders dan Lars-Ove zich had voorgesteld. Maria was verdrietig en had het alleen maar over Charles.

Charles was nog steeds op het feest in de Pitholmsschool. Hij zocht Maria totdat verder iedereen weg was en daarna liep hij snel naar huis. Nadat hij een paar kilometer op die saaie eindeloze rechte Järnvägsgatan had gewandeld, kreeg hij een grotere groep in het oog en ging harder lopen totdat hij hen had ingehaald. Maar Maria was er niet bij.

Charles wisselde een paar woorden met de vrienden van het indrinken, en liep snel verder. Het laatste wat de vrienden van hem zagen was zijn silhouet toen hij onder de straatlantaarn bij de T-splitsing aan het eind van de Järnvägsgatan liep. Niemand zag hem op de kruising naar rechts of naar links de Pitholmsgatan in lopen. Charles kwam nooit thuis.

Terwijl Charles daarbuiten in het donker verdween, lag zijn broertje Frederick te slapen, onwetend van wat er gebeurd was, tot hij de volgende ochtend wakker werd.

'Er was heel veel politie op de been en al vrij snel wist ik waarom. In het begin dachten we dat hij terug zou komen, maar de tijd verstreek en de kans daarop werd steeds kleiner.'

Frederick beschrijft Charles' verdwijning als een ramp voor het gezin. Hij probeert het onder woorden te brengen: de oneindige pijn van de onzekerheid, hoe zijn ouders eraan kapotgingen, de telefoontjes van iemand die zei: 'Hoi, met Charles', en vervolgens ophing. Hij beschrijft de dwaze hoop op het onmogelijke, dat Charles er op een dag gewoon weer zou zijn, dat hij niet dood was, dat alles weer zoals vroeger zou worden.

'Natuurlijk wilde je geloven dat hij ergens was. Maar de tijd verstreek. Het was een vrij chaotische tijd.'

Frederick had de theorie over zelfmoord nooit geloofd, of de suggestie dat Charles ziek zou zijn geweest of dat hij niet naar huis had durven gaan. Hij zegt dat het ondenkbaar is dat Charles vrijwillig zou zijn verdwenen.

'Iemand heeft hem iets aangedaan, daar ben ik altijd van overtuigd geweest.'

De ochtend van 19 september 1993 was een mooie zondagochtend op het eiland Norra Pitholmen.

De jonge jager was van plan om het grootste deel van de dag in het bos door te brengen. Zijn familie had het jachtrecht op dat gebied.

Met zijn hagelgeweer stevig in zijn hand zette hij er flink de pas in om de hond bij te houden die al bijna bij het gekapte stuk bos boven aan de helling was aangekomen en blafte om aan te geven dat hij een vogel had gevonden. De jager tuurde in het zonlicht en struikelde toen ergens over. Het zag eruit als een grote grijswitte paddenstoel maar voelde hard aan als een steen. Het was te groot voor een bot van een dier en te rond voor een dierenschedel. Met zijn voet duwde hij het mos weg, pakte het voorwerp op en stond toen met een menselijke schedel in zijn handen.

De vondst verbijsterde hem. Op die plek kon niet al die tijd een lichaam hebben gelegen zonder ontdekt te worden. Ze hielden hier altijd een drijfjacht en hij was deze plek al talloze malen gepasseerd. En nog maar een paar jaar geleden had zijn vader hier op een steenworp afstand een stuk bos gekapt. De jager wierp nog een laatste blik op de schedel en legde hem toen voorzichtig op de grond. Hij prentte de vindplaats goed in zijn geheugen en liep snel achter de hond aan.

De gedachten aan de schedel lieten hem niet meer los en na een urenlange jacht zonder buit keerde hij terug naar de vindplaats om hem nog eens te bekijken. Hij herinnerde zich dat er zeventien jaar geleden een jongen spoorloos was verdwenen en hij realiseerde zich dat hij naar huis moest om de politie te bellen.

Een politiepatrouille stelde even later vast dat er meerdere botten en halfvergane kleren in het gebied lagen. Een mouw leek wel van een bruine leren jas te zijn.

'Van wie deze schedel is, is momenteel volstrekt onbekend,' schreef rechercheur Martin Strömbäck in zijn rapport, hoewel hij geen moment twijfelde aan de identiteit van de dode.

Charles' vader leefde niet meer, maar Frederick en zijn moeder Inga ontvingen al snel het bericht dat Charles geïdentificeerd was aan de hand van zijn gebitsgegevens.

'Eindelijk een bericht, ook al was het geen goed bericht. Veel mensen zeggen dat het mooi is dat er een lichaam wordt gevonden, maar ik heb er moeite mee om dat ook zo te voelen. Wat betekent een lichaam? Ik wil weten wat er gebeurd is. Na een aantal jaren is het wel tot je doorgedrongen dat hij niet meer leeft. Wanneer het lichaam wordt gevonden, blijft de onzekerheid. O? Waarom ligt hij daar? Wat is er eigenlijk gebeurd?'

Drie maanden later, op vrijdag 10 december, brachten de kranten het bericht dat de stoffelijke resten van Charles Zelmanovits waren gevonden.

Het raadsel van de verdwenen vijftienjarige jongen was daarmee gedeeltelijk opgelost. Het gezin Zelmanovits kreeg officieel schriftelijk bevestigd dat Charles dood was. Hoe hij was gestorven of hoe hij daar in het bos op Norra Pitholmen terecht was gekomen, daar had het onderzoek geen antwoord op kunnen geven, maar de technische recherche had niets gevonden wat erop wees dat Charles door een misdrijf om het leven was gekomen.

Een paar dagen na de publicatie van de artikelen over Charles Zelmanovits vertelt Thomas Quick in een therapiesessie met Kjell Persson dat hij 'in contact is gekomen met nieuw materiaal'. Hij heeft uit zijn geheugen naar boven weten te halen hoe hij in de jaren zeventig in Piteå een jonge donkere jongen heeft vermoord.

Kjell Persson zegt dat hij onlangs hierover een bericht in de krant heeft zien staan, dat de politie het stoffelijk overschot van Charles in een bos buiten Piteå heeft aangetroffen.

'O,' zegt Quick verbaasd. 'Dat heb ik dan helemaal gemist.'

Op 9 februari 1994 's ochtends even na achten verlaat advocaat Gunnar Lundgren in zijn Honda zijn schitterende achttiende-eeuwse boerderij. Hij is op weg naar de Säterkliniek, ongeveer vijftig kilometer verderop.

Lundgren is eenenzestig jaar oud en de bekendste strafrechtadvocaat in Dalarna sinds hij de zwaarste misdadigers in de provincie heeft verdedigd, onder wie de bankovervaller Lars-Inge Svartenbrandt, de massamoordenaar Mattias Flink en nu zelfs ook de vermeende seriemoordenaar Thomas Quick. Hij is een kalme man die er niet voor terugdeinst om zijn controversiële meningen in het openbaar te verkondigen, zoals hij doet in *Aftonbladet* wanneer hij zijn taak als advocaat van Thomas Quick toelicht: 'Quick heeft vijf moorden bekend, maar de politie is er nog niet van overtuigd dat hij de waarheid spreekt. Ik wel. Daarom wordt het hoofdzakelijk mijn taak om de politie ervan te overtuigen dat mijn cliënt de moorden heeft gepleegd.'

Een uurtje later stapt Gunnar Lundgren de muziekkamer van afdeling 36 binnen. Hij begroet zijn cliënt en de leider van het verhoor, Seppo Penttinen, voor hij plaatsneemt in de rood-zwart gestreepte fauteuil recht tegenover Thomas Quick. De laatste keer dat ze rond deze tafel zaten ging het om de verjaarde moord op Thomas Blomgren.

Maar de situatie is nu toegespitst. Als er iets van waarheid in Quicks laatste bekentenis zit, zal hij voor de moord op Charles Zelmanovits worden aangeklaagd.

Penttinen zet de kleine cassetterecorder aan. Hij gaat goed zitten en richt zich tot Quick, die zich probeert te concentreren op de taak die voor hem ligt.

'Als we nu eens beginnen, Sture, met de reden waarom je daar in die streek was, toen je in contact kwam met deze jongen…'

'Ja, dat is om dezelfde reden als met die andere tripjes. Het is een niet-gepla… nie-geplande, niet-gepland tripje. Eh…'

Quick vertelt hoe hij daar met de auto op die plek kwam.

'Het is immers interessant om in dat geval uit te zoeken met wat voor auto je daar was,' zegt Penttinen.

Sture had me verteld dat hij zich herinnerde dat er problemen waren met de auto die hij naar zijn eigen zeggen van Ljungström had geleend ten tijde van de moord op Johan Asplund. Dat soort problemen wilde hij deze keer koste wat kost vermijden. Hij antwoordt daarom kort dat hij niet wil zeggen wat voor auto hij heeft gebruikt. Nog niet.

Penttinen zet de recorder uit terwijl Quick met zijn advocaat overlegt. Quick zegt tegen Lundgren dat hij weet in wat voor auto hij heeft gereden, maar dat hij het om redenen die hij niet kan onthullen daar vandaag niet over kan hebben.

'De gebeurtenis is een poosje onderdeel van de therapie geweest,' verklaart Quick, onder de naam 'de donkere jongen'. Later is de voornaam 'naar boven komen drijven'.

'De donkere jongen' is geen bijzonder treffende beschrijving. Charles was niet donker: hij had een lichte huid en donkerblond haar. Dit wordt ook bevestigd door het signalement dat de politie in 1976 deed uitgaan, waarin Charles' haarkleur werd omschreven als donkerblond.

Quick zegt dat Charles geen lang haar had, wat ook niet klopt. Charles' haar reikte tot aan zijn schouders, met een scheiding in het midden.

'Hoe zit het met zijn kleding?' vraagt Seppo Penttinen.

'Ik zou nu zeggen dat hij zo'n gevoerd jeansjack aanhad.'

Later in het verhoor dekt Quick zich in. Hij zegt dat hij een herinnering heeft dat het jack gemaakt was van gladde stof en hij gokt dat het een zwart donsjack was.

Charles droeg bij zijn verdwijning een opvallende, exclusieve, lange leren jas, die moeilijk verward kon worden met een gevoerd jeansjack of een zwart donsjack.

Quick herinnert zich ook niet Charles' extreem strakke spijkerbroek, hoewel hij beweert dat hij hem zijn broek heeft uitgetrokken.

'Een wat nette broek, zo te zeggen. Ik weet niet hoe je dat materiaal noemt, eh...'

'Je bedoelt geen spijkerstof?'

'Nee.'

'Dunnere stof?'

'En met een haakje hier,' zegt Quick en hij wijst naar de broekriem.

Thomas Quick lijkt een gabardinebroek te willen beschrijven en hij zegt dat Charles laarzen aanhad, terwijl hij in werkelijkheid bruine suède Playboyschoenen droeg. Hij zegt ook dat hij Charles' lichaam heeft begraven, ook al was het graf niet heel diep. Zelfs op dit punt kon de technische recherche een duidelijke beschrijving geven van de vindplaats.

'Iets waaruit zou blijken dat de vondsten begraven zouden zijn, hebben we niet gevonden,' staat er in de samenvatting van het rapport. Ook de wijze waarop Quick de jongen zou hebben vermoord, is zo eigenaardig dat die vragen oproept.

'Ik gebruik dus een een, zo'n kleine, eh ... eh ... metalen schoenlepel,' vertelt Quick.

Bij het forensisch onderzoek van het stoffelijk overschot van Charles zijn geen bewijzen gevonden dat hij door een misdrijf om het leven is gebracht.

De lichaamsdelen van Charles liggen verspreid over een vrij groot gebied en de technische recherche stelt vast dat wilde dieren de botten van het lichaam uit de kleding hebben getrokken. Een paar grote botten ontbreken helemaal.

Gezien het feit dat Quick eerder heeft verteld dat hij het lichaam van Johan Asplund in stukken heeft gesneden, is de volgende vraag van Seppo Penttinen logisch: 'Vindt er in dit lichaam ook enige vorm van snijden plaats?'

'Nee, niet... dat niet. Geen afsnijden van enig lichaamsdeel,' verklaart Quick.

Tijdens een verhoor op 19 april komt Seppo Penttinen terug op de vraag of er in het lijk is gesneden. De nieuwe informatie die Thomas Quick op dit punt geeft zal het hardste bewijs vormen dat hij schuldig is.

Voordat het verhoor begint, bespreken ze de kwestie of Quick in het lichaam heeft gesneden en of hij in dat geval lichaamsdelen van de plaats delict heeft meegenomen. Dit gesprek vindt plaats, zoals zo vaak in dit verband, zonder opnameapparatuur, zonder getuige bij het verhoor en zonder advocaat. Wanneer de cassetterecorder is ingeschakeld, probeert men hierachter te komen doordat Penttinen met voorstellen komt die Quick vervolgens bevestigt.

PENTTINEN: 'We hebben het het er al eens over gehad tijdens een pauze of voordat we met dit verhoor begonnen of je een lichaamsdeel van die plek hebt meegenomen en later tijdens het gesprek zei je dat er iets met zijn botten is gebeurd, en toen ik het hierover had, knikte je daar bevestigend op. Begrijp ik goed dat je zegt dat je een been hebt verwijderd?'
TQ: 'Ja.'
PENTTINEN: 'Hoeveel... Welk deel mist er in dat geval van het been? Zei je me tijdens het gesprek dat het ergens bij de knie was?'
TQ: 'Ja.'
PENTTINEN: 'Gaat het om beide benen of gaat het hier om een been?'
TQ: 'Ja, in de eerste plaats een.'
PENTTINEN: 'Hoe moet ik dat begrijpen, als je zegt dat het in de eerste plaats een is?'

TQ: 'Eh… D-d-at zijn dan beide, ja…'
PENTTINEN: 'Neem je beide onderbenen mee?'
TQ: 'Ja.'
PENTTINEN: 'Daar knik je weer als antwoord.'

Dit komt precies overeen met het politieonderzoek. Een paar maanden later keerden de technisch rechercheurs echter terug naar de vindplaats voor een nauwkeuriger onderzoek. Op 6 en 7 juni doorzochten ze een groter gebied, waarbij ze een van de twee onderbenen vonden, terwijl Quick had gezegd dat hij ze mee naar huis in Falun had genomen.

Penttinen was in Piteå op de plek waar de nieuwe botvondsten werden gedaan en hij vroeg onmiddellijk een nieuw verhoor met Quick aan, dat op 12 juni 1994 werd afgenomen.

Wanneer ik het proces-verbaal van het verhoor doorlees, valt me op dat Seppo Penttinen, ondanks het feit dat Quick al antwoord heeft gegeven op de vraag welke lichaamsdelen hij heeft meegenomen van de plek, doet alsof ze het daar nog nooit over hebben gehad.

PENTTINEN: 'Is er een lichaamsdeel waarvan je honderd procent zeker weet dat het niet op die plek gevonden zal worden?'
TQ: 'Ja.'
PENTTINEN: 'Kun je zeggen wat voor lichaamsdeel dat is?'
TQ: 'Been.'
PENTTINEN: 'Een been. Een rechter of een linker, kun je dat met enige zekerheid zeggen?'
TQ: 'Niet met zekerheid, n-e-e.'
PENTTINEN: 'Maar een been bestaand uit een boven- en onderbeen?'
TQ: 'Ja, ja…'
PENTTINEN: 'Dat zal daar niet gevonden worden?'
TQ: 'Ne-e-e.'
PENTTINEN: 'Ben je er niet zeker van?'
TQ: 'Absoluut niet het bovenbeen.'

Het klopt weer, de som van de verdwenen en teruggevonden onderbenen van Charles is weer twee. Maar dit is wel een reden om eens goed te kijken naar de verhoormethoden die worden gebruikt als ze ertoe leiden dat Quick zijn eerdere verkeerde informatie kan corrigeren.

Penttinen vraagt niet of er een aantal lichaamsdelen ontbreekt, hij vraagt of er één lichaamsdeel ontbreekt. In de vraag zit het antwoord al besloten – het juiste antwoord moet zijn: één lichaamsdeel.

Quick antwoordt voorzichtig 'been', zonder enkelvoud of meervoud aan te geven.

'Een been,' verduidelijkt Seppo Penttinen en hij vraagt of dit het rechter- of het linkerbeen is. Daarna stelt hij vast dat het een been is dat uit een bovenbeen en een onderbeen bestaat.

Al bij het eerste onderzoek van de vindplaats constateerden de technici dat er een aantal vossenburchten ten zuiden van de vindplaats liggen. De meeste botten die worden aangetroffen nadat het lijk van Charles is verplaatst, liggen verspreid over een vrij grote oppervlakte in de vorm van een waaier in de richting van de vossenburchten zuidwaarts. De technische recherche noteert over een bot van een arm dat ze hebben aangetroffen: 'Alles duidt erop dat een of ander dier het bot met een stuk van de leren mouw heeft losgetrokken.'

Wanneer ik met de betrokken technisch rechercheurs spreek, zijn zij het erover eens dat niets erop wijst dat iets of iemand anders dan vossen of andere wilde dieren de lichaamsdelen over een groot gebied hebben verspreid, en dat sommige botten naar de vossenburcht kunnen zijn meegenomen.

Quick vertelde dat hij het lichaam in stukken had gesneden met behulp van een beugelzaag die bij het zagen van hout wordt gebruikt. De pathologen-anatomen hadden op de botten echter geen afdrukken van een zaag aangetroffen. Wel veel sporen van dieren.

Ook klopt de informatie niet over de spijkerbroek, die Charles bij leven bijna niet paste, en waarvan Quick zegt dat hij die heeft uitgetrokken voordat hij Charles in stukken sneed, plus de fout dat hij kennelijk deze strakke spijkerbroek verwisselt met een gabardinebroek.

'Welk been, dat wil zeggen, compleet been heb je meegenomen?' vraagt Seppo. 'Het hele linkerbeen?'

'Ja,' antwoordt Quick.

Maar als Quick een van Charles' benen zou hebben meegenomen, dan moet dat het rechterbeen zijn geweest. Volgens de patholoog-anatoom was het een linkerbovenbeen dat op de vindplaats werd aangetroffen.

De technische recherche heeft op een kaart achttien vindplaatsen aangegeven waar botten en stukken kleding zijn gevonden die blijkbaar door wilde dieren zijn weggesleept. De botten die het verst van de oorspron-, kelijke vindplaats van het lichaam zijn aangetroffen, zijn de grote botten van het lichaam, dat wil zeggen de bekkenbeenderen, een dijbeen en een scheenbeen.

Bekijk je de verhoren nog eens goed en nu vanuit de methodiek van Gregg McCrary, dan is het resultaat onthutsend.

In het verhoor waarin Quick vertelt dat hij het lichaam in stukken heeft gesneden en benen heeft meegenomen, worden er voortdurend gesloten vragen gesteld, waarbij de vraag het 'goede' antwoord bevat. In de twee cruciale delen van het verhoor over de lichaamsdelen is Penttinen meer dan 90 procent aan het woord (142 woorden), en Quick 10 procent (15 woorden). In het tweede verhoor is de verdeling 83 procent voor Penttinen en 17 procent voor Quick. Maar het meest schokkende is wel de manier waarop de vragen gesteld worden, namelijk het feit dat in de vragen van Penttinen keer op keer de antwoorden die hij zoekt al besloten liggen.

Quick hoeft alleen maar 'ja' te zeggen, of als antwoord te knikken of te hummen – wat hij ook doet.

Sture helpt zelf tijdens het onderzoek zelden mee om uit te leggen wat er nu eigenlijk is gebeurd. De herinneringen aan de verschillende schouwen die zijn gehouden en de verhoren die zijn afgenomen, zijn helemaal weg. Volgens Sture als gevolg van de sterke medicatie met benzodiazepine. Een lichtpuntje in de duisternis zie ik als ik hem vraag hoe hij erachter kwam dat Charles Zelmanovits in 1976 in Piteå was verdwenen. Sture is enthousiast dat hij eindelijk iets kan vertellen over een concrete gebeurtenis in het onderzoek.

'Ik herinner me erg duidelijk dat ik in het dagverblijf van afdeling 36 *Dagens Nyheter* zat te lezen. Daar viel mijn oog op een kort bericht dat men het stoffelijk overschot van Charles had gevonden.'

Mijn eerste zoekopdracht op 'Charles Zelmanovits' in een database met artikelen uit *Dagens Nyheter* stelt me teleur. Het artikel waarvan Sture beweerde dat hij het had gelezen is daar niet te vinden.

Terneergeslagen bel ik hem om te vertellen dat zo'n bericht niet bestaat. Misschien heeft hij zich vergist.

'Nee, nee! Ik weet zelfs nog dat het bericht helemaal onderaan in de linkerkolom op de pagina stond,' zegt hij, volkomen zeker van zijn zaak.

Jenny Küttim vindt uiteindelijk handmatig in het persarchief van svt het bewuste artikeltje, op 11 december 1993 gepubliceerd in *Dagens Nyheter*, in de linkerkolom van de pagina, precies zoals Sture had verteld. 'Zestien jaar oud moordraadsel opgelost', luidt de kop.

Het valt me op dat er een fout in de kop staat. Toen het artikel werd geschreven waren er niet zestien, maar zeventien jaar verstreken sinds Charles' verdwijning. Het interessante is dat het jaartal 1976 helemaal niet wordt genoemd in het bericht.

Als Thomas Quick dit bericht als enige informatiebron heeft gehad, moet hij hebben geprobeerd uit te rekenen in welk jaar hij Charles zou hebben vermoord. Hij moet zestien jaar terug hebben gerekend en bij de herfst of winter van 1977 zijn uitgekomen. En dat was precies wat hij had gedaan.

Quick had drie maanden lang met zijn therapeut over de moord op Charles gesproken toen het eerste politieverhoor plaatsvond. Seppo Penttinen vroeg of Quick zich kon herinneren wanneer die moord had plaatsgevonden.

'Tien jaar na de Alvar-gebeurtenis,' zei Quick en hij doelde daarbij op de moord op Alvar Larsson op het eilandje Sirkön in 1967.

'Tien jaar daarna,' antwoordde Penttinen. 'Dus in 1977.'

'Ja,' zei Quick.

Thomas Quick hield ook aan het jaartal 1977 vast omdat de moord werd gepleegd in het jaar dat zijn vader overleed, in september van datzelfde jaar. Feitelijke gebeurtenissen dienden als geheugensteuntje en verhoogden de geloofwaardigheid van Quicks verhaal, maar hoe goed onderbouwd het verhaal ook klonk, Penttinen wist dat Quick er een jaar naast zat.

'Weet je absoluut zeker dat het 1977 moet zijn? Kan het nog een ander jaar zijn? Heb je misschien verkeerd gerekend?'

'Op het moment dat het gebeurt doemt die Alvar-herinnering op. Ik dacht dat ik toen zeventien jaar oud was en ik ben nu zevenentwintig,' hield Quick stug vol.

Advocaat Gunnar Lundgren schoot te hulp en redde de situatie door voor te stellen om bij een andere gelegenheid op het jaartal terug te komen.

'Je was onzeker vandaag,' zei Lundgren. 'Ik denk dat jij en ik dit een andere keer nog wel uitvogelen.'

In werkelijkheid kwamen ze nooit meer op de kwestie met het jaartal terug en ook niet op de kwestie waarom hij had beweerd dat de moord was gepleegd in hetzelfde jaar dat zijn vader was overleden en tien jaar na de moord op Alvar.

Seppo Penttinen was zich er natuurlijk van bewust dat Quick zijn bekentenis deed vlak nadat de media over de vondst van de botten in Piteå verslag hadden gedaan, en stelde de onvermijdelijke vraag: 'Heb je hierover iets in de krant gelezen?'

'Niet dat ik me kan herinneren. Kjell [Persson] heeft, toen hij de achternaam noemde, gezegd dat er hierover een bericht in de krant had gestaan.'

Thomas Quicks kennis over Charles Zelmanovits was niet zo indrukwekkend meer. Pas nadat *Dagens Nyheter* een artikel over de gevonden botten had gepubliceerd had hij over de moord verteld. Hij had de verkeerde informatie over het jaartal uit het artikel gebruikt en het later aan de dood van zijn vader en aan de moord op Alvar Larsson gekoppeld.

Deze ontdekkingen vormden een eerste indicatie dat zelfs een van de moorden waarvoor Thomas Quick was veroordeeld op een valse bekentenis was gebaseerd. Maar er bleven nog duizend-en-één vragen over die beantwoord moesten worden voor ik bereid was te geloven dat zes rechtbanken een onschuldige psychiatrische patiënt hadden veroordeeld voor acht moorden die hij niet had gepleegd.

Wanneer ik verderga met het bestuderen van de verhoren, ben ik zeer verbaasd dat in principe alle informatie die Thomas Quick over Charles Zelmanovits geeft, niet klopt.

Quick gaf aan dat hij Charles op een plek ten zuidwesten van Piteå ontmoette, terwijl we weten dat Charles in Munksund verdween, dat ten noordoosten van het centrum van Piteå ligt. Quick vertelde dat hij en een handlanger na het eerste treffen door het centrum van Piteå waren gereden op weg naar de plaats van het misdrijf. Het staat vast dat Charles in de buurt van zijn huis verdween en dat de vindplaats vier kilometer oostwaarts op Norra Pitholmen ligt.

Volgens Quick hadden ze Charles laat in de middag of aan het begin van de avond voor het eerst gezien. Zoals we weten was Charles de hele avond samen met een stel vrienden, totdat hij rond één uur 's nachts verdween.

Quick gaf aan dat er sneeuw in Piteå lag, maar op 12 november 1976 lag er toevallig net geen sneeuw meer, omdat het een aantal dagen achter elkaar had geregend en het dooide.

De technische recherche constateerde dat het lichaam niet was begraven, zoals Quick had verklaard.

Thomas Quick beweerde dat Charles vrijwillig seks met hem had, wat zeer onwaarschijnlijk is, omdat Charles een paar uur daarvoor met zijn klasgenootje Maria had gevreeën.

Wat was de gedachtegang van Seppo Penttinen en Christer van der Kwast rond deze tegenstrijdigheden? Quick beweerde bovendien dat hij een getrouwde man zonder strafblad zover had gekregen dat hij vijftienhonderd kilometer over winterse wegen met hem was meegereden om een jongen te vinden – hadden ze er werkelijk niet bij stilgestaan hoe onaannemelijk dit was? En waarom reden ze helemaal naar Piteå?

Het antwoord op de vraag wat de leider van het vooronderzoek Christer van der Kwast over deze kwesties dacht, staat niet in het onderzoeksmateriaal. Christer van der Kwast wendde zich daarentegen tot psychiater Ulf Åsgård, die hem zou kunnen assisteren bij de psychologische vragen. Åsgård, die werkte voor het landelijke politiekorps, sloeg echter het verzoek af aangezien hij met het Palme-onderzoek bezig was. Van der Kwast moest genoegen nemen met een destijds onbekende docent en geheugenonderzoeker aan de Universiteit van Stockholm, die stond te popelen om de psyche van een echte seriemoordenaar te onderzoeken.

Cognitieve verhoormethoden

Terwijl de eerste verhoren van Thomas Quick plaatsvonden in maart 1993, publiceerde *Dagens Nyheter* een opiniestuk van Sven Åke Christianson, docent psychologie, die Zweden genadeloos neersabelde als een 'ontwikkelingsland als het gaat om de inzet van psychologisch onderzoek en gebruikmaking van psychologische kennis bij de politie en justitie'.

Christianson beweerde oplossingen te hebben voor een groot aantal problemen waar het onderzoek naar Thomas Quick mee te maken had.

Op dit moment wordt er psychologisch onderzoek gedaan naar het ervaren en verwerken van emotioneel beladen situaties door plegers van zware misdrijven en psychopaten. Er wordt speciaal studie gedaan naar seriemoordenaars waarbij men erachter probeert te komen om wat voor persoonlijkheidstype het gaat, welke achtergrondfactoren van belang zijn, welk type slachtoffer ze kiezen en hoe ze te werk gaan. Dit onderzoek zou juist nu zeer actueel moeten zijn voor de politie, gezien het aantal geweldplegingen van de laatste tijd.

Voor een hedendaagse lezer komt het artikel bijna over als een sollicitatiebrief om mee te werken aan het Quick-onderzoek. Christianson verkocht zichzelf goed in het artikel door alle vragen te noemen die hij met zijn expertise zou kunnen beantwoorden:

Psychologische kennis over het omgaan met psychisch gestoorde personen of personen in een emotioneel beladen toestand zou zowel de leiders van verhoren als de officieren van justitie van nut kunnen zijn.

Ondanks het feit dat Zweden tot op heden geen seriemoordenaar van dit kaliber had gehad, ging Christianson door over dit ongewone verschijnsel.

Er is onderzoek gedaan naar plegers van zware misdrijven en seriemoordenaars: hun gedrag, hun drijfveren, hoe ze hun misdaden ervaren en wat ze zich ervan herinneren. Een deel van dit soort mensen zijn wat we noemen psychopaten, zoals bijvoorbeeld seriemoordenaar Jeffrey Dahmer in de Verenigde Staten. Hij had stukken van lijken van vijftien mensen thuis in zijn woning bewaard. Welke behoeften worden er bij deze psychisch gestoorde mensen bevredigd?

Op 14 april 1994 kwam Sven Åke Christianson in de Säterkliniek en hij begon meteen met het testen van de geheugenfuncties van Thomas Quick. Sture Bergwall kan zich deze eerste ontmoeting nog heel goed herinneren.

'Ik kon moeilijk geloven dat die kleine tengere figuur gepromoveerd was in de psychologie.'

Het enthousiasme van Christianson over het feit dat hij mocht meewerken aan een onderzoek dat een beroep deed op al zijn bekwaamheden als specialist, kon niemand ontgaan. Behalve voor geheugenonderzoek koesterde hij een hartstochtelijke belangstelling voor zware geweldsdelicten en seriemoordenaars. Christianson was niet alleen in het kader van de opdracht die hij van het Openbaar Ministerie had gekregen vaak in de Säterkliniek, maar hij bracht ook vrijwillig veel tijd door in de kliniek om gesprekken met Thomas Quick te voeren. Deze gesprekken duurden vaak zeven tot acht uur per keer waarbij ze diep ingingen op allerhande vragen over het gedrag van seriemoordenaars. Christianson was de theoreticus in deze gesprekken, terwijl Quick de practicus was, van wie verwacht werd dat hij antwoord kon geven op de indringende vragen van de wetenschapper omtrent het bizarre zielenleven van seriemoordenaars.

'Sven Åke Christianson was een echte seriemoordenaarfreak die het plan had om boeken over Thomas Quick en andere seriemoordenaars te schrijven, boeken die zó dik waren,' vertelt Sture terwijl hij met gespreide armen aangeeft hoe dik die boeken zouden worden.

'Een favoriet gespreksonderwerp was Jeffrey Dahmer, de seriemoordenaar die thuis in zijn appartement afgehakte hoofden in de koelkast bewaarde. Ik weet nog dat Sven Åke me vroeg wat Jeffrey Dahmer voelde toen hij zijn slachtoffers in stukken sneed. Hij vroeg me het gevoel te beschrijven dat je ervaart wanneer je van je slachtoffer eet, "het sensuele en erotische gevoel". Sven Åke bedoelde dat Jeffrey Dahmer wel een sensueel gevoel móét hebben ervaren. En dat moest ik dus beschrijven.'

Sture vertelt dat Christianson zelfs verschillende oefeningen met hem deed. Voordat ze naar Piteå vertrokken, waar Quick de rechercheurs zou laten zien hoe hij Charles Zelmanovits had vermoord, nam Christianson hem mee naar buiten naar een bosje achter het museum van de kliniek. Daar vroeg hij Quick of hij de afstand van het bospad naar de vindplaats wilde 'proeflopen', terwijl hij moest doen alsof hij het lichaam van Charles Zelmanovits droeg.

'Hij vroeg me of ik in mijn herinnering mijn gemoedstoestand wilde terughalen. Ik moest voelen dat ik opgewonden en gespannen was, maar ook dat ik een groot verdriet over dit dode lichaam met me meedroeg. Zelfs woede moest ik voelen. "Doe alsof je een zwaar lichaam draagt," zei hij.'

Sture herinnert zich dat Quick de heuvel in het bosje op liep en deed alsof hij het lichaam en het verdriet droeg, terwijl Christianson met een stopwatch in zijn hand naast hem liep en hardop de stappen telde.

'Toen ik driehonderd stappen had gelopen zei Sven Åke: "Nu zijn we er!" Daarna vroeg hij me of er nieuwe herinneringen aan Charles Zelmanovits naar boven waren gekomen. "Ja, inderdaad," zei ik. Op die manier bevestigde ik hem immers ook,' herinnert Sture Bergwall zich.

Uit dezelfde periode herinnert Sture zich een autoritje over een bosweg naar Björnbo, dat zo'n twintig à dertig kilometer van Säter ligt.

'Seppo en ik reden met drie begeleiders in een auto. We keken naar verschillende soorten sloten terwijl we in de auto zaten en de weg helemaal uitreden tot we bij een keerplaats kwamen. Daar stopten we.'

Algauw vonden ze een brede sloot die overeenkwam met de sloot die in Piteå te vinden was. Sture beweert dat Penttinen hem duidelijk maakte wat voor soort sloot het moest zijn – niet met zo veel woorden, maar heel subtiel.

'Dat is immers het geheim. Hij zei: "Misschien zag de sloot er wel zo uit?" Toen begreep ik dat het zo'n sloot moest zijn. "Ja, zo zag-ie eruit," zei ik.'

Zowel het proeflopen op het terrein van de kliniek als het idee van de rechercheurs om Thomas Quick mee te nemen naar het bos om de sloot te zoeken, was een gevolg van de nieuwe ideeën over 'cognitieve verhoormethoden' waar Sven Åke Christianson een voorstander van was. Door de innerlijke en de uiterlijke omstandigheden van het moment van de moord op te roepen zou men het voor Quick gemakkelijker maken om zijn herinnering aan het misdrijf naar boven te halen. Zelfs leidende vragen kunnen in zo'n context verdedigbaar zijn, aldus Christianson.

In de concrete gevallen waarover Sture me vertelde was het zo duidelijk dat Quick cruciale informatie kreeg, dat ik er moeite mee had om het te geloven. Het druist zo in tegen alle algemeen aanvaarde onderzoeksmethodiek. Klopte het echt allemaal?

Zelfs al geloofde ik Sture, toch besefte ik dat de informatie die ik kreeg zo verbijsterend was dat ze volstrekt waardeloos was zonder ondersteunend bewijsmateriaal.

In de middag van zaterdag 20 augustus 1994 landde een privépropellervliegtuig op het vliegveld van Piteå. De passagiers waren Thomas Quick,

Birgitta Ståhle, Sven Åke Christianson, een paar rechercheurs en begeleiders van de Säterkliniek.

Het ziekenhuis Piteå-Älvdal had een hele afdeling voor het Quickonderzoek ter beschikking gesteld. Het was niet erg comfortabel, maar iedereen kon daar overnachten, zodat zowel de veiligheid van Quick als die van de omgeving kon worden gegarandeerd. De volgende morgen vertrok het hele gezelschap, waarbij Christer van der Kwast en patholoog-anatoom Anders Eriksson uit Umeå zich hadden aangesloten, naar het politiebureau in Piteå waar Harry Nyman, hoofd van de recherche, goed zijn best had gedaan en het gezelschap ontving met een heuse koffietafel.

Meteen daarna vertrok Thomas Quick in gezelschap van Christianson, Ståhle, Penttinen en een begeleider van de kliniek in een onopvallende politiewagen. Iedereen hoopte gespannen dat de vermeende seriemoordenaar de plaats zou aanwijzen waar hij Charles Zelmanovits had vermoord en verstopt.

Uit verschillende verslagen van de rit blijkt dat Quick geen flauw idee heeft in welke richting ze moeten rijden.

'Zoals ik al tijdens het verhoor heb gezegd, ben ik erg onzeker welke richting we op moeten,' verontschuldigt hij zich.

Aangezien Seppo Penttinen hier bekend is, zitten ze niet met de handen in het haar en de auto verlaat het centrum via de Timmerleden, ze rijden een paar kilometer over de Norra Pitholmsvägen en dan zijn ze in onbewoond gebied.

Hoewel het nu niet ver meer is, kan Quick zich nog steeds niet oriënteren, zodat Penttinen hem verder loodst. Wanneer ze vijfhonderd meter van de vindplaats verwijderd zijn, neemt Quick het over en wijst hij de weg.

'Nu bevinden we ons op interessant terrein,' zegt Penttinen tegen Quick.

Op het korte stukje weg dat ze nog moeten rijden naar de vindplaats is een tweesprong waar Quick moet beslissen welke kant ze op moeten. Hij kiest voor linksaf. De auto rijdt twee kilometer verder en dan zegt Penttinen dat ze verkeerd zijn gereden. Ze rijden terug en proberen de weg naar rechts. Vrij kort daarna ziet Quick dat er politieagenten in het bos lopen.

Ze rijden er voorbij en wanneer ze na nog een paar kilometer weer in bewoond gebied komen, beseft Quick dat ze te ver zijn gereden. Opnieuw keren ze. Ze rijden terug, passeren de vindplaats en parkeren de auto bij de tweesprong. Quick weet dat hij nu erg dicht bij de plek is. Hij zegt dat hij te voet verder wil gaan. Na vijftien tot twintig meter blijft hij staan.

'Zulke sloten zochten we toen we buiten op het terrein van de Säterkliniek een schouw hielden,' zegt hij.

Daar was het – het bewijs dat het precies zo is gegaan als Sture me verteld heeft. Een losse opmerking tijdens de uren durende omzwervingen door de bossen bij Piteå, volkomen onbegrijpelijk voor iedereen behalve voor de mensen die er nauw bij betrokken zijn, en daardoor zo gemakkelijk te missen.

Wanneer ze bij de sloot vlak bij de vindplaats komen, ziet Quick dat er een pad is ontstaan door al het heen en weer lopen van de politieagenten en de technisch rechercheurs die de afgelopen weken de plaats van het misdrijf onderzocht hebben.

'Ik denk dat we die kant op moeten,' zegt Quick.

Na een paar stappen aarzelt hij.

'Het lukt me niet om zelf naar de plek te lopen.'

Hij wordt het bos in geleid en op de videoband hoor je Quick zeggen: 'Het moet net zo ver zijn als de afstand die ik met Sven Åke heb proefgelopen. Driehonderd passen...'

De cognitieve verhoormethoden hebben opnieuw effect.

Quick wordt ondersteund en het bos in geleid door Seppo Penttinen. Nadat ze een afstand van driehonderd passen hebben afgelegd is de vindplaats in zicht. Technisch rechercheurs hebben de grond afgegraven op zoek naar de botten die vossen en andere wilde dieren mogelijk over het gebied verspreid hebben, en een groot oppervlak van de grond is omgewoeld.

Penttinen noteert in zijn schouwmemo dat Quick 'zich in hoge mate stoort aan het feit dat de grond is omgewoeld en dat de moslaag is verwijderd'.

In eerdere verhoren heeft Quick verteld dat hij op een steen of op een boomstronk heeft gezeten. Eenmaal op de plek aangekomen vindt hij een grote steen dicht bij de vindplaats. Hij probeert te laten zien hoe hij Charles heeft vermoord.

De donkere novembernacht leverde geen problemen op, zegt Quick. Hij had zijn handlanger en Charles duidelijk kunnen zien.

Iedereen die 's nachts in het bos is geweest, ziet het probleem. Iemand die zich in november om twee uur 's nachts in een bos in Norrbotten bevindt, ziet geen hand voor ogen. Quick meent toch dat hij de soort grond kon zien en een spar van een den kon onderscheiden. Niemand die hier vraagtekens bij zet.

Geheel in de lijn met Sven Åke Christiansons cognitieve verhoorme-thoden heeft de politie een pop meegenomen die Charles Zelmanovits moet voorstellen. Penttinen vraagt Quick om de pop precies zo neer te leggen als het lichaam van Charles.

Het omgewoelde stuk laat zien waar het lichaam heeft gelegen, maar niet hoe, in welke richting het hoofd lag. Quick heeft vijftig procent kans dat hij goed gokt. De pop komt honderdtachtig graden verkeerd te liggen.

Penttinen vraagt of hij echt zo lag.

'Ja, dat vind ik. Dat vind ik,' antwoordt Quick.

Nu grijpt Sven Åke Christianson in en hij maakt gebaren zodat Quick dichter bij zijn gevoelsgeheugen komt.

'Zullen we hem dan in die richting proberen te leggen? Zodat hij het goed kan voelen?'

Quick weigert echter de pop te verplaatsen, dus moet Penttinen de pop zelf in de door Christianson voorgestelde richting leggen. Ten slotte ligt de pop op de juiste plaats.

'Ik weet niet of we dit goed op videoband krijgen, maar Thomas knikt enthousiast,' verduidelijkt Penttinen naar de camera.

Anders Eriksson stelt een paar vragen over het snijden, Quick heeft moeite om die te beantwoorden. Hij weet niet zeker of hij de ene arm eraf heeft gesneden, maar als hij dat wel heeft gedaan, dan denkt hij dat die daar is blijven liggen.

'Gebeurde er iets met de handen?' vraagt Penttinen.

Maar nu wil Quick weg.

'Ik kan het niet, kan het niet. Ik kan het niet meer.' Quick huilt ver-schrikkelijk. Zijn hele lichaam schudt van het snikken. 'Ik moet nog een Xanor hebben, het kan me niet schelen of ik te veel neem…'

'Jaaa,' klinken verschillende stemmen in het gezelschap.

'Het is al een tijdje geleden dat hij de vorige heeft gehad,' zegt Birgitta Ståhle.

Een begeleider van de Säterkliniek komt aanlopen met het potje pillen en Quick krijgt wat hij wil hebben. Het begint te schemeren in het bos en Quick laat een eentonig gejammer horen dat overgaat in een merkwaardig geloei.

Toen Quicks klaaglijke gehuil was bedaard verliet het gezelschap erg triomfantelijk het bos. Harry Nyman had met een vooruitziende blik een tafel gereserveerd in het enige restaurant ter wereld waar ze het lokale Norrlandse streekgerecht *palt* serveren, Paltzerian in Öjebyn ten noorden van Piteå. Sture Bergwall herinnert het zich met gemengde gevoelens.

'Iedereen was tevreden en vrolijk! Seppo Penttinen was het vrolijkst. Er werden verschillende soorten palt geserveerd, waar we van smulden. Na de geslaagde schouw werd nu de moordenaar getrakteerd! Zo weerzinwekkend en macaber...'

Zelfs Christer van der Kwast was verrukt en schreef na zijn thuiskomst een brief aan de politie in Piteå:

Ik wil hierbij mijn warme dank overbrengen voor de buitengewone hulp die we hebben mogen ontvangen van de politie in Piteå onder leiding van commissaris Harry Nyman in verband met de schouw van Thomas Quick in Piteå op 21 augustus jl. en voor de maaltijd na afloop van de schouw.

Een macabere show

In alle berichten van de media die zomer over Thomas Quick trad het beeld van de archetypische kwaadaardige seriemoordenaar steeds duidelijker naar voren.

Nieuwe deskundigen waren zeer overtuigend in hun uitspraken dat Thomas Quick de vijf jongens daadwerkelijk had vermoord zoals hij had gezegd. Lars Lidberg, hoogleraar forensische psychiatrie, die als deskundige ingehuurd was door officier van justitie Van der Kwast, stelde de schuld in de zaak Zelmanovits al vast nog voordat het vonnis was uitgesproken.

'Ik ben van mening dat Thomas Quick schuldig is aan de moorden die hij heeft bekend. Niets wijst erop dat hij fabuleert, overdrijft, zich beter voor wil doen dan hij is of wil imponeren door te vertellen wat hij heeft meegemaakt,' zei Lidberg tegen *Expressen* op 3 november 1994.

Natuurlijk moet een seriemoordenaar als Thomas Quick achter slot en grendel zitten, maar opsluiting is niet voldoende, meende Lidberg.

'Als hij niet vrijwillig akkoord gaat met castratie, dan bestaat de mogelijkheid om hem onder dwang een injectie te geven. Geen enkele straf is te streng, geen veiligheidsmaatregel te vergaand in deze zaak van de seriemoordenaar Thomas Quick.'

'Met dat soort mensen escaleert het alleen maar, ze kunnen niet ophouden,' verklaart Van der Kwast tegen *Expressen* op 18 oktober 1994.

Thomas Quicks dossier uit deze tijd is zeer summier bijgehouden, maar vermeldt dat de medicatie met benzodiazepine steeds verder verhoogd wordt. De aantekeningen geven veel inzicht in de behandeling van een patiënt die langzamerhand oncontroleerbaar wordt.

2 mei 1994

Thomas kreeg vanmiddag een hevige angstaanval, kwam naar het personeel toe en zei dat hij gek werd. Krijgt een tablet Xanor en wordt naar de muziekkamer gebracht waar hij op de grond gaat liggen schreeuwen, het personeel houdt hem af en toe vast. Na ongeveer vijfenveertig minuten is het voorbij.

6 juni 1994

Tijdens een therapiesessie krijgt Thomas een erge angstaanval. We houden hem een tijdje vast en hij krijgt een tablet Xanor. Wanneer de angst is verdwenen, wordt het gesprek voortgezet. Thomas krijgt rond 13.00 uur opnieuw een angstaanval, dan vinden we hem in de gespreksruimte. Hij heeft zijn kleren uitgetrokken en is zeer angstig. We besluiten hem vast te binden.

Er moet keer op keer personeel worden opgeroepen om Quick medicatie toe te dienen en hem vast te houden om te voorkomen dat hij zichzelf tijdens de therapiesessies verwondt. De aantekeningen in het dossier over een patiënt die grote hoeveelheden drugs nodig heeft en vastgebonden moet worden, kan door een latere lezer wellicht worden opgevat als het falen van de behandeling. Dat is echter een overhaaste conclusie. Quicks reacties op Birgitta Ståhles behandeling werden juist gezien als hét bewijs dat de therapie succesvol was. Zijn extreme angsttoestand werd gezien als een logisch gevolg van de regressietherapie.

Ståhle schreef in het dossier:

Door de regressie [sic!] komt de patiënt niet alleen in contact met traumatische gebeurtenissen uit zijn kindertijd, maar wordt ook duidelijk dat de patiënt die gebeurtenissen als volwassene hervertelt via het seksueel misbruik en de moorden die hij tijdens het lopende politieonderzoek heeft bekend.

Voordat het proces over de moord op Charles Zelmanovits begon, schreef advocaat Gunnar Lundgren naar de arrondissementsrechtbank om de bijzondere psychologische en medische voorwaarden die voor zijn cliënt golden te verklaren:

> Wanneer hij wordt geconfronteerd met dramatische details en gruwelijkheden en daar tijdens deze rechtszaak over moet vertellen, bestaat de kans dat hij door zo'n sterke angst wordt overvallen dat het noodzakelijk is om meerdere pauzes in te lassen. Behalve stuiptrekkingen krijgt hij ook grote problemen met praten. Dit wordt vrij snel met een ogenblik van rust en een paar kalmerende pillen verholpen.

Er stond veel op het spel in dit proces, aangezien een vrijspraak waarschijnlijk zou betekenen dat de onderzoeken naar Thomas Quick zouden worden stopgezet. Er waren veel mensen op de rechtszaak afgekomen om met eigen ogen het beest te zien en hem over zijn misdaden te horen vertellen.

Toen op 1 november het publiek de rechtszaal werd binnengelaten zagen ze zo'n macaber tafereel dat zelfs de meest op sensatie beluste bezoekers aan hun trekken kwamen. Christer van der Kwast had een tafel in de rechtszaal laten zetten waarop een beugelzaag, de restanten van een half vergane leren jas en een zwaar toegetakelde schoen van het merk Playboy lagen. Gedurende de hele rechtszaak hadden de rechtbank, de partijen en het publiek hier zicht op.

Toen de moeder en het broertje van Charles Zelmanovits langs de tafel liepen, ging er een huivering door hen heen. Ze wendden hun blik af maar hadden de schoen en delen van zijn jas herkend die hij ten tijde van de vermissing zeventien jaar eerder had gedragen. En de zaag…

De voorwerpen waren tijdens het hele hoofdproces een angstaanjagende en tastbare herinnering aan waar deze zaak over ging, maar ze gaven ook de misleidende indruk een soort van technisch bewijs te vormen.

De zaag lag weliswaar ongeveer honderd meter vanaf de plek waar het stoffelijk overschot van Charles was gevonden, maar uit forensisch onderzoek was niet gebleken dat een wond op de benen door een zaag was veroorzaakt. Quick had ook niet beweerd dat hij een zaag in het bos had achtergelaten. Datzelfde gold voor het stuk van de leren jas, dat eerder een pijnlijke herinnering was aan het feit dat Thomas Quick ondanks alle verhoren er nooit in was geslaagd een precieze beschrijving te geven van Charles' kleding. De Playboy-schoen op de tafel van de officier van justitie was net zo onverklaarbaar. Quick was in de talloze verhoren blijven volhouden dat Charles laarzen droeg.

Er ontbrak echter een voorwerp in Christer van der Kwasts onheilspellende rariteitenkabinet dat een sterk bewijs tegen Quick zou hebben gevormd. Quick had herhaaldelijk verteld dat Charles een stevige leren riem met een grote ronde metalen gesp had gedragen. Charles' broertje Frederick was opgeroepen als getuige om over de riem te vertellen. De rechtbank schrijft in het vonnis:

> Frederick Zelmanovits getuigt dat hij in elk geval niet met zekerheid kan zeggen of zijn broer Charles zo'n riem droeg waarvan hier sprake is. Daarentegen herinnert hij zich wel duidelijk dat hij er zelf zo een heeft gehad ten tijde van de verdwijning van zijn broer.

De rechtbank stelde in het vonnis vast dat 'de broers de riem aan elkaar uitgeleend konden hebben'.

Als Quick de waarheid sprak, dan zou de leren riem vlak bij het stoffelijk overschot van Charles moeten hebben gelegen. De technisch rechercheurs kamden het stuk bos bij Piteå uit met metaaldetectors. Men vond zowel knopen als klinknagels van de vergane spijkerbroek, maar een riem werd niet aangetroffen.

Daarom ontbrak de riem op de tafel van de officier van justitie, en had men dus maar drie andere voorwerpen uitgestald.

Van alles wat er zich in de rechtbank in Piteå afspeelde, was er één gebeurtenis die een onuitwisbare indruk op alle aanwezigen maakte: het afspelen van de video-opname van de reconstructie in het bos.

Pelle Tagesson, de Quick-verslaggever van *Expressen*, weet nog precies wat zijn indruk was van de gebeurtenissen in Piteå. 'Ik zag Quick tijdens het proces en vond dat hij er vrij gewoon uitzag. Daarna zag ik de reconstructiefilm. Het was schokkend! Ik herinner me dat ik het onaangenaam vond dat ik hem de hand had geschud.'

Ondanks het feit dat er nogal wat onduidelijkheden in de zaak bleven bestaan, was Pelle Tagesson volstrekt overtuigd van Quicks schuld toen de officier van justitie de video toonde met het geloei tijdens de reconstructie. Elke twijfel verdween als sneeuw voor de zon: 'Het is onmogelijk om dat wat er tijdens de reconstructie gebeurde te acteren.'

Voordat het proces begon had officier van justitie Christer van der Kwast naar de rechtbank geschreven en geëist dat de rechtbank zou moeten beschikken over psychologische vakkennis. Hij had de leden van de rechtbank ook geadviseerd om zich tot Sven Åke Christianson te wenden.

Aangezien Christianson al langere tijd in opdracht van de officier van justitie aan het onderzoek had meegewerkt, was het natuurlijk ongepast, om niet te zeggen onmogelijk, om de opdracht van de rechtbank om het resultaat van zijn eigen werk te beoordelen aan te nemen. Maar toch nam hij de opdracht aan.

Christianson schreef twee rapporten voor de rechtbank, het ene 'betreffende de achtergronden voor Thomas Quicks uitspraken in psychologisch opzicht'.

> Gelet op wat de dader zich herinnert heb ik me vooral gericht op de handelingspatronen, het geheugen bij seriemoordenaars en de achtergrondfactoren die een rol spelen bij dit type delict.

Bovenstaande formulering toont aan dat hij ervan uitging dat Quick een seriemoordenaar was. Nog voor het begin van het proces had hij hem openlijk aangeduid als een seriemoordenaar en een kannibaal.

'Het is een primitieve manier – zijn handelen komt voort uit het kind in hem. Als hij lichaamsdelen eet, kan hij de illusie hebben dat het slachtoffer binnen in hem zit, dat het kind in zijn lichaam verder leeft,' verklaarde Christianson in een interview met *Expressen* op de eerste dag van het proces.

Iedereen leek te zijn vergeten dat Thomas Quick nog steeds een verdachte was en nog voor geen enkele moord was veroordeeld.

Professor Lars Lidberg was tijdens zijn getuigenis glashelder wat betreft de schuldvraag en het oorzakelijk verband achter het gedrag van de seriemoordenaar. 'Essentieel in de zaak-Quick is het feit dat hij zowel door de vader als door de moeder misbruikt is en dat er daardoor een verband is ontstaan tussen seksualiteit en agressie.'

Hij onthulde niet hoe hij wist dat de aangeklaagde daadwerkelijk slachtoffer was van geweld en seksueel misbruik door de ouders, maar dit vormde wel het uitgangspunt voor het wetenschappelijke betoog van de professor.

Quicks dwangmatige herhaling van het doden kwam ook goed overeen met het feit dat 'Quick sommige stukken van zijn vermoorde personen verstopte en sommige delen als een soort talisman bewaarde', volgens Lidberg.

Aangezien Quick de moord op Charles Zelmanovits al had bekend, ging het proces voornamelijk over de vraag of hier misschien sprake was van een valse bekentenis.

Sven Åke Christianson legde in zijn getuigenverklaring heel begrijpelijk uit wat voor verschillende types valse bekentenissen er zijn, om te eindigen met de conclusie: 'Dat is hier in het geval van Quick niet aan de orde.'

Toen Quick aan de beurt was om te getuigen, diende de verdediging het verzoek in om dit achter gesloten deuren plaats te laten vinden. De rechtbank honoreerde dit verzoek. Nadat het publiek de rechtszaal had verlaten, verklaarde Quick onder ede dat hij niets over de verdwijning van Charles Zelmanovits had gelezen.

Dit was belangrijke informatie. En helaas was het dus niet waar. Quick bekende niet alleen de moord nadat hij in de kranten over de vondst van Charles had gelezen – en aangezien hij niet in beperking zat, kon hij bovendien de verdere verslaggeving nauwkeurig volgen. In het manuscript van Margit Norell en Birgitta Ståhl, dat uiteindelijk een boek over Quick moest worden, ontdekte ik bovendien een passage die onthulde dat hij uiteindelijk een nog betere informatiebron had. Zij citeren Quick:

Toen ik het vooronderzoek las, zag ik, voelde ik voor het eerst het hele leven van Charles. Hij was niet alleen iemand die ik had gedood, maar de complete mens Charles die ik had vermoord werd tastbaar.

Toen Quick moest voorkomen in Piteå, had hij dus al het hele vooronderzoek met de technische onderzoeken en de enorme hoeveelheid verhoren
gelezen. Dit alles gaf Quick een beeld van 'de complete mens Charles'.
Zelfs in het dossier vind ik een notitie dat Thomas Quick 'in de herfst het
vooronderzoek over de zaak Charles Z. doorneemt'.

Daarom is het niet verwonderlijk dat Thomas Quick achter de gesloten deuren van de rechtbank genoeg details goed kon weergeven.

Maar toch: hoe kon de rechtbank Quick voor moord veroordelen,
terwijl bijna alles wat hij in de politieverhoren had verteld onjuist was?
Waarom komt niet uit het vonnis naar voren dat Quick de vindplaats niet
zelf heeft gevonden?

Het antwoord is simpel: de leden van de rechtbank wisten in feite niets
van wat er tijdens het onderzoek was gebeurd. Ze hadden niet één verhoor
van Quick gelezen.

Dat de rechtbank niet al het vooronderzoeksmateriaal leest, is geheel
in overeenstemming met een van de hoekstenen van het Zweedse procesrecht, het zogeheten 'onmiddelijkheidsprincipe' in het Zweedse Wetboek
van Procesrecht, hoofdstuk 17 lid 2. Volgens dit basisprincipe mogen de
leden van de rechtbank uitsluitend betekenis hechten aan wat ze direct
kunnen waarnemen tijdens het hoofdproces.

Advocaat Gunnar Lundgren kon – en velen zullen waarschijnlijk zeggen dat hij het had moeten doen – delen van het verhoor met Thomas
Quick gebruiken in zijn verdediging. Hij had hardop uit de verhoren
kunnen voorlezen en kunnen laten zien dat Quick niets wist over Charles
Zelmanovits of Pitholmen toen het onderzoek begon. Hij had de rechtbank op de hoogte kunnen brengen van het feit dat Quick tegenstrijdige informatie had gegeven en dat leidende vragen hem daarbij hadden
geholpen.

Maar Lundgren nam een ander standpunt in. Hij was heel simpel van
mening dat de rechtbank Quick voor moord moest veroordelen, iets wat
hij in de rechtbank ook naar voren bracht.

Forensisch psycholoog Nils Wiklund en commissaris Jan Olsson
hadden al kritiek geuit over het ontbreken van de tweepartijenconfrontatie, maar nu bleek dat die situatie al bestond tijdens het eerste Quick-
proces.

De aanklacht voor de moord op Charles Zelmanovits werd Lundgrens
enige zaak waarin hij optrad als verdediger van Thomas Quick. Later gaf

hij in een interview zijn visie op de rol van de advocaat in het soort zaken waar de verdediging op dezelfde lijn zit als de officier van justitie.

De verslaggever van *Aftonbladet* vroeg of Lundgren er in wezen mede voor had gezorgd dat zijn cliënt 'nu mogelijk voor zo veel delicten vast-zat'. Lundgren was het met deze beschrijving eens: 'Ja. Hij wilde beken-nen wat hij had gedaan en dus was het mijn plicht om hem daarbij te helpen.'

Het was een gesloten front dat zich in de rechtbank van Piteå had ge-vormd: de officier van justitie, de rechercheurs, de advocaat, de verdachte, de therapeuten, de artsen, de deskundigen en de journalisten. Alle neuzen stonden dezelfde kant op, dus hoe zou het ook anders hebben kunnen eindigen?

Op 16 november 1994 schreef de rechtbank in het vonnis:

> Quick heeft de daad bekend en zijn bekentenis wordt ondersteund door de informatie die hij zelf heeft gegeven. Enig technisch bewijs dat Quick aan het delict verbindt, is echter niet aanwezig.

Dat laatste was natuurlijk een zwak punt in de aanklacht, net als het feit dat niemand Quick in Piteå had gezien ten tijde van de moord. Maar dit werd tenietgedaan, volgens de rechtbank, door andere omstandigheden:

> Quicks informatie over welke lichaamsdelen hij had meegenomen van de plaats delict komt goed overeen met de vondst en wel zodanig dat deze lichaamsdelen ontbreken op de vindplaats. Deze omstandigheden vormen zeer sterk ondersteunend bewijs voor de juistheid van Quicks informatie.

In de bevindingen van de technische recherche, die de vindplaats en het stoffelijk overschot had onderzocht, stond dat er geen tekenen waren die op een misdrijf duidden, en zeker geen tekenen dat het lichaam in stuk-ken was gesneden. De technische recherche kon zien dat de botten van Charles naar een vossenburcht waren gesleept die zich ten zuiden van de vindplaats bevond. Het gegeven dat sommige botten niet werden te-ruggevonden vormde dus geen bewijs dat het lichaam in stukken was gesneden.

De opvattingen van de technische recherche werden echter niet meegenomen in het vonnis. Integendeel: de ontbrekende botten werden gezien als sterk ondersteunend bewijs voor Quicks schuld.

Thomas Quick, die na de rechtszaak terugkeerde naar de Säterkliniek, kreeg het vonnis per fax van de administratie van de kliniek overhandigd. Hij bladerde enthousiast naar de laatste bladzijden waarop de uitspraak stond:

> Rekening houdend met alle feiten is de rechtbank van mening dat boven gerede twijfel verheven is dat Quick het hem ten laste gelegde delict heeft gepleegd. De omstandigheden bij het delict zijn van dusdanige aard geweest dat het delict dient te worden aangemerkt als moord.

Bij gebrek aan technisch bewijs waren de beoordelingen van de psychologen en de psychiaters als deskundigen veel zwaarder gaan wegen in het vonnis. In een interview in *Aftonbladet* van 15 april 1997 twijfelde professor Lidberg geen moment aan de belangrijke rol die hij in het uiteindelijke vonnis had gehad: 'Thomas Quick werd veroordeeld op grond van mijn bewijsvoering. Ik ben er absoluut van overtuigd dat hij schuldig is in deze zaak.'

Lidbergs conclusie dat hij bij de beoordeling van de rechtbank van doorslaggevende betekenis was geweest is waarschijnlijk een zware overschatting van zijn eigen betekenis, maar het is wel duidelijk dat het vonnis een groot succes was, niet alleen voor hem maar ook voor Christianson.

Christer van der Kwast had zich zorgen gemaakt over het vinden van bewijsmateriaal. Daarom was er voor hem alle reden om tevreden te zijn. 'Door dit vonnis heb ik erkenning gekregen dat een onderzoek uitgevoerd kan worden zoals het hier uitgevoerd is. Dat een bekentenis, schouwen en een profiel van de dader voldoende zijn voor een veroordeling, ondanks het feit dat er traditioneel technisch bewijs ontbreekt.'

De toekomst zou uitwijzen of Van der Kwast dit juist had beoordeeld. Het feit dat 'traditionele' bewijzen niet langer nodig waren zou algauw steeds meer mensen zorgen baren, maar met het verse vonnis in de hand was Van der Kwast vol zelfvertrouwen.

'Ik reken erop dat dit een zeer positieve betekenis krijgt voor het vervolgonderzoek,' zei hij.

Nachtelijke twijfels

'Wat zouden jullie ervan zeggen als ik zou vertellen dat ik iets heel ergs heb gedaan?'

Met deze zin begon het allemaal, in juni 1992 tijdens een zomers uitstapje naar het meer met een jonge begeleidster van afdeling 36.

Quick heette toen nog Sture Bergwall en men achtte hem zo ongevaarlijk dat hij bezig was terug te keren naar de maatschappij, naar een eigen flatje in Hedemora. De cryptische en noodlottige vraag had voor onrust gezorgd bij het behandelteam in de Säterkliniek, en vrij kort daarna had Quick een eerste moord bekend en laten doorschemeren dat hij er nog meer had gepleegd.

Dat onschuldige mensen valse bekentenissen afleggen is niet helemaal ongewoon – met name patiënten die in een psychiatrische kliniek zijn opgenomen – maar dat iemand die nog nooit eerder van moord is verdacht een reeks moorden gaat bekennen en later een echte seriemoordenaar blijkt te zijn, is volgens onderzoekers uniek in de wereld. In feite was dat nog nooit eerder gebeurd.

Daderprofilering is een van de weinige hulpmiddelen waarvan de politie gebruik kan maken in de jacht op seriemoordenaars. Binnen het Zweedse politiekorps was dit nog onontgonnen terrein toen Quick begon te bekennen.

Maar tijdens de jacht op de Laserman startte psychiater Ulf Åsgård, die zich al vroeg voor daderprofilering was gaan interesseren, een samenwerkingsverband met commissaris Jan Olsson, die destijds plaatsvervangend chef van de technische recherche in Stockholm was.

Hun daderprofiel van de Laserman werd het eerste in de Zweedse misdaadgeschiedenis. Het profiel was niet van doorslaggevende betekenis bij het oppakken van de Laserman, dat was het resultaat van degelijk en geduldig ouderwets politiewerk. Toch werd het daderprofiel van Jan Olsson en Ulf Åsgård gezien als een succes, toen het profiel achteraf 'voor vijfenzeventig procent overeen bleek te komen' met de dader John Ausonius. Analytisch politiewerk werd alom geprezen in die tijd en daderprofilering was daar nu een vast onderdeel van geworden.

In de herfst van 1994 was misdaadverslaggever Lennart Hååard van *Aftonbladet* een van de journalisten die de Säterkliniek bezocht. Midden in het interview stelde hij een eigenaardige vraag.

'Krijg je ook vragen over de dubbele moord in de Zweedse bergen?'

Het was wel duidelijk dat hij de moord op het echtpaar Stegehuis bedoelde en Quicks antwoord was kort: 'Nee, daar hebben we het niet over gehad.'

Na het proces over de moord op Charles Zelmanovits was er grote ongerustheid dat Thomas Quick voortaan zou zwijgen. Birgitta Ståhle benadrukte hoe belangrijk het was dat hij verderging met 'zijn belangrijke werk' en haar begeleidster Margit Norell schreef brieven waarin ze Quick aanspoorde: 'Durf door te gaan, Sture!'

De situatie was gecompliceerd.

Quick was nu veroordeeld voor een van de in totaal vijf jongensmoorden die hij had bekend. Twee daarvan waren verjaard – die op Thomas Blomgren en Alvar Larsson – en de onderzoeken naar de moorden op Johan Asplund en Olle Högbom waren vastgelopen. Dus hoe zou hij 'verder kunnen gaan' met zijn verhaal?

Quick herinnerde zich nu Lennart Hååards vraag naar de dubbele moord bij Appojaure en op 21 november 1994 belde hij Seppo Penttinen en vertelde hem welke vraag hij in het interview had gekregen.

'Ik heb daar nog eens over nagedacht,' zei Quick. 'En ik geloof dat het wel goed zou zijn als ik ondervraagd werd over die moord.'

Penttinen vroeg waarom hij dat dacht.

'Nou, omdat ik weet dat ik daar in dat gebied ben geweest toen die moorden zijn gepleegd,' antwoordde Quick.

Maar daarna hield hij abrupt op.

'Ik kan het niet aan om daar nu verder over na te denken,' zei hij.

Ondanks het feit dat de informatie dat de jongensmoordenaar Quick een echtpaar van in de dertig zou hebben aangevallen, indruiste tegen alle logica van seriemoordenaars, bracht Penttinen de volgende dag Christer van der Kwast op de hoogte, die voor de zekerheid contact opnam met de rijksrecherche. Daar werd hem verteld dat er al een onderzoek gaande was naar de dubbele moord bij Appojaure. Ze hadden ook al een verdachte, de eenenvijftigjarige Johnny Farebrink, afkomstig uit Jokkmokk, een gewelddadige junk, die vastzat in Hall waar hij tien jaar gevangenisstraf voor moord uitzat. De rijksrecherche had nog niets in handen dat hem aan de moorden op het echtpaar Stegehuis kon verbinden en had hem ook nog niet verhoord.

Christer van der Kwast besefte dat de kans bestond dat hij twee zaken zou moeten onderzoeken, elk met zijn eigen moordverdachte. Wat hij precies dacht is moeilijk te zeggen, maar hij opperde het gewaagde idee dat Quick en Farebrink misschien wel samen het echtpaar hadden vermoord.

Uit de politieregisters bleek dat Johnny was geboren als Johnny Larsson-Auna, maar tegenwoordig onder de naam Johnny Farebrink door het leven ging. Dus belde Van der Kwast Penttinen en vroeg hem of hij Thomas Quick wilde vragen of hij ene Johnny Larsson-Auna kende. Of ene Johnny Farebrink.

De dag daarop kwam Seppo Penttinen naar de Säterkliniek om het eerste verhoor over de dubbele moord bij Appojaure af te nemen, in het bijzijn van advocaat Gunnar Lundgren. Na de veroordeling in Piteå was Penttinen bevorderd tot inspecteur, een titel die prijkt op de processen-verbaal van de verhoren en de documenten waarin hij vanaf dat moment voorkomt, geheel volgens het politiereglement. Toen hij nog brigadier was, hanteerden hij en zijn chef Christer van der Kwast om een of andere reden de regels soepeler – toen werd Penttinen over het algemeen alleen leider van het verhoor genoemd.

'Ja, Thomas. Ik had gedacht dat je je wat meer moet bezighouden met de essentiële gebeurtenissen en misschien wat minder met bijkomstigheden. Begin maar te vertellen wat je je nog herinnert van de daad?'

'Hmm,' zegt Quick.

'Kun je wat duidelijker zijn?'

De drie mannen blijven lange tijd zwijgend zitten in de muziekkamer op afdeling 36.

'Jaha, het was wreed,' zegt Quick.

Daarna stopt hij, verder komt hij niet met zijn verhaal.

'Wat was de vraag?' vraagt hij.

'Ik wil je niet sturen,' legt Penttinen uit en hij vraagt Quick te vertellen wat het eerst in hem opkomt.

Opnieuw een lange stilte.

'Ja, allereerst is er dat mes.'

'Wat herinner je je daarvan?'

'De grootte.'

'O.'

Quick kucht.

'Probeer het eens wat duidelijker te beschrijven.'

Ze worden het erover eens dat Quick zal proberen het mes te tekenen zoals hij het zich herinnert.

Op papier verschijnt een indrukwekkend mes met een lengte van vijfendertig centimeter. Het lemmet is een beetje gekromd als een sabel en de rug is in tweeën gedeeld zodat de punt naar voren afbuigt.

Boven wat normaal gesproken de rug van een mes is schrijft Quick 'snijvlak'. Op de ronde kant van het lemmet, dat gewoonlijk de geslepen kant is, noteert Quick: 'botte kant'.

Seppo Penttinen zegt dat hij niet begrijpt waarom het mes op die manier geslepen is. Hij realiseert zich vermoedelijk dat er nog nooit een mes zoals Quick hier heeft getekend, is gemaakt en hij vraagt hem goed na te denken over hoe een zogeheten Mora-mes eruitziet.

Hij tekent vervolgens zelf een mes en laat zien welke kant van het lemmet geslepen is en welke kant de platte rug is.

Maar het helpt niet, Quick blijft bij zijn mening en zegt dat nu net deze manier van slijpen zijn mes onderscheidt van een zogeheten Mora-mes.

Penttinen heeft nog niet echt een beeld van hoe het mes eruitziet. Hij vraagt of Quick het mes misschien in spiegelbeeld heeft getekend.

Uiteindelijk gaat Quick ermee akkoord dat Penttinen op de tekening een vraagteken achter het woord 'botte kant' zet. Uit het sectierapport van de patholoog-anatoom weet Penttinen dat het mes met het brede lemmet dat Quick heeft getekend ook helemaal niet overeenkomt met de verwondingen van het moordslachtoffer.

'Je had niets anders bij je wat als wapen kon dienen?'

'Nee.'

'Kun je een beetje beschrijven hoe het is gegaan?'

'Ja, het waren diepe steekwonden. Ik stak immers. Het waren geen kleine oppervlakkige snijwonden. Maar echte diepe steekwonden.'

'Ja, je laat zien dat je van bovenaf steekt.'

'Van boven. Hmm.'

Het verhoor is al een aardig tijdje bezig zonder dat Penttinen ook maar enige informatie over de moord uit Quick heeft weten te krijgen, behalve dat hopeloze mes dan.

'Welke omstandigheden tref je aan op die plaats die je ons beschrijft?'

'Er waren veel muggen.'

'Waren er veel muggen?'

'Ja, er waren veel muggen.'

Quick zegt dat de rustplaats naast een meertje in het bos was.

'Ja, dat het een tent was, dat weten we immers allebei,' vult Penttinen aan.

'Ja.'

'En dat heb je in elk geval in de kranten kunnen lezen.'

'Ja.'

'Waar zijn de personen wanneer je je daad begaat?'

'Ja, ze zijn in de tent. Eh... behalve eh... een deel van die ene eh... het lichaam van die ene persoon is eerst buiten de tent.'

'Helemaal?'

'Nee, ja.'

'Je wijst alleen naar het bovenlichaam.'

'Ja.'

Volgens Quick probeerde de vrouw de tent uit te vluchten, maar hij stak haar met zijn mes en dwong haar terug de tent in.

Thomas Quick maakt een nieuwe schets, deze keer van de tent. Vanaf de opening gezien plaatst Quick de vrouw links en de man rechts.

Quicks informatie week op elk punt van de bekende feiten af. De man had aan de linkerkant gelegen, de vrouw aan de rechterkant en de rits van de tentopening was dicht. Janny Stegehuis lag nog in haar slaapzak en was blijkbaar de tent niet uit geweest.

Penttinen vraagt verder: 'Hoe kwam je daar terecht?'

'Ik was daar in het noorden en... Ik was daar in het noorden. En ik ben daar niet met de auto gekomen, dus naar-naar die...'

'Nee? Hoe ben je daar dan gekomen?'

'Op de fiets, ik deed...'

'Je bent daar naartoe gefietst?'

'Ja.'

'Was je daar alleen?'

'Ja.'

Thomas Quick zegt dat hij met de trein van Falun naar Jokkmokk is gereisd op de dag voor de moord en dat hij daarna de tachtig kilometer naar Appojaure op de fiets heeft afgelegd.

'Het was een gestolen fiets.'

'O. Wat voor fiets was het dan?'

'Eh… het was een… eh… een… het was een herenfiets met drie versnellingen eh… die… waarvan de twee zwaarste versnellingen werkten of hij sprong vanzelf naar een zwaardere versnelling…'

Quick had de fiets buiten voor het Samemuseum in Jokkmokk gestolen en was eerst naar een supermarkt gefietst waar hij drinken had gekocht, voordat hij aan zijn tocht naar Appojaure begon. Hij kon geen reden opgeven waarom hij die kant op was gefietst en hij had ook niet een bepaald doel gehad.

'Had je ook een tas bij je?'

'Ja, ik had sokken en onderbroeken en dat soort reservekleren bij me… dat had ik bij me.'

Quick was langs de kant van de weg gestopt en had op weg naar Appojaure buiten geslapen, onder de blote hemel.

'Wat voor weer was het?' vraagt Penttinen.

'Het was mooi weer.'

Ook als ze later in het verhoor terugkomen op het weer, beschrijft hij dat als droog. Dat is lastig, want het was bekend dat er 's avonds een fijne motregen viel die in de loop van de nacht was overgegaan in een stortbui.

Penttinen weet dat de moordenaar een tas en een transistorradio uit de tent heeft gestolen en hij vraagt: 'Je had niet iets nodig wat daar was, waardoor je een reden had om van die plek iets mee te nemen?'

'Nee.'

'Je slaat je ogen neer als ik je dat vraag,' probeert Penttinen, maar hij krijgt Quick niet zover dat hij toegeeft iets uit die tent te hebben gestolen.

PENTTINEN: 'Als ik toch nog even mag terugkomen op dat… de handeling zelf dan, heel even maar… eh… die steken die je toebrengt…'

TQ: 'Hmm.'

PENTTINEN: '… je zegt dat het er tien, twaalf zijn. Hoe zeker ben je daar van? Kun je…'

TQ: 'Het zijn er meerdere geweest eh… dat is toch wat ik aangeef…'

PENTTINEN: 'Kun je een maximum en minimum aantal aangeven misschien, zodat we ongeveer weten waar we van uit kunnen gaan?'

TQ: 'Eh...'

PENTTINEN: [onhoorbaar]

TQ: 'Het zijn er meer dan tien.'

PENTTINEN: 'Hmm.'

TQ: 'Dan kunnen we dat zeggen: het zijn er niet minder dan tien.'

Quick is niet alleen vaag over het aantal messteken, maar zit ook ver naast het juiste antwoord. Het echtpaar Stegehuis werd met een stuk of vijftig messteken vermoord, waarvan er meerdere dodelijk zouden zijn geweest.

Penttinen heeft tijdens het hele verhoor zitten broeden op de vraag die hij van Christer van der Kwast moet stellen. Nadat hij heeft samengevat wat Quick in het verhoor heeft verteld, stelt hij volkomen onverwacht deze vraag:

PENTTINEN: 'Als ik je goed heb begrepen, nam je dus de trein naar Jokkmokk. Daar stal je een fiets en op dezelfde dag dat je de fiets hebt gestolen ben je naar het gebied gefietst waarover je hebt gesproken.'

TQ: 'Hmm.'

PENTTINEN: 'Heb je overnacht op... en heb je ergens een paar uur geslapen?'

TQ: 'Ja, precies.'

PENTTINEN: 'En dan komen we bij de avond.'

TQ: 'Ja.'

PENTTINEN: 'En daarna heb je dus die plek verlaten en toen ben je onmiddellijk teruggefietst naar Jokkmokk...'

TQ: 'Later ga ik weer terug.'

PENTTINEN: 'Naar Falun?'

TQ: 'Ja. Het is een lange reis.'

PENTTINEN: 'Hmm. Ken je iemand die Johnny Larsson heet?'

Quick wordt overrompeld door de vraag. Hij realiseert zich dat er omstandigheden rond de Appojaure-moorden zijn die hem niet bekend zijn.

'Het is geen onbekende naam,' antwoordt Quick vaag.

'We hebben het hier over een dubbele naam, Johnny Larsson-Auna.'

'Hmm.'

'Ken je hem?'

'Ik associeer hem met een persoon, maar ik geloof dat mijn associatie niet klopt?'

'Hij kan ook Farebrink heten.'

Quick slaakt een zucht, maar hoe hij ook peinst, hij kan niet bedenken welke rol deze Johnny in dit verhaal speelt.

Penttinen vraagt het nog een keer: 'Weet je wie het is?'

'Nee,' zegt Quick.

Zaterdagavond 9 december 1994 zat Thomas Quick aan zijn schrijftafel en probeerde uit te zoeken wat voor persoon die Johnny was en welke rol hij in de gebeurtenis bij Appojaure had gespeeld. Quick schreef vaak herinneringen en verhalen op die hij aan Birgitta Ståhle en Seppo Penttinen gaf, die zij vervolgens in de therapiesessies en tijdens de verhoren gebruikten. Nu schreef hij:

9/12 1994

Meer woorden.

Ik was in Norrbotten. Aan de tentmoord deed een donkere man mee, iemand afkomstig uit de provincie Norrbotten, vijftien à twintig centimeter korter dan ik en hij had duidelijk een alcoholprobleem. Ik was nuchter, hij was dronken. We hadden elkaar al eens eerder ontmoet, ik weet niet meer wanneer, waar of hoe.

Hij leek mij zwaar paranoïde. Hij was misschien tien jaar ouder dan ik. Zag er erg 'afgeleefd' uit.

De tent was klein, laag. Als ik het me goed herinner stond er in de buurt van de tent een kleine auto – een kleine Renault of Peugeot – in elk geval een kleine auto. Ik meen me te herinneren dat mijn maat eerder een woordenwisseling met de Hollanders had gehad, zelf heb ik geen woord met ze gewisseld.

Na het doden drong mijn maat aan dat ik iets moest drinken – maar ik weigerde.

Toen Quick naar bed ging, deed hij het licht uit en viel hij in slaap. Maar de slaap zou van korte duur zijn.

'Mikael, Mikael.'

Het geluid uit de kamer van Thomas Quick deed de verpleegkundige Mikael uit zijn fauteuil in de personeelskamer opstaan. Quick zat in bed met een plastic zak over zijn hoofd getrokken. Zijn hoofd hing in een riem die hij om zijn nek had gesnoerd.

Mikael liep snel naar hem toe, maakte de riem los en trok de plastic zak van zijn hoofd.

Quick gleed slap naar beneden en bleef ineengedoken en apathisch op de rand van het bed zitten. Hij wreef met zijn handen over de pijnlijke hals en nek.

'Maar Thomas,' probeerde Mikael. 'Waarom? Waarom wilde je jezelf van kant maken?'

Mikael zocht Quicks blik, maar kreeg geen contact. Uiteindelijk wist hij zijn patiënt toch zover te krijgen dat hij zich aankleedde door voor te stellen even naar de rookruimte te gaan en daar een sigaret te roken.

Na anderhalve sigaret zei Quick fluisterend: 'Ik was vastbesloten. Ik wilde proberen herinneringen op te roepen. Materiaal voor het onderzoek en de therapie...'

Hij rookte met gesloten ogen en dacht lang na voordat hij verderging. 'Ik heb het gedaan, het is me gelukt. Maar nu heb ik ingezien dat het niet meer gaat. Ik red het niet.'

Nadat ze een tijd lang met zijn tweeën in de rookruimte hadden gezeten, ging Mikael weg om Ståhle te bellen. Quick sprak een uur met haar. Na dit gesprek kon hij terug naar zijn kamer, waar de dienstdoende arts hem onderzocht voordat hij terugging naar bed om te slapen.

De volgende dag kwam Quick de hele dag niet uit bed en werd hij continu in de gaten gehouden vanwege de zelfmoordpoging.

Mikael noteerde in het dossier:

Deze gedwongen zoektocht heeft herinneringen opgeroepen die zo moeilijk voor hem zijn dat hij het niet meer kan hanteren. De enige uitweg om niet geconfronteerd te worden met deze gevoelens en gedachten was suïcide. Is op dit moment psychotisch.

Het politieonderzoek ging echter gewoon door en twee dagen later was Seppo Penttinen terug voor nieuwe verhoren.

Toen Seppo Penttinen op 12 december 1994 het tweede verhoor over de dubbele moord bij Appojaure afnam, vertelde Thomas Quick een heel nieuw verhaal. Er was geen lange fietstocht van Jokkmokk naar Appojaure geweest. Maar hij wist nu dat Johnny Larsson-Auna hem had geholpen bij de moord en dat ze in zijn Volkswagen pick-up van Jokkmokk naar Appojaure waren gereden.

Het verbazingwekkende was dat Quick, ondanks de grote hoeveelheid specifieke informatie, zich de moord zelf niet kon herinneren. Penttinen leek zijn twijfel te delen.

PENTTINEN: 'Ben je er echt van overtuigd dat je dit hebt gedaan?'
TQ [aarzelend]: 'Nee...'
PENTTINEN: 'Waarom twijfel je?'
TQ [zucht]: 'Eh... wat me doet twijfelen is... is... eh... deels eh... ja, het soort geweld... in de eerste plaats...'
PENTTINEN: 'Denk je aan iets wat je een beetje verbaast?'
TQ: 'Ja, dat er een vrouw bij was.'

Het gegeven dat Thomas Quick een vrouw had vermoord week onmiskenbaar af van zijn profiel als moordenaar van jongens. Maar deze keer lag er een vrouw in de tent en hoe onzeker Quick ook was, hij bleef zijn herinneringen aan Appojaure vertellen.

De vrouw had bij het begin van de aanval geprobeerd de tent uit te kruipen, vertelde Quick. Hij zag haar halverwege met ontbloot bovenlijf de tent uit komen. Hij beschreef haar lange donkere haar.

Opnieuw klopte er niets van Quicks verhaal. Janny's haar was grijs en niet langer dan vijf centimeter. Ze was nooit buiten de tent geweest en was volledig gekleed, ook haar bovenlichaam.

Penttinen vroeg Quick een schets van de rustplaats te maken. Quick plaatste de tent het dichtst bij het meer en de auto het verst ervandaan. Dat moest andersom zijn.

Bij het volgende verhoor zitten Thomas Quick, Birgitta Ståhle en Seppo Penttinen met elkaar te praten, zich er kennelijk niet van bewust dat het gesprek wordt opgenomen en in het proces-verbaal van het verhoor wordt vastgelegd.

'Ik heb je immers opgebeld om te zeggen dat het niet erg geloofwaardig was,' zegt Penttinen tegen Quick.

De leider van het verhoor heeft dus de verdachte opgebeld en gezegd dat bepaalde informatie niet klopte. Volgens Sture Bergwall was er zeer frequent informeel contact tijdens het onderzoek, maar hier heb ik het ondubbelzinnige bewijs van Stures bewering.

Later ga ik in het vooronderzoeksmateriaal op zoek naar de memo van Seppo Penttinen over datzelfde telefoongesprek. Volgens hem had Quick hem door de telefoon gezegd dat hij bij het verhoor drie verkeerde feiten had genoemd, namelijk dat het bovenlijf van de vrouw ontbloot was, dat er op de plek waslijnen waren gespannen en dat de tent geel was. Penttinen schrijft dat Quick bewust die verkeerde informatie had gegeven, in de hoop dat het onderzoek over Appojaure gestaakt zou worden. De verklaring hiervoor ligt 'op het psychologische vlak'.

Die aantekening wekt de indruk dat Penttinen passief informatie heeft aangenomen die Quick hem heeft willen geven – en niet dat híj Quick heeft gebeld en hem op de fouten heeft gewezen.

In de muziekkamer van de kliniek gaan de verhoren verder:

PENTTINEN: 'Die naam die je een paar weken geleden van me hebt gehoord…'

TQ: 'Ja.'

PENTTINEN: 'Heb je het eigenlijk over deze persoon? Of over iemand anders?'

TQ: 'Maar dan noem ik hem Johnny, niet John.'

PENTTINEN: 'Maar de achternaam, hoort die in dat geval bij Johnny?'

TQ: 'Ja, Johnny Larsson.'

PENTTINEN: 'Johnny Larsson-Auna?'

TQ: 'Farebrink herken ik niet echt.'

Jammer genoeg had Seppo Penttinen gevraagd naar Johnny Larsson-Auna. Deze achternaam had Johnny Farebrink gehad als kind, maar al in 1966 had hij die naam veranderd in Farebrink. Sindsdien had hij de naam Larsson of Auna nooit meer gebruikt. Zelfs rechercheur Ture Nässén, die in verband met zijn werk in de jaren zestig veel met Johnny te maken had, herkende de achternaam Larsson-Auna niet.

Hoewel Thomas Quick zelf twijfelde aan zijn betrokkenheid weerhield hem dat er niet van om woedend op Seppo Penttinen te worden omdat hij hem nog steeds niet als verdachte van de moord op het echtpaar Stegehuis wilde zien. Op 14 december belde hij Penttinen op.

'Ik heb er niets aan om "vrijblijvend" gehoord te worden over deze moorden! Ik heb jullie zo veel details verteld dat jullie mij als verdachte hadden moeten aanwijzen voor de moorden,' zei hij.

Hij zei dat hij niet van plan was om nog verder aan het onderzoek mee te werken en beëindigde het gesprek.

Maar niet lang daarna belde hij Penttinen weer op en zei dat hij toch wilde doorgaan. Dat hij eerst wel en daarna weer niet wil meewerken aan het onderzoek is een bewijs hoezeer Quick gekweld werd door een innerlijke onrust waar hij bijna aan ten onder ging.

In die tijd had verpleegkundige Mikael een keer nachtdienst. Hij zat op de administratie toen hij voor de eerste keer het geluid hoorde. Het was zo zwak dat hij niet zeker wist of hij het zich niet had verbeeld. Hij hield zijn adem in en luisterde heel geconcentreerd. Opnieuw hoorde hij het vreemde monotone gegrom.

Het was net half twaalf geweest toen Mikael de administratie verliet. Aan het eind van de gang onderscheidde hij een grote gedaante die zich grommend en mompelend omdraaide en zich nu naar de administratie voortsleepte. Quick was weer aan het slaapwandelen.

'Thomas, wat doe je hier midden in de nacht?' vroeg Mikael, zonder ook maar een antwoord te verwachten.

Quick kwam langzaam op hem aflopen, nog steeds grommend en mompelend, verdwaasd en angstig tegelijk.

Mikael hoorde dat het gemompel over 'Ellington' ging; Quick zei dat hij in een regressiefase zat en bang was dat Ellington zich weer zou vertonen.

Deze Ellington was een ongrijpbare verschijning, die soms een omschrijving was voor de vader die hem zo had mishandeld en soms een vreemde identiteit was die bezit nam van Quicks lichaam als hij moordde. Het was allemaal niet zo eenvoudig te begrijpen, dacht Mikael, die Quick voorzichtig onder zijn arm beetpakte en hem naar de rookruimte leidde waar hij hem weer probeerde terug te halen. Toen dat mislukte, gaf hij Quick een Xanor-pil. Quick kalmeerde en liep even later uit zichzelf terug naar zijn kamer.

Rond half drie hoorde Mikael angstkreten uit Quicks kamer komen. Het was pijnlijk om naar te luisteren, maar op Quicks uitdrukkelijke verzoek mocht het personeel niet naar hem toe gaan als hij 's nachts schreeuwde.

Het was helemaal niet zo gemakkelijk om hieraan te gehoorzamen, want Mikael voelde een sterke sympathie voor de seriemoordenaar, die verschrikkelijk leek te lijden.

Op 19 december kwam Seppo Penttinen naar de Säterkliniek om Quick opnieuw te verhoren. Deze keer stelde hij de vraag waar het allemaal om draaide.

'Allereerst, Thomas, zou ik je willen vragen of je nog steeds vasthoudt aan de bekentenis wat betreft de dubbele moord bij Appojaure in 1984.'

'Ja,' antwoordde Quick.

De seriemoordenaar was terug, de orde hersteld.

Een andere verhoorsituatie

Vanaf het moment dat Thomas Quick heeft bekend dat hij het echtpaar Stegehuis samen met Johnny Farebrink heeft vermoord, komt er schot in het onderzoek.

Al de dag daarop reed Jan Olsson naar Sundsvall waar hij een ontmoeting had met Seppo Penttinen en Christer van der Kwast om de zaak door te nemen. Penttinen deed verslag van Quicks verhoren, maar liet de eigenaardigste onderdelen van zijn verhaal achterwege.

Tot dat moment had het Quick-team bestaan uit Seppo Penttinen en Christer van der Kwast. Nu werd de commissie-Quick gevormd, die het onderzoek naar de twee verdachten in de dubbele moord bij Appojaure zou gaan leiden. Vanaf dat moment viel de commissie onder de machtige organisatie van de rijksrecherche.

Van der Kwast, de leider van het vooronderzoek, kreeg in zijn hoedanigheid als chef van het eerste Zweedse onderzoek naar een seriemoordenaar onbeperkte middelen tot zijn beschikking. Penttinen werd voor zijn indiensttreding bij de rijkspolitie bevorderd tot inspecteur. De rijksrecherche stippelde meteen een plan uit, waarvoor de rechercheurs Jan Karlsson en Stellan Söderman de operationele verantwoordelijkheid droegen.

Uit de Daderprofielgroep werd commissaris Jan Olsson aan de groep toegevoegd. Hij ging samen met psychiater Ulf Åsgård de delictanalyses uitvoeren. Olsson werd ook technisch expert van de commissie-Quick.

Hans Ölvebro, chef van de Palme-groep, werd onderzoeksleider. Hij nam de ervaren speurder Ture Nässén mee uit de Palme-groep. Verder werden rechercheurs Ann-Helene Gustafsson en Anna Wikström aan het team toegevoegd, plus technisch rechercheur Lennart Kjellander van de Werkgroep Forensische Archeologie.

Kortom, in de commissie-Quick zaten de hoogst gekwalificeerde rechercheurs van Zweden, die nu volgens alle beschikbare professionele en wetenschappelijke methoden de zaak-Quick zouden gaan onderzoeken.

Op 17 januari 1995 rond tien uur arriveert Seppo Penttinen in de Säterkliniek. Thomas Quick wacht in de muziekkamer en heeft al zo veel benzodiazepine ingenomen dat het geplande vierde verhoor over Appojaure gevaar loopt.

Penttinen probeert er eerst achter te komen waarom Quick en Johnny Farebrink naar de afgelegen rustplaats zijn gegaan waar de Nederlanders hun tent hadden opgezet.

'Johnny voelde zich gekrenkt door die mensen,' zegt Quick.

Farebrink had gezegd dat de man arrogant was geweest en Quick dacht dat ze hem op een of andere manier hadden beledigd.

Thomas Quicks bewering dat Johnny Farebrink het echtpaar Stegehuis voor de moord al een keer ontmoet zou hebben leverde problemen op. De reis van het Nederlandse echtpaar was tot in detail gereconstrueerd, de hele weg vanaf Nederland naar Zweden. Van de twee laatste etmalen in het leven van het echtpaar had de politie elk uur in kaart gebracht.

Op 12 juli reed het echtpaar Stegehuis even na twaalven over de E45 zuidwaarts naar Gällivare. Kwart over elf tankten ze bij de Shell-pomp in Skaulo en reden ze verder naar Stora Sjöfallets Nationalpark.

Vanaf Stora Sjöfallet reden ze terug en veertig kilometer ten westen van Appojaure maakten ze een laatste stop om foto's te maken. We weten uit hun reisdagboek dat ze om 16.30 uur hun tent opzetten.

Johnny Farebrink kon de Nederlanders niet hebben ontmoet voordat ze bij Appojaure aankwamen, dus gooide Penttinen het over een andere boeg en stelde hij een vraag over de messen die bij het misdrijf waren gebruikt.

Quick blijft erbij dat hij het eigenaardige jachtmes met het brede lemmet dat hij tijdens het eerste verhoor heeft getekend, heeft gebruikt. Farebrinks mes was iets kleiner, met een heft van rendiergewei.

Het was echter uitgesloten dat de diepe steekwonden zoals die op de lichamen van de slachtoffers waren aangetroffen, veroorzaakt hadden kunnen zijn door de brede lemmets van deze messen. Die wonden waren toegebracht door een mes met een beduidend smaller lemmet van hoogstens twintig millimeter.

Precies zo'n soort mes, het fileermes van het echtpaar, was op de plaats van het misdrijf teruggevonden. Het sectierapport stelde vast dat dat fileermes het moordwapen kon zijn. Voor Quicks geloofwaardigheid is het belangrijk dat dit mes in het verhaal wordt opgenomen, en het vervolg van het verhoor laat zien hoe Penttinen hier door middel van sterk leidende vragen in slaagt: 'Is er nog een derde mes?' vraagt hij.

'Volgens mij zijn er drie messen, maar dat weet ik niet helemaal zeker.'

'Waar zou dat derde mes dan vandaan komen?'

'Johnny,' antwoordt Quick.

Dat antwoord wil Penttinen niet horen. Dus zegt hij: 'Wat zei je?'

'Johnny dus,' herhaalt Quick. 'Of uit de tent.'

'Je bent in de war als je zegt dat het derde mes misschien wel eens uit de tent zou kunnen komen,' zegt Penttinen.

Dat Quick 'in de war is' betekent in dit verband dat hij psychisch gevoelige informatie nadert, waarheden die vaak te pijnlijk zijn om te vertellen.

'Ja, dat is wel duidelijk,' antwoordt Quick.

Quick voelt zich zo beroerd bij de gedachte aan het mes van het echtpaar dat Penttinen zich genoodzaakt ziet om het verhoor af te breken voor een pauze en medicatie.

Na de pauze vertelt Quick dat hij het mes in de tent heeft gevonden.

'Waarom moesten jullie dat gebruiken?' vraagt Penttinen. 'Jullie hadden toch ieder al een mes?'

Maar nu volgt Quick het niet meer. Hij heeft te veel medicijnen gekregen en is helemaal van de wereld.

'Het lijkt wel alsof je er niet meer bij bent,' zegt Penttinen.

Hij vraagt of Quick kan vertellen welke kant ze opgaan na de moorden. Opnieuw onzekerheid.

'Wat het ingewikkeld voor mij maakt, is dat ik me meen te herinneren dat hij me naar Messaure brengt, of hoe het daar ook maar heet. Hij rijdt weg en laat mij daar achter.'

Dat hij in de stad Messaure was achtergelaten was nog een cruciaal feit dat Quick nog niet eerder had genoemd. Wanneer de plaatsnaam goed en wel is genoemd heeft hij geen puf meer om nog verder te vertellen.

'Ik zie dat je waarschijnlijk zo veel medicijnen hebt gekregen dat je het niet meer kunt volgen. Of is het omdat je je zo slecht voelt?' vraagt Penttinen.

'Ik voel me slecht,' zegt Quick. 'Het komt niet van die medicijnen...'

Na de lunch wordt het verhoor hervat.

'We zijn nu bij Messaure beland,' zegt Seppo Penttinen. 'Welk beeld zie je voor je?'

''s Avonds laat komen we in Messaure aan,' zegt Quick. 'Ik heb een duidelijke herinnering dat ik laat in de namiddag de trein neem vanuit Messaure.'

Zowel Quick als Penttinen weten niet zeker of er toen een trein door Messaure reed. Tijdens de lunch hebben ze zoals gewoonlijk verder gepraat over het moordonderzoek.

'We hebben het erover gehad dat jullie daar in de buurt ook iemand hebben bezocht, maar je vindt het moeilijk om daarover te vertellen?'

Quick beaamt dat.

Bij het volgende verhoor zegt Seppo Penttinen dat hij op een spoorwegkaart heeft gezocht en heeft geconstateerd dat er geen trein naar Messaure rijdt. Maar Quick houdt stug vol.

'Hij zet me af in Messaure en ik heb het gevoel dat ik later in de ochtend daarvandaan de trein neem, maar hier ben ik...'

'Je bent onzeker,' zegt Penttinen. 'Dat fietsverhaal dan, dat je aan het vertellen was?'

'Ik herinner me niet dat ik op de fiets uit Messaure ben vertrokken,' zegt Quick.

De verhoren hebben vaak het karakter van een onderhandeling, waarbij Penttinen en Quick samen een oplossing proberen te vinden die de bekende feiten niet tegenspreekt.

Op 23 januari komt de commissie-Quick bijeen en Stellan Söderman vat de stand van zaken samen: 'Zoals de situatie nu is, is hij veroordeeld voor een moord die in 1976 in het politiedistrict van Piteå is gepleegd. De delicten zijn gepleegd in een periode van ongeveer dertig jaar en er zijn zeven actuele zaken. Twee zaken zijn verjaard, een is in Noorwegen gepleegd.'

Daarna gaat de discussie onmiddellijk over op de gevoelige vraag over de rol van Seppo Penttinen in het onderzoek. Iedereen is het erover eens dat het niet wenselijk is dat één persoon alle verhoren van Thomas Quick afneemt. Penttinen legt dan de 'zeer buitengewone omstandigheden' uit die er bij de verhoren gelden. Uiteindelijk spreken ze af dat voorlopig niemand anders de verhoren afneemt.

Een week later komt de commissie-Quick voor de tweede keer bijeen bij de rijksrecherche in Stockholm. Jan Olsson, die een analyse van de moorden bij Appojaure heeft gemaakt, stelt voor een reconstructie van de zaak te houden waarbij Quick moet beschrijven hoe het misdrijf is gepleegd. Een andere optie is dat ze de zaak met Quick en de patholoog-anatoom Anders Eriksson doornemen om de informatie van Quick te kunnen bevestigen of te weerleggen.

Ze discussiëren een tijdje over een eventuele reconstructie bij Appojaure in het voorjaar, waarna Seppo Penttinen nogmaals aan het team 'de bijzondere verhoorsituatie' uitlegt die er voor Quick geldt: 'Quick probeert herinneringen op te roepen die erg ver zijn weggestopt om vervolgens al die losse flarden aan elkaar te verbinden tot een geloofwaardige reeks van gebeurtenissen. Volgens de psychologen is dit voor Quick een noodzakelijk onderdeel van zijn verwerking. Zodat hij verder kan.'

Hij licht ook de rol van geheugenexpert Sven Åke Christianson in het onderzoek toe en vertelt dat hij en Quick elkaar regelmatig spreken.

Na vier jaar opgenomen te zijn geweest in de Säterkliniek was Thomas Quick de laatste contacten kwijt die hij nog had buiten de forensische psychiatrie en justitie. De menselijke contacten beperkten zich tot politieverhoren en de therapiesessies over moorden en verkrachtingen. Hij was volledig afgesneden van de normale wereld.

Uit de schaarse en korte aantekeningen in het dossier blijkt dat Quick zich in het begin van 1995 steeds slechter voelde, en tegelijkertijd steeds meer benzodiazepine kreeg voorgeschreven, met steeds zwaardere bijwerkingen als gevolg.

Een aantal notities uit het dossier:

26 januari 1995

Krijgt angstaanval in de rookruimte, kan niet weglopen. Hyperventileert en verstijft. Ademt in een papieren zak. Met behulp van het personeel wordt hij zittend op een stoel met wieltjes naar zijn kamer gereden en gaat in bed liggen. Krijgt via een klysma twee Stesolid à 10 mg toegediend.

18 februari 1995

Om 16.00 uur krijgt Thomas een angstaanval. Zit in de rookruimte en roept: 'Ik red het niet, ik red het niet.'

Plotseling schiet Thomas overeind uit zijn stoel en stuift hij het trappenhuis in waar hij met zijn hoofd tegen de muur slaat.

Thomas probeert een paar keer achter elkaar zijn hoofd op de vloer te bonzen. [...]

Hij staat zo wankel op zijn benen dat hij niet kan lopen, maar hij kruipt naar de rookruimte. Wanneer hij klaar is met roken wil hij weer naar zijn kamer gaan, maar hij kan nog steeds niet lopen, zakt voor de deur van de administratie in elkaar. Ik en iemand van het personeel pakken een stoel van de administratie, zetten hem daarop.

21 februari 1995, chef-arts Erik Kall

De patiënt voelt zich de laatste dagen erg slecht. Kreeg gisteren een brief van de ouders van een van de slachtoffers, die wilden weten wat er met hun zoon was gebeurd. De patiënt heeft zich afgevraagd of hij wel door moet gaan. Besluit echter om het proces door te zetten.

Het bestaan van Thomas Quick is een eindeloze cyclus van angstaanvallen, doodsverlangen, constante medicatie en gesprekken over moorden en verkrachtingen – dag in dag uit, maand in maand uit, jaar in jaar uit.

Op 2 maart schreef Birgitta Ståhle een samenvatting van de therapie in de periode waaruit bovenstaande citaten afkomstig zijn:

Na het proces in Piteå gaan we door met ons werk om naar vroegere ervaringen te kijken en hoe deze op latere volwassen leeftijd herbeleefd worden. Dit gebeurt naast de politieverhoren. Nieuwe herinneringen waarin het geweld zich richt op volwassenen, zijn naar boven gekomen. Deze informatie wordt overhandigd aan de politie en aan de officier van justitie voor verder onderzoek.

Thomas wordt nu officieel verdacht van de zogenaamde 'tentmoord' buiten Gällivare in 1984.

Het boek over Thomas dat zijn broer Sten-Ove heeft geschreven heeft veel reacties opgeroepen. Tegelijkertijd heeft dit ertoe geleid dat Thomas zelf nu meer contact met de herinneringen heeft waarin zijn broer tijdens hun jeugd zeer gewelddadig tegen hem was.

Thomas heeft in de herfst twee suïcidepogingen gedaan. Hevige angst zorgde voor het verlangen om te sterven, het verlangen om verlost te worden van zijn zware lijden dat de psychotherapie en de politieverhoren met zich meebrengen.

Birgitta Ståhle wijst erop dat ze als therapeute 'nauw samenwerkt met de afdeling waar hij verblijft en dagelijks op de hoogte wordt gebracht van zijn psychische toestand'. Ondanks Quicks zware angstaanvallen, doodsverlangen en medicatie beweert Ståhle dat het psychotherapeutische proces zich positief ontwikkelt.

De beelden en herinneringsfragmenten die in de therapie naar boven komen worden steeds duidelijker en de relatie met de moorden wordt geleidelijk aan ook steeds duidelijker. Er heeft een ontwikkeling plaatsgevonden waardoor zijn vermogen tot contact zich heeft verdiept, zowel wat betreft zijn eigen levensgeschiedenis als wat betreft zijn latere functioneren als volwassene. Ook heeft er een ontwikkeling plaatsgevonden tot een nog dieper contact met pijnlijke gevoelens zoals haat en woede en ook wanhoop en schuld over wat hij andere mensen heeft aangedaan. [...]

Het feit dat Thomas open is en mij deelgenoot maakt van zijn extreem moeilijke situatie versterkt het contact en de therapie nog meer.

Een paar uur nadat Birgitta Ståhle haar positieve beschrijving van de vooruitgang in de therapie geeft, noteert een verpleegkundige een meer typerende aantekening in het dossier:

19.30 uur: In de loop van de avond krijgt Thomas zware angstaanvallen.
Krijgt via een klysma Stesolid à 10 mg, 2 st pro rectum toegediend.
Zegt dat hij niet langer wil leven.
Zelfmoordtoezicht wordt ingesteld.

Op 12 maart laat in de avond ging de telefoon in het huis van vervangend korpschef Bertil Ståhle. Hij begreep onmiddellijk dat het een van de patiënten van zijn vrouw was die vervelend genoeg hun thuisnummer had gekregen. Hij riep naar de slaapkamer.

'Hier is een gek die met je wil praten. Hij zegt dat hij Ellington heet.'

Slaapdronken nam zijn vrouw de telefoon aan.

'Sture, met Birgitta,' zei ze.

Er klonk een theatrale en spottende lach.

'Met Ellington en ik wil met de therapeut praten.'

Birgitta Ståhle meende de slome stem te herkennen.

'Sture!'

Birgitta Ståhle tekende later het gesprek op uit haar geheugen, en voegde daar tussen haakjes haar eigen commentaar aan toe:

'Sture ligt in bed. Hij is angstig. *(Lacht)* Ze geloven zijn angst en zijn verhalen. Hij manipuleert.'

'Wie ben je?'

'Ik ben Ellington en we hebben elkaar een paar keer gezien.' *(Lacht)*

(Krijg hier het onaangename gevoel dat het Sten-Ove is die belt. Ik ben gewend om met Sture te spreken maar niet met Sten-Ove. Straalt minachting uit voor Sture die bang is, zwak is. En ook voor de therapie omdat hij mij de therapeut noemt.) Ellington gaat verder: 'Ik zal je vertellen over de reis naar Noorwegen.'

(Nu weet ik dat het Sture is in de gedaante van Ellington. Ik ben van plan te luisteren naar wat hij te zeggen heeft en te proberen om contact met Sture te krijgen.)

'Patrik en ik. We rijden naar Oslo. Vlakbij, vlak voor...' *(Begint weer te lachen.)*

'Ik manipuleer en het lukt me... *(triomf in zijn stem over zijn macht en kracht)* ... Patrik uit de auto te krijgen.' *(lacht weer)* 'Hij stapt uit en hij doodt de jongen. Híj doodt de jongen. Híj wilde dit! En ik krijg hem zover dat hij dit doet.'

(Gaat hier over In een stil huilen. Ik hoor Sture die fluisterend zegt: Birgitta. Weet meteen dat ik Sture moet zien, hem zover moet zien te krijgen dat hij zichtbaar wordt, sterk wordt in verhouding tot Ellington.

De stem van Ellington gromt als het ware op de achtergrond maar Sture begint met me te praten en ik realiseer me dat hij nu weer terug is in zichzelf.)

Toen Margit Norell het door Birgitta Ståhle opgetekende telefoongesprek las, was ze verbijsterd dat Ellington buiten de therapieruimte gestalte had gekregen. Ze analyseerde de betekenis van de opmerkelijke gebeurtenis in het manuscript over Thomas Quick:

Wanneer Ellington gestalte krijgt en probeert, tevergeefs, om zijn macht te heroveren ten koste van Sture door minachting voor zijn zwakte te tonen, gebeuren er twee dingen. Ten eerste: Sture bereikt voor het eerst van zijn leven objectconstantheid. P en Ellington zijn dezelfde persoon. Sture heeft de zo begrijpelijke behoefte gehad om aan P vast te houden als iemand die Sture nodig zou kunnen hebben, voor wie Sture toch iets betekende, en die Sture af en toe zou kunnen beschermen tegen de veel gevaarlijkere M – het was immers ook P's reddende hand geweest die hem uit het wak had getrokken. Met betrekking tot P was er tot aan de moord op Simon ook enige voorspelbaarheid geweest, zoals Sture het zelf omschrijft – uit ervaring kon Sture vrij snel het verloop herkennen en kon hij daarom voorspellen wanneer P een woedeuitbarsting zou krijgen, wanneer de pijn zou stoppen en P weer aardig zou worden – een paar sentimentele tranen zou huilen, Stures buik strelen, zeggen hoeveel hij van de kleine Sture hield, de keuken inlopen en Sture wat veenbessen en melk of iets anders geven. Door – zoals later zou blijken – het vermoorden en in stukken snijden van de baby Simon, werd deze voorspelbaarheid volkomen doorbroken, en Sture ervoer met recht de ondraaglijke angst dat P hem, Sture, hetzelfde zou kunnen aandoen. Vanzelfsprekend moet Sture het zo hebben ervaren toen M hem onmiddellijk de schuld gaf van de dood van de baby: 'Kijk eens wat je hebt gedaan!' Wanneer Ellington zijn volledige gestalte krijgt, wordt echter ook zijn macht gebroken. Hij heeft het telefoonnummer van Birgitta, Stures therapeut, opgeschreven. Hij belt haar en nadat ze even met Ellington heeft gesproken, krijgt Birgitta contact met Sture en kiest ze zijn kant tegen Ellington. [...] Kort daarna krijgt ook M – Nana – gestalte. Dit is nog akeliger, aangezien zij in Stures beleving vanaf zijn babytijd voor boosheid en daarna voor de dood heeft gestaan. De enige tijd dat dit niet het geval was, lijkt zijn tijd in de baarmoeder te zijn geweest. Dit was ook de enige tijd dat Sture niet alleen was, maar een tweelingzus had.

De laatste arbeider van de in aanbouw zijnde waterkrachtcentrale

Op 18 maart 1995 zat Thomas Quick in zijn kamer in de Säterkliniek tv te kijken toen er een documentaire over het dorp Messaure op SVT2 werd vertoond.

Het plaatsje waar Thomas Quick zou zijn afgezet na de moord op de Nederlanders ligt zevenendertig kilometer van Jokkmokk. Bij dat plaatsje begon energiemaatschappij Vattenfall in het jaar 1957 met de bouw van een gigantische dam in de rivier Stora Luleälv. Het project betekende vijf jaar lang werk voor dertienhonderd mensen. Midden in de woestenij werd een compleet dorp met straten, pleinen, woonwijken, winkels, postkantoor, kerk, school, politiebureau, gezondheidscentrum, café, kortom alles wat bij een dorp hoort, uit de grond gestampt. Begin jaren zestig had het dorp een vaste bevolking van meer dan drieduizend inwoners.

De waterkrachtcentrale in Messaure werd in 1962 in gebruik genomen met een toespraak van minister-president Tage Erlander. Beetje bij beetje werd het dorp gesloopt en uiteindelijk bleef er van de bloeiende gemeenschap alleen nog maar een wegennet midden in de wildernis over.

De documentaire ging over Rune Nilsson, een inwoner van Messaure die tot 1971 als ploegbaas aan de bouw van de dam had gewerkt. Toen de waterkrachtcentrale klaar was probeerden Vattenfall en de gemeente Jokkmokk met steeds hardere middelen de inwoners van het dorp ertoe te bewegen om te verhuizen, wat de meesten vrijwillig deden.

'Vattenfall probeerde me koste wat kost weg te krijgen, maar... ik ben eigenwijs dus ik weigerde te verhuizen,' zegt Rune Nilsson.

Het werd een lange strijd, waarin de gemeente Jokkmokk probeerde Rune Nilsson te verjagen. Men sloot het water af, men smeekte en dreigde, maar Rune ging niet weg. Na tien jaar strijd gaf de gemeente het op en liet hem daar als enige inwoner van Messaure zitten.

Thomas Quick keek met verbazing naar de documentaire en besefte wat een slecht idee die trein van hem was geweest. Maar nu wist hij wie Rune Nilsson was en hoe het eruitzag waar hij woonde.

Dat was dikke pech voor Rune Nilsson, die een vriendelijke en vreedzame kerel leek te zijn.

Weggemoffelde broers en zussen

De zes broers en zussen van Thomas Quick volgden met afgrijzen wat hun gekke broer allemaal vertelde. Ze hadden veel last van het Quick-verhaal en begonnen algauw alle informatie over hun broer als seriemoordenaar te mijden. Ze verbraken het contact met hem en spraken niet meer over Sture Bergwall of Thomas Quick. Hij hield voor hen op te bestaan.

Degene die het langst contact bleef houden met haar broer was zijn jongste zusje Eva. Wanneer ik haar spreek vertelt ze over de nachtmerrie-achtige tijd nadat Sture de moord op Johan Asplund had bekend.

'Ik dacht elke keer "erger kan het niet worden", maar dat kon het wel! Het werd erger en erger en erger...'

Uiteindelijk zag ook Eva zich gedwongen het contact met Sture te verbreken.

De verbazing was daarom groot toen Sten-Ove Bergwall begin 1995 als woordvoerder van de broers en zussen Bergwall optrad en een onverzoenlijke toon aansloeg tegen zijn broer. In een aantal interviews uitte hij scherpe kritiek op de forensische psychiatrie en het rechtssysteem.

'Laat Thomas Quick nooit vrij!'

Sten-Ove was tien jaar ouder dan Sture en verliet het ouderlijk huis toen Sture nog een kleine jongen was. Op volwassen leeftijd vonden de beide broers elkaar in de gemeenschappelijke interesse voor de natuur, hazewindhonden en racefietsen. In juni 1982 deden ze samen mee aan de fietstocht 'Den Store Styrkeprøven' van Trondheim naar Oslo en een paar maanden later begonnen ze samen de kiosk Hälsinggården op het plein Koppartorget in Falun, een zakelijk avontuur dat amper vier jaar duurde.

Negen jaar later stond Sten-Ove heel anders tegenover Sture. Hij schreef een boek over zijn broertje, waarin hij zich afvroeg wie dat eigenlijk was. Hij waarschuwde voor de manipulatieve Thomas Quick, die al die jaren zijn kwaadaardige kant voor de hele familie verborgen had weten te houden. Sten-Oves conclusie was dat zijn broer binnen in zich een weerzinwekkend wezen had ontwikkeld dat alleen zijn slachtoffers te zien hadden gekregen.

Sten-Ove Bergwalls voornaamste doel met het boek was echter om zijn ouders te rehabiliteren. Hij beweerde dat hij en de overige broers en zussen positieve en liefdevolle herinneringen aan hun ouderlijk huis bewaarden.

De zes kinderen vonden het volstrekt ondenkbaar dat hun vader Sture voor de ogen van hun moeder zou hebben verkracht, en dat hun geliefde moeder zou hebben geprobeerd hem in een wak te verdrinken.

'Ik twijfel er niet aan dat het voor hem de waarheid is,' zei Sten-Ove tegen Christian Holmén van *Expressen*. 'Dat mensen in therapie worden aangespoord om valse herinneringen te creëren is een bekend verschijnsel.'

Toen het boek een maand in de handel was wilde Thomas Quick 'bepaalde dingen ophelderen' over zijn broer. Tijdens een politieverhoor op 10 april 1995 beweerde hij dat Sten-Ove medeplichtig was aan de moord op Johan Asplund.

> Quick zegt dat Sten-Ove Bergwall al tijdens de reis naar Sundsvall had geweten dat ze samen op zoek waren naar een mogelijk slachtoffer. Sten-Ove jutte Quick op door iets te zeggen in de trant van: 'Laat dan zien dat je een jongen durft om te brengen.'
>
> Eenmaal aangekomen op de plaats waar Johan van het leven werd beroofd, gedraagt Sten-Ove Bergwall zich bazig en jut hij Quick nog verder op. Sten-Ove Bergwall zegt onder meer: 'Dood hem nu!'

De commissie-Quick had bij hun tweede overleg besloten dat de personen in Quicks omgeving verhoord zouden worden. Zo wilde men een grondslag leggen om zijn geloofwaardigheid te kunnen beoordelen. Boven aan de prioriteitenlijst stonden zijn eigen broers en zussen, die gehoord zouden worden over hun jeugd in het gezamenlijk ouderlijk huis.

Rechercheurs Jan Olsson en Ture Nässén bevestigen tegen Jenny Küttim en mij dat de verhoren in het voorjaar van 1995 werden afgenomen, in verband met het onderzoek naar de dubbele moord bij Appojaure. De opdracht viel toe aan onder anderen de rechercheurs Anna Wikström en Ann-Helene Gustafsson. Maar in het materiaal van het vooronderzoek vinden we geen spoor van de verhoren, ook niet in de zogeheten 'prullenbak', met gegevens die verder niet gebruikt of onderzocht worden.

We vragen de vermiste documenten op bij de rechtbank in Gällivare, die vervolgens antwoordt dat ze die niet hebben. We sturen een verzoek naar de politie in Sundsvall en krijgen daar hetzelfde antwoord. Christer van der Kwast verwijst ons naar Seppo Penttinen, die op zijn beurt meent dat hij 'deze gegevens niet herkent en er daarom geen commentaar op kan geven' of dat 'de documentatie die u opvraagt, ontbreekt in het materiaal dat ik tot mijn beschikking heb', een omslachtige manier om te zeggen dat de verhoren er gewoon niet zijn.

Tegelijkertijd vertellen de broers en zussen van Sture Bergwall, de een na de ander, dat ze zijn verhoord door Anna Wikström en Ann-Helene Gustafsson. Wat hebben ze verteld?

Örjan Bergwall had al vanaf het allereerste moment dat Thomas Quick op de voorpagina's van de kranten stond geprobeerd elk krantenartikel en elke tv- en radiouitzending over zijn broer te mijden. Maar toch wist hij meer dan hem lief was. De twee politiemensen wilden weten wat Örjans herinneringen aan zijn jeugd waren en zijn antwoord luidde dat hij zich zijn kindertijd als zeer veilig en warm herinnerde.

In 1956, zo rond de tijd dat Örjan voor het eerst naar school ging, was het gezin in Korsnäs buiten Falun komen wonen. Het gezin bestond toen uit zeven kinderen en twee volwassenen die een vierkamerflat van 98 m² deelden. Vader Ove werkte op een palletfabriek en moeder Thyra had een baantje als schoolconciërge.

Örjan herinnert zich Sture als begaafd en daadkrachtig maar ook als een beetje 'motorisch gestoord'. Als kind al was hij opvallend zelfstandig.

Hun vader was een tikkeltje autoritair, misschien een beetje streng, maar ook een zeer vriendelijk persoon met een subtiel gevoel voor humor. Zijn moeder was een stabiele stevige persoon, een rots in de branding die veel gaf om alle kinderen. Ruzies duurden nooit lang en Örjan kan zich geen grote vervelende gebeurtenissen uit zijn jeugd herinneren. De kinderen werden nooit fysiek gestraft door de ouders. Seksueel misbruik? Nee, zoiets had Örjan nooit opgevangen en hij begreep helemaal niets van die aanklachten. Ze waren met zovelen thuis dat een van de broers of zussen daar wel iets van gemerkt had als daar sprake van was geweest.

Örjan wist dat Sture in zijn jeugd een aantal strafbare feiten had gepleegd, onder meer dat hij zich in zijn jeugd vergrepen had aan een jongen in het ziekenhuis in Falun, en dat hij daarvoor in verschillende inrichtingen was behandeld. In de jaren zeventig bezocht hij Sture samen met zijn ouders in respectievelijk de Säterkliniek en de psychiatrische inrichting Sidsjön. Volgens Örjan was Sture daarna opgeknapt en was hij in de eerste helft van de jaren tachtig aanzienlijk stabieler geworden.

Het contact tussen hen was echter verwaterd en in 1990 had Sture de bank in Grycksbo overvallen. Sture had tijdens zijn gevangenschap verschillende brieven gestuurd die er voornamelijk over gingen dat hij zijn familie miste. Örjan had voor het laatst met Sture gesproken toen hij met zijn therapiesessies met Kjell Persson begon. Örjan herinnerde zich dat Sture bij die gelegenheid had gezegd dat hij 'goede hoop had' en Örjan had dat als positief opgevat en tegen Sture gezegd dat hij hoopte dat hij daarna positieve kanten aan zijn bestaan zou vinden.

Örjan vertelt dat hij nooit meer het moment zou vergeten toen hij wilde tanken en zijn broer hem vanaf de voorpagina's van de tabloids aanstaarde. Die dag was de nachtmerrie echt begonnen en voorlopig zou die ook nog wel even duren. Maar dit had hij niet aan de politie verteld.

Hij herinnert zich dat de twee rechercheurs hem aan het eind van het verhoor een vraag hadden gesteld die voor hen van groot belang moet zijn geweest, namelijk over Stures rijvermogen. Örjan had gezegd dat Sture erg laat zijn rijbewijs had gehaald, ergens eind jaren tachtig. Daarvoor had Örjan wel eens met hem geoefend en volgens hem was Sture voor hij rijexamen deed in principe niet in staat om een auto te besturen.

Torvald Bergwall weet nog dat hij beide rechercheurs Anna Wikström en Jan Karlsson in de Mikaelikerk in Västerås ontving, waar hij werkte als predikant. Ze verklaarden dat het verhoor onderdeel was van het onderzoek naar de dubbele moord bij Appojaure, maar ook ging over de moorden op Johan Asplund en Olle Högbom.

En ook Torvald Bergwall kan vertellen over een onbezorgde jeugd, zonder herinneringen aan misbruik en geweld. Volgens hem was de informatie die in de media naar buiten was gebracht, gewoon niet waar. Hij had geweten van Stures psychische problemen, maar zijn ouders spraken hier niet openlijk over, aangezien zulke dingen in die tijd erg gênant waren. Ze zorgden altijd erg goed voor Sture en lieten hem nooit vallen. Ze waren erg zorgzaam en bezochten hem vaak toen hij in de jaren zeventig in de Säterkliniek was opgenomen.

Torvald herinnert zich ook dat Sture tijdens zijn jeugd problemen met zijn motoriek had, sliste en 'woorden omkeerde', waardoor hij soms door andere kinderen werd uitgelachen. Hij vertelde ook over iets wat er gebeurde toen zij Sture leerden fietsen en in hun enthousiasme waren vergeten hem te vertellen hoe hij moest remmen. Sture fietste toen recht tegen een muur op waarbij hij zo lelijk terechtkwam dat de kinderen bang werden. Dit was een typisch voorbeeld van hun 'onbegrip' voor zijn motorische handicap.

Ook Torvald vertelt dat Sture al wat ouder was toen hij zijn rijbewijs haalde en dat hij een aantal keren was gezakt voordat hij uiteindelijk slaagde. Torvald heeft Sture voordat hij moest afrijden nooit zien autorijden en had zich afgevraagd hoe hij de plekken had kunnen bereiken waar de moorden waren gepleegd die hij had bekend. Het was onmogelijk dat Sture daar zelf naartoe was gereden, volgens de predikant.

En zo gaat het verder: alle broers en zussen van Sture Bergwall herinneren zich dat ze werden verhoord door de commissie-Quick, en allemaal hebben ze een beeld gegeven dat haaks staat op het beeld dat tijdens de therapie in de Säterkliniek naar voren is gekomen. Sommigen zullen misschien zeggen dat de eensgezinde getuigenverklaringen betekenen dat Thomas Quick hoogstwaarschijnlijk een verkeerd beeld van zijn jeugd heeft gegeven en zijn ouders valselijk heeft beschuldigd van zeer ernstige misdrijven.

Wat is er dan gebeurd met de processen-verbaal van deze verhoren van de broers en zussen Bergwall?

Ze zijn niet geregistreerd bij de politie in Sundsvall, en werden blijkbaar achtergehouden voor zowel het publiek als de media, de juristen en de rechtbanken die Thomas Quick hebben veroordeeld.

Voor zover ik het begrijp zijn ze nooit geëvalueerd. En voor zover ik het begrijp zijn ze alleen gelezen door de personen die de verhoren hebben afgenomen, Seppo Penttinen en Christer van der Kwast.

Een weggemoffeld uur

Zondag 9 juli 1995 landde het tienpersoons privévliegtuig van het dansorkest Vikingarna op het vliegveld van Gällivare, maar niet Christer Sjögren en zijn muzikanten stapten uit het vliegtuig, maar Thomas Quick in gezelschap van Birgitta Ståhle, vier begeleiders en een paar politie-agenten.

Na een overnachting op de psychiatrische afdeling van het ziekenhuis in Gällivare reed het gezelschap de dag daarna in een Toyota Hiace over de E45 zuidwaarts in de richting van Porjus.

Geheugenonderzoeker Sven Åke Christianson had een grote zeggenschap over de wijze waarop de zaak onderzocht moest worden, vooral bij de reconstructies. En Quick was niet te beroerd om hierin mee te gaan, dus toen de minibus wilde afslaan naar Appojaure opperde Quick dat ze eerst naar Porjus zouden rijden om daar vervolgens om te keren, aangezien Johnny Farebrink en hij die weg hadden gereden naar de uiteindelijke plaats van de moord. Op die manier zou de rit helemaal overeenkomen met wat er op 12 juli 1984 was gebeurd.

Het is al kwart over twee als de witte Toyota de Vägen Västerut oprijdt naar Stora Sjöfallet en Appojaure. Quicks angstaanvallen volgen elkaar nu steeds sneller op en hij zegt dat hij het herkent. Het busje stopt omdat hij moet overgeven.

'Laat het niet waar zijn, laat het niet waar zijn,' kreunt hij.

De smalle zijweg naar de rustplaats bij Appojaure is vervolgens onmogelijk te missen, aangezien het gebied is afgezet en er agenten staan.

'Quick moet bij aankomst het medicijn Xanor toegediend krijgen,' schrijft Penttinen in het proces-verbaal van de schouw.

Daarna stapt Quick uit de auto, een baseballpet op, een groene regenjas, zwarte spijkerbroek en zwarte sneakers aan. Samen met Seppo Penttinen verkent hij de omgeving en hij wacht terwijl de technisch rechercheurs de laatste voorbereidingen voor de reconstructie treffen.

Verhoor na verhoor heeft Quick de auto en de tent verkeerd gesitueerd, en heeft hij de plaats van de man en de vrouw in de tent verwisseld. Wanneer ze bij Appojaure arriveren hebben de technisch rechercheurs echter alles exact ingericht zoals het eruitzag ten tijde van de moorden. De politie heeft zelfs speciaal voor deze gelegenheid een tent uit Nederland besteld en heeft een groene auto uit het midden van de jaren zeventig gevonden die op de auto van de slachtoffers lijkt.

Dit is geheel in overeenstemming met Sven Åke Christiansons 'cognitieve verhoormethoden': door de omgeving tot in detail na te maken kan Quick gemakkelijker in contact komen met zijn verdrongen herinneringen. Penttinen stelt de vragen die hij van Christianson heeft geleerd:

'Herinner je je de gevoelens die je had? Wat hoor je? Herinner je je nog hoe het toen rook?' Alles wat Quick maar kan helpen om herinneringen aan de traumatische gebeurtenis naar boven te halen.

'Als je je ogen sluit en in gedachten probeert terug te gaan naar het jaar 1984,' zegt Penttinen.

De ervaren rechercheurs Ture Nässén en Jan Olsson slaan het schouwspel verbeten gade. Tegen mij zegt Olsson later: 'De verdachte moet toch zonder hulp de dingen neerzetten zoals hij het zich herinnert. Maar hier was alles precies zo neergezet zoals het er toen uitzag, de figuranten lagen precies zoals de slachtoffers toen lagen. Quicks bedje was gespreid, zou je kunnen zeggen. Met een reconstructie had het helemaal niets te maken.'

Jan Olsson hekelt hoe Christianson alle ruimte werd gegeven om de boel te sturen op de plaats delict.

'Christianson liep met vastberaden stappen en een ernstig gezicht rond. Hij had een enorme invloed. "Jullie moeten weg, uit het zicht zodat jullie niet te zien zijn," zei Christianson tegen mij en de andere politiemensen. We werden weggestuurd en konden niet zo veel horen van wat Quick en Seppo zeiden.'

Dan voegt de figurant die Johnny Farebrink moet voorstellen zich bij Quick, en de twee moordenaars sluipen fluisterend ieder met hun speelgoedmes naar de kleine bruine tent. Wanneer Quick bij de tent is aangekomen steekt hij een paar keer woedend in het tentdoek aan de kant van het meer. Vervolgens geeft hij het mes aan 'Farebrink', die met twee messen tegelijk op het tentdoek begint in te steken. Quick krijgt dan zijn mes terug en stort zich door de tentopening naar binnen.

In de tent liggen Hans Ölvebro en Anna Wikström. Anna begint te schreeuwen: 'Nee! Nee! Nee!'

Quick stormt de tent in, waar een volstrekte chaos ontstaat. Hij gromt en knort, want nu is hij terug in de tijd en is hij veranderd in moordenaar Ellington. Hij gooit de tentstokken door de opening naar buiten. Anna Wikström schreeuwt nog steeds terwijl Penttinen vanaf een afstandje naar het drama staat te kijken. Op datzelfde ogenblik komt Birgitta Ståhle met de begeleiders van de kliniek aanrennen om in te grijpen.

'Stop! Stop!' roept Penttinen naar Quick.

Hij lijkt te kalmeren binnen in de tent, maar hij is blijven hangen in een monotoon geknor achter uit zijn keel dat nog steeds voortduurt wanneer de videocamera wordt uitgezet. De klok van de camera geeft 16.09 uur aan.

Wanneer de reconstructie weer wordt hervat, is op de video van de politie een geconcentreerde en doelbewuste Thomas Quick te zien.

'Hier sluipen we verder, en kijken we of het rustig is. En hier loop jij naar voren en maken we de tent vanaf het midden naar achteren open.'

'Johnny Farebrink' haalt de elastieken van de haringen van de buitentent los en slaat het doek van de buitentent terug. Dit is een doorslaggevend gegeven, aangezien er meerdere messteken niet door de buitentent zijn gegaan, maar alleen maar door het doek van de binnentent.

Daarna volgt een lange dialoog tussen Quick en Penttinen, waar Penttinen continu feedback geeft. Hij herinnert Quick aan dingen die hij tijdens het verhoor heeft gezegd, verduidelijkt die en komt zelf met voorstellen.

Ongeveer dertig toeschouwers zijn er getuige van dat Quick overtuigend demonstreert hoe hij twaalf jaar geleden koelbloedig twee mensen op deze afgelegen onherbergzame plek heeft vermoord. Een half jaar later maakt hij zelfs indruk op de rechtbank van Gällivare, wanneer er tijdens het proces in de rechtszaal een gemonteerde video van de schouw wordt vertoond. Op de video heeft Seppo Penttinen een voice-over toegevoegd: 'Tijdens Quicks actie bij de overval ontstond er een technisch probleem met de opnameapparatuur. De onderbreking duurde ongeveer een minuut.'

Penttinens bewering dat het om een onderbreking van slechts een minuut ging, was niet waar. De camera begon weer te lopen om 17.14 uur. Wat gebeurt er in het uur dat niet op de video staat? Jan Olsson herinnert zich: 'Thomas Quick en Seppo Penttinen zonderden zich even af om te praten. Daarna kregen we het bericht dat de tent weer in orde gemaakt zou worden en dat de reconstructie opnieuw moest.'

Volgens meerdere politiemensen die daar aanwezig waren sprak Quick tijdens de pauze ook met Christianson. Sture Bergwall zelf herinnert zich dat Penttinen tijdens dit praatje zijn hand op zijn schouder legde en zei: 'Je herinnert je toch wel dat je de haringen van de buitentent losmaakte en die opensloeg?'

'Door die korte mededeling kon ik weer verdergaan met mijn actie,' zegt Sture Bergwall.

Jan Olsson beschrijft hoe het verderging: 'Thomas Quick is zeer geconcentreerd als hij met denkbeeldige messteken doelbewust de verschillende onderdelen afwerkt, precies volgens de analyse die wij hadden gemaakt.'

Maar het was veel erger dan dat. Olsson had een jaar geleden zijn analyse van de loop der gebeurtenissen opgetekend en hij had moeten inzien dat zijn beschrijving niet mogelijk was. Op de eerste foto die hij te zien kreeg, is door de scheur heen een vuilniszak in de binnentent te zien. De vuilniszak is omgevallen op de slaapzak van de man. Een paar blikjes bier lijken uit de zak te zijn gerold en liggen op het grondzeil. Afgaande op deze foto lijkt het redelijk om te veronderstellen dat de dader door de scheur de tent is binnengedrongen.

Later was er een tweede foto opgedoken, gemaakt door de politiepatrouille die als eerste op de plaats delict arriveerde. Zij hadden voorzichtig de tent opgezet en een paar foto's genomen. Daar stond de vuilniszak nog rechtop en balanceerde er een blikje bier boven op de overvolle vuilniszak. Volgens Jan Olsson was het ondenkbaar dat de dader door de scheur naar binnen was gekomen zonder daarbij de vuilniszak om te gooien. In elk geval zou dan het blikje bier van de vuilniszak op het tentzeil moeten zijn gevallen, redeneerde hij.

Toen Jan Olsson Quick door de scheur de tent zag binnengaan en het echtpaar met zijn mes zag aanvallen, drong het tot hem door dat Quick de handelingen uitvoerde zoals ze in zijn tekst stonden beschreven – niet zoals het redelijkerwijs was gegaan. Er zat iets goed, maar dan ook goed fout.

Olsson stond aan de rand van het kreupelbos en bekeek de reconstructie vanaf een veilige afstand. Hij voelde zich nogal beroerd. Twee vragen hielden hem bezig. Waarom deed Quick alsof hij dit eerder had gedaan? En – de nog verontrustender vraag – hoe was Quick aan de delictanalyse van het onderzoek gekomen?

De meest voor de hand liggende antwoorden op deze vragen waren schokkend.

Jan Olsson suste zijn twijfel met de gedachte dat hij niet het totale overzicht over de zaak had. Hij had de verhoren van Quick niet gelezen en was niet op de hoogte van het sterke bewijsmateriaal dat er zou zijn.

Tijdens het vervolg van de reconstructie herhaalde Thomas Quick de bewering dat het Johnny Farebrinks idee was om naar de rustplaats bij

Appojaure te gaan. Hij wist dat het Nederlandse echtpaar daar zou overnachten en Farebrink wilde hen doden omdat ze hem eerder die dag hadden beledigd.

Quick had ook een motief om het echtpaar te doden. De vorige dag was hij een Duitse jongen op een fiets tegengekomen, en hij dacht dat het de zoon van het Nederlandse echtpaar was. Toen Quick dat in gebrekkig Engels en Duits aan het Nederlandse echtpaar had gevraagd, hadden zij gezegd dat ze geen zoon hadden.

In de ogen van de psychotische Thomas Quick betekende de ontkenning verraad van hun eigen zoon. Ze verdienden het te sterven. Johnny Farebrink was het daarmee eens: 'Ja, zie je wel wat voor akelige klootzakken het zijn. We zullen ze wel even een lesje leren!'

Toen dus zowel Farebrink als Quick, vanuit hun eigen waandenkbeelden, een motief had gevonden om de toeristen te vermoorden, bleef Quick in de buurt van de rustplaats om de ter dood veroordeelden in de gaten te houden, terwijl Johnny naar Gällivare reed om daar een schietwapen te lenen.

Jan Olsson was nu zo dicht bij Quick gekomen dat hij kon horen wat Quick zei. Hij nam Christer van der Kwast even apart en zei: 'Niemand rijdt toch weg om een hagelgeweer te lenen om er daarna twee mensen mee te vermoorden! Dat geloven jullie toch niet?'

Olssons vraag bleef in de lucht hangen, terwijl Quick verder vertelde.

Farebrink was teruggekomen zonder schietwapen. Het slapende echtpaar hadden ze vervolgens met een groot aantal messteken met behulp van drie messen om het leven gebracht. Na de dubbele moord waren Quick en Farebrink naar 'het huis van de oude man' gereden en hadden ze de man opgehaald bij wie ze de vorige nacht hadden geslapen. De man werd gedwongen naar de toegetakelde lichamen in de tent te kijken, zodat hij zou begrijpen hoe het iemand zou vergaan die niet deed wat Johnny wilde.

Wie de oude man was, zou pas de volgende dag tijdens de schouw onthuld worden.

De ochtend daarop rijdt rechercheur Turc Nässén de witte Toyotabus naar Messaure. Hij is zelf goed bekend in dat gebied en maakt zich zorgen over de rol van Thomas Quick als gids.

'Het was ronduit pijnlijk, want het was zo duidelijk dat hij helemaal niet wist waar hij was of welke kant hij op moest,' vertelt Nässén me.

Ten slotte passeren ze het bord met de plaatsnaam Messaure. De overwoekerde wegen getuigen dat er ooit een dorp is geweest, maar niemand in de bus laat merken wat overduidelijk is: het dorp Messaure bestaat niet meer.

Thomas Quick beweert dat hij vanaf deze plaats, waar geen huis meer bewoond is, de trein naar het zuiden heeft genomen.

Nadat ze daar lange tijd hebben rondgereden nadert het gezelschap het huis waar Rune Nilsson, de laatste bewoner van Messaure, nog steeds woont. De bus blijft staan en Quick stapt uit, kijkt naar het huis terwijl hij met zijn hand zijn ogen afschermt alsof hij zichzelf moet beschermen tegen een ondraaglijke aanblik. Hij laat zich heel dramatisch op zijn knieën vallen en begint angstig te huilen. Wanneer hij zich weer hersteld heeft, zegt hij: 'Het is niet persoonlijk bedoeld, Seppo.'

'Nee,' zegt Penttinen.

'Maar jij, jullie, hebben hem gedood!'

Quick huilt opnieuw zo vertwijfeld dat hij krampen krijgt en begint te kreunen.

'Het ruikt daar ook muffig.'

'Is dat zo?' vraagt Penttinen.

'En Johnny is levensgevaarlijk!'

Bij de gedachte aan Johnny, aan hoe gevaarlijk hij is, begint Quick zo ongeremd te huilen dat hij niet meer in staat is om te praten. Ten slotte weet hij de woorden er met horten en stoten uit te brengen, één per keer: '"Nee!" zegt de oude man. En… het… kan … hem… niet… zo… veel… schelen.'

Quicks begeleiders zitten in de bus, maar hebben plotseling in de gaten hoe hij eraan toe is en schieten hem te hulp met nog meer benzodiazepine. Quick neemt wat hem wordt aangeboden.

Ook Birgitta Ståhle sluit zich bij de groep aan om Quick door zijn crisis heen te helpen.

'Ik kan dit niet meer,' zegt Quick.

'Is het Johnny die akelig tegen de oude man doet? Wat doet hij dan voor akeligs?' vraagt Ståhle.

Quick legt uit dat Johnny Farebrink de oude man met een mes heeft bedreigd, terwijl hij zelf machteloos heeft staan toekijken zonder iets te kunnen doen.

'Ik begrijp het,' zegt Ståhle. 'Je was verlamd.'

'Beloof me dat je aardig tegen hem bent,' zegt Quick tegen Penttinen. Nadat ze nog even buiten voor het huis van Rune Nilsson hebben staan praten, wil Quick weg. Maar wanneer hij naar de bus probeert te lopen, begeven zijn benen het. Hij heeft zo veel medicijnen gekregen dat de begeleiders hem moeten ondersteunen en naar de bus moeten brengen.

Iedereen gaat weer in de bus zitten en ze rijden terug naar Gällivare. En daarmee is de laatste opdracht van deze reis naar Lapland volbracht. Ture Nässén verlaat Messaure in diepe overpeinzingen.

'Die dag in Messaure schaamde ik me echt dat ik een politieman was,' vat hij zijn herinneringen aan 11 juli 1995 voor me samen.

Ruim een maand later, op 17 augustus rond een uur of zeven 's ochtends, wordt Rune Nilsson door de politie opgehaald en naar het bureau in Jokkmokk gebracht om gehoord te worden 'betreffende zijn eigen activiteiten en waarnemingen gedurende de zomer van 1984'. Daar worden zijn vingerafdrukken genomen en hij wordt behandeld alsof hij degene is die verdacht wordt van de dubbele moord bij Appojaure.

Maar Seppo Penttinen vraagt hem niets over Appojaure, Thomas Quick of Johnny Farebrink. Het verhoor gaat over zeer persoonlijke dingen van Rune Nilsson zelf. Hij moet tot in detail vertellen over zijn gezinsleven, zijn scheiding, de zorg voor de kinderen, zijn werk, de reizen die hij heeft gemaakt, de vrienden die hij heeft gehad, de voertuigen waarin hij heeft gereden et cetera. Seppo Penttinen noteert in het proces-verbaal:

> Hem wordt gevraagd in hoeverre hij ene Larsson in Jokkmokk kent. Rune zegt. 'Niet, voor zover ik me kan herinneren.' Dan zegt hij spontaan: 'U stelt zulke merkwaardige vragen.'

Rune Nilssons commentaar is zeer terecht. De vragen van de leider van het verhoor wekken de indruk dat Nilsson een harde crimineel is die liegt en die met sluwe vragen in de val gelokt moet worden.

Penttinen gaat door met Nilsson vragen te stellen over eventuele stropers in zijn kennissenkring, of hij contact heeft met mensen van de Samische Volkshogeschool (waar Quick op gezeten heeft), of hij mensen kent die in aanraking zijn geweest met de politie, en of hij iemand kent uit Mattisudden (de geboorteplaats van Farebrink). Nilsson antwoordt geduldig maar ontkennend op alle vragen.

Penttinen confronteert hem met acht foto's van mannen, op een ervan staat Farebrink. Nilsson zegt dat hij geen van deze personen kent.

Wanneer hem een andere serie foto's wordt getoond, zegt Nilsson dat hij nummer zeven herkent als 'de persoon die met een foto in de kranten heeft gestaan' en dat deze man de zogenoemde Säterman is, Thomas Quick.

Rune Nilsson wordt niet verdacht van een misdrijf, maar wordt 'puur ter informatie' bijna vier uur lang verhoord.

De week daarop wordt hij opnieuw voor verhoor opgeroepen. 'Het verhoor van vandaag zal gaan over het jaar 1984,' schrijft Penttinen in het proces-verbaal van het verhoor.

Rune Nilsson vertelt dat zijn zeventienjarige zoon na zijn eindexamen in de productiehal van de waterkrachtcentrale in Messaure was gaan werken en de hele zomer bij hem woonde. Nilsson was meestal thuis en 'zat met eten op hem te wachten als hij 's avonds thuiskwam'.

Daarna volgen nieuwe vragen over Nilssons privéleven. Hij heeft verteld dat hij ooit een keer heeft geprobeerd brandewijn te stoken en daarbij bijna de hele boel de lucht in heeft laten vliegen. Dit was zijn enige mislukte poging, maar hij moet tot in detail vertellen hoe dat in zijn werk ging, hoe hij de aardappelen heeft fijngemalen, welke jerrycan hij heeft gebruikt, enzovoort.

Nilsson moet weer vertellen wat hij in het jaar 1984 deed.

'Ja zeg, dat weet ik niet meer,' zegt hij. 'Nee. Dat is het enige. Ik heb mijn zoon gebeld en hem gevraagd of hij zich nog herinnert wat hij in 1984 allemaal deed. Hij zei dat hij bij Vattenfall had gewerkt. En dat we toen zijn werk afgelopen was, hebben gewaterskied.'

Penttinen verklaart dat Thomas Quick bij een fotoconfrontatie Nilsson heeft aangewezen en zelfs het huis heeft aangewezen waar hij volgens eigen zeggen is geweest.

'Ja, het zou kunnen, maar ik kan me niet herinneren dat hij hier geweest is.'

'Maar heb je enig idee wat voor reden hij gehad kan hebben om in 1984 bij je langs te komen?'

'Nee, dat weet ik niet.'

'Het lijkt mij nogal onlogisch dat hij toevallig jou eruit zou pikken en zou zeggen dat jij in dat huis in Messaure woont en dan bepaalde details beschrijft die ook nog blijken te kloppen.'

'Hmm. Ja, maar zo moeilijk is het niet om de buitenkant van het huis te beschrijven. Het is immers veel op tv geweest en zo.'

Penttinen realiseert zich vermoedelijk dat dit hem niet goed van pas komt. Hij vraagt: 'Veel op de tv en zo?'

Wat Penttinen niet wist, was dat er minstens drie tv-programma's over Rune Nilsson, de enige inwoner van Messaure, waren gemaakt en dat er in verschillende kranten reportages over hem hadden gestaan.

'Is er ook een reportage gemaakt van de binnenkant van je huis?'

'Ja, ook.'

'Wat hebben ze toen laten zien?'

'De keuken.'

Dat kwam Penttinen ook niet gelegen. Het was juist de keuken van Nilsson geweest waar Quick uitvoerig over verteld had. Penttinen grijpt de laatste strohalm. Misschien is de reportage alleen opgenomen en nooit uitgezonden. Hij vraagt: 'Is het uitgezonden? Hebben ze daarbij de keuken laten zien?'

'Ja.'

Messaures enige inwoner is dus een tv-ster. Het feit dat Quick hem heeft aangewezen bij de fotoconfrontatie is in één klap niets meer waard. Penttinen legt deze informatie naast zich neer en gaat onbewogen door met het verhoor.

Penttinen verklaart dat ze bij het eerste verhoor Nilssons vingerafdrukken hebben genomen omdat er dingen uit de tent bij Appojaure waren gestolen. Heeft hij daar misschien voorwerpen van gekregen?

'Nee, dat heb ik niet. Absoluut niet!'

Nilsson verklaart dat hij heus niemand zou beschermen als hij informatie had gekregen over die krankzinnige daad bij Appojaure.

'Dan was het echt afgelopen met die persoon. Dan had ik contact opgenomen met de politie. Ja, want dat soort mensen hebben niet het recht om te leven. Ze zouden moeten doen wat ze doen in Finland, ze doodschieten!'

'Vind je dat?'

'O jazeker! Dat soort mensen mag niet leven. Hier in Zweden zijn ze gewoon veel te aardig en te begripvol voor dat soort mensen.'

Rune Nilssons zoon krijgt later op zijn werk bezoek van de politie die hem ondervraagt over het doen en laten van zijn vader in de zomer van 1984. Hij vertelt dat hij de hele zomer voor Vattenfall in Messaure heeft gewerkt en toen bij zijn vader heeft gewoond. Hij verzekert hen dat 'er absoluut geen enkele vreemdeling op bezoek is geweest en is blijven slapen'.

De zoon weet ook te melden dat de kluis die volgens Quick bij Rune Nilsson in huis zou staan, nooit heeft bestaan.

Het omvangrijke onderzoek van het Messaure-spoor had duidelijk gemaakt dat Quicks bewering dat hij met de trein uit het dorp was vertrokken niet klopte, dat hij daar was geweest zonder te ontdekken dat het dorp niet meer bestond, plus dat hij een persoon had aangewezen die in verschillende reportages in de krant had gestaan en ook een aantal keren op de tv was geweest. Verder was de informatie die Quick over Rune Nilsson had gegeven, onjuist gebleken.

Nilsson was een natuurliefhebber die geen enkele reden had om de persoon te beschermen die de krankzinnige daad bij Appojaure had begaan. Tot nu toe was hij in de verhoren behandeld als een leugenaar.

Verbazingwekkend genoeg werd hem op 1 september 1995 nog een verhoor afgenomen, deze keer bij hem thuis. De politie deed toen de belangrijkste vondst in deze fase van het onderzoek – een oude deken die op een stoel in de slaapkamer lag.

Penttinen confronteerde Nilsson ermee dat het wel buitengewoon verdacht was dat hij zo'n deken bezat: 'Thomas Quick noemt immers in het verhoor een oude gevoerde deken met een ruitpatroon, mogelijk was de deken blauw.'

'Ja, maar deze is niet blauw! Hij is immers wit met blauw, dat zie je toch! En hij heeft geen ruitpatroon, hij is gebloemd.'

'Maar ik vraag hoe lang je die deken hebt gehad. Kun je daar antwoord op geven?'

Nilsson kon zich niet herinneren wanneer hij de deken had gekocht. Ondanks het feit dat de deken niet blauw en niet geruit was, nam de politie deze enige vondst in beslag als bewijs voor het een of ander.

Maar nu had Rune Nilsson er genoeg van en hij weigerde nog verder mee te werken aan dit onderzoek waar hij het doel niet van begreep.

Meerdere persoonlijkheden

Het paradoxale van de reis naar Appojaure was dat Quicks eerste en volledig mislukte reconstructie, het eerste deel van de videoband, naderhand de grootste triomf bleek te zijn. Het fragment waar hij in Ellington verandert en zich grommend op de tent stort en de figuranten aanvalt werd op de televisie uitgezonden en grifte zich in het geheugen van het Zweedse volk. Daar werd het fundament van het merk Thomas Quick gelegd.

Bij terugkeer in de Säterkliniek schreef Birgitta Ståhle een aantal reflecties in het dossier die bevestigen dat deze gebeurtenis ook intern als een groot succes werd gezien: een bevestiging dat Quick contact had gemaakt met zijn verdrongen herinneringen, door terug te gaan naar een vroeger stadium in zijn ontwikkeling.

> Op de eerste dag verliep de reconstructie voorspoedig. Thomas volbrengt de reconstructie op een zeer bevredigende manier. Doordat hij teruggaat naar een vroeger stadium in zijn ontwikkeling maakt hij contact met de hele gebeurtenis en kan hij daardoor ook een complete herinnering naar boven halen. Net als in de therapie, waar hij teruggaat in de tijd om contact te maken met eerdere verbanden en gevoelens, wordt het mogelijk om ook op deze manier van dit proces gebruik te maken.

Een week na de reconstructie bij Appojaure maakt een chef-arts een aantekening in het dossier over Quicks psychische toestand, die verder gaat dan alles wat daarvoor over Quicks toestand is geschreven:

> Klinisch verkeert de patiënt in een toestand die waarschijnlijk te vergelijken is met schizofrenie. De patiënt functioneert zo te zien goed, hij is verbaal sterk en logisch. Er zijn diepe barcten in zijn persoonlijkheid, die onder ongunstige omstandigheden zo'n sterk uiteenlopend reactiepatroon laten zien dat men kan spreken van een psychose. Men kan ook spreken van MPS (meervoudige persoonlijkheidsstoornis).

Meervoudige persoonlijkheidsstoornis (MPS) is een mysterieuze en omstreden psychiatrische aandoening die sinds de zestiende eeuw bekend is, toen een Franse non bezeten was van vreemde 'persoonlijkheden'. In 1791 publiceerde de Duitse arts Eberhardt Gmelin een studie over een twintigjarige vrouw uit Stuttgart die plotseling van identiteit kon veranderen in een alternerende persoonlijkheid die perfect Frans sprak. Toen ze weer haar oorspronkelijke identiteit aannam, wist ze zich niets meer te herinneren van wat ze gedaan had in de gedaante van 'de Française'. Gmelin beschreef in zijn zevenentachtig pagina's lange rapport hoe hij de vrouw met een eenvoudige handbeweging kon laten wisselen tussen haar Franse en Duitse identiteit.

Tot 1980 waren er tweehonderd gevallen bekend van deze aandoening, maar doordat er in de Verenigde Staten een groot aantal klinieken werd opgericht voor patiënten met MPS, vaak naast grotere psychiatrische inrichtingen, nam het aantal gediagnosticeerde gevallen merkwaardig genoeg opvallend toe. Tussen 1985 en 1995 werden er veertigduizend diagnoses van MPS gesteld, alleen al in Noord-Amerika.

De explosieve ontwikkeling is te verklaren doordat geruchtmakende boeken, films en tv-documentaires een inspiratiebron vormden voor nieuwe gevallen. In de Amerikaanse literatuur zijn er voorbeelden van personen die meer dan veertienhonderd 'alternatieve persoonlijkheden' hebben ontwikkeld, elk met unieke eigenschappen en namen. De verschillende persoonlijkheden zijn onwetend van elkaars bestaan en karakter.

De speciale vormen van therapie die de verdrongen herinneringen weer opriepen en het bestaan van meerdere persoonlijkheden blootlegden, werden big business. De gouden jaren werden echter gevolgd door een flinke kater die in het begin van de jaren negentig al begon.

De cliënten die MPS ontwikkelden waren in 95 procent van de gevallen 'overlevenden' van seksueel misbruik in hun jeugd. Meestal waren de clienten op het moment dat ze met de therapie begonnen onwetend geweest van het feit dat ze seksueel misbruikt waren. De therapeuten hadden hen geholpen om de verdrongen herinneringen aan het misbruik op te roepen. Een behoorlijk aantal personen kwam erachter dat de opgeroepen herinneringen onwaar waren en dat het de therapeuten waren geweest die bij hen de meervoudige persoonlijkheden in het leven hadden geroepen. Een groot aantal therapeuten werd voor het gerecht gedaagd, aangeklaagd

voor foute behandeling en veroordeeld tot het betalen van schadevergoe-
dingen van in totaal tientallen miljoenen dollars.

Sinds een aantal jaren zijn er grote bedenkingen gerezen bij de diagnose meervoudige persoonlijkheidsstoornis en veel deskundigen zijn van
mening dat deze ernstige toestand wordt opgeroepen onder invloed van
de media en slechte therapeuten, in combinatie met medicatie, en dan in
de eerste plaats door benzodiazepine. MPS is tegenwoordig afgeschaft als
enkelvoudige diagnose en is nu onderdeel van de diagnose 'dissociatieve
identiteitsstoornis' (DIS).

Wanneer Thomas Quick in de loop van 1995 steeds vaker van identiteit
wisselt, zorgt dit voor grote verwarring onder het verplegend personeel
op afdeling 36.

Op een dag treft een verpleegkundige Thomas Quick aan in de douche.
Hij heeft een handdoek om zijn hoofd gewikkeld en staat wild met zijn
armen te maaien terwijl hij de woorden 'nano komt, nano komt' blijft herhalen. Twee tabletten Xanor, twee klysma's met Stesolid en kalmerende gesprekken helpen hem door de crisis heen. De verpleegkundige belt Birgitta
Ståhle om haar te vragen wat 'nano' betekent. Ståhle corrigeert hem en
legt uit dat hij 'Nana' zegt en dat dat de benaming voor Quicks moeder is.

'Nana is sinds enige tijd weer onderdeel van de therapie en is een nog
sterkere aanwezigheid dan Ellington.'

Quicks nieuwe persoonlijkheden zouden algauw dagelijks terugkeren
in zijn leven op de afdeling. In de dossiers lees ik hoe dat in zijn werk ging.
Zoals in het telefoongesprek bij de munttelefoon van de afdeling dat Ståhle woord voor woord heeft genoteerd, voorzien van commentaar:

'Spreek ik met de therapeut?'

'Ja, ik ben het. Hallo Sture! Hoe is het met je?'

'Dit is Sture niet. Dit is Ellington,' gromt Quick en hij laat zijn holle Elling-
ton-lach horen.

'Waar is Sture?' vraagt Ståhle.

'Ik ben Ellington en Sture zit in zijn kamer. Haha! Hij is hier niet. Hij is een
slappeling die het leuk vindt om de slachtofferrol aan te nemen. Eigenlijk wil
hij nu naar de muziekkamer gaan. Al zijn kleren uittrekken en daar de slachtofferrol aannemen. Ik heb de therapeut iets te vertellen. Ellington heeft een
brief geschreven.'

Ståhle vraagt: 'Heb je de brief daar zodat je hem kunt voorlezen?'

Ellington leest: 'Hallo!

Sture is een fantast, een afschuwelijke goorlap.

Hij is kansloos tegen mij!

Vannacht zal ik ervoor zorgen dat hij zichzelf ophangt. Tevreden, erg tevreden zal ik toekijken.

Ik weet de waarheid, niet Sture. Het was Sture die de baby die hij Simon noemt doodde.

Nu zal hij geen beschuldigingen meer uiten. Ik ben niet bedreigd, maar Sture heeft zichzelf niet meer onder controle en dat is gebeurd omdat hij niet meer naar me luistert.

IK BEN STERK!

Hij zal zichzelf doden, met mijn hulp natuurlijk, maar dat begrijpt hij niet.

Nu zal ik op zijn zogenaamde angst inspelen. Ik moet doden, maar dan kan ik geen slappeling naast me hebben.

Ik wens jullie een leuke ontdekking toe en een aangename schoonmaak.

Het kan me niks schelen dat mijn afscheidsgroet niet bij jullie keurige wereld past.

Met DODELIJKE groet.

Ellington

PS. Doe zijn "voortreffelijke" therapeut de groeten!!!'

'Sture…'

'Ik ben Ellington!'

'Ik wil contact met Sture.'

'Dat kan niet. Alleen Ellington is hier.'

'Kun je me helpen?'

'Bedoel je dat ik mag meedoen aan het therapiespel? Mag ik meedoen aan het therapiespel?'

Ståhle noteert dat Ellington opeens 'een smekende toon aanslaat na de harde minachtende toon eerder in het gesprek'.

'Dat mag. Maar dan wil ik graag dat je eerst de deur van je telefooncel opendoet en iemand van het personeel roept.'

'Bedoel je dat ik iemand van hierbuiten moet roepen? Waarom?'

'Ik moet even met ze praten.'

Ellington doet de deur open en roept: 'Personeel! Personeel!'

In het dossier heeft het dienstdoende personeel genoteerd dat Thomas hen had geroepen en had gezegd: 'De therapeut zal jullie om de tuin leiden!'

Birgitta Ståhles schriftelijke verslag eindigt echter anders:

Nu wordt Ellingtons macht over Sture gebroken. Eerst zwijgt hij en hoor ik Stures stem heel zacht, daarna luider, deels omdat ik hem help om weer contact te maken met de werkelijkheid. Wanneer hij de telefooncel uit komt, ziet hij de vredige gezichten van de dode jongens op de muur geprojecteerd.

De volgende dag geeft Birgitta Ståhle haar verslag van Ellingtons gesprek aan Thomas Quick. Hij leest wat Ellington 's nachts allemaal heeft verzonnen en ze zijn beiden erg enthousiast over wat er is gebeurd. Tegen mij zegt Sture dat hij deed alsof hij niets van het gesprek wist, aangezien de wisselende identiteiten, volgens gangbare theorieën over meervoudige persoonlijkheidsstoornis, niet van elkaars bestaan weten.

In de dossieraantekening legt Birgitta Ståhle het mechanisme uit achter Stures verschillende identiteiten en hoe ze zich uiten:

De ernstige persoonlijkheidssplitsing als gevolg van zijn stoornis heeft zich in directe vorm tijdens het therapieproces voorgedaan. Deze persoonlijkheidsplitsing zou op een meervoudige persoonlijkheid kunnen duiden, omdat Thomas de beide gestalten andere namen en persoonlijkheidseigenschappen geeft.

Zelfs voor een buitenstaander is de verandering erg duidelijk doordat hij van persoonlijkheid en stem verandert. Psychologisch gezien dienen deze afgesplitste delen om moeilijke en vroege angst te beheersen.

De trauma's uit het verleden in de vorm van seksueel misbruik en geweld samen met de emotionele verwaarlozing waarmee Thomas is opgegroeid, hebben zijn persoonlijkheid en stoornis gevormd. Het is nu onze taak om zijn levensverhaal te construeren en de vroege gekwetstheid en ingehouden angst aan te pakken.

Via de regressietherapiesessies maakt hij contact met deze vroege ervaringen en tegelijkertijd maakt hij contact met de uiting hiervan, hoe deze terugkomen op volwassen leeftijd. Hoe hij als volwassene zijn vroege angst heeft gehanteerd door jonge jongens doodsangst aan te jagen en ze om het leven te brengen. Daardoor wordt de angst tijdelijk gereduceerd en wordt de illusie van leven behouden. Door deze therapie wordt het beeld steeds duidelijker en komen we stapje voor stapje steeds dichter bij de werkelijkheid die wordt tegenhouden en verwrongen.

In de tijd daarna rapporteert het personeel in de sporadische dossieraantekeningen over Quicks doodsverlangen. Hij snijdt zich met een fles in zijn nek, huilt en krijgt om de haverklap medicijnen voorgeschreven, stopt met eten, 'leeft onder een deken', beukt tegen muren, probeert zijn rechterbeen te amputeren en gedraagt zich over het algemeen bizar.

Birgitta Ståhle noemt dit in het dossier echter 'intensieve therapeutische verwerking', en gaat verder:

Helderheid en duidelijkheid rondom je eigen persoonlijke levensverhaal hebben een geleidelijk toegenomen stabilisatie tot gevolg en eigen activiteit – zelfontwikkeling. Dit komt op verschillende manieren tot uitdrukking. Thomas leeft nu in het heden door de therapie en heeft een verdiept contact.

Een paar dagen later uit Quicks zelfontplooiing zich in het feit dat hij helemaal stopt met eten en drinken en 'totaal in paniek is dat iemand iets van hem zou kunnen zien'. Wanneer hij de afdeling af moet, is hij van top tot teen bedekt met kleren, heeft hij een muts ver over zijn hoofd getrokken en heeft hij handschoenen aan.

Wanneer ik met Sture over deze tijd praat, herinnert hij zich vooral hoe opvallend gelukkig zijn therapeute werd op het moment dat hij zijn andere persoonlijkheden opriep. Hij haalt een krantenknipsel uit *Svenska Dagbladet* tevoorschijn dat hij volgens eigen zeggen van Birgitta Ståhle heeft gekregen, zodat hij beter zou kunnen begrijpen wat hij meemaakte. Het artikel gaat over meervoudige persoonlijkheidsstoornis en vertelt onder meer over de Amerikaanse Truddi Chase die na acht jaar therapie tweeënnegentig persoonlijkheden had ontwikkeld. Hierin stond zelfs het voorbeeld dat de 'alternatieve identiteiten' binnen het lichaam van een persoon vreemde talen spraken die de 'gastvrouw' zelf niet beheerste.

Thomas Quick, die ondanks jarenlange therapie tot dusver slechts twee persoonlijkheden had ontwikkeld – Ellington en Nana –, maakte op de hem kenmerkende manier gebruik van de informatie. Twaalf dagen nadat hij van Ståhle het artikel had gekregen kon Quick haar trots vertellen dat er zich binnen in hem een nieuwe persoonlijkheid had geopenbaard. Hij heette 'Cliff' en hij had die nacht een brief op zijn computer geschreven – in het Engels! 'Cliff' sprak namelijk alleen Engels, een taal die Thomas Quick zelf niet beheerste. Cliff schreef:

Hello babyface!
This isn't a dream!
I've looked at you and I find a little crying child – oh I like it!
I'm so glad that you name him Tony ... You can't remember his real name, because you are a tired, uglified fish!
How are you???
I'm fine, because I like the feeling of your deadline!

Birgitta Ståhle was dolblij. Nu had ze nog meer componenten gekregen om mee werken, te analyseren en theorieën omheen te bouwen. Bij een latere gelegenheid schrijft ze in het manuscript van haar boek:

Sture is van persoonlijkheid gewisseld. Hij bevindt zich op de gang van de afdeling. Spreekt Engels en zegt dat hij Cliff is. Hij staat in een catatonische houding en zijn gezicht is bleek, wasachtig. Draait zijn hoofd weg van het personeel en zegt: 'Hij is bang (Sture). Kijkt niet.' Dan vraagt hij naar Ellington. Zegt dan: 'Cliff is sterk. Hij is zwak – Sture.' Het personeel laat hem zijn medicijnen innemen en hij komt terug in de werkelijkheid. Cliff is een schaduw van Nana.

Een woedend gebrul

Terug van de reconstructie bij Appojaure lag er een brief met een Noorse postzegel op Thomas Quick te wachten. Misdaadverslaggever Svein Arne Haavik had een lange artikelenserie over Quick geschreven, die onlangs gepubliceerd was in de grootste krant van Noorwegen, *Verdens Gang*, *VG*. Nu vroeg hij zich af of hij hem als follow-up mocht interviewen.

Quick belde Haavik onmiddellijk op en bood de *VG* een interview aan tegen een vergoeding van twintigduizend kronen. Maar eerst wilde hij dat Haavik het tot nu toe gepubliceerde materiaal opstuurde.

De artikelenserie in de *VG* was geen journalistiek hoogstandje. Toch zou ze, zoals later zou blijken, veel verstrekkender gevolgen hebben voor het onderzoek dan welke andere publicatie ook.

Maar het Noorse avontuur zou nog even op zich laten wachten, want het was nu juli 1995 en iedereen was helemaal in beslag genomen door de dubbele moord bij Appojaure. Quick vertelde niemand over de artikelen en bewaarde ze voor toekomstig gebruik.

Op 1 augustus 1995 bladerde een filatelist in een oud nummer van *Nyhets-Posten*, het blaadje van de posterijen voor postzegelverzamelaars. Bij een artikel over een postzegelbeurs in Malmö in 1990 stond een foto van de deelnemers. Hij kon een kale man met een ziekenfondsbrilletje onderscheiden die verdacht veel leek op de seriemoordenaar Thomas Quick. In plaats van contact op te nemen met de politie – vermoedelijk omdat die in tegenstelling tot de tabloids geen tipgeld betaalde – belde hij de tiplijn van *Expressen*, waar hij Quick-expert Pelle Tagesson te spreken kreeg.

Tagesson ging bij de tipgever langs en kon zelf constateren dat het inderdaad Quick was die daar op de foto stond afgebeeld.

'Is er een moord die aan de onbekende reis naar Skåne van seriemoordenaar Thomas Quicks gekoppeld kan worden?' vroeg Tagesson zich af. Het meest voor de hand liggend was de moord op Helén Nilsson.

Op 20 maart 1989 had de elfjarige Helén Nilsson de eettafel verlaten, een roze jasje aangetrokken en haar vader beloofd dat ze uiterlijk om zeven uur weer thuis zou zijn. Ze had haast; ze had met haar vriendinnen Sabina en Linda afgesproken, die bij de supermarkt in het centrum van Hörby op haar stonden te wachten.

Zes dagen later werd het lichaam van Helén gevonden in een plastic zak bij een hoop stenen in Tollarp, vijfentwintig kilometer van haar huis. De patholoog-anatoom stelde vast dat Helén gevangen was gehouden door een pedofiel, die haar verschillende keren had verkracht en haar had mishandeld totdat ze was gestorven.

Er was een aantal omstandigheden die te tegenstrijdig waren om Quick, die de postzegelbeurs had bezocht, te proberen te koppelen aan de moord op Helén Nilsson. Er zat onder meer een jaar tussen beide gebeurtenissen, maar er was een nog dringender reden om het verhaal niet te publiceren. De kale man op de foto was namelijk niet Thomas Quick.

Toen Quick de foto werd getoond, had het hele misverstand opgehelderd moeten zijn en het verhaal van tafel moeten zijn zonder dat iemand in verlegenheid was gebracht. Maar het liep anders.

'Ik schrok enorm toen ik zelf de foto onder ogen kreeg,' zei Quick tegen *Expressen*. 'Ik had de reis helemaal verdrongen, maar nu herinner ik het me weer.'

Quick slaagde er zelfs in het probleem dat er een jaar tussen de moord op Helén en de beurs in Malmö zat op te lossen.

'Ik ben zowel in 1989 als in 1990 op een beurs in Malmö geweest,' verklaarde Quick.

De seriemoordenaar in de Säterkliniek verzekerde dat hij naar Skåne was gereisd om een nieuwe moord te plegen en hij ontkende niet dat het Helén was die hij had vermoord.

Expressen besteedde twee dagen achter elkaar aandacht aan het verhaal. De eerste dag met de kop 'Ik heb in Skåne gemoord', de tweede dag met de kop 'Foto die aantoont dat Quick in Skåne was'. Op de foto van de postzegelbeurs is Quick omcirkeld en 'de seriemoordenaar' geeft zelf commentaar op de foto in het artikel.

Een lezer verslikte zich bijna in zijn koffie toen hij de oude foto in de krant zag staan. Hij herkende 'Thomas Quick' op de foto en belde *Kvällsposten*, de concurrent van *Expressen* in Zuid-Zweden.

'Ik denk niet dat Sven-Olof Karlsson zo blij zal zijn dat hij in *Expressen* als seriemoordenaar wordt aangeduid,' zei hij.

Deze voorspelling bleek te kloppen. Toen de filatelist terugkwam van een zakenreis naar Parijs en zichzelf afgebeeld zag als seriemoordenaar in *Expressen*, sprong hij uit zijn vel. Hij belde *Kvällsposten* op: 'Dit klopt voor geen meter! Het is van de gekke hoe iemand zo'n verhaal kan verzinnen zonder ook maar één feit te controleren. Ik voel me diep gekwetst dat ik op deze manier als seriemoordenaar wordt aangemerkt,' zei Karlsson tegen de verslaggever van *Kvällsposten*.

Hij was van plan aangifte te doen tegen *Expressen* en Pelle Tagesson, zei hij.

De foutieve identificatie was natuurlijk al erg genoeg, maar voor de rechercheurs was het nog zorgelijker dat Thomas Quick opnieuw had gelogen dat hij een verre reis had gemaakt en een bekende moord had ge-pleegd. Hij had het vergezochte verhaal van *Expressen* bevestigd, ondanks het feit dat hij toch zou moeten weten dat hij niet op de postzegelbeurs was geweest en dat hij niet degene was die daar op de foto stond.

Dat jaar bleef Quick toch toespelingen maken dat hij betrokken was bij de dood van Helén Nilsson. Toen de rechercheurs onderzochten wat Quick eigenlijk deed ten tijde van de moord, bleek dat hij regelmatig in psycho-therapie was geweest bij psychologe Birgitta Rindberg, die in de jaren zeventig en tachtig Sture Bergwall af en toe in de Säterkliniek had laten opnemen.

Officier van justitie Christer van der Kwast stuurde Ture Nässén en Ann-Helene Gustafsson naar Avesta om Birgitta Rindberg te verhoren. Uit het proces-verbaal van het verhoor:

> Birgitta Rindberg werd gevraagd of Thomas Quick op 21 maart 1989 per-soonlijk bij haar op bezoek was in de Säterkliniek of dat ze telefonisch met elkaar spraken. Birgitta Rindberg antwoordt dat hij vermoedelijk persoonlijk langs is geweest. Ze geeft aan dat als het om een telefonisch contact zou zijn gegaan, ze dat zou hebben opgeschreven, en afgaande op de geschreven tekst in de dossieraantekeningen was hij hoogstwaarschijnlijk op bezoek.

Daarmee verschafte Rindberg Thomas Quick een alibi voor de moord op Helén Nilsson. Ann-Helene Gustafsson beperkte zich echter niet tot deze ene vraag, maar bedacht dat Quicks psychologe misschien ook nog andere waardevolle informatie zou kunnen geven. En inderdaad:

> Ze vertelt verder dat ze in het voorjaar van 1996 een reportage met Thomas Quick had gezien. Het programma heette *Reportrarna*. Thomas Quick vertel-de toen onder meer dat hij seksueel misbruikt was door zijn vader.
> Birgitta Rindberg verklaart dat dit seksueel misbruik door de vader iets is wat niet overeenkomt met wat naar voren kwam in de periode dat hij haar patiënt was. Wat ze herkent in zijn uitspraak in het tv-programma is dat hij niet van zijn vader hield. Birgitta weet zich nog van hun therapiegesprekken te herinneren dat de vader de 'zwakke' in het gezin was en de moeder 'de dominante'.

Rindberg vertelde verder dat Quick haar in 1974 vanuit een hotelkamer had gebeld en had verteld dat hij van plan was zelfmoord te plegen. Ze wist echter de plaats waar hij vandaan belde te traceren en redde daardoor zijn leven.

Achteraf, zeker gezien wat ze allemaal over de moorden had gelezen, vond ze het vreemd dat hij zijn hart tegenover haar niet had gelucht terwijl hij wel belde om afscheid te nemen vlak voor zijn aanstaande dood. Ze was ervan overtuigd dat de reden voor zijn zelfmoordpoging was dat hij moeite had om met andere mensen te leven.

Birgitta Rindberg wordt gevraagd wat haar indruk van Thomas Quick was toen hij haar patiënt was midden jaren zeventig en in 1989. Ze zegt spontaan dat ze hem niet zag als een moordenaar. Ze was nooit bang voor hem geweest; er zat agressiviteit in hem, maar tegenover haar had hij nooit een neiging tot geweld getoond. Het enige geweld dat ze had gezien was het geweld dat hij zichzelf aandeed. Volgens Birgitta Rindberg heeft chef-arts Mårten Kalling precies dezelfde mening over Thomas als patiënt.

Tijdens het verhoor zei Rindberg dat de Thomas Quick die ze in de media had gezien veel welsprekender en exhibitionistischer was dan haar patiënt. Noch zij noch Mårten Kalling vond dat Quick geloofwaardig was als seriemoordenaar.

Weer terug in Stockholm schreef Ann-Helene Gustafsson het verhoor uit en legde het proces-verbaal van het verhoor op het bureau van commissaris Stellan Söderman.

Gustafsson vertelt me wat er een paar dagen later gebeurde. Het begon ermee dat ze een woedend gebrul uit de kamer van Stellan Söderman hoorde komen, en kort daarna iemand die haar riep. Het was Christer van der Kwast, die net het verhoor met Birgitta Rindberg had gelezen en zeer verontwaardigd was.

'Hij schold me uit en schreeuwde dat ik buiten mijn boekje was gegaan,' zegt ze.

Volgens Van der Kwast had ze louter vragen moeten stellen over Quicks therapiesessies op 21 maart 1989. Verder niets!

'Ik ben niet geïnteresseerd in wat een of andere stomme psycholoog van Thomas Quick vindt,' brulde hij.

Ann-Helene Gustafsson schrok; ze had precies gedaan wat ze moest doen, namelijk iemand verhoren en daarna uitschrijven wat er was gezegd.

'Ik ben verder nooit uitgescholden, hiervoor niet en hierna niet, naar aanleiding van een verhoor dat ik had afgenomen.'

Christer van der Kwast accepteerde het verhoor in deze vorm niet en eiste een nieuw proces-verbaal dat alleen Quicks alibi voor de moord op Helén Nilsson bevatte.

'Ik weigerde het verhoor te herschrijven, aangezien het een officieel document is,' zegt Gustafsson. 'En wat hij van me eiste hield in dat ik een misdrijf zou plegen.'

Na het probleem van valsheid in geschrifte met haar chef te hebben besproken loste ze het op door het proces-verbaal te laten zoals het was, maar ze schreef er nog een kort memo bij met daarin alleen het alibi voor de moord op Helén. Alleen dit memo werd aan het vooronderzoeksmateriaal toegevoegd. Van der Kwasts eis van gehoorzaamheid en loyaliteit, zelfs ten koste van een professionele manier van werken, roept nog steeds sterke gevoelens bij haar op: 'We moeten objectief zijn en alles meenemen, zowel wat voor iemand spreekt als wat tegen iemand spreekt. Het is niet onze taak om te censureren.'

Confrontatie

Tegelijkertijd stond het onderzoek naar Thomas Quick en Johnny Farebrink niet stil, maar zonder dat laatstgenoemde daarbij betrokken werd. Dat had geen haast, leken de rechercheurs te denken. Farebrink zat veilig opgeborgen op de c-afdeling van de Hallgevangenis.

Maar ook nu weer was het Quick-onderzoek zo lek als een mandje en duurde het niet lang of zowel Pelle Tagesson als Gubb Jan Stigson wist dat Farebrink ervan verdacht werd samen met Quick de dubbele moord bij Appojaure te hebben gepleegd.

Johnny Farebrink behoorde tot de zwaarste criminelen van Zweden en was vierentwintig keer veroordeeld voor zware delicten. Maar dit lag toch wel een heel eind buiten zijn gebruikelijke activiteiten.

'Ik ben niet iemand die toeristen vermoordt,' verklaarde hij tegenover

Tagesson. 'Er zijn zo veel andere klootzakken die je een kogel door hun kop kunt schieten.'

De krantenberichten schaadden het onderzoek zeer, volgens Van der Kwast, en nu werd er haast gemaakt bij de rijksrecherche. Johnny Farebrink werd overgebracht naar de rijksrecherche in de Polhemsgatan in Stockholm, waar op 9 mei 1995 het eerste verhoor plaatsvond.

Farebrink ontkende de moorden bij Appojaure te hebben gepleegd en beweerde dat hij Thomas Quick nog nooit had ontmoet. Hij zei dat hij toen vermoedelijk vastzat. Maar het stond vast dat hij twee weken voor de moord uit de inrichting in Tidaholm was ontslagen. Dan herinnert Farebrink zich dat zijn toenmalige vrouw Ingela hem stond op te wachten toen hij vrijkwam. Samen namen ze de trein naar Stockholm en reisden vandaar rechtstreeks door naar Bagarmossen waar ze drugs kochten. Uit het proces-verbaal van het verhoor:

> Johnny herinnert zich dat Ingela en hij zodra ze in hun woning aankwamen de 'drugs meteen gebruikten', waarna ze high de stad in gingen. Hij zegt dat hij zich alleen nog een voortdurend spuiten en slikken herinnert, zowel thuis als in de stad.

Dat was niet bepaald een sluitend alibi. En zijn ex maakte de zaak er niet beter op, door te vertellen dat ze al vrij snel nadat ze in Stockholm waren aangekomen ieder hun eigen weg waren gegaan.

Johnny Farebrink had geen alibi en werd verdacht van de dubbele moord bij Appojaure. Doordat Quick hem als medeplichtige had aangewezen, zag het er niet best voor hem uit.

Ingela vertelt mij dat ze wel klaar was met Johnny Farebrink toen de politie bij haar langskwam. Ze was een nieuw leven begonnen en had een baan en een huis in Norrland. Een goed leven. Ze kon Johnny geen alibi verschaffen en het kon haar ook niet schelen.

Pas later, toen de politie terugkwam en vragen begon te stellen over Johnny Farebrinks seksuele geaardheid, begon Ingela nattigheid te voelen. Quick had gezegd dat hij en Farebrink 'in een sauna homoseksueel contact hadden gehad'.

'Toen begreep ik dat er iets niet helemaal klopte,' zegt Ingela.

De aanklacht tegen Quick en Farebrink leek steeds meer gegrond toen

Ingela begon na te denken over wat er eigenlijk was gebeurd in die krankzinnige zomer van 1984.

Op 30 juni 1984 vertrok Ingela naar Tidaholm om haar man op te halen, die die dag zou vrijkomen. Na een paar biertjes op een bank in het park was Johnny even naar de wc gegaan in de Pressbyrånkiosk. Toen hij daar weer uit kwam, was hem niet ontgaan dat er een kassa wagenwijd open had gestaan. Onbeheerd nog wel! Johnny griste een paar stapeltjes bankbiljetten mee. De buit bedroeg in totaal zeven- à achtduizend kronen.

Na deze onverwachte financiële meevaller vertrok het stel naar Stockholm, waar ze een aanzienlijke hoeveelheid amfetamine insloegen.

Twaalf dagen later werd het Nederlandse echtpaar Stegehuis bij Appojaure vermoord. Maar wat deed Farebrink op dit tijdstip?

'Ik weet niet waarom, maar opeens schoot het me te binnen dat ik in Stockholm een psychose heb gehad,' zegt Ingela.

Ingela was onzeker over het tijdstip, ze wist niet eens zeker of het wel in 1984 was geweest. Ze wist alleen dat het Farebrink was geweest die haar naar de Eerste Hulp van het Söderziekenhuis had gebracht.

Johnny Farebrink zou levenslang krijgen als hij werd veroordeeld voor de dubbele moord bij Appojaure en Ingela kon haar gedachten niet voor zich houden. Ze belde Ture Nässén van de rijksrecherche en vertelde over haar psychose die misschien Farebrink een alibi voor de moorden kon geven.

Ingela's dossier werd opgevraagd uit het Söderziekenhuis, en toen was het slechts een kwestie van wachten. In de tussentijd begonnen de herinneringen aan juli 1984 steeds helderder te worden.

'We hadden een behoorlijke partij amfetamine ingeslagen, verdomd goed spul. 's Ochtends vroeg verlieten we de flat en gingen bij mijn vriendin Eva in de Krukmakargatan langs. Daar bij Eva krijg ik een psychose, word paranoïde. Uiteindelijk belt Johnny Jerka. "Ik kan Ingela niet meer aan," zei hij. Jerka komt, hij heeft de auto van zijn moeder geleend. Ik verzet me hevig en met drie personen kunnen ze me met moeite in de auto krijgen.

In het ziekenhuis werd ik op een brancard vastgebonden. Ik was ervan overtuigd dat het ziekenhuis bezet was door de vijand. Johnny, Jerka en Eva probeerden me op de brancard te drukken toen een arts met een spuit kwam. Ik begreep dat het vergif was. Ik zag het in Eva's ogen en zag wat ze dacht: nu ga je dood! Ik vocht voor mijn leven.

Daarna kreeg ik de spuit met Haldol en herinner ik me niets meer.

Toen ik de volgende ochtend wakker werd, stond Johnny naast mijn bed. Hij had mijn kimono bij zich. "Dag, mama! Ik ben in Värmland geweest. Waar ben jij geweest?"

Dan haalt hij twee grote porties amfetamine uit de zakken die vervolgens op het ziekenhuisbed terechtkwamen. Aan weerszijden van me een grote hoeveelheid. Hij keerde de zakken binnenstebuiten. Daarna verlieten we samen het ziekenhuis en gingen weer naar huis. Hij in de kimono en ik in mijn met bloed besmeurde rok. De liefde die ik voor Johnny voelde toen hij daar op die ochtend bij mijn bed stond... Zo'n liefde zal ik nooit meer ervaren.'

Op 26 september 1995 rond lunchtijd kwam uit het faxapparaat van de rijksrecherche Ingela's dossier van de afdeling psychiatrie van het Söderziekenhuis rollen. Het bevestigde op alle punten de datum en Ingela's verhaal.

Ture Nässén vertelt dat hij dacht: 'Wel verdomme. Johnny Farebrink heeft een alibi!'

Op de C-afdeling van de Hallgevangenis zat Farebrink met een groot aantal van de zwaarste criminelen van Zweden. Toen de kranten over zijn connectie met Thomas Quick waren gaan schrijven, was hij 'ondergedoken' en had hij een plaatsje in de isoleercel gevraagd. Hij vreesde voor zijn leven als iemand die gek van Säter, die hem als zijn kompaan had aangewezen, zou geloven.

Farebrink was bovendien geschokt toen hij besefte dat hij een aanzienlijke kans liep om veroordeeld te worden tot een levenslange gevangenisstraf voor de dubbele moord in Zweden. Zijn zelfverkozen opsluiting in de isoleercel betekende ook dat hem geen informatie kon bereiken over zijn onverwachte alibi in de vorm van Ingela's medische dossier.

Ondanks dit alibi werd Farebrink op 12 oktober naar de Säterkliniek gebracht voor een 'confrontatieverhoor' met Thomas Quick. Op de video-opname is te zien hoe Thomas Quick en hij recht tegenover elkaar zitten, ieder met een advocaat aan hun zij. Ook Christer van der Kwast, Seppo Penttinen, Anna Wikström en Ture Nässén waren aanwezig.

Het verhoor begon met de vraag van Penttinen aan Quick of de persoon die nu recht tegenover hem zit dezelfde persoon is die volgens hem medeplichtig is aan de daden.

'Dat is Johnny Larsson, ja,' antwoordt Quick zonder aarzeling.

Dan vertelt Quick nogmaals hoe hij en Farebrink elkaar in de jaren zeventig in Jokkmokk hebben leren kennen, en hij noemt een aantal namen van personen die ze allebei hebben gekend.

Farebrink zegt niets, hij zit zich te verbijten tijdens Quicks lange verhaal, tot hij het woord krijgt.

'Ik heb je niet in Jokkmokk gezien. En deze personen die jij noemt, ik heb geen idee wie dat zijn. Maar het lijkt me gewoon een kwestie van dat navragen bij hen. Dat is heel simpel!'

Wat de rechercheurs niet vertellen is dat ze de 'jongens' al verhoord hebben. Alle personen die door Quick zijn genoemd en die hem en Farebrink samen zouden hebben gezien hebben eensluidend verklaard dat ze Farebrink nog nooit hebben ontmoet.

Farebrink richt zich rechtstreeks tot Thomas Quick.

'Jij zegt dat je mij hebt gezien,' zegt hij met een nauwelijks zichtbare glimlach. 'Wat voor auto had ik in die tijd bijvoorbeeld?'

'Dat weet ik niet,' zegt Quick kortaf.

'Maar je moet toch wel weten in wat voor auto ik toen rondreed?'

'Nee,' zegt Quick, hoewel hij in verschillende verhoren heeft beweerd dat Johnny Farebrink een Volkswagen pick-up had.

Penttinen vraagt Quick dan te vertellen over zijn ontmoetingen met Farebrink op de volkshogeschool.

'Hoe vaak en waar op school?'

'Dat moet… vier, vijf keer zijn geweest. We zagen elkaar altijd 's avonds, en samen met G.P. en J. dronken we dan bier in de sauna van de school terwijl we daar wat zaten te ouwehoeren,' zegt Quick.

'Dus jullie hebben in de sauna gezeten?'

'Ja, precies.'

Farebrink schudt zijn hoofd terwijl van zijn gezicht valt af te lezen wat hij van Thomas Quick denkt.

'Ten eerste heb ik een bloedhekel aan de sauna. Ik zal nooit vrijwillig een sauna binnenstappen, want ik krijg het daar benauwd!'

Farebrink kijkt opnieuw naar Quick, dit keer met een schalkse glimlach: 'Je zegt dat ik met je bier heb zitten drinken in de sauna. Herinner je je nog de tatoeage die ik op een van mijn benen heb?'

'Nee,' zegt Quick.

'Dat weet je niet meer? En de tatoeage op mijn rug?'

'Nee, niet…'

'Als je de tatoeage op mijn bovenbeen een keer gezien hebt, dan vergeet je die nooit meer. Dat verzeker ik je! Als je mijn kameraad bent geweest, dan had je je die tatoeage nog kunnen herinneren. Die was je dan absoluut niet vergeten, zeker weten!'

Ture Nässén is de enige in die kamer die weet waar Farebrink het over heeft. In politiekringen zegt men altijd over Farebrink: 'Hier komt de man die altijd gewapend is.' Op een van zijn bovenbenen prijkt namelijk een tatoeage van een grote revolver.

Quick had geen flauw idee welke tatoeage Farebrink op zijn rug of op zijn bovenbeen had, maar lijkt er na dat verhoor nog lang over nagedacht te hebben. In een brief aan Birgitta Ståhle schreef hij vier maanden later dat Farebrink een motief uit *Duizend-en-een-nacht* op zijn rug had. Deze opgeroepen herinnering was echter bezijden de waarheid. Op Farebrinks rug prijkte een elektrische stoel.

Farebrink liet zich niet uit zijn tent lokken en vertelde niet wat voor tatoeages hij had, zich er goed van bewust dat dit een van zijn weinige troeven was. Maar Anna Wikström was meer onder de indruk van wat Quick wél over hem wist te vertellen.

'Hij beschrijft je geaardheid, je uiterlijk. Hij is absoluut overtuigd als hij je aanwijst, dus hij moet wel een extreem goed geheugen hebben als hij zo uitvoerig is,' zegt Wikström.

'Jazeker. Dat verbaast me dus ook. Sowieso verbaast het me dat hij dat soort onzin zit uit te kramen. Dat is iets wat ik niet begrijp,' geeft Farebrink toe.

Hij kan geen redelijke verklaring geven voor het feit dat Thomas Quick hem, een volstrekt vreemde, bij dit onderzoek heeft betrokken. Farebrink weet niet dat Quick hem heeft beschreven als een lokale klusjesman die in Jokkmokk rondrijdt met gereedschap in zijn laadbak. En hij weet niet dat Seppo Penttinen degene is die Quick zijn naam heeft genoemd, en niet andersom.

Maar zo stelt Anna Wikström de zaak niet voor tijdens het verhoor.

'Op 23 november [1994] werden mondeling een tiental namen gepresenteerd, dat wil zeggen mannen met voor- en achternaam. Al deze namen hebben op een of andere manier een band met Norrbotten en op de lijst komt ook de naam Johnny Larsson voor.'

Dat deze beschrijving niet klopt, weten zowel Seppo Penttinen als Christer van der Kwast en ook Thomas Quick en Claes Borgström. Maar iedereen doet alsof het waar is.

Farebrink is toch al niet onder de indruk van Quicks kennis over zijn naam, eerder wantrouwend: 'Ik heette toen niet Johnny Larsson! Ik heette Johnny Farebrink.'

'Ik herinner me de naam Johnny Larsson-Auna. Farebrink herinner ik me niet,' vult Quick aan.

Maar dat had hij beter niet kunnen doen, want dat triggert Johnny Farebrink nog een keer in hevige mate.

'Die naam Larsson-Auna, waar heb je die ergens opgesnord?'

'Van jou, natuurlijk.'

'Van mij? Dat kan niet, want ik heette Farebrink. En juist die naam Auna, dat is een oude familienaam van mijn vader.'

De familienaam Auna heeft Johnny nooit gebruikt. Zelfs zijn oude vrienden en kennissen kennen die naam niet. Die naam staat alleen nog steeds in het bevolkingsregister.

Quick vertelt verder over een kennis die ergens in een hutje in het bos woonde en waar hij en Johnny langs zijn geweest.

'Ik herinner me vooral één keer,' zegt Quick. 'Ik moet daar wel bij zeggen dat dit waarschijnlijk erg gevoelig voor je ligt... We hadden dus seksueel contact, jij en ik. We trokken elkaar af bij die persoon thuis.'

'Zeg, luister eens! Zal ik je eens zeggen wat ik van dat soort smeerpijpen als jij vindt? Zal ik je dat eens zeggen?' zegt Johnny.

'Dat hoef je niet te doen,' zegt Quick.

'Blijf je erbij dat Johnny homoseksueel is?' vraagt Van der Kwast.

'Ja,' antwoordt Quick.

'Godallemachtig,' steunt Farebrink.

Anna Wikström richt zich tot Farebrink en nodigt hem uit om te reageren op wat Quick net heeft gezegd.

'Nee, op dat soort idiote dingen reageer ik niet. Weet je, dat weiger ik gewoon. Het is gewoon compleet gestoord.'

Johnny wijst naar Quick terwijl zijn ogen zich versmallen tot twee spleetjes.

'Laat één ding helder zijn! Mij beschuldigen dat ik homoseksueel zou zijn...'

'Dat heb ik niet gedaan,' zegt Quick.

'Ben je een pathologische leugenaar of zo? Geloof je echt wat je zelf zegt? Ja, echt?'

Na een pauze vertelt Quick in detail over de ontmoeting in Jokkmokk, de reis naar Messaure en de moorden bij Appojaure. Na Quicks resumé richt Anna Wikström zich tot Farebrink.

'Om te beginnen, wat heb je te zeggen over de ontmoeting met Thomas Quick schuin tegenover de Konsum-supermarkt, in een restaurant?'

'Ach! Onzin. Ik ben dat jaar nooit in Jokkmokk geweest.'

'Ken je dat restaurant in Jokkmokk, tegenover de Konsum?' vraagt Wikström.

'Nee. Ik weet dat er een Konsum is. Maar er is daar geen restaurant,' antwoordt Farebrink.

Zelfs de rechercheurs wisten dat het restaurant waar Quick het over had niet bestond, wat een vrij ernstige misser in diens verhaal was.

'Is de naam Rune Nilsson je bekend?' vraagt Wikström.

'Nee, absoluut niet,' zegt Farebrink.

'Verder zegt Thomas Quick dat jij en hij een paar mensen zouden ontmoeten die je van eerder kende, mensen die bij Appojaure zouden hebben gekampeerd.'

'Maar wat zijn dat dan voor mensen?' vraagt Farebrink. 'Ik ken geen verdomde Nederlanders.'

'Die opmerking van Thomas hier, dat je het idee had dat deze mensen je zwartmaakten?'

'Ach, hij is niet goed wijs! Horen jullie niet dat hij gek is? Het is allemaal gewoon klinkklare nonsens. Het is een pathologische leugenaar!'

Dan vertelt Quick het verhaal over Rune Nilsson in Messaure, die Farebrink met een mes bedreigd zou hebben voordat ze naar Appojaure vertrokken en daar het echtpaar vermoordden. Na de moord haalde hij Nilsson op en liet hem de verminkte lichamen in de tent zien.

'Johnny demonstreert dus dat het zo slecht met je kan aflopen als je hem niet goed behandelt,' legt Quick uit.

'Maar wie is Rune Nilsson in godsnaam?' vraagt Farebrink.

'Ja, dat is dus iemand die in Messaure woont,' antwoordt Christer van der Kwast.

'Hebben jullie hem te pakken gekregen? Wat zegt Rune Nilsson?'

Het hele rechercheteam weet dat Rune Nilsson net zo volhardend als Farebrink ontkent dat hij Quick ooit heeft ontmoet.

'Ik ben hier degene die de vragen stelt,' zegt Van der Kwast.

Het verhoor duurt al bijna drie uur en Johnny Farebrink begint te beseffen dat het er erg slecht voor hem uitziet. Hij wendt zich tot Thomas Quick.

'Je hebt mij nog nooit gezien. Hoe kun je me hier godverdomme in betrekken? En die stomme Nederlanders... Heb je ook uitgezocht hoe ik die Nederlanders zou moeten kennen?'

Die laatste vraag is aan Van der Kwast gericht: 'Wanneer zou ik ze ontmoet moeten hebben?'

'Ik stel hier de vragen!'

Ture Nässén vertelt mij dat hij het allemaal aanhoorde en zich stond te verbijten tijdens het hele verhoor. Hij wist dat Van der Kwast Johnny Farebrink onnodig kwelde, dat het hele verhoor een voorstelling was met een bekende afloop. Hij schaamde zich opnieuw dat hij politieagent was.

Ten slotte lijkt Van der Kwast in te zien dat hij te ver is gegaan, en het verhoor gaat weer over Farebrinks eigen versie van wat er in juli 1984 is gebeurd.

'Hoe was het met Ingela toen, in die julimaand?'

'Ingela was erg uitgeput toen ik vrijkwam, want ze had immers de hele tijd gebruikt terwijl ik mijn straf uitzat. Ze was er dus erg slecht aan toe.'

'Hoe ging het met haar, in het algemeen?'

'Een grote hel.'

'Er is niets speciaals gebeurd?'

'Nee.'

Christer van der Kwast kijkt naar Anna Wikström. Het is tijd om de waarheid te vertellen.

'Dan kan ik je vertellen wat wij hebben gevonden,' zegt hij. 'We hebben naar verschillende gebeurtenissen gekeken. We hebben hier een dossier waarin een opname van Ingela in het Söderziekenhuis staat beschreven.'

Meer is er niet nodig. Farebrink weet precies waar Wikström het over heeft. Hij heeft er maandenlang over kunnen nadenken, maar nu pas staat de hele gebeurtenis hem helder voor de geest.

'Ja! Jazeker!' zegt hij. 'Toen ze die psychose kreeg!'

'Hmm.'

'Dat klopt,' gaat hij verder. 'Ja, dat weet ik nog.'

Iedereen in het vertrek luistert aandachtig naar Johnny Farebrinks verhaal over Ingela's psychose. Wat hij vertelt komt exact overeen met de getuigenis van Ingela. Het is uitgesloten dat hij contact heeft gehad met Ingela, dus niemand twijfelt eraan dat zijn verhaal klopt. Hun verhaal samen met de aantekeningen in het dossier betekent dat Johnny Farebrink een waterdicht alibi heeft voor de dubbele moord bij Appojaure.

De 'Shalom-gebeurtenis'

In de zomer van 1995 zond het programma *Efterlyst* op TV3 een lange reportage uit over een onopgeloste moord op een Israëlische staatsburger.

Yenon Levi was vierentwintig jaar oud toen hij op 3 mei 1988 op luchthaven Arlanda landde om zijn droomvakantie in Zweden te verwezenlijken. Ruim een maand later, op zaterdag 11 juni, werd hij dood aangetroffen naast een bosweg in Rörshyttan in Dalarna. Zijn lichaam vertoonde meerdere verwondingen veroorzaakt door grof geweld, waaronder twee ernstige hoofdwonden die dodelijk waren.

Naast het lichaam lag een 1.18 meter lange houten stok, een tak zonder bast, die de dader daar had gevonden. De politie zorgde er echter voor dat juist dat ene detail niet in het tv-programma werd bekendgemaakt.

De patholoog-anatoom kon de sterfdag niet nauwkeuriger vaststellen dan ergens tussen 8 en 10 juni 1988. Zeker was dat Yenon Levi de zondag daarvoor, op 5 juni, op het Centraal Station van Stockholm was geweest. Zijn doen en laten tot aan het moment dat hij op 11 juni werd gevonden was en bleef een raadsel, ondanks het feit dat de politie in Avesta een grootschalig onderzoek uitvoerde waarbij veel mensen werden verhoord. De politie had geen flauw idee wanneer, waar of hoe hij in Dalarna was terechtgekomen en uiteindelijk op de afgelegen bosweg dood was achtergelaten. De moord leek onopgelost te blijven.

Quicks bekentenis van de moord op Yenon Levi begon met cryptische toespelingen op de 'Shalom-gebeurtenis', twee weken na de reportage in *Efterlyst*.

Op de avond van 19 augustus belde Quick Seppo Penttinen. Hij voelde zich rot en vertelde hoe hij samen met een handlanger Yenon Levi had vermoord. Ze hadden hem in Uppsala opgepikt en waren naar Garpenberg gereden. Daar had Quick Levi vastgehouden terwijl de anonieme handlanger hem doodde met 'een zwaar voorwerp uit de kofferbak'. Het lichaam hadden ze daar achtergelaten en het was meer op de rug dan op de zij blijven liggen, zeker niet op de buik.

Toen Penttinen Quick het eerste verhoor over Yenon Levi afnam, had Quick het verhaal op cruciale punten veranderd. Nu vertelde Quick bijvoorbeeld dat hij het alleen had gedaan.

> Ik pikte hem met de auto op in Uppsala... en bood hem een lift aan. We maakten een praatje, in het Engels. Mijn Engels was niet zo goed. Maar ik vertelde dat ik uit Falun kwam en ik noemde de groeve en zei tegen hem dat ik hem die graag wou laten zien.

Yenon Levi nam het aanbod aan en reed met Thomas Quick naar Dalarna, naar een vakantiehuisje buiten Heby. Daar had Quick Levi verrast met een stomp in zijn maag, waarna hij hem 'de dodelijke slag met een steen op zijn voorhoofd of hoofd had gegeven, misschien heb ik hem ook wel twee keer met de steen geraakt'.

Na de moord legde Quick de dode op de achterbank van zijn groene Volvo 264 en reed naar een bosweg waar hij het lijk dumpte. Levi's bagage – een tas die op een plunjezak leek – liet hij achter naast het lichaam. Quick herinnerde zich dat hij nog had getwijfeld of hij Levi's horloge met een leren polsbandje zou meenemen, maar hij had uiteindelijk niets meegenomen van de plek.

Na twee uur beëindigde Seppo Penttinen het verhoor, dat op een andere dag werd voortgezet.

'Voor je verdergaat moeten we eerst analyseren wat je al hebt verteld,' zei Penttinen.

Quicks beschrijving van de moord klopte niet met een aantal bekende feiten van het moordonderzoek. Daarentegen waren er veel dingen die goed overeenkwamen met de reconstructie van de moord die in *Efterlyst* te zien was geweest.

Sten-Ove neemt contact op

Op dinsdag 7 november 1995 belde Christian Holmén, de verslaggever van *Expressen*, naar afdeling 36 van de Säterkliniek. Hij wilde Thomas Quick graag spreken.

'Uw broer Sten-Ove heeft een open brief naar u geschreven die in *Expressen* gepubliceerd zal worden. We zouden graag willen dat u de brief leest voordat hij gepubliceerd wordt,' zei Holmén.

Een paar minuten later kon Quick Sten-Oves brief uit de fax van de administratie halen. Hij nam de brief mee naar zijn kamer, deed de deur dicht en ging op het bed zitten.

Open brief aan mijn broer Thomas Quick

Er zijn nu een aantal maanden verstreken sinds het verschijnen van mijn boek *Mijn broer Thomas Quick* [...]. Aangezien het gesprek over wat ik heb geschreven in de openbaarheid werd gevoerd, publiceer ik wat je nu leest als een open brief. [...]

Het boek leidde er onder meer toe dat ik mijn grote jeugdliefde weer terugzag, en onlangs zijn we getrouwd. Mijn vrouw heeft een groot aandeel in mijn veranderde kijk op onze broederschap.

Ik nam afstand van je als mens. Ik beweerde zelfs dat jouw jeugd niet die van mij was en dat jouw ouders niet mijn ouders waren. Ik kan jouw daden niet vergeten. Maar daden scheiden broers niet van elkaar. [...]

Je hebt zelf bij verschillende gelegenheden in het openbaar je verbazing geuit over mijn gebrek aan begrip, het feit dat ik afstand van je nam, dat ik je veroordeelde. En waarschijnlijk heb je daar goede redenen voor. Maar wat ik niet begreep, is dat jou als broer te hebben, ook een levenslange strijd met jou, 'Thomas Quick', met zich meebrengt.

Nu kan ik accepteren dat ik onderdeel van die strijd ben en dat het erom gaat dat ik probeer je in mijn hart te houden, de broederschap niet te verraden en niet te ontkennen dat hetzelfde bloed door onze aderen stroomt.

Ik sta naast je in de strijd tegen het kwaad dat zich binnen in jou bevindt.

Ik begrijp nog steeds niet de oorzaken en de mechanismen achter je handelen wanneer je in een bloeddorstig monster verandert. [...]

Maar je bent mijn broer, en ik hou van je. [...]

Sten-Ove

Sture Bergwall vertelt dat hij een poosje met de brief van zijn broer in zijn hand bleef zitten terwijl hij probeerde te begrijpen wat er gebeurde. Was het een truc? Zat er iets achter? Hij las de brief nog een keer, en nog een keer en was ten slotte overtuigd van Sten-Oves oprechtheid.

Het was alsof de verzoenende en liefdevolle toon van de brief een sluis in hem had opengezet, en gevoelens welden in hem op. Hij werd overweldigd door het verlangen om zijn broer weer te zien.

De volgende dag sprak Quick weer met Christian Holmén. Ze spraken af dat Sten-Ove een paar dagen later naar Säter zou komen. Quick ging weer naar zijn kamer en noteerde in zijn dagboek:

Natuurlijk ben ik gespannen en nerveus, maar ik twijfel er niet aan dat Sten-Ove en ik nader tot elkaar zullen komen. Nu wordt onze eerste ontmoeting misschien wel een beetje vreemd in die zin dat er een journalist bij zal zijn. Ik stel me voor dat S-O later nog een keertje terugkomt en dat we dan wat dieper kunnen ingaan op alles wat er is gebeurd, zijn huidige situatie en die van mij.

De volgende dag had Quick geen politieverhoor en geen therapie. Niemand in de kliniek wist wat er ging gebeuren, dus de hereniging van de twee broers was in Quicks hoofd een belofte geworden waar hij erg naar uitkeek. Hij schreef in zijn dagboek:

9/11 1995
Sten-Ove en zijn open brief zijn niet uit mijn gedachten geweest. Ik weet het niet. Mijn situatie is veranderd na de brief en ik moet moeilijke keuzes maken. Morgen zie ik Birgitta weer en misschien dat het dan wat duidelijker wordt.

De volgende ochtend vertelde Quick Birgitta Ståhle over de brief van zijn broer. Haar reactie was als een koude douche. Zij was zeer ontzet en verklaarde dat ze dit uiteraard moest melden aan chef-arts Erik Kall.

Zodra Kall was ingelicht over Quicks contact met zijn broer nam hij contact op met Christer van der Kwast. Niet lang daarna waren Seppo Penttinen en Claes Borgström er ook van op de hoogte.

In zijn dagboek schreef Thomas Quick:

Seppo belde me op en was echt verontwaardigd. Ik was niet voorbereid op de verontwaardiging die Sten-Oves bezoek bij Kwast en Seppo zou veroorzaken.

Wat maakte een ontmoeting tussen de twee broers zo bedenkelijk?

Quick had verteld over verschrikkelijke dingen die Sten-Ove hem zou hebben aangedaan als kind. Bovendien had hij hem aangewezen als mede-plichtige bij de moord op Johan Asplund. Zijn enorme enthousiasme dat hij Sten-Ove zou zien schaadde zijn geloofwaardigheid, meenden Penttinen, Van der Kwast en Ståhle.

Thomas Quick luisterde naar hun argumenten, zag het redelijke ervan in, maar was niet bereid om toe te geven. In zijn dagboek schreef hij:

Ik wíl Sten-Ove zien, maar begin het misplaatste ervan in te zien. Maar ik kan en wil geen nee zeggen. Seppo stelde voor om in de buurt te blijven, maar dat wil ik absoluut niet. Voor mij zou het het gemakkelijkst zijn als Kwast me in hechtenis nam, dan hoef ik mijn eigen kracht niet te gebruiken om hiermee om te gaan – ik kan geen nee zeggen tegen Sten-Ove.

Toen de mensen van het onderzoeksteam inzagen dat de ontmoeting zou plaatsvinden brak er paniek uit. 'Storm rond Sten-Oves bezoek,' schreef hij in zijn dagboek. Iedereen probeerde hem ervan te overtuigen dat hij de ontmoeting moest afzeggen.

Ik heb schijt aan die flauwekul van Seppo over geloofwaardigheid met betrekking tot een proces over Johan, voor die geloofwaardig-heid mogen Kwast en hij zorgen!! Godverdomme – is er nu niemand die mijn dubbelheid aangaande de ontmoeting met Sten-Ove begrijpt!? Ik wíl hem zien en ik kan het misplaatste ervan inzien, maar mijn wil is veel sterker dan mijn verstand.

Zondag was de laatste mogelijkheid om de ontmoeting tegen te houden en nu werd er met vereende krachten geprobeerd Quick ervan te overtuigen zich terug te trekken. Lukte dat niet, dan moest Sten-Oves bezoek langs juridische weg worden tegengehouden.

Thomas Quick was de hele dag aan het telefoneren met Ståhle, Penttinen, Kall en Borgström. Iedereen was het erover eens dat Quick persoonlijk de ontmoeting met Sten-Ove moest afzeggen.

Uiteindelijk hakte Erik Kall de knoop door door een bezoekverbod voor Sten-Ove Bergwall af te kondigen. Quick accepteerde het besluit. In zijn dagboek noteerde hij het commentaar van Penttinen: 'Daar komen we mooi mee weg.'

Je kunt je afvragen waarom iedereen in Thomas Quicks omgeving zo doodsbang was dat de twee broers elkaar zouden ontmoeten. Dat soort reacties associeer je normaal gesproken met zeer gesloten sekten.

Sture zelf twijfelt er niet aan wat de gevolgen zouden zijn geweest als het toch tot een ontmoeting was gekomen.

'Als ik en Sten-Ove elkaar hadden kunnen zien en de kans hadden gekregen om met elkaar te praten, weet ik zeker dat het Quick-tijdperk al in 1995 ten einde zou zijn gekomen. Dan waren er geen verdere politieonderzoeken meer gekomen, want als ik en Sten-Ove met elkaar hadden kunnen praten, had ik niet in de leugen kunnen volharden. Birgitta Ståhle realiseerde zich dat, misschien zelfs Seppo Penttinen. Daarom waren ze bereid om er alles aan te doen om de ontmoeting tegen te houden.'

In de periode hierna bleef Thomas Quick hele dagen in bed liggen, gaf hij eenlettergrepige antwoorden en stopte met eten.

Het proces in de rechtbank van Gällivare

Jan Olsson en patholoog-anatoom Anders Eriksson zouden samen een presentatie geven van de forensische en technische vondsten die overeenkwamen met Quicks verhaal over de dubbele moord bij Appojaure.

Olsson vertelt dat hij ontbeet met Christer van der Kwast in Hotell Dundret in Gällivare op dezelfde dag dat hij en de patholoog-anatoom gehoord zouden worden. Olsson was al diverse keren als getuige-deskundige in verschillende rechtszaken gehoord, dus in die zin wachtte hem

een gewone werkdag. Desondanks, en ondanks het feit dat ze hun gezamenlijke presentatie goed hadden voorbereid en dat die bijna volkomen
logisch sluitend was, wist hij dat de presentatie zwaar zou wegen voor de
uitkomst van de zaak, en voelde hij zich niet helemaal op zijn gemak voor
de getuigenverklaring in de rechtbank.

Na het ontbijt liepen Jan Olsson en Van der Kwast naar de rechtbank,
de ijzige kou trotserend. Olsson was vol twijfel over de dubbele moord bij
Appojaure en weet nog dat hij zei: 'Die afvalzak. Die zak stond rechtop in
de tent. Quick kan de tent niet zijn binnengegaan en hebben gedaan wat
hij naar eigen zeggen heeft gedaan zonder die zak omver te gooien.'

Eerder tijdens het proces had Thomas Quick verteld dat hij door de
scheur die hij met zijn mes had gemaakt de tent was binnengedrongen,
waarna de tent in elkaar was gestort.

Wat Christer van der Kwast ook dacht bij Jan Olssons opmerking, hij
liet niets blijken. Olsson dacht aan de foto's die in de tent waren genomen
en die hij zeer nauwkeurig met een vergrootglas had bestudeerd, zodat
hij elk detail nog heel duidelijk voor zich zag. En niet alleen de rechtop-
staande vuilniszak met de blikjes zat hem dwars. Het kleine borrelglas zo
mogelijk nog meer, dacht hij.

Op het tentzeil in de kleine tent, tussen de beide slachtoffers in, waar
Quick zich tijdens de aanval had bevonden, had een borrelglaasje met
sterkedrank gestaan. Het was niet omgevallen.

'Dat kon gewoon niet kloppen,' vertelt Jan Olsson. Hij herinnert zich
nog dat hij daarover nadacht toen hij en Van der Kwast, beiden even gespannen, in de Storgatan links afsloegen, de Lasarettsgatan in. Ze waren
bij de rechtbank aangekomen.

Jan Olsson en Anders Eriksson hadden hun presentatie zorgvuldig voorbereid en met behulp van een overheadprojector lieten ze beurtelings de
scheuren in het tentdoek en de verwondingen van de slachtoffers zien. De
presentatie was pedagogisch verantwoord en zeer overtuigend. Het leek
vanzelfsprekend dat Thomas Quick tijdens het vooronderzoek bijna elke
messteek had beschreven die hij het echtpaar had toegebracht.

Sture Bergwall herinnert zich het optreden van de beide mannen in
de rechtszaal: 'Er kunnen hevige emoties in een rechtszaal ontstaan en
dat was inderdaad het geval toen Jan Olsson en de patholoog-anatoom
getuigden. Het was ongelooflijk belangrijk. Dat ik de verwondingen op

de lichamen bij Appojaure zou hebben beschreven was bijna even zwaarwegend als het stuk bot van Therese in Ørje.'

Jan Olsson beaamt dat. 'Anders Eriksson en ik leverden goed werk af.'

Hij vindt het zichtbaar niet prettig om hierover te praten, ook al gaat hij de moeilijke vragen niet uit de weg. Hij is zelf van mening dat de rechtbank in Gällivare misleid is, aangezien er zo veel omstandigheden die tegen Quicks verhaal spraken niet aan de orde zijn geweest in de rechtszaak. Hij denkt daarbij aan het borrelglaasje, aan de merkwaardige procedures bij de reconstructie en aan de radio van het echtpaar die in Vittangi werd teruggevonden. En hij denkt aan de vuilniszak, die volgens Olsson aantoonde dat Quick geen idee had over de toedracht van het misdrijf.

'Achteraf heb ik wel eens gedacht dat ik dat in de rechtbank had moeten zeggen. Maar tegelijkertijd – en dat klinkt waarschijnlijk als een excuus – ben ik een getuige-deskundige die vragen moet beantwoorden, en geen eigen conclusies mag trekken. Ik had hierover vragen van de verdediging verwacht. Maar van die kant bleef het stil.'

Jan Olsson wist uit ervaring dat de verdediging alle zwakke punten in het technisch bewijsmateriaal aangrijpt, dus Claes Borgströms passiviteit kwam als een volslagen verrassing.

'Hij moet me toch een vraag stellen over de vuilniszak, dacht ik. Die staat in de omschrijving van de plaats delict. Er moet een advocaat zijn die daar zijn vraagtekens bij zet – dat moet,' zegt hij.

Olsson vertelt dat hij en Eriksson juist veel waarderende woorden en complimenten kregen voor hun gemeenschappelijke getuigenverklaring in de rechtbank.

In het rechtbankverslag las ik dat zelfs Sven Åke Christianson in de rechtszaal aanwezig was om te getuigen van Quicks betrouwbaarheid. Claes Borgström vroeg hem of er een kans bestond dat het hier om een valse bekentenis ging. Christianson antwoordde dat samenvattend 'uit niets was gebleken dat het hier om een valse bekentenis van Quick ging'.

Vreemd genoeg kwam er juist op dat moment een fax bij de rechtbank binnen, met een lange en uitvoerige brief van een forensisch psycholoog die waarschuwde voor het risico van valse bekentenissen en valse herinneringen. De fax werd overhandigd aan de president van de rechtbank.

Misdaadverslaggever en Quick-expert Gubb Jan Stigson haalde de gebeurtenis de volgende dag in *Dala-Demokraten* aan:

Even ontstond er een felle discussie waarbij de rechters, de officier van justitie en de verdediging bespraken wat ze met de brief aan moesten. Toen nam Quick zelf het woord: 'Ik vind dat we er niet eens naar zouden moeten kijken. Als een kwakzalver uit Älmhult hier iets heen stuurt, dan hoort dat uiteraard in de prullenmand thuis!'
Verzoek ingewilligd!

Er ontstond blijkbaar een zekere hilariteit in de rechtbank over deze elegante oplossing betreffende de onheilspellende brief van een 'kwakzalver uit Älmhult'. De briefschrijver was echter een docent in de forensische psychologie uit Stockholm, Nils Wiklund, met getuigenpsychologie als specialisme.

Nils Wiklund heeft de brief die de rechtbank rechtstreeks naar de prullenmand verwees nog en laat mij hem lezen als ik hem een bezoek breng. De brief wordt afgesloten met de volgende regels met de waarschuwingssignalen bij valse bekentenissen waar de rechtbank op zou moeten letten:

1. Heeft de patiënt gedurende een langere periode geen herinneringen gehad aan de bewuste gebeurtenissen, dus zijn ze tijdens de therapie 'teruggekomen'? Dan neemt de kans op valse herinneringen toe;
2. Zijn er bandopnames van de gesprekken waarin de herinneringen worden besproken? In dat geval kunnen eventuele beïnvloedingsprocessen geanalyseerd worden. Anders lijken de therapeuten niet helemaal te begrijpen wat voor interactie er plaatsvindt die kan leiden tot valse herinneringen;
3. Bestaat er strikt onafhankelijke onderbouwing voor de verdenkingen uit een andere hoek dan de uitspraken van de patiënt zelf (vingerafdrukken, DNA, technisch bewijs)?
Als uitsluitend de uitspraken de verdenkingen lijken te steunen, zal nauwkeurig geanalyseerd moeten worden of de inhoud ook van andere bronnen, bijvoorbeeld van de massamedia, afkomstig kan zijn.
Als er een risico bestaat omtrent de in therapie opgeroepen herinneringen moeten de uitspraken onderworpen worden aan een deskundig onderzoek door een psycholoog met een universitaire opleiding in getuigen-

psychologie.[...] Als in de therapie opgeroepen herinneringen zonder een dergelijke analyse als grondslag dienen voor besluiten van een rechtbank, bestaat de kans dat er verkeerde vonnissen worden uitgesproken.

Met vriendelijke groet,

Nils Wiklund
bevoegd psycholoog
docent forensische psychologie
specialist klinische psychologie

Op de laatste dag van de rechtszaak vond er iets ongewoons plaats. Thomas Quick, de aangeklaagde, kreeg de mogelijkheid om zelf een 'pleidooi' te houden – een toespraak voor de rechtbank, de toehoorders en de journalisten. Hij ging staan en las met luide stem voor van zes volgeschreven A4'tjes. 'Gedurende dit proces hebben we met wreedheid te maken gehad en hebben we een wreedheid gezien die voor de meesten van ons onbegrijpelijk is, een delict met de gruwelijkste ingrediënten,' begon Thomas Quick met een trilling in zijn stem, kennelijk op het punt in tranen uit te barsten.

Jan Olsson vertelt dat hij met een gevoel van onwerkelijkheid naar Quicks zalvende toespraak voor het publiek luisterde. Quick ging verder: 'Wat ik hier te zeggen heb, moet niet worden opgevat als een verdediging van de wandaden die deze gek heeft gepleegd, niet als een quasipsychologische redenatie eromheen, of een sentimentele poging om mijn menselijke waardigheid te vinden.'

Quick vertelde over het opgroeien in het kille ouderlijk huis dat van hem een moordenaar maakte. Toen hij over zijn voortdurende angst en doodsverlangen als kind vertelde, begonnen een paar jonge toehoorders te huilen.

Jan Olsson draaide wat ongemakkelijk op zijn stoel heen en weer en keek afwisselend naar Quick, naar de huilende toehoorders en naar Roland Åkne, de rechter.

'Waarom wordt er niet gezegd dat hij moet ophouden? dacht ik. Het was zo gênant! Alsof de rechtszaal veranderde in een of ander gebedshuis.'

Toen de pijnlijke toespraak voorbij was, moest de rechtbank wel een pauze inlassen voordat advocaat Borgström zijn slotpleidooi kon houden.

Claes Borgström was het met de officier van justitie eens dat Quicks schuld tijdens het hoofdproces overtuigend genoeg bewezen was met als enige denkbare straf voortzetting van de forensisch psychiatrische behandeling. Op 25 januari 1996 werd uitspraak gedaan. Thomas Quick werd veroordeeld voor zijn tweede en derde moord. De straf werd voortzetting van de forensisch psychiatrische behandeling.

Seppo Penttinen en de anderen zijn vaak beschuldigd van meineed in de processen tegen Thomas Quick. Ongeacht of dat waar is of niet, zal de kwestie nooit voor het gerecht komen. Elk denkbaar delict op dat vlak is verjaard. Eventuele meineed in de rechtbank van Gällivare is in januari 2006 verjaard.

Er kan echter met zekerheid worden vastgesteld dat er meerdere omstandigheden rondom de dubbele moord bij Appojaure niet zijn gepresenteerd in de rechtbank, terwijl andere omstandigheden op een misleidende manier werden gepresenteerd: het enige moordwapen waarvan met zekerheid is vastgesteld dat het bij de moord op het echtpaar Stegehuis werd gebruikt, is hun eigen fileermes. Ondanks de vijftien verhoren van Thomas Quick, in totaal 713 bladzijden, kon hij dat mes nooit beschrijven. Dit was een aantoonbaar zwak punt in zijn verhaal, maar de rechtbank kreeg dit nooit te horen.

De rechtbank was erg onder de indruk van Seppo Penttinens getuigenis dat Quick al in het eerste verhoor 'een gedetailleerde schets van de rustplaats had kunnen tekenen'. Dat klopte, maar wat Penttinen niet vertelde, was dat Quick de auto en de tent op volstrekt verkeerde plaatsen had getekend.

Een ander belangrijk gegeven was, volgens het vonnis, de damesfiets met de kapotte versnellingen die Quick bij het Samemuseum in Jokkmokk gestolen zou hebben. Rond de tijd van de moorden was er net zo'n fiets gestolen, wat ook door de eigenaar van de fiets voor de rechtbank werd bevestigd. Maar wat Quick oorspronkelijk zei in het verhoor met Seppo Penttinen, was dat hij een herenfiets had gestolen, geen damesfiets.

Birgitta Ståhle was bij alle moordprocessen tegen Thomas Quick aanwezig. Gedurende het proces in Gällivare maakte ze uitvoerig aantekeningen van wat er werd gezegd en grote gedeelten van haar verslag staan weergegeven in het ongepubliceerde boek over Thomas Quick. Daaruit komt duidelijk naar voren hoe de rechtbank misleid werd.

Op de tweede procesdag wordt onder anderen rechercheur Seppo Penttinen gehoord.

Penttinen heeft Sture sinds maart 1993 verhoord en het eerste verhoor betreffende de moorden bij Appojaure was op 23 november 1994.

Penttinen beschrijft hoe hij de verhoren heeft ervaren met een beeld. Het is alsof Sture een neergelaten luxaflex is waarvan sommige lamellen opengevallen zijn. Hij beschrijft een chronologisch onsamenhangend verhaal, maar dan gaat hij terug in tijd en ruimte. Stures lichaamstaal verandert dan en hij wordt erg angstig. Penttinen beschrijft wat er gebeurt, hoe Stures herinneringen aan de moorden terugkomen, een beeld worden. De manier waarop Sture zijn verhaal deed, bleek dezelfde als in de eerdere zaken. Hij vertelde over sommige herinneringsfragmenten en tijdens het verhoor 'ontvouwde' de loop der gebeurtenissen zich steeds meer.

Het verhaal was vanaf het begin volstrekt onsamenhangend. Sture gaf zelf aan dat hij vanwege zijn angstgevoelens zijn 'innerlijke ik' moest beschermen door iets te vinden wat aan de waarheid grensde. Al bij het volgende verhoor corrigeerde hij eerdere informatie.

Quicks herinneringen zijn naar Seppo Penttinens mening helder en gedetailleerd wat betreft de kern van een gebeurtenis. Maar de meer perifere omstandigheden, bijvoorbeeld het reizen naar en van een plaats delict, zijn tamelijk diffuus in zijn verhaal.

Wat betreft de locatie van de bewuste daden gaf Quick al op 23 november 1994 tijdens een verhoor informatie én een gedetailleerde schets van de rustplaats en van de weg die ernaartoe leidt. Hij beschreef verder de consistentie van de grond waarop de tent stond, dat er een bank gemaakt van boomstammen was en hij beschreef de afstand tussen het meer, de tent en de auto van het echtpaar.

Ståhles verslag laat duidelijk zien dat de theorieën van haar en Margit Norell ook sturend zijn geweest voor het politieonderzoek; dat Thomas Quick door middel van regressietherapiesessies bij de verdrongen herinneringen komt. Seppo Penttinen moet hebben geweten dat hij met zijn onder ede afgelegde getuigenis de rechtbank een verkeerd beeld heeft gegeven van de veranderingen in Quicks verhaal tijdens het onderzoek. Maar laten we verdergaan met Ståhles referaat, want Penttinens misleiding van de rechtbank zal nog erger worden.

Tijdens verhoren op 23 november en 19 december gaf Quick aan dat het tentdoek werd opengesneden en dat er lange scheuren plus een kleinere scheur ontstonden op de plek waar hij op de man instak.

Hij gaf ook een beschrijving van het uiterlijk van de man en de vrouw en hun positie in de tent. Deze feiten werden heel spontaan gegeven. Volgens Penttinen is er geen verschil tussen wat Quick tijdens het vooronderzoek heeft verteld en wat hij vertelde tijdens het hoofdproces.

Het eerste verhoor met Thomas Quick beslaat 81 pagina's. Praktisch alle informatie die Quick bij deze gelegenheid gaf is onjuist en het overgrote deel zou weer veranderen, vaak meerdere keren, voordat hij 'een definitief verhaal' gaf. Ik heb alle onjuistheden uit het eerste verhoor gecursiveerd:

- Hij stal een *herenfiets*.
- Daarmee *fietste* hij naar Appojaure.
- Het is *droog* weer.
- Hij opereert *alleen*.
- De rustplaats ligt *tussen vijfhonderd meter en een kilometer* vanaf de grote weg.
- *Midden op de open plek* staat een *bruine vierpersoonstent*.
- De tent staat het *dichtst bij het meer*.
- Een auto staat *naast het bos* geparkeerd met de voorkant *van het meer af gericht*.
- *Op de plek zijn een paar waslijnen gespannen*.
- Quick doodt het echtpaar met *tien tot twaalf messteken*.
- Het moordwapen is een *groot breed jachtmes*.
- *De vrouw komt uit de tentopening*.
- Ze heeft *een ontbloot bovenlijf*.
- Ze heeft *lang bruin* haar en is *ongeveer zevenentwintig jaar oud*.
- De vrouw ligt *rechts* in de tent, de man *links*.
- Quick snijdt na de moord *een kant van de tent open*.
- Hij ziet dat hun *rugzakken in de tent staan*.
- In de auto *heerst wanorde*.

- Quick *steelt niets uit de tent* maar *fietst na de moord terug naar Jokk-mokk.*
- Hij kent Johnny Farebrink *niet.*
- Hij weet *niet* of hij de moorden daadwerkelijk heeft gepleegd.
- *Hij heeft 'nooit' met het echtpaar gesproken.*

Tegenslagen

Het vonnis in de Appojaure-zaak wekte nu in Noorwegen serieus belangstelling voor Thomas Quick en in het voorjaar van 1996 hadden verschillende Noorse journalisten een interview met de praatgrage seriemoordenaar.

Het Noorse Quick-avontuur was echter al in november 1994 begonnen, toen Quick Penttinen vertelde over een moord die tussen 1988 en 1990 zou hebben plaatsgevonden. Het zou gaan om een jongetje met een Slavisch uiterlijk op een te grote fiets. Quick noemde de plaatsnaam Lindesberg, evenals de naam Dusjunka. Een maand later was de naam van het jongetje veranderd in Dusjka en verbonden met de plaatsnaam 'Mysa' in Noorwegen.

In december 1994 vroeg Penttinen de Noorse politie of er ook jongetjes werden vermist die met Quicks beschrijving overeenkwamen. Het antwoord was zoals reeds bekend. Er werd geen Dusjunka of Dusjka vermist, maar wel twee tieners uit Afrika die in 1989 uit een asielzoekerscentrum waren verdwenen. Journalist Svein Arne Haavik van *Verdens Gang* kreeg lucht van het verhaal en publiceerde in juli 1995 informatie over de twee jonge asielzoekers in zijn artikelenserie over Thomas Quick – dezelfde artikelenserie die Quick de informatie gaf over de verdwijning van de negenjarige Therese Johannesen in juli 1988.

De Noorse moordslachtoffers – Therese Johannesen en de twee jonge Afrikaanse vluchtelingen – werden in het politieonderzoek opgenomen op Quicks 'therapiebord', een prikbord met daarop symbolische plaatjes als een soort van collage, dat in de therapie met Birgitta Ståhle werd gebruikt. Het bord werd regelmatig gefotografeerd door Seppo Penttinen, die naar beste vermogen de min of meer verborgen boodschappen probeerde te duiden.

In februari 1996 hing er op het therapiebord een kaart van Noorwegen plus foto's van een blond meisje van negen jaar en foto's van twee tienerjongens met een Afrikaans uiterlijk. Penttinen begreep precies wat Quick daarmee had willen zeggen.

Na het vonnis in Gällivare werden er schouwen in Noorwegen en Zweden gehouden met als doel dat Thomas Quick zou laten zien hoe het ontvoeren en het doden van de jongens in zijn werk was gegaan. De schouwen in Noorwegen werden nauwlettend gevolgd door de media, wat de betrokkenen niet kon ontgaan – en Quick zeker niet.

'We kochten zelfs de kranten voor hem. Hij wilde *Verdens Gang* en *Dagbladet*,' vertelt rechercheur Ture Nässén.

Op 23 april 1996, terwijl Quick en zijn gevolg zich in Noorwegen bevonden, stond er in *Dagbladet* een artikel met foto's van de twee jongens. De rechercheurs waren zich ervan bewust dat Quick dagelijks de kranten las, maar het interesseerde hen niet wat voor informatie hij via deze weg kreeg.

Tijdens hun verblijf in het Ullevål-ziekenhuis in Oslo gaf een van de begeleiders Quick een pet met de tekst ULLEVÅL SYKEHUS en zij kregen een goed contact met elkaar. Quick was zo onvoorzichtig om het artikel in *Dagbladet* aan hem te laten zien. Bij het artikel stond een groepsfoto afgedrukt en Quick wees naar de twee omcirkelde jongens en zei 'die twee herken ik'. De begeleider belde de Noorse politie om dit door te geven.

Het was dus niet door de oplettendheid van de rechercheurs dat bekend werd dat Quick de foto van de 'Noorse jongens' had gezien, maar dankzij een begeleider die eigenlijk niets met de zaak te maken had.

Quicks vermeende slachtoffers hadden voordat ze verdwenen hun vingerafdrukken moeten laten nemen toen ze in Noorwegen asiel aanvroegen, en omdat men in Guldsmedshyttan naar hun stoffelijk overschot zocht, besloot men voor de zekerheid hun vingerafdrukken door de Zweedse database te halen. Bij allebei vond men een match.

Een van de jongens was verder gereisd naar Stockholm, waar hij politiek asiel had aangevraagd op het politiebureau in Kungsholmen. Daar werden foto's en vingerafdrukken van hem genomen.

De politie kreeg meteen de naam, het persoonsnummer en het adres waarop dit vermeende moordslachtoffer ingeschreven stond en even later zat rechercheur Ture Nässén met hem te praten. 'Het was een aardige vent. Hij woonde in Fisksätra met vrouw en kinderen. Hij had Thomas Quick nog nooit ontmoet,' vertelt Nässén me.

Quicks tweede slachtoffer was in Ljungby terechtgekomen, van waaruit hij verder was getrokken naar Canada. Nässén belde en kreeg hem aan de lijn. Na deze twee gesprekken was zijn conclusie wat betreft Quick duidelijk. 'Het was gewoon allemaal verzonnen! Ze vertelden dat ze uit Oslo waren vertrokken, omdat ze wisten dat Noorwegen hun geen politiek asiel zou verlenen.'

Zonder te onthullen wat ze te weten waren gekomen, bereidde de politie een fotoconfrontatie voor met twaalf foto's van Afrikaanse jongens, onder wie de twee verdwenen jongens. De fotoconfrontatie vond plaats in het politiebusje in Guldsmedshyttan terwijl rechercheurs buiten aan het graven waren naar de twee moordslachtoffers, die nog in leven bleken te zijn.

Penttinen begon met Quick eraan te herinneren dat hij al meerdere keren zijn verhaal had veranderd.

'Als je concluderend naar de informatie kijkt die je in verschillende verhoren en tijdens de schouwen hebt gegeven, dan zou je de indruk kunnen krijgen dat je wat verward bent.'

Penttinen vroeg daarna of Quick misschien foto's van de jongens had gezien, maar dat ontkende hij stellig.

Hier bemoeide Christer van der Kwast zich met het verhoor. Deze keer zette hij Quick onder druk, maar hij begon voorzichtig.

'We hebben informatie van iemand uit het Ullevål-ziekenhuis dat je foto's van deze jongens in de krant zou hebben gezien,' zei Van der Kwast.

'Welke krant moet dat dan geweest zijn?' vroeg Quick niet-begrijpend.

Quick wilde niet toegeven dat hij een foto had gezien en hij bleef volhouden dat hij de twee jongens had vermoord.

'Ik weet niet meer precies of je over de tweede jongen hebt verteld, degene die je levend uit Mysen meenam,' verduidelijkte Van der Kwast. 'Waar is hij gestorven?'

'Hij is hier gestorven,' antwoordde Quick zonder aarzeling.

De jongens waren vanuit Oslo meegenomen naar Guldsmedshyttan en de politie zou beide lichamen vinden als ze maar bleven graven, was de boodschap van Quick.

Toen Quick de fotomontage zag, bekeek hij de twaalf donkere gezichten nauwkeurig.

'Ik herken direct een gezicht,' zei Quick en hij zette zijn rechterwijs-vinger op foto nummer vijf, een jongen met een smal gezicht, treurige ogen en half open mond.

'En misschien...' zei hij met een zekere aarzeling en hij wees naar foto nummer tien.

'Vijf en tien,' vatte Penttinen samen. 'De persoon op de vijfde foto herkende je onmiddellijk, zei je.'

Christer van der Kwast verontschuldigde zich, zei dat ze even iets moesten nakijken, waarop Penttinen de bandrecorder uitdeed en ze bei-den het busje verlieten. Vijf minuten later waren ze weer terug. Van der Kwast zou de genadeklap uitdelen.

'Dan zal ik je wat informatie geven over de persoon die jij hebt aan-gewezen op nummer vijf,' zei hij met zijn meest autoritaire stem. Quick bromde ten antwoord en begreep dat dit niet veel goeds voorspelde.

'Volgens de informatie die ik heb, leeft die persoon nog,' zei Van der Kwast. 'Met behulp van vingerafdrukken hebben we dit kunnen achter-halen.'

Quick leek geschokt, maar zei niets.

Ture Nässén was getuige van dit alles: het verhoor, de fotoconfrontatie en de uiteindelijke onthulling dat Quicks Afrikaanse slachtoffers nog leef-den, respectievelijk in Zweden en in Canada.

'Toen was er paniek in het team! Ik moest Quick terugrijden naar de Säterkliniek. Men had geen idee hoe het onderzoek naar de twee jongens verder moest.'

Zelfs na deze gebeurtenis sloten Christer van der Kwast en Seppo Penttinen hun ogen voor het feit dat Quick informatie over de moorden uit de media haalde. Maar de gebeurtenis in Guldsmedshyttan had Ture Nässén er definitief van overtuigd dat Quick gewoon een kletskous was. 'De consequentie was dat ik uit het onderzoeksteam stapte. Het was afge-lopen met de uitstapjes van Thomas Quick.'

Parallel aan het Noorwegen-onderzoek liep het onderzoek naar de moord op Yenon Levi, en in mei 1996 werd besloten om een reconstructie te maken.

Het oorspronkelijke Levi-onderzoek bevatte een enorme hoeveelheid technisch materiaal dat Jan Olsson en technisch rechercheur Östen Eliasson onderzochten. Uit al dat materiaal reconstrueerden ze een vermoedelijke toedracht van de moord. Maar na hun ervaringen bij de reconstructie bij Appojaure en de rechtszaak in Gällivare verdacht Olsson Seppo Penttinen ervan dat hij informatie lekte aan Quick. Daarom besloten Eliasson en hij Penttinen vóór de reconstructie niet van hun bevindingen op de hoogte te stellen.

Het is 20 mei 1996 elf uur 's ochtends en Thomas Quick zal op de plaats van het misdrijf vertellen hoe hij Yenon Levi vermoordde. Het hele gebruikelijke gezelschap – politiemannen, begeleiders van de Säterkliniek, therapeute, geheugenexpert, officier van justitie en technisch rechercheurs – is aanwezig.

Thomas Quick, vandaag met een zwarte pet, blauw-wit bomberjack, zwarte broek en loopschoenen, heeft er echter geen zin in. Hij wil voor de reconstructie een toespraak houden. Hij is duidelijk overstuur.

'Ik wil voordat we beginnen me rechtstreeks tot officier van justitie Christer van der Kwast richten en hem vertellen dat ik nog steeds erg gefrustreerd ben over wat er afgelopen maandag is gebeurd. Ik begrijp niet goed waarom Christer van der Kwast zich niet rechtstreeks tot mij kan richten om zijn excuses aan te bieden!'

Ruim een week na het vernederende fiasco in Guldsmedshyttan was Quick samen met Birgitta Ståhle naar Stockholm gereisd voor een ontmoeting met Van der Kwast. Ze troffen elkaar laat op de avond bij de rijksrecherche en Van der Kwast wond er geen doekjes om. Hij eiste concrete bewijzen en 'volwassen gedrag' van Quick. Zo'n behandeling was Quick niet gewend en hij vertrok woedend.

Nu diende zich een uitgelezen gelegenheid aan om Van der Kwast te vernederen tegenover het hele onderzoeksteam.

'Of dit mij wel of niet zal belemmeren vandaag, dat weet ik niet. Ik hoop van niet. Maar in dat geval is het niet dankzij Christer van der Kwast. Ik vind dat hij in deze kwestie zijn verantwoordelijkheid niet heeft genomen. Hij heeft niet voldoende afstand genomen en ik vind dat hij zichzelf en zijn rol niet voldoende uit elkaar kan houden. Ik ben erg teleurgesteld en ik hoop dat Christer van der Kwast de moed heeft om me persoonlijk zijn verontschuldigingen aan te bieden.'

Seppo Penttinen doet alsof het pijnlijke begin niet is voorgevallen en probeert Quick gunstig te stemmen door te vertellen dat ze aan bijna alle eisen die Quick voor de reconstructie heeft gesteld hebben kunnen voldoen. Het was niet zo eenvoudig om een exemplaar van het ongebruikelijke automodel Mazda Kombi 929L te pakken te krijgen. In 1988 had Quick zo'n auto tot zijn beschikking, hoewel hij van Patrik Olofssons moeder was. Maar nu staat hij daar.

Op de locatie bevindt zich ook een pop die Yenon Levi moet voorstellen, en een figurant die de rol van Quicks handlanger kan spelen.

'Een van de uitgangspunten is ook dat Thomas samen met de handlanger, naar eigen zeggen Patrik Olofsson, in contact is gekomen met Yenon Levi en dat ze vanuit Uppsala in deze auto naar het huis in Ölsta zijn gereden,' verklaart Penttinen.

De irritatie lijkt te zijn verdwenen bij Thomas Quick, die belangstelling begint te tonen voor het in scène zetten van de moord.

De reconstructie zal beginnen op de weg, waarna ze het erf zullen oprijden. Alles moet precies zo zijn als toen ze met Yenon Levi uit Uppsala kwamen. Anna Wikström zal de handlanger spelen, terwijl Seppo Penttinen eerst Yenon Levi zal zijn. Verderop in de reconstructie, als Yenon Levi doodgeslagen moet worden, zal Penttinen worden vervangen door de pop.

Wanneer Quick, Patrik en Yenon Levi bij de auto zijn aangekomen, zegt Quick dat ze een mouw van hun kleding moeten afscheuren, zodat hij daarmee de handen van Penttinen/Levi kan vastbinden. Het is belangrijk om de situatie en de omgeving exact na te bootsen, alleen dan kan hij zich de gebeurtenis op de juiste wijze herinneren. Alle betrokkenen weten dit – het zijn cruciale elementen in de sinds lange tijd gebruikte verhoortechniek van Sven Åke Christianson – dus wordt er een mouw van een kledingstuk gescheurd en aan Quick overhandigd.

De knoop lukt weliswaar niet helemaal, maar Penttinen zit vastgebonden op de passagiersstoel en Quick spoort Anna Wikström aan om op de achterbank plaats te nemen en het portier dicht te doen.

'En jij laat aan die kant zien dat je een mes hebt.'

'Oké,' zegt Wikström/Patrik.

'Kun je het raampje opendraaien zodat de camera het beter kan opnemen?' zegt Quick, die graag wil dat de bedreiging met het mes van Yenon Levi duidelijk op de opnames te zien is.

'In mijn herinnering van de reis hou je het mes tegen zijn keel,' zegt Quick tegen Anna Wikström.

Jan Olsson observeert alles wat er gebeurt en noteert alle handelingen zorgvuldig. Het valt hem op dat Quick zich net zo gedraagt als de regisseur bij de filmopnames die hij een keer heeft bijgewoond. Quick loopt zo nu en dan even weg om na te denken, steekt een sigaret op, om daarna zijn acteurs aanwijzingen te geven voor het vervolg.

Het kost ongelooflijk veel tijd om alles zo te krijgen als Quick het wil hebben. Als laatste komt er een chauffeur, een stand-in voor Quick, die men niet betrouwbaar genoeg acht om zelf te rijden. De korte autorit vanaf de weg naar het huis wordt naar tevredenheid uitgevoerd en gefilmd.

In de zes verhoren van Quick over de Levi-moord heeft hij verschillende versies gegeven van de toedracht van de moord: een of twee slagen met een steen tegen zijn hoofd; een slag met een krik tegen zijn hoofd; een slag met een koevoet tegen zijn voorhoofd; een slag met een campingbijl op zijn hoofd, et cetera. In de verhoren wisselen ook de plaatsen waar Yenon Levi werd gedood; soms gebeurt het bij het vakantiehuisje in Ölsta, soms bij de vindplaats in Rörshyttan.

Op de plaats van de reconstructie ontstaat nu een zekere spanning: waar zal Quick deze keer Levi hebben gedood en met welk moordwapen? Jan Olsson weet met zekerheid waar Levi werd doodgeslagen en ook met welk moordwapen. Maar hij is niet van plan daar iets over los te laten. Quick moet dit zelf vertellen, zonder hulp.

Quick lijkt te worstelen met deze vragen. Hij zegt tegen Seppo Penttinen dat hij 'de krik wil voelen', terwijl hij tegelijkertijd probeert zich in te leven in zijn rol tegenover de Engelstalige Yenon Levi. Ondanks zijn beperkte kennis van het Engels was er toch een bepaalde communicatie.

'Ik zeg dus "take it cool", en dat soort dingen,' zegt hij.

Seppo Penttinen heeft de krik opgehaald zodat Quick hem kan vasthouden, maar Quick wordt niet blij van wat hij te zien krijgt. Het is helemaal het verkeerde model, het zou een krik met 'sprieten' moeten zijn, zegt hij.

'Is er iemand die verstand heeft van krikken?' vraagt Quick.

'Ik niet,' geeft Penttinen toe.

Er ontstaat een lange discussie over krikken tussen de twee mannen, die zich echter allebei een leek op dit gebied beschouwen. Ten slotte wordt de reconstructie weer hervat.

Quick haalt zijn speelgoedmes tevoorschijn en snijdt Yenon Levi's handboeien door, waarna er een wilde jacht begint. Levi vlucht naar de weg. Quick haalt hem in, Levi valt en bezeert daarbij zijn schouder, verklaart Quick.

De handlanger houdt Levi vast terwijl Quick 'een paar flinke klappen' uitdeelt en hem met een mes op zijn borstbeen krast.

'En dan krijgt hij een harde trap in zijn maagstreek, en nog een paar trappen in – volgens mij – zijn zij.'

'Nu zou ik een krik en een steen willen vasthouden,' zegt Quick, die tot op het laatste moment twijfelt aan het moordwapen.

Maar eerst wil Quick laten zien met welke enorme kracht hij Levi trappen geeft. De pop die op de grond ligt weegt ongeveer tachtig kilo.

Quick neemt een aanloop en schopt met volle kracht tegen de pop, die door zijn gewicht blijft liggen; het is alsof Quick tegen een muur schopt waarbij hij zich enorm bezeert.

'Au, au, au,' kermt hij en hij springt op één been rond terwijl hij zijn pijnlijke voet vasthoudt.

Enkele toeschouwers draaien zich discreet om of doen alsof ze hevig geïnteresseerd zijn in iets anders.

Wanneer Quick zich heeft herpakt, weet hij weer alles over het moordwapen.

'Het is een steen. Het is een steen,' zegt hij terwijl hij laat zien hoe hij de steen op de slaap van de al bewusteloze Levi laat neerkomen.

Daarna wil Quick even pauzeren en Penttinen maakt van de gelegenheid gebruik en loopt naar Jan Olsson.

'Hoe gaat het met Thomas?'

Olsson mompelt een ontwijkend antwoord. Zijn ergste vermoedens zijn tot nu toe uitgekomen, waardoor hij nog meer moet oppassen om niet te vertellen dat Quicks verhaal niet klopt met de technische vondsten.

Nu moet Quick nog aanwijzen hoe hij en zijn handlanger het bebloede stoffelijk overschot van Levi achter in de auto leggen, waar het onder een deken wordt verstopt.

'Hoe zou jij de toestand van Levi willen omschrijven?' vraagt Penttinen.

'Dood,' antwoordt Quick kortaf.

'Brengt hij nog enig geluid voort?'

'Nee,' zegt Quick.

Dat is niet het goede antwoord en Penttinen geeft aan dat hij de mededeling dat Levi daar op die plek werd gedood, niet accepteert.

'Je hebt gezegd dat hij moet overgeven en bloed ophoest, hoe kun je dat zien?'

Quick heeft dat niet gezegd tijdens de reconstructie, maar hij herstelt zich snel.

'In de auto.'

Dat Levi niet dood was toen hij op de achterbank werd gelegd is van groot belang voor het tweede gedeelte van de reconstructie, die zal plaatsvinden in het bos buiten Rörshyttan waar Levi werd aangetroffen.

'Hoe is zijn toestand dan?' vraagt Penttinen.

'Dat vertel ik als we daar zijn,' antwoordt Quick cryptisch.

Kort daarna rijdt een hele stoet auto's over de provinciale weg 762 van Rörshyttan naar Ängnäs. Een paar honderd meter voor het einde van de weg, op een keerplek midden in het bos, blijft de stoet staan. Thomas Quick gaat nu demonstreren hoe hij Yenon Levi om het leven heeft gebracht.

De Mazda combi met Levi achterin wordt ten slotte in de juiste positie geparkeerd en met moeite weet Quick de pop uit de auto te krijgen nadat hij en zijn handlanger aan de deken hebben getrokken waarop de pop ligt.

'Hij is dus nog niet dood,' zegt Quick.

De mededeling dat Levi in het vakantiehuis in Ölsta al dood was, klopt dus niet meer en met behulp van Anna Wikström zet Quick de pop overeind. Hij is erg zwaar en al na een paar seconden laat Quick hem vallen. Quick zegt dat het zo is gegaan, zijn benen begaven het.

De koevoet wordt uit de kofferbak van de auto gehaald en Quick demonstreert in rap tempo hoe de klap Yenon Levi op zijn achterhoofd raakte.

'Volgens mij is het een koevoet,' zegt Quick.

'Weet je dat niet zeker?' vraagt Seppo.

'Ik weet het niet zeker.'

'Wat kan het dan zijn geweest als het geen koevoet was?'

'Een schop, maar ik neig ertoe te zeggen dat het een koevoet is.'

Quick gaat in de auto zitten, die naar voren wordt gereden en weer terug, en hij probeert 'in te voelen' waar hij het lichaam toen heeft neergelegd. Na lang wikken en wegen legt hij het op de verkeerde plek, in de verkeerde richting en in de verkeerde houding. Quick zegt dat hij zijn hand onder het hemd van Levi schoof en de haren op zijn buik en borst voelde.

Yenon Levi had helemaal geen haar op zijn borst, denkt Jan Olsson. Hij maakt een notitie in zijn opschrijfboekje, maar zijn gezicht verraadt niet wat hij denkt.

De belangrijkste vondst die de politie in 1988 op de plaats delict deed was een bril die de moordenaar daar vermoedelijk was verloren. Quick heeft helemaal niets over een bril gezegd. Onderzoek heeft uitgewezen dat de bril niet van Quick was. Bovendien past de bril ook helemaal niet in het verhaal.

Anna Wikström heeft de rol van Yenon Levi overgenomen en wanneer ze moet gaan liggen, stelt Quick voor dat ze haar bril afzet, waarna de reconstructie verdergaat.

Wanneer ze bijna klaar zijn vraagt Penttinen: 'Wil je misschien nog iets vertellen, Thomas?'

'Nee.'

'Je zei iets waar ik over nagedacht heb. Waarom je die opmerking over die bril maakte. Je zei dat hij hier ligt. En hij ligt hier. Is het iets waar je ineens aan moest denken of wat je je afvraagt of is het iets anders?' vraagt Penttinen.

'Ja, die ligt hier... Nee, ik weet niet waarom ik dat zei.'

'Is het moeilijk om te vertellen?'

'Nee.'

'Droeg je een bril?'

'Nee, dat geloof ik niet.'

'Waarom reageerde je dan op die bril?'

'Ik kreeg ineens het beeld voor me dat de bril die hij op had, naast hem lag, maar verder weet ik er niets van,' maakt Quick een eind aan het gesprek.

Penttinens vasthoudende interesse voor Quicks opmerking over de bril van de figurante was een niet erg subtiel signaal. In het volgende verhoor zou Quick vertellen dat hij de bril bij een benzinestation had gekocht om de zestienjarige handlanger Patrik te vermommen.

De bril had sterkte +4 en corrigeerde dus zware verziendheid. Waarom ze voor Patrik, die uitstekende ogen had, een bril met zulke sterke glazen hadden uitgekozen, legde hij niet uit. En niemand vroeg het hem.

De bril was ongeveer tien jaar oud toen hij werd gevonden, wat zou betekenen dat de bril was gekocht toen Patrik zes was. Nog iets vreemds was de getuigenis van de Zweedse hoofdleverancier dat het bewuste model nooit in pompstations te koop was geweest.

Aan het einde van de dag was Jan Olsson ervan overtuigd dat deze reconstructie definitief een punt achter het hele Quick-onderzoek zette. 'Ik wist heel zeker dat het nu wel duidelijk was. Quick had deze moord niet gepleegd. Dat was niet meer dan logisch.'

Olsson wist dat Quick de verkeerde plaats delict en het verkeerde moordwapen had genoemd. Het lichaam van Yenon Levi was op de verkeerde plaats gelegd en Quick had ook niet gezegd dat het lichaam was onderzocht en dat zijn zakken waren leeggehaald. De technische recherche had een schoenafdruk van Yenon Levi veiliggesteld. Daaruit bleek dat hij niet alleen bij bewustzijn was geweest, maar ook zo voor zijn leven had gevochten dat er kluiten aarde waren losgeraakt.

Samengevat toonden de sporen aan dat er vlak voor de moord bepaalde dingen waren voorgevallen die de moordenaar zou moeten weten. Maar wat Quick vertelde weersprak op elk punt de sporen die op de plaats delict waren veiliggesteld. Quicks verhaal was gewoon niet waar, besefte Olsson.

Toen de reconstructie was afgelopen vroeg Claes Borgström of hij met Jan Olsson kon meerijden naar Stockholm.

'In de auto probeerde ik er met Borgström over te praten dat de reconstructie had aangetoond dat Quick niet de dader was. Er was immers niets wat klopte.'

Maar Borgström had ontwijkend geantwoord. Hij het over zijn pas gekochte zeilboot gehad. Het was een geliefd gespreksonderwerp van hem, hij sprak er zelfs met zijn cliënt over, maar Quick reageerde lauw omdat hij niets van boten en zeilen afwist en er ook geen interesse voor had.

Wat gebeurde er nu eigenlijk met Yenon Levi?

Tweeënhalf jaar na de moord, op 10 januari 1991, deed een ambtenaar bij de vreemdelingenpolitie in Borlänge een interessante ontdekking. Ze vond dat een bril op een pasfoto verdacht veel leek op de bril die de politie destijds naast het lichaam van Yenon Levi had aangetroffen, zoals ze die zich herinnerde.

De bril en de pasfoto werden naar het Zweeds Forensisch Instituut (SKL) gestuurd. In het rapport van het SKL stond dat 'er sterke aanwijzingen waren' dat de bril op de plaats delict dezelfde was als die op de pasfoto. Dat was een sterke uitspraak. Op de schaal van 1 tot en met 9 van het SKL de een na sterkste.

Het bedrijf Hoya-Optikslip voerde een ingewikkeld onderzoek uit waaruit bleek dat de glazen in de bril op de pasfoto dezelfde sterkte hadden als de glazen van de bril die op de plaats delict was gevonden, +4 dus.

Op de pasfoto stond een man die we hier Ben Ali zullen noemen, een toen vijftigjarige man van Noord-Afrikaanse afkomst, die handig genoeg al vastzat bij de politie in Falun. Hij was net tot vijf jaar gevangenisstraf veroordeeld voor zware mishandeling, intimidatie en diefstal.

Ben Ali had een vriend van hem, door hem te bedreigen en onder druk te zetten, zover gekregen dat hij het gezicht van zijn vriendin met een mes had bewerkt. De twaalfjarige dochter van de vrouw had alles gezien. De rechter halsslagader was doorgesneden en de vrouw had deze aanval ternauwernood overleefd. De dader vertelde dat Ben Ali hem ook had gevraagd een oog van de vrouw eruit te snijden, maar dat had hij geweigerd.

Door de uitkomst van het labonderzoek was Ben Ali verbonden aan de plaats delict. De misdrijven waarvoor hij veroordeeld was, toonden aan dat hij in staat was om andere mensen met geweld te verwonden en ook te doden. Nu was het alleen nog een kwestie van aantonen hoe hij in contact was gekomen met Yenon Levi, en het vinden van een motief.

Bij het oude onderzoeksmateriaal zat een tip die amper twee weken na de moord bij de politie in Avesta was binnengekomen. De korte anonieme mededeling was in een verzorgd handschrift geschreven en vulde een heel A4'tje.

Aan het onderzoeksteam van de moord
Op het Centraal Station is vaak een groep Arabieren met een sterke Jodenhaat (ze eren Hitler) te vinden. Deze Arabieren hebben een link met Borlänge (o.m. een fotozaak). Het zou me niets verbazen wanneer het hier om een vergelding ging, misschien is Levi met hen meegereden vanuit Stockholm.
Een vergezochte gedachte?

In een verhoor vertelde een Zweedse vriendin dat Ben Ali altijd naar het Centraal Station in Stockholm ging om daar jonge Arabische mannen te ronselen die voor hem konden werken. Ze moesten bij oude mensen in Dalarna, in het noorden van Zweden en Noorwegen, aanbellen en proberen hun schilderijen te verkopen. Vaak werkten ze met z'n tweeën en terwijl de een vroeg of ze even gebruik mochten maken van het toilet of van de telefoon, stal de ander alle waardevolle spullen uit de woning.

Veel van die jonge Arabieren die voor Ben Ali werkten vertelden tijdens een verhoor dat ze bij het Centraal Station werden opgepikt en dat hun werk en Zweedse vrouwen werden beloofd. Veel van die mannen logeerden ook bij enkele vrouwen in Dalarna.

Uit het onderzoek kwam naar voren dat er in de jaren 1986-1988 een groot aantal jonge Arabische mannen voor Ben Ali werkte. Een paar vriendinnen vertelden in verhoren dat ze in de zomer van 1988 Yenon Levi in Ben Ali's flat hadden gezien.

'Die jongen heb ik gezien. Die kan ik me herinneren,' zei een van de vrouwen toen de politie een foto van Levi liet zien.

Volgens de vrouw had hij met Ben Ali in de woonkamer tv zitten kijken.

Begin juni was Ben Ali in Stockholm geweest, waar hij twee jonge Marokkanen, Mohammed en Rachid, had opgehaald. Onmiddellijk na de aankomst in Borlänge hadden ze de stad verlaten. Toen ze na een paar dagen waren teruggekomen, had de ene een tweedehands winterjas die hij daarvoor nog niet had. Het was een rood-wit-blauwe, gewatteerde jas en hij zag er precies zo uit als de verdwenen jas van Yenon Levi.

Een stationswacht op het Centraal Station in Stockholm was de laatste getuige die Yenon Levi in leven had gezien. In 1988 vlak na de moord had hij al over deze ontmoeting verteld. Yenon Levi had samen met een aantal Arabisch sprekende personen in de wachtruimte gezeten. Levi had hem in het Engels gevraagd naar de trein naar Mora-Falun.

Een andere stationswacht had Ben Ali aangewezen bij een fotoconfrontatie. Hij kon 'met honderd procent zekerheid' zeggen dat Ben Ali altijd het Centraal Station van Stockholm bezocht op zoek naar andere buitenlanders en daarbij de indruk gaf dat hij op zoek was naar een bekende.

Yenon Levi's familie kwam oorspronkelijk uit Jemen, hij had een nogal Arabisch uiterlijk en sprak Arabisch. Hij kon daarom voor een Arabier worden aangezien, maar hij was een Israëlische Jood en had als sergeant in het Israëlische leger meegevochten in de Israëlisch-Libanese oorlog.

Gezien Ben Ali's alom bekende jodenhaat zou het voor Yenon Levi een direct gevaar kunnen betekenen als men erachter kwam dat hij eigenlijk een Israëlische Jood was. Ben Ali werd aangemerkt als verdachte van de moord op Yenon Levi, maar werd er uiteindelijk niet voor gedagvaard. Nadat hij zijn gevangenisstraf had uitgezeten, werd hij het land uitgezet.

In het voorjaar van 1996 bevond het Quick-onderzoek zich in de meest intensieve fase. Naast verhoren, reconstructies en schouwen betreffende de moord op Yenon Levi en de 'Noorse jongens' vonden er schouwen plaats in Drammen en Ørjeskogen naar aanleiding van de moord op Therese Johannesen. Quick vertelde toen dat hij het lichaam van Therese in stukken had gesneden en in een bosmeer had laten zinken.

Op 28 mei verzamelt zich een grote groep mensen op het politiebureau in Ørje: medewerkers van de Noorse rijksrecherche, de rechercheurs die zich bezighouden met de moord op Therese, agenten van de plaatselijke politie in Ørje, technisch rechercheurs, biologen, een professor in de anatomie, hondengeleiders, lijkenhonden, mensen van de Noorse brandweer, duikers plus een aantal burgers van de civiele beschermingsorganisatie. Het Zweedse onderzoek wordt vertegenwoordigd door Seppo Penttinen en Anna Wikström, die een logboek bijhouden van het macabere en geldverslindende onderzoek.

Op de eerste dag worden de pompen bij het strandje van het Ringen-Tjärn gestart. Een heel leger mensen is bij verschillende stations aan het werk, water wordt zorgvuldig gezeefd, duikers onderzoeken de bodem van het meer, lijkenhonden speuren de randen van het meer af en Wikström houdt het logboek bij.

> Seppo en ondergetekende kijken elkaar nerveus aan en hebben 'regelmatig' dezelfde paniekerige gedachte, heeft hij ons echt de juiste informatie gegeven?

Bij de fijne zeef, waar naar verwachting eventuele lichaamsdelen van Therese opgevangen zullen worden, staat professor Per Holck, de anatomische expert bij het onderzoek. Per Holck heeft een skelet van een kind van Thereses leeftijd meegenomen, dat hij aan de rechercheurs laat zien zodat ze weten hoe eventuele vondsten eruit kunnen zien.

Het werk bij het bosmeer gaat dagenlang door, lange diensten, zeven dagen in de week. In de stromende regen. Vondsten blijven uit, wat Wikström en Penttinen al snel ongerust maakt. Samen met hun Noorse collega's lopen ze al het materiaal van de schouwen met Quick nog een keer na en in Wikströms logboekaantekeningen schemert de twijfel:

Natuurlijk kun je voortdurend vraagtekens zetten bij de manier waarop TQ zich uitdrukt, zijn geloofwaardigheid hmm… hoe moeten we dit interpreteren??

Ja … wist je dat maar (Saida…) […]

Ik begrijp dat dit moeilijk te bevatten is, heb er zelf soms ook moeite mee om te accepteren dat we 'marionetten van TQ zijn' maar het doel is om de nabestaanden een antwoord te kunnen geven, TQ blijft immers zitten waar hij zit.

De treurige aantekeningen worden afgewisseld met vrolijke beschrijvingen van het samenzijn en de spelletjes tussen de Noorse en Zweedse collega's. Al na acht dagen wordt het logboek beëindigd als Wikström en Penttinen tijdelijk terug moeten naar Zweden voor het onderzoek van de zaak-Yenon Levi.

Wikströms ongerustheid over de gevolgen van het uitblijven van vondsten na het intensieve onderzoek van het meer is nu overduidelijk. Ze citeert een regel uit een gedicht van Karin Boye: 'Zeker heeft onze reis een doel en zin, maar het is de weg ernaartoe die de moeite waard is.'

Ondergetekende moet proberen genoegen te nemen met dit feit, ongeacht het eindresultaat. Seppo en ondergetekende hebben onze vluchtweg al in kaart gebracht, bestemming onbekend, mogelijk gaan we eerst langs Säter […] we hebben hoog spel gespeeld, nog een geluk dat onze Noorse buren geen staatsschuld hebben.

Hiermee wordt het logboek op dinsdag 4 juni 1996 afgesloten.

Anna Wikström, rechercheur

Van 28 mei tot 17 juli 1996 werd het bosmeer afgedregd en het water gezeefd. Kosten: vele miljoenen kronen, zonder dat er ook maar iets werd gevonden.

De commissie-Quick strandt

Ondanks het debacle van de eerste reconstructie van de moord op Yenon Levi werd het onderzoek voortgezet en met grote verbazing ontving Jan Olsson het bericht dat er op Quicks verzoek een nieuwe reconstructie zou worden gemaakt. Hij probeert me uit te leggen hoe vreemd dit besluit was.

'Een reconstructie overdoen is zeer uniek – zoiets doe je niet. Waarom zou je?'

Voor deze tweede reconstructie had Seppo Penttinen toegang tot de delictanalyse van de technische recherche van een half jaar terug en hij had ondertussen Quick nogmaals verhoord.

Onder deze omstandigheden ging de reconstructie voor Quick aanzienlijk beter, maar zijn verhaal week nog steeds op veel punten af van de bevindingen van de patholoog-anatoom en de vondsten die de technische recherche had gedaan. Christer van der Kwast riep een vergadering bijeen om de problemen op te lossen.

Olsson vertelt: 'Het was 's avonds in het gebouw van de rijksrecherche en alle betrokkenen waren aanwezig: patholoog-anatoom Anders Eriksson, de rechercheurs uit Falun en Stockholm, Christer van der Kwast en ik. Ik vond dat Van der Kwast vanaf het begin van dat overleg uit een ander vaatje tapte.'

Olsson had al de volledige steun van Van der Kwast en Penttinen gekregen, ondanks het feit dat hij eerder tijdens het onderzoek zijn twijfels had geuit over Quicks geloofwaardigheid. 'Ze zeiden vaak dat ze waardering hadden voor mijn houding, dat het goed was dat ik mijn vraagtekens plaatste. Ze zeiden dat het een aanwinst voor het onderzoek was,' vertelt Olsson.

Maar hij zou er algauw achter komen dat Van der Kwasts tolerantie een grens had, ook wat betreft andere betrokkenen.

Tijdens het overleg uitte Christer van der Kwast zijn ongenoegen over hoe de uitspraken van de patholoog-anatoom waren geformuleerd. Er stond onder meer heel duidelijk dat het meeste wat Thomas Quick tijdens het onderzoek had verteld over de verwondingen die hij Yenon Levi had toegebracht, niet strookte met de verwondingen die Levi had. Quick had ook geen geloofwaardige verklaring gegeven voor een aantal van de dodelijke verwondingen die Levi waren toegebracht. Het rapport was ondertekend door assistent-arts Christina Ekström en medeondertekend door haar chef, Anders Eriksson.

'Christer van der Kwast eiste dat Anders Eriksson, die chef en professor in Umeå was, het rapport zou wijzigen,' vertelt Olsson.

In zijn hoedanigheid als chef van de afdeling en professor had Anders Eriksson de bevoegdheid om het rapport af te keuren en een nieuw rapport te schrijven, en tot Jan Olssons verbazing gaf Eriksson toe aan de wens van Van der Kwast.

Nadat het probleem met het sectierapport op deze handige manier was opgelost, ging Christer van der Kwast aan de slag met het technische onderzoek, waar veel op aan te merken was, volgens de officier van justitie.

'Toen begon Van der Kwast tegen mij, op dezelfde toon. Het leek wel een verhoor voor een of andere rechtbank. Ik begreep dat hij doelbewust bezig was om hier een rechtszaak van te maken. Toen zei ik tegen hem: "Maar hoe had je gedacht dat met die bril aan te pakken?" En toen was er een onderbreking en hij wilde niet verdergaan.'

Olssons ogenschijnlijk onschuldige vraag aan Van der Kwast was een oorlogsverklaring die consequenties zou krijgen.

'Ik heb nog nooit meegemaakt dat een officier van justitie heeft geprobeerd deskundigen zo te beïnvloeden,' zegt Olsson.

De informatie over het veranderde sectierapport aangaande Yenon Levi's verwondingen heeft jarenlang gecirculeerd in de Quick-mythologie, maar ondanks onderzoek van journalisten en advocaten is het oorspronkelijke rapport nooit teruggevonden, noch in het vooronderzoeksmateriaal noch bij het Gerechtelijk Laboratorium in Umeå. Ik ben daarom een beetje sceptisch over Jan Olssons verhaal over het overleg bij de rijksrecherche, over het feit dat de officier van justitie zo openlijk de patholoog-anatoom onder druk zou hebben gezet om een wetenschappelijk rapport te veranderen.

Op 23 september 2008 breng ik een bezoek aan een van de rechercheurs in de zaak-Levi, oud-commissaris Lennart Jarlheim, bij hem thuis in Avesta. Jarlheim ontvangt me in zijn zelfgebouwde glazen veranda. Hij heeft nog nooit zo hard gewerkt als na zijn pensionering bij de recherche in Avesta. Hij verbouwt de huizen van zijn kinderen, werkt in hun bedrijf, doet voortdurend hand- en spandiensten en geniet van het leven.

'Zo, u bent geïnteresseerd in Quick,' zegt hij met een scheef lachje dat van alles kan betekenen. 'U bent niet de eerste die om die reden hier langskomt,' voegt hij eraan toe en hij steekt zijn pijp aan die hij net heeft gestopt en leunt naar achteren.

Jarlheim was verantwoordelijk voor de buitendienst van de recherche in Avesta toen de rijksrecherche in de herfst van 1995 bij hem aanbelde en vertelde dat een patiënt van de Säterkliniek de moord op Levi had bekend.

Lennart Jarlheim en zijn collega Willy Hammar startten een grondig onderzoek naar Thomas Quicks leven en de mensen met wie hij omging in de tijd voor de moord, maar kwamen er algauw achter dat dit geen gewoon onderzoek was.

'Normaal gesproken is het zo dat een politiedistrict zijn eigen zaken afhandelt en de hulp van de rijksrecherche kan inroepen, maar in deze zaak was het andersom. We hadden weinig in te brengen wanneer het ging over wat er wel of niet gedaan moest worden.'

Jarlheim en Hammar waren zeer verbaasd toen Christer van der Kwast, in de hoedanigheid van vooronderzoeksleider, hen verbood een ex-vriendin van een van Quicks vermeende handlangers te verhoren. Lennart Jarlheim wilde ook huiszoeking doen in een opslagruimte waar Quicks bezittingen werden bewaard, waartussen zich brieven, dagboeken en ander bewijsmateriaal konden bevinden. Van der Kwast stak daar een stokje voor, en ook voor technisch onderzoek van huizen waar Quick gewoond had.

Volgens Lennart Jarlheim en zijn collega waren er twee mogelijke daders in de zaak Levi: de brillenman Ben Ali en een bekende moordenaar die ten tijde van de moord in het gebied was gesignaleerd. Maar Christer van der Kwast verbood hen deze sporen verder na te trekken.

'Ik had het gevoel dat Christer van der Kwast, Seppo Penttinen en Anna Wikström helemaal gefixeerd waren op het opsluiten van Thomas Quick en hem daarom voor de rechtbank wilden laten komen, ondanks het feit dat er zo bitter weinig was dat voor Thomas Quick als dader sprak,' zegt Jarlheim.

Het frustreerde hem dat hij niet de mogelijkheid kreeg om een zo zorgvuldig mogelijk onderzoek te doen. Hij zegt dat hij toen begreep waarom Ture Nässén van de rijksrecherche uit het onderzoeksteam was gestapt.

'Willy Hammar en ik hebben ook erg getwijfeld of we nog verder aan het Quick-onderzoek moesten meewerken. Er was absoluut niets wat erop wees dat Thomas Quick schuldig was aan de moord op Levi. Helemaal niets!'

Toch bleven Hammar en Jarlheim loyaal. Ze stapten niet uit het team en voerden de opdrachten uit die vooronderzoeksleider Christer van der Kwast hun gaf.

Buiten begint het al te schemeren en ik wil net stoppen, als hij opstaat en in een aangrenzende kamer verdwijnt. Wanneer hij terugkomt, heeft hij een zware doos in zijn handen.

'Neem deze maar mee. Ik heb op een goede gelegenheid gewacht en die is nu gekomen,' zegt hij en hij zet de doos op de grond voor me neer.

Ik bedank de goede commissaris, til de doos op en rij terug naar mijn hotel waar ik de doos onmiddellijk uitpak.

Het is het vooronderzoeksmateriaal van de zaken van Yenon Levi, de jonge asielzoekers en andere zaken die speelden toen Jarlheim aan het Quick-onderzoek werkte.

Bovenop ligt het eerste sectierapport van de patholoog-anatoom in de zaak-Yenon Levi – waarvan Van der Kwast volgens Olsson eiste dat het overnieuw werd gedaan. Het dateert van 17 november 1996 en is ondertekend door assistent-arts Christina Ekström en professor Anders Eriksson. Op deze eerste pagina heeft iemand met pen geschreven: 'Werkex. Fout vgl. Kwast, wordt herzien.'

Er liggen nog twee versies van het rapport in de doos, de laatste is alleen ondertekend door Anders Eriksson.

Nu ik het zoekgeraakte rapport in mijn handen heb, is het niet moeilijk om de stukken te vinden die Van der Kwast 'niet goed' vond.

Patholoog-anatoom Christina Ekström stemde de forensisch medische vondsten af op hetgeen Quick in de verhoren had gezegd en schreef samenvattend: 'Quick heeft in zijn beschrijving van het verloop van de gebeurtenissen een groot aantal verschillende versies gegeven die elkaar op meerdere punten tegenspreken.'

Een belastende omstandigheid voor de rechercheurs was dat Yenon Levi een heel bijzondere verwonding had in de vorm van een breuk in zijn rechter darmbeenvleugel. Volgens de eerste bevindingen van de patholoog-anatoom konden de verschillende versies van Quicks verhaal deze dodelijke wond niet verklaren.

Seppo Penttinen had Christina Ekström persoonlijk gesproken en had geprobeerd haar ervan te overtuigen dat Quick met een schop of een stomp voorwerp de breuk in de darmbeenvleugel had kunnen veroorzaken. 'Bedenk wat voor grote voeten Quick heeft,' had Penttinen gezegd. Maar Ekström bleef bij haar oordeel dat het letsel alleen verklaard kon worden door een val van een grote hoogte, een verkeersongeluk of iets dergelijks.

Ik neem contact op met een onafhankelijke patholoog-anatoom, die bevestigt dat Yenon Levi's verwonding aan zijn darmbeenvleugel zeer bijzonder was. Het letsel kon de dood tot gevolg hebben en kon alleen veroorzaakt zijn door zeer krachtig geweld, waarschijnlijk een aanrijding door een auto.

Anders Eriksson loste het probleem van de officier van justitie op door geen rekening te houden met ongeveer negentig procent van het materiaal uit het rapport waarop Christina Ekström haar bevindingen had gebaseerd. In het uiteindelijke rapport telde voor hem alleen wat Quick bij de tweede reconstructie en in de daaropvolgende verhoren had verteld.

De drie sectierapporten die ik nu voor me heb liggen sterken me in de overtuiging dat Jan Olssons beschrijving van het overleg bij de rijksrecherche juist was.

'Maar hoe wil je die bril wegmoffelen?' had Jan Olsson Christer van der Kwast gevraagd.

Het was een retorische vraag, want de bril was niet over het hoofd te zien.

Hoewel Olsson verantwoordelijk was voor de technische recherche in de zaak-Levi, stuurde Van der Kwast Anna Wikström naar Avesta om de bril op te halen. De bril werd naar het Forensisch Instituut gebracht met de vraag of er intussen nieuwe onderzoeksmethoden waren die een ander resultaat zouden opleveren.

Het Forensisch Instituut hield echter vast aan haar eerdere uitslag, namelijk 'dat er sterke aanwijzingen zijn' dat de bril op de plaats delict identiek is aan de bril die Ben Ali op zijn pasfoto draagt. Dat werd nog eens bevestigd door het onderzoek van Hoya-Optikslip.

Toen besloot Christer van der Kwast om zich niets aan te trekken van het grondige onderzoek door de deskundigen. Hij wendde zich tot de technische recherche in Stockholm, die tot een andere conclusie kwam. Het rapport van een hulpvaardige politieman – die zich voor het rapport van een deskundige wendde tot een gewone optiekzaak in de Hantverkargatan in Stockholm, toevallig ook de zaak waar agenten korting kregen op hun bril – overtroefde daarmee het Forensisch Instituut.

Toen de commissie-Quick eind 1995 werd ingesteld was er de oprechte intentie om met behulp van wetenschappelijke methoden en de beste rechercheurs van het politiekorps duidelijkheid te krijgen in de moordzaken die de onbegrijpelijke Thomas Quick had bekend.

In het voorjaar van 1997 lagen al deze trotse plannen aan gruzelementen, een paar politiemannen van de rijksrecherche zeiden openlijk dat ze Quick niet geloofden, sommigen waren uit de commissie gestapt, deskundigen waren van het onderzoek uitgesloten en binnen de rijksrecherche waren twee kampen ontstaan. Als hoofd van de uitvoerende diensten had commissaris Sten Lindström de verantwoordelijkheid voor het personeel en voor hem bracht het veeleisende Quick-onderzoek grote problemen met zich mee.

Op de eerste bijeenkomst van de commissie was de vraag besproken of alleen Seppo Penttinen Quick mocht verhoren. Op dat punt was er niets veranderd. Lindström had een keer gevraagd of men dit niet in heroverweging kon nemen.

'Nee, verdomme! Niemand anders dan Penttinen kan Quick verhoren,' had Christer van der Kwast geantwoord.

En zo bleef het. Er waren ook andere voorstellen gedaan over het analyseren van alle verhoren met Quick. Commissaris Paul Johansson, die later hoofd werd van de Daderprofielgroep, werd gezien als de beste verhooranalyticus van het korps, en het was de bedoeling dat hij alle verhoren in het Quick-onderzoek zou analyseren.

Aan zo'n omvangrijke opdracht moet natuurlijk een besluit voorafgaan. Een besluit dat de leider van het vooronderzoek moet nemen. Johansson begon de verhoren te lezen, maar een besluit van Van der Kwast kwam er nooit en het project bloedde dood.

Paul Johansson had echter het onderzoek naar de moord op Yenon Levi gelezen, en toen ik hem sprak, wilde hij liever geen uitspraken doen over het Quick-onderzoek, aangezien hij geen inzicht in al het materiaal had. Maar hij heeft een duidelijke mening over de verhoren die hij wel had gelezen. 'Ik ben van mening dat uit het vooronderzoek blijkt dat Quick geen flauw idee had hoe de moord [op Yenon Levi] in zijn werk was gegaan.'

Johansson was stomverbaasd toen hij het vonnis las.

'Niets wat daarin staat komt overeen met wat Quick tijdens het vooronderzoek heeft gezegd. Elke keer vertelt hij andere dingen. Maar later krijgt hij het vooronderzoek te lezen, en dan pas kan hij vertellen hoe de moord is gepleegd. Dat de rechtbank hem kon veroordelen vind ik zeer merkwaardig.'

Jan Olsson, die voor Paul Johansson hoofd van de Daderprofielgroep was geweest, schreef op 16 februari 1997 een brief aan de vooronderzoeksleider met zijn mening over de kwestie.

Aan Christer van der Kwast

In mijn werk aan het onderzoek om vast te stellen of Quick Levi heeft gedood ben ik zo objectief mogelijk geweest wanneer ik dit aan de hand van het onderzoek toetste. [...]

Ik ben me er natuurlijk van bewust dat de officier van justitie uiteindelijk degene is die de eindbeoordeling doet, maar ik kan geen afstand nemen van de rechtsopvatting die altijd een leidraad in mijn werk is geweest. Ik ben om die reden dan ook diep geschokt over het besluit dat Quick gedagvaard kan worden en dat de persoon die de moord heeft gepleegd indirect wordt vrijgesproken.

De brief gaat verder met een overzicht van een aantal technische feiten die Olsson ervan hebben overtuigd dat Quick niet schuldig is aan de moord en dat hij er ook helemaal niets van af weet. Volgens Olsson is er niets in het verhaal van Quick dat ondersteunt dat hij daar was toen Levi werd vermoord, ook al heeft hij tijdens het onderzoek de werkelijke gebeurtenissen dicht benaderd. Olsson geeft ook een mogelijke verklaring voor dit proces.

Ik heb opgemerkt dat Quick zeer intens naar vooral de leiders van de verhoren kijkt en ik ben ervan overtuigd dat hij een grote gevoeligheid heeft ten aanzien van de toon waarop iets gezegd wordt, blikken van mensen en stemmingen in zijn omgeving.

Christer van der Kwast las de brief, stopte hem in de map en liet nooit iets van zich horen.

Ondanks deze tegenslagen, die consequent een veroordeling van Quick tegenspraken, was Van der Kwast vastbesloten om zijn onderzoek naar een veroordeling te leiden.

De Levi-rechtszaak

Thomas Quick kreeg dezelfde behandeling als daarvoor – hoge doses benzodiazepine en drie keer per week therapie bij Birgitta Ståhle. De aantekeningen in het dossier uit deze periode zijn zo alarmerend dat het bijna onbegrijpelijk is dat niemand heeft ingegrepen wat betreft Quicks zware afhankelijkheid van drugs.

Op 19 november 1996 vond het personeel Quick in de muziekkamer, waar hij geprobeerd had zichzelf met zijn broekriem op te hangen aan de verwarming. Hij was naakt en helemaal bezweet en wisselde van verschillende persoonlijkheden. Naast hem lag een briefje: 'Ik wil Nana niet zijn want ik heet Simon.' Uiteindelijk wist het personeel hem meer Xanor en een klysma Stesolid toe te dienen.

Een week later werd Quick midden in de nacht zeer angstig wakker; 'hij glijdt in verschillende persoonlijkheden (onder meer Ellington). Praat Engels en allerhande dialecten. Na ongeveer twee uur keert Thomas met behulp van het personeel + medicatie terug naar de werkelijkheid'.

Birgitta Ståhle schreef over deze periode:

Ondanks deze moeilijke en zeer zware existentiële toestand gaat het psychotherapeutische werk door. Hopelijk komt er voor kerst bericht over een vervolging wat betreft Rörshyttan [Levi], zodat Thomas de rust krijgt die hij zo hard nodig heeft.

Maar vervolging bleef voorlopig uit en na de jaarwisseling verslechterde Quicks toestand nog meer. In het dossier staan keer op keer notities over enorme angst, zelfmoordgedachten en diepe apathie. Een aantekening van 28 januari 1997 geeft een typisch beeld van Quicks toestand:

Vanmorgen tijdens de therapie onderging Thomas een regressie die gepaard ging met hevige angstaanvallen en verkrampingen. Enkele personeelsleden moesten hem vasthouden en twee klysma's Stesolid à 10 mg toedienen. Na een uur ging het iets beter. Ze gingen vaak even bij hem kijken. Hij sliep ongeveer een uur na de lunch. Rond 14.00 uur stond hij op, zijn toestand verslechterde al snel weer, wat gepaard ging met grote wanhoop en angst. Kreeg Xanor 1 mg, 2 st, na ongeveer vijfenveertig minuten ging het iets beter, was echter futloos en moe. Rond 19.00 uur schreef dokter Erik Kall een capsule Heminevrin voor, 300 mg, 3 st voor de nacht plus bewaking omdat Thomas actieve doodsgedachten heeft.

In de loop van de avond is hij onder invloed van de medicijnen, maar hij kan zich concentreren en naar muziek luisteren en met het personeel over alledaagse dingen praten. Rond 18.00 uur stort hij echter weer in en dat gaat gepaard met hevige huilbuien en een grote wanhoop. Krijgt nog een keer Xanor, 1 mg, 2 st en met behulp van het personeel keert hij weer terug naar de werkelijkheid. Om 20.50 uur neemt hij capsules Heminevrin, 300 mg, 3 st in. Slaapt tot 1.00 uur. Wordt wakker met hoofdpijn. Krijgt na ongeveer een uur Panodil, 2 st, met versterkende Voltaren, 50 mg en 1 st Xanor, van 1 mg. Valt om 3.00 uur weer in slaap en wordt om 7.00 uur wakker. Vanmorgen na de therapie heeft hij moeite met lopen en bewegen. Zijn lichaam gehoorzaamt hem niet. Hij krijgt 2 st Xanor, 1 mg. Na ongeveer een uur voelt hij zich beter, ligt op zijn bed te slapen. Op de ronde wordt besloten dat hij voorlopig nog bewaakt wordt.

Wanneer Christer van der Kwast begin april 1997 Quick dagvaardt voor de moord op Yenon Levi, verslechtert zijn toestand. De medicatie wordt verder opgevoerd en hij krijgt dan ook benzodiazepine ingespoten. Op 13 april schrijft chef-arts Jon Gunnlaugsson een injectie diazepam 20 mg voor en Quick 'krijgt capsules Heminevrin van 300 mg, 2 x 4 en pillen Rohypnol van 1 mg, 2 voor de nacht'. Ondanks de stevige medicatie slaapt Quick die nacht maar anderhalf uur. Een verpleegkundige schreef: 'Is nu in de ochtend bijna catatonisch. Trilt, zweet en heeft moeite met praten.'

Om 8.45 uur kwam een arts om Quick een injectie diazepam 20 mg te geven 'zonder zichtbaar effect'. Om 10.30 uur kwam hij terug met nog een spuit. 'Na ruim een half uur zakt de enorme spanning.' De arts schreef een verhoging van het zeer sterke preparaat Heminevrin voor, 3 x 4 capsules, plus nog een injectie voor de nacht.

Vlak voor de rechtszaak ontving Thomas Quick verschillende doodsbedreigingen. De rechtbank van Hedemora besloot daarom de zitting om veiligheidsredenen in het politiebureau van Falun te houden.

Op de eerste dag van de rechtszaak, 5 mei 1997, zat een groot aantal nabestaanden van Quicks slachtoffers tussen de toehoorders in de rechtszaal. Johan Asplunds ouders betwijfelden of Quick schuldig was aan de moord op hun zoon en wilden met eigen ogen zien hoe de rechtszaak tegen hem verliep. Ruben Högbom, de vader van Olle Högbom, was daar om dezelfde reden.

'Hij zegt dat hij voor ons om morele redenen heeft bekend. Dan kan hij toch aanwijzen waar Johan is, geef ons bewijzen. Maar hij zorgt alleen maar voor nieuwe dwaalsporen,' zei Björn Asplund in de *Expressen* van de volgende dag.

Rechercheur Lennart Jarlheim was ook aanwezig. Hij was de assistent van officier van justitie Christer van der Kwast, en was tijdens de rechtszaak verantwoordelijk voor kaarten, foto's, het moordwapen en ander bewijsmateriaal. Jarlheim had zelf het verslag van het vooronderzoek opgesteld en wist alles van het onderzoek. Hij vertelt me dat hij verbaasd was dat Quick überhaupt gedagvaard werd. Volgens hem ontbrak elk bewijs van zijn schuld.

Aangezien er geen enkel technisch bewijs was dat Quick aan het misdrijf verbond, bestond het bewijsmateriaal uit de informatie die Quick tijdens het onderzoek had gegeven plus zijn bekentenis. In de rechtszaak speelden Quicks verschillende identiteiten ook een rol. Op de vraag hoe hij met zijn beperkte talenkennis met Yenon Levi had kunnen communiceren, gaf Quick een onverwachte verklaring: 'Ik werd Cliff en die spreekt uitstekend Engels.'

In zijn getuigenis vertelde Seppo Penttinen hoe het onderzoek was uitgevoerd: 'Thomas Quick heeft tijdens het onderzoek verschillende keren de informatie veranderd, dit deed hij zonder dat hij onder druk stond. Dus waren de "fouten" niet duidelijk voor Thomas Quick omdat dezelfde vraag nadrukkelijk een aantal keren is herhaald of omdat hem is gevraagd of hij zeker was van zijn antwoorden.' De rechtbank hechtte grote waarde aan Penttinens positieve beoordeling van de kwaliteit van zijn eigen verhoren.

Maar als ik ze nog een keer doorlees, komt er een heel ander beeld naar voren.

Quick had in de eerste verhoren gezegd dat hij Yenon Levi in Uppsala was tegengekomen en dat Levi met hem wilde meerijden naar Falun. Penttinen wist echter dat Levi in Stockholm was verdwenen. De wijze waarop Quicks foutieve informatie werd gecorrigeerd, toont duidelijk aan hoe Penttinen voortdurend Quicks psychische signalen duidde en van commentaar voorzag. Het is overduidelijk dat Penttinen Quick verbeterde en tegen hem zei dat zijn antwoorden niet klopten.

> PENTTINEN: 'Weet je honderd procent zeker dat je Yenon Levi in Uppsala hebt ontmoet?'
> TQ: 'Ja.'
> PENTTINEN: 'Geen enkele twijfel?'
> TQ: 'Nee.'
> PENTTINEN: 'Dan moet ik dat ook bij je kunnen zien. Toen ik je die vraag stelde, reageerde je op een manier die mij het idee gaf dat er in elk geval enige aarzeling zat in jouw manier van uitdrukken; jouw gezichtsuitdrukking geeft me die indruk.'
> TQ: 'Hmm.'
> PENTTINEN: 'Dit is een uiterst essentiële vraag, want je hebt lange tijd met zekerheid beweerd dat deze ontmoeting in Uppsala plaatsvindt en even later laat je op een bepaalde manier zien dat er misschien toch nog twijfel is.'

Een paar bladzijden verder in het verhoor bedacht Quick zich en zei hij dat hij Levi in Stockholm had ontmoet. Op deze moeizame wijze vorderde het onderzoek en het ene na het andere detail werd aangepast zodat Quicks verhaal niet te veel de feiten zou tegenspreken.

Ook Christer van der Kwast kon het niet laten om Quick een handje te helpen. In de eerste twee verhoren had Quick gezegd dat Levi's bagage op de plaats van het misdrijf werd achtergelaten. Toch kreeg Quick bij het derde verhoor opnieuw de vraag wat er met de bagage was gebeurd. Hij antwoordde dat hij die naast het lichaam had neergezet. Dit antwoord werd niet geaccepteerd, maar Van der Kwast kwam even later weer op de vraag terug:

> KWAST: 'Nog een keer, wat is er met deze spullen gebeurd?'
> TQ: 'Daar bij het lichaam.'

Quick gaf daarna antwoord op de vraag waar het lichaam lag en dat was het verkeerde antwoord, namelijk dat het vanaf de weg niet te zien was. Van der Kwast maakte gebruik van de situatie om nog een keer naar de bagage te vragen:

KWAST: 'En de bagage dan? Deze grote tas?'
TQ: 'Jaaa.'
KWAST: 'Waar was die dan?'
TQ: 'Achter hem.'

Ondanks Quicks duidelijke antwoord liet Van der Kwast het hier niet bij. Het was te belangrijk en hij stelde de vraag daarom voor de vierde keer:

KWAST: 'Wat gebeurt er met de tas als je weggaat? Waar is de tas dan?'
TQ: 'Die laat ik daar liggen.'
KWAST: 'Ja, precies, zie je, daar hebben we een probleem. Het is namelijk zo dat deze tas nooit is teruggevonden.'

Bij het volgende verhoor vertelde Quick dat de tas was meegenomen. De rechtbank was en bleef ontwetend van deze omstandigheden. Lennart Jarlheim houdt hier Quicks advocaat voor verantwoordelijk.

'De rechtszaak was een grote schijnvertoning! Claes Borgström stelde niet één kritische vraag tijdens de hele rechtszaak. Het was overduidelijk dat iedereen wilde dat Quick werd veroordeeld,' zegt hij.

De zitting in de rechtbank had niet alleen de ouders van Johan Asplund overtuigd, maar bevestigde hun vermoedens. 'De hele rechtszaak was een groot toneelstuk, geregisseerd door Quick,' stelde Björn Asplund vast in de *Expressen* van 8 mei.

De president en de lekenrechters van de rechtbank van Hedemora deelden de mening van het echtpaar Asplund niet, maar veroordeelden unaniem Thomas Quick voor de moord op Yenon Levi. De rechtbank schreef in haar eindvonnis dat 'de getuigenis van Seppo Penttinen heeft aangetoond dat alle verhoren volgens het boekje werden uitgevoerd zonder bijvoorbeeld leidende vragen of nadrukkelijke herhalingen'.

Als commentaar op de twijfel van de Asplunds erkende Claes Borgström in hetzelfde artikel dat hun opstelling met betrekking tot Thomas

Quicks geloofwaardigheid begrijpelijk was. 'Maar de cruciale vraag is: waar heeft hij de informatie vandaan, hoe kon hij alle details kennen?' zei Borgström.

Verslaggever Pelle Tagesson rondde met een paar zorgvuldig uitgekozen citaten uit het slotpleidooi van Christer van der Kwast de discussie af: 'Hij is helemaal zeker van zichzelf, laat geen ruimte voor gissingen. [...] Wat kunnen we nog meer verlangen? Dit moet een veroordeling zijn die boven alle gerede twijfel is verheven.'

Op naar Ørjeskogen!

Een paar weken later komt er een fax binnen op afdeling 36 van de Säterkliniek. De fax is gestuurd door het Psychologisch Instituut van de Universiteit in Stockholm en is gericht aan Thomas Quick. Het voorblad, met de persoonlijke groet van de afzender aan de ontvanger, rolt langzaam uit het faxapparaat. Gevolgd door een document van zeven bladzijden met de titel 'Richtlijnen voor de schouw van Thomas Quick in Noorwegen op 11 juni in verband met het onderzoek naar de verdwijning van Therese Johannesen in 1988'.

Er was een jaar verstreken sinds het Noorwegen-fiasco met de schouwen en het dempen van het bosmeertje, gebeurtenissen die niets hadden opgeleverd, en nu werd er hier en daar verbaasd een wenkbrauw opgetrokken omdat Quick opnieuw naar Ørjeskogen zou worden gereden om aan te wijzen waar Thereses lichaam was.

De rechercheurs hadden weer hoop gekregen. Die hoop was gebaseerd op het feit dat Christer van der Kwast eind mei 1997 van een particulier een lijkenhond had gehuurd die hij vervolgens in Ørjeskogen een veel groter stuk bos had laten onderzoeken. Het resultaat was verbluffend.

De politie had zich eerst geconcentreerd op de omgeving van het meer Ringen, maar nu was het gebied uitgebreid tot meerdere vierkante kilometers en opgedeeld in 'Skumpen', 'Torget' en 'Kal Sten'. Op die drie plaatsen had de hond lijken aangegeven. Na deze doorbraak restte alleen nog het opheffen van Quicks psychologische barrières, zodat hij in staat zou zijn om de plek aan te wijzen waar hij het lichaam van Therese had verborgen. Sven Åke Christianson had de vrije hand gekregen om te zorgen voor de optimale condities zodat Quist het zich kon herinneren en 'de energie zou hebben' om helemaal tot aan Thereses graf te lopen.

Uit het faxapparaat kwam nu het resultaat van Christiansons overpeinzingen rollen. Dat ik later ook in de gelegenheid was om de fax te lezen, was het resultaat van een onwaarschijnlijke vondst.

Sture Bergwall is een hamster en hij heeft door de jaren heen een indrukwekkende hoeveelheid documenten verzameld die in een kelderruimte van de Säterkliniek zijn bewaard. Na elk bezoek aan de bergruimte kwamen er nieuwe verbijsterende documenten boven water die een inkijkje gaven in de moordonderzoeken tegen hem – en op een dag vertelde hij me opgelucht dat hij deze fax had gevonden.

Het schrijven is te lang om hier in zijn geheel weer te geven, maar bovendien ook te onwaarschijnlijk om op een geloofwaardige manier samen te vatten. Daarom volgt er nu een aantal alinea's uit Christiansons richtlijnen, die over uiteenlopende onderwerpen gaan. Eerst een handleiding op instructieniveau, die zou kunnen worden opgevat als een belediging voor de rechercheurs:

Opdat de schouw en het benaderen van de plaats waar Therese begraven ligt zo optimaal mogelijk zullen kunnen plaatsvinden gelden er twee basisvoorwaarden:

1) Thomas Quicks (TQ) houding: 'Dit gaat me lukken, of misschien niet, we zullen zien.' […]

2) We moeten ernaar streven de schouw zo eenvoudig mogelijk te doen. We zullen vanaf de Säterkliniek naar een bergplaats in Noorwegen gaan. TQ zal ons ernaartoe leiden en we zullen in principe alleen maar fungeren als steun voor hem (o.m. om het gevoel van eenzaamheid dat hij in dit proces kan voelen te verminderen).

Voor het creëren van de optimale voorwaarden zijn ook de kleinste details heel belangrijk:

Denk goed na over kleren, proviand en andere uitrusting. Voor onderweg: koffie, water/drinken, boterhammen, chocoladekoekjes (zoetigheid) en sigaretten.

Om het te verduidelijken voor de rechercheurs heeft Christianson 'een mogelijk verloop van de schouw' opgeschreven:

Vertrek met de auto vanaf de Säterkliniek 's ochtends zo vroeg mogelijk. Vraag TQ in de auto te stappen. 'Nu rijden we weg.' TQ's houding: laat het maar gebeuren en daarna gaat hij in de auto zitten en dan rijden we weg zonder dat er een besluit is genomen en zonder te zeggen wat er gaat gebeuren. [...]

Walkman kan meegenomen worden ter ontspanning.

Wanneer we de Noorse grens passeren moeten we TQ beginnen te activeren. 'Nu passeren we de Noorse grens. Hallo! Wakker worden!' Vraag TQ zijn walkman uit te zetten.

Onderweg naar de 'verstopplaats' is Christianson er voorstander van dat Quick zelf moet kiezen hoe ze gaan rijden, geen leidende vragen. Als hij naar rechts wijst terwijl Seppo Penttinen weet dat het links moet zijn, moet hij niet gecorrigeerd worden.

Wanneer TQ later zegt: 'Stop de auto, nu gaan we de auto uit', is het belangrijk dat dit wordt opgevolgd en dat men respecteert dat TQ degene is die bepaalt of de auto moet stoppen, of terug moet rijden. [einde]

Christianson stelt zich voor dat Quick, wanneer ze beginnen te lopen, misschien 'begint te zweten, angstig wordt of langzamer gaat lopen'.

In deze situatie kan zachte dwang nodig zijn. Een milde vorm van fysieke aansporing. Dit is een beslissende gebeurtenis waardoor het lichaam over de angstdrempel heen kan gaan. Seppo of Anna mogen aansporen.

Christianson adviseert om Quick tijdens de reis vrije beschikking te geven tot medicijnen die tot de categorie drugs behoren en herinnert de artsen eraan dat ze niet moeten vergeten om ook de zwaardere preparaten mee te nemen.

Het medicijn Xanol in de dosering die TQ mag bepalen. Ook een extra voorraad middelen als TQ in staat is de bergplaats te tonen, bijv. Heminivrin als de reactie zeer heftig wordt.

Professor Christiansons advies om 'Xanol' en 'Heminivrin' mee te nemen lijkt niet gebaseerd te zijn op enige farmaceutische kennis (zowel Xanor als Heminevrin zijn verkeerd gespeld) maar lijkt eerder Quicks eigen wens te zijn.

'Ik heb waarschijnlijk tegen hem gezegd dat ze niet moeten gaan modderen met de Xanor maar dat ik moet krijgen wat ik wil hebben,' zegt Sture. Heminevrin is immers een zeer sterk preparaat dat snel werkt. Het geeft ongeveer hetzelfde effect als ⅓ liter sterkedrank naar binnen gieten. Een verpleegkundige hier in de kliniek heeft me onlangs verteld dat ik altijd begon te zingen als ik Heminevrin kreeg. Dat is precies wat er gebeurt als je dronken bent.

Christianson schrijft dat alle omstandigheden die TQ's concentratie op de plaats waar Therese ligt mogelijk kunnen verstoren, moeten worden verwijderd. Politionele vragen over de gebeurtenis zelf en de loop der gebeurtenissen voorafgaand aan de moord moeten voor een latere gelegenheid worden bewaard. Want tijdens de schouw op 11 juni is het enige wat telt het vinden van de plek waar Therese begraven ligt.

Een van die storende factoren waar Christianson zich zorgen over maakt, is de interesse van de journalisten en hij beveelt verregaande maatregelen aan om dat in de hand te houden.

> Voorkom dat de media verslag doen van de schouw. Zet het hele gebied af, inclusief het luchtruim. De aanwezigheid van de media werkt negatief op de concentratie.

In tegenstelling tot andere reconstructies met Quick wordt deze tweede schouw in Ørjeskogen niet gefilmd, wat overeenkomstig de richtlijnen van Sven Åke Christianson is.

'Indien mogelijk moeten we TQ niet filmen wanneer hij ons naar het lichaam brengt,' schrijft de professor. 'Dat verstoort zijn concentratie op Therese.'

Als de schouw verloopt zoals Christiansons heeft bedacht, komt Quick nu dichter bij de plek waar Therese ligt:

> Dus, als TQ op dit punt is aangekomen, moet hij zelf kunnen zeggen: 'Nu open ik deze begraafplaats' of 'Kun je dit openen… Til dat op zodat ik het kan voelen.'

Christianson besefte dat het een tegenvaller zou zijn als het graf niet geopend kon worden als ze ervoor stonden. Hij stelt daarom het volgende voor:

Eventueel gereedschap kan nodig zijn als de grond hard is, bijv. iets om de grond mee om te scheppen, een breekijzer, een kleine schop of iets dergelijks. [...] Als TQ toch bij een bergplaats (graf) komt, moet hem de gelegenheid tot een kort privémoment worden gegeven. Geef TQ de mogelijkheid of laat het aan een ander over (als hij het wil) om de plek vrij te maken en geef hem de mogelijkheid om puur fysiek een bot te voelen, bijvoorbeeld een rib. Het is belangrijk dat we deze wens respecteren en dat hij zich hier niet voor hoeft te schamen.
We moeten ook niet vragen waarom.

In zijn boek *I huvudet på en seriemördare* [*In het hoofd van een seriemoordenaar*] (Norstedts, 2010) schrijft Christianson dat bewaarde lichaamsdelen de seriemoordenaar helpen om 'de kick van de verkrachting opnieuw te beleven' en dat 'ze intimiteit creëren en seksuele opwinding geven'. Volgens Christianson kunnen lichaamsdelen worden gebruikt als objecten bij masturbatie of als symbolen bij satanisme.

Gezien het bovenstaande denkbare scenario bleek de voorgestelde afzetting van Ørjeskogen, inclusief bewaking vanuit de lucht, een adequate maatregel.

Maar deze schouw zou heel anders uitpakken dan Christianson zich had voorgesteld.

In de ochtend van 11 juni begint de expeditie aan zijn tocht naar Noorwegen. Quick wordt in een busje vervoerd, samen met zijn begeleiders en Birgitta Ståhle, om niet de druk van de rechercheurs te hoeven voelen. Achter hen komt een auto met daarin Anna Wikström, Sven Åke Christianson en Seppo Penttinen. Aanvankelijk volgt men nauwgezet de richtlijnen van Christianson. De medicijnen zijn mee, evenals de koffie, de boterhammen en het snoep. Wikström noteert steeds wat er gebeurt.

Tijdens een korte pauze halverwege nuttigen alle betrokkenen koffie en broodjes. Om 12.00 uur naderen we Ørjeskogen en de stoet rijdt het zgn. 'Ringenområdet' in.

Om 13.20 uur start de schouw en er vindt een herschikking van de voertuigen plaats. In het busje van de rijksrecherche zitten Quick, Borgström, Ståhle, Penttinen, Christianson, Wikström, een geluidstechnicus en chauffeur Håkon Grøttland van de politie van Drammen.

De reis gaat langzaam verder, met een stop bij het bosmeer dat vorig jaar zomer is gedempt. De karavaan trekt verder en passeert nog een bosmeer aan de linkerkant. 'Thomas Quick reageert hier heftig op door strak naar rechts te kijken,' noteert Wikström.

Het politiebusje rijdt door het uitgestrekte bos en Quick reageert angstig bij de aanblik van een heuvel. Na diverse manoeuvres stopt de auto en Quick zegt: 'Ja, nu zijn we er.'

> Om 14.00 uur houden we een koffiepauze op de zgn. 'Skumpen'. Dan loopt Thomas Quick ongeveer vijftig meter weg van de auto in de richting van de rotsformatie en drinkt hij zijn koffie zittend op de weg. In zijn eenzaamheid huilt Thomas Quick vertwijfeld en praat hij in zichzelf. Wat Thomas precies zegt is niet verstaanbaar voor ondergetekende, maar ik vermoed dat hij speculeert of hij hier op de juiste plaats is en dat het misschien 'zover is'.

Quick loopt rond in het gebied en toont zich enorm angstig. Hij wil graag hulp van de therapeut.

> Daarom schreeuwt Thomas Quick duidelijk angstig iets als 'Nomis, kom en help me!'. Hij roept dit luid in het rond. Nomis is de naam Simon achterstevoren. De naam Simon is een vaak terugkerend onderwerp in Thomas Quicks therapiewereld.

'Om 14.25 uur verlaten we deze plek vol angst,' noteert Wikström. Ze rijden een paar kilometer verder tot aan een rotsformatie, die Quick wil beklimmen. Daar begint hij 'een spel, iets wat op angst moet lijken', een spel dat inhoudt dat hij met zijn handlanger Patrik praat. Hij loopt verder het bos in waar hij aan de schors van een boom ruikt en proeft en dan in foetushouding gaat liggen. 'Binnen in Thomas Quick woedt een enorme angst en het personeel komt erbij,' volgens het verslag. Daarna onthult Quick dat hij maar twintig à vijfentwintig meter van een bergplaats verwijderd was.

Het politiebusje rijdt verder naar 'Torget', en Quick zegt dat hij het goed herkent. Hij vertelt Penttinen over 'een bepaald onderdeel van het in stukken snijden'. Hij roept herhaaldelijk 'vijf ingewanden'. De betekenis hiervan laat hij aan de toehoorders over. Plotseling stormt Quick weg een helling op, in de richting van een bergwand, valt op het steilste stuk en komt met zijn wang en neus hard op een steen terecht.

Thomas Quick blijft zeer angstig op de grond liggen en vertelt tijdens die angst, nadat hij iets gekalmeerd is, wat hij op die verschillende plaatsen heeft verstopt. Eerst, om 16.30 uur, zegt hij wanneer hij na zijn val en alle consternatie weer opstaat: 'Nu ben ik er vlakbij.' Daarna vertelt hij op angstige toon over plaats nummer één, d.w.z. de eerste plaats die ze tijdens de schouw hebben gevonden, dat men daar de romp en de ribben kan vinden. Op plaats nummer twee, d.w.z. op de bergwand met een grind- en zandgroeve, kan men het hoofd van Therese vinden. Op plaats nummer drie, waar we ons nu bevinden, moeten Thereses dijbenen, voeten en armen te vinden zijn. Hij zegt: 'Ik heb de voeten eraf gesneden.'

Er wordt Quick verteld dat de Noorse politie een boom heeft gevonden met een teken in de boomstam gekerfd. Dit wordt een van de harde bewijzen tegen Quick, die echter zegt dat hij 'niet zeker weet waar de boom staat'.

Hij krijgt ook de informatie dat een lijkenhond sporen in het gebied heeft gevonden en Quick wordt gevraagd of hij een laatste poging wil wagen om iets van zijn bergplaatsen op te roepen. 'Thomas Quick hoort dit en reageert wel, maar hij heeft op dit moment niet zo veel energie meer,' schrijft Wikström.

Quick vertelt dat Thereses hand 'een eindje verderop' kan liggen en hij doet een poging om iets op te roepen maar het lukt niet. 'Hij valt weer terug in een diepe angst en begint hartverscheurend te huilen, ongeveer tien tot vijftien meter van het team verwijderd.'

Na vijfenhalf uur in Ørjeskogen te hebben rondgedoold keert men terug naar Säter, zonder ook maar een breekijzer of een schop in de grond te hebben gezet.

Na deze tweede schouw in Ørjeskogen werd de grond heel nauwkeurig onderzocht. Maar op de plaatsen waar Quick had aangegeven dat hij Thereses hoofd, romp, ribben, armen en handen had verstopt, werd niets aangetroffen.

Na dit bericht veranderde Quick zijn verhaal opnieuw. Hij zei dat hij het jaar daarop was teruggekeerd naar het gebied en Thereses stoffelijk overschot had meegnomen. Quick krijgt te horen dat een lijkenhond op een aantal plaatsen sporen had gevonden. Quick zei toen dat er misschien kleinere stukken van Therese waren achtergebleven.

Professor Per Holck, die al sinds het bosmeer gedempt werd de anatomische deskundige in het onderzoek was, ging nu weer voortvarend aan de slag in Ørjeskogen. In oktober en november 1997 verzamelde hij een groot aantal voorwerpen uit het gebied op plekken waarvan de lijkenhond of Quick hadden aangegeven dat daar iets moest zijn.

De monsters bevatten eigenlijk allemaal verkoold hout, maar Per Holck meende dat een aantal van de honderden stukjes die op de vuurplaatsen bij 'Torget' waren aangetroffen, waarschijnlijk verbrande stukjes bot waren. Hij gaf aan dat het splinters van het pijpbeen waren, met een harde buitenkant en vanbinnen het poreuze materiaal, de spongiosa. De overgang tussen het poreuze inwendige en de harde buitenkant van het bot duidde erop dat het hier, volgens professor Holck, een menselijk bot betrof. Op een van de stukjes bot bevond zich een 'groeirand' die aangaf dat het hier ging om een persoon van tussen de vijf en vijftien jaar oud.

De vermeende botsplinters werden naar professor Richard Helmer gezonden, een Duitse collega van Holck. Hij bevestigde dat de botsplinters zeer waarschijnlijk van een kind afkomstig waren.

De botsplinters met de groeirand waren zo verbrand dat er geen DNA uit te verkrijgen was en men kon op geen enkele manier vaststellen dat ze van Therese afkomstig waren. Toch was de vondst van de botsplinters het grootste 'succes' in het Quick-onderzoek ooit.

Zodra het nieuws Gubb Jan Stigson bereikte, op 14 november, werd het over de hele voorpagina van *Dala-Demokraten* gepubliceerd:

QUICK-SLACHTOFFER GEVONDEN

Een doorbraak in het hele onderzoek

Deze vondst betekent dat de rechercheurs voor het eerst in het nu alweer vijf jaar durende Quick-onderzoek een volledig spoor hebben kunnen volgen, dat begon met Quicks fragmentarische bekentenis en eindigde met de vondst van het feitelijke stoffelijk overschot.

Dit is dus de doorbraak waar de politie, Quick en misschien vooral de critici zo lang op hebben moeten wachten.

De triomf die de rechercheurs en iedere 'gelover' rondom Quick ervoeren in verband met de botvondst is heel begrijpelijk. Tegelijkertijd was het een nederlaag voor de critici. De botsplinters bleken naderhand het grote mysterie van het Quick-onderzoek te zijn.

Voor mij is het ook een zeer concreet probleem. Alles in het onderzoek wijst er eenduidig op dat Quick niets over Therese wist en over waar haar lichaam was. Hoe verklaar je dan de vondst van verbrande botresten van een kind op een plek waar Quick naar eigen zeggen Therese had verbrand?

Als het tenminste menselijk bot was.

Een hecht team

Twee dagen lang hadden de twee rechters Lennart Furufors en Mats Friberg van de rechtbank Hedemora geluisterd naar getuigenverklaringen van Thereses moeder Inger-Lise Johannesen, Noorse politiemensen en Thomas Quick. Daaruit was naar voren gekomen dat Quick in gezelschap was van de zestienjarige Patrik Olofsson toen hij naar Noorwegen ging, en dat deze had meegeholpen bij het ontvoeren en vermoorden van Therese. Volgens Quick had Patrik Therese op een uitkijkpunt op weg naar Ørjeskogen verkracht.

Nadat de rechters deze informatie hadden gekregen, riepen ze Christer van der Kwast en Claes Borgström bij zich. Ze vroegen zich af waarom Patrik niet als getuige was opgeroepen.

Van der Kwast en Borgström wezen dit idee resoluut van de hand, en daar nam de rechtbank genoegen mee.

Opvallend genoeg had Van der Kwast noch Borgström enige interesse getoond om een van Quicks vermeende getuigen of handlangers te dagvaarden.

Johnny Farebrink, volgens Quick de chauffeur en medeplichtig aan de dubbele moord in Appojaure, werd ook niet aangeklaagd en mocht ook niet getuigen – ondanks het feit dat hij dat zelf wilde, omdat hij met naam en toenaam in de delictbeschrijving stond en zijn naam wilde zuiveren. Zelfs Rune Nilsson in Messaure, van wie werd beweerd dat hij was meegenomen naar de plaats van het misdrijf waar hem het vermoorde echtpaar werd getoond, werd niet als getuige opgeroepen.

Van Patrik werd beweerd dat hij had meegeholpen aan de moord op Yenon Levi, en de rechtbank wilde hem ook horen. Maar ook hier dezelfde gang van zaken – de officier van justitie en de verdediging waren het erover eens dat het niet nodig was, en dus gebeurde het niet.

De getuige van wie Quick zei dat hij bij de moord op Charles Zelmanovits had meegeholpen, was praktisch vergeten toen de rechtszaak plaatsvond. Maar Quick had ook handlangers aangewezen van moorden waarvoor hij nooit was aangeklaagd.

Het bestaan van al deze personen, die zouden hebben meegeholpen aan of op de hoogte zouden zijn geweest van het feit dat Quick een moordenaar was, brengt ons bij een zeer interessante vraag: hoe gewoon is het dat een seriemoordenaar handlangers heeft?

Ulf Åsgård, de psychiatrische deskundige van de Daderprofielgroep, kreeg van de rijksrecherche opdracht om uit te zoeken hoe aannemelijk Quicks bewering omtrent handlangers was.

'Om die vraag te kunnen beantwoorden moet ik het exacte aantal handlangers weten,' zei Åsgård tegen Jan Olsson. 'Ik moet ook weten welke relatie de handlangers met Quick hadden. En in de eerste plaats moet ik de verhoren lezen.'

Olsson bracht Åsgårds wens over aan Van der Kwast en Penttinen, maar kwam terug met een negatief antwoord.

'Ze zeggen dat daar geen enkele sprake van kan zijn,' zei Olsson.

Nadat hij alle beschikbare gegevens over samenwerkende seriemoordenaars van over de hele wereld had verzameld kon Åsgård toch de vraag beantwoorden of zo'n samenwerking normaal gedrag is, puur in het algemeen. Hij vat het rapport dat hij aan het Quick-onderzoeksteam overhandigde voor mij samen: 'Het hebben van vijf verschillende handlangers in het geval van Quick is een wereldrecord, zonder twijfel. De conclusie was dat het gewoon niet waar is.'

Het vernietigende rapport werd zonder enig commentaar in ontvangst genomen. Niemand van het onderzoeksteam nam contact op met Åsgård.

'In dit onderzoek werd niet getolereerd dat iemand er andere ideeën over had,' zegt hij. 'Had je die wel, dan lag je eruit.'

Dit was de enige en laatste opdracht die Ulf Åsgård voor het Quick-onderzoeksteam mocht uitvoeren en hij beschrijft mij de merkwaardige ijzige stilte die er vervolgens ontstond, alsof hij had gevloekt in de kerk, zoals hij het uitdrukte.

'Ik wil hier niet beweren dat het een sekte was, maar de groep vertoonde wel de mechanismen van een sekte; men stond niet open voor discussies, maar verhief de autoriteit van sommige personen tot een niveau dat ze niet konden waarmaken.'

Nadat Ulf Åsgård deze klus had volbracht, en daarna niets meer hoorde van de Quick-rechercheurs, bleef hij de zaak volgen. Hij bestudeerde de vonnissen en de onderzoeken en raakte er algauw van overtuigd dat Quick onmogelijk de seriemoordenaar kon zijn die hij zelf beweerde te zijn.

'Niets klopt met onze politionele ervaring die we van daders hebben, vondsten zijn er niet en de kennis die er over seriemoordenaars is spreekt op alle punten tegen dat Thomas Quick een seriemoordenaar is.'

Sven Åke Christiansons verschillende rollen bleven onduidelijk, maar hij was aangesteld als adviseur voor de officier van justitie en het onderzoek. In de rechtszaak betreffende de moord op Therese getuigde hij dat hij de geheugenfuncties van Quick had getest en dat de uitkomst was dat ze normaal waren.

In Quicks verhalen zaten twee elementen die moeilijk met elkaar te rijmen waren. Namelijk: wat hij over Therese en over de woonwijk Fjell vertelde, was in de eerste verhoren voor honderd procent onjuist, maar toch wist hij heel langzaam zodanige details over het slachtoffer, de omgeving en het delict weer op te roepen, dat het op een leek zeer ongeloofwaardig overkwam dat hij zich dit na zo veel jaren nog kon herinneren.

Christianson loste het probleem op door voor de rechtbank Hedemora te verklaren dat 'traumatische gebeurtenissen in het geheugen worden opgeslagen, maar dat beschermingsmechanismen onbewust de herinneringen kunnen verdringen', wat wetenschappelijk verklaarde waarom Quick zich soms zaken verbijsterend verkeerd leek te herinneren en soms ook onverwacht goed.

Tussen zijn werkzaamheden voor het onderzoek door gaf Sven Åke Christianson lezingen over zijn patiënt, tevens gesprekspartner en onderzoeksobject. Na zijn getuigenis onder ede in het Therese-proces – maar voordat het vonnis werd uitgesproken – hield hij in Göteborg een lezing voor een stampvol auditorium met als titel: 'Hoe kun je een seriemoordenaar begrijpen?'

De toehoorders zagen op een groot scherm een door een overheadprojector geprojecteerde foto van Thomas Quick en zijn tweelingzus. Op de foto is het zomer en de rozen in het bloembed voor het zomerhuisje van de grootouders staan in volle bloei. De tweeling is mooi aangekleed in jurk en korte broek, ze houden elkaars hand vast en zien er blij uit.

'Kun je op deze foto zien wie van deze twee kinderen later een seriemoordenaar wordt?' was Christiansons retorische vraag. 'Vanuit mijn perspectief ontwikkel je je tot een seriemoordenaar en word je niet als seriemoordenaar geboren.

Wat Quick met Therese Johannesen deed is onbegrijpelijk. Maar we kunnen wel proberen te begrijpen waarom hij het deed, het is de logica van de dader. Misdrijven zijn vaak het gevolg van het in daden omzetten van die gedachten, gevoelens en herinneringen waar men niet mee kan omgaan.'

Niemand lijkt in die tijd te hebben gereageerd op het feit dat Christianson een voorschot nam op de schuldvraag, dat hij zijn patiënt op die manier in de openbaarheid bracht, of dat hij een foto van de tweelingzus liet zien die er destijds alles aan deed om niet met haar tweelingbroer in verband te worden gebracht.

De toehoorders waren als betoverd door Christiansons verklaring van dit kwaad, een verklaring waarin de objectrelatietheorie die in de Säterkliniek werd aangehangen terug te vinden was.

'Je kunt de moorden zien als het verhaal van de seriemoordenaar over zijn eigen traumatische ervaringen,' beweerde Christianson, wiens bewoordingen net zo goed die van zijn begeleider Margit Norell konden zijn.

Het was een hecht team dat nu met Thomas Quick werkte en iedereen deelde dezelfde visie op Quick en zijn schuld. En hun opvattingen waren onwrikbaar. In zijn boek *Avancerad förhörs- och intervjumetodik* [*Geavanceerde verhoor- en interviewtechnieken*] richt Sven Åke Christianson 'een bijzondere dank' aan Margit Norell en Birgitta Ståhle voor 'jullie omvangrijke kennis die jullie mij hebben bijgebracht'.

Er bleef maar één weg open – nog meer onderzoeken en nog meer veroordelingen.

Quick werd veroordeeld voor de moord op Therese. Het vonnis was zeer gedetailleerd en ogenschijnlijk goed onderbouwd. Het merkwaardige aan de zaak was alleen dat er zulke sterke indicaties waren dat Quick zijn verhaal had opgebouwd met behulp van gegevens die hij bewijsbaar in Noorse kranten had gelezen. Bovendien was het hele verhaal absurd. Hij had over praktisch alles de verkeerde informatie gegeven. Tijdens eindeloze verhoren met Penttinen was de ene onjuistheid na de andere gecorrigeerd. Dit proces had drieënhalf jaar in beslag genomen.

Hoe was het mogelijk dat het vonnis dan zo goed onderbouwd leek?

Ik nam nog een keer al het materiaal door en stelde vast dat het overgrote deel van 'de bewijzen' volstrekt waardeloos was.

De rechercheurs beweerden dat Quick een symbool in een boom had gekerfd, dat later ook daar in Ørjeskogen werd aangetroffen. Wat Quick daadwerkelijk had verteld, was dat er bij het bosmeer Ringen een boom te vinden zou zijn zo dik als het dijbeen van een man, waarin hij een vierkant had gekerfd. In het vierkant stond een liggende Y. De rechercheurs zochten en zochten, zonder zo'n boom te vinden. Uiteindelijk vond men een kleine berk met een beschadiging of een teken, maar die stond op een heel andere plaats in het bos. Die beschadiging vertoonde geen enkele gelijkenis met het symbool dat Quick had beschreven, en gezien de tijd die er sinds Thereses verdwijning in 1988 was verstreken, moest de stam van de berk toen maar enkele centimeters in omvang zijn geweest, wat een onwaarschijnlijke keuze zou zijn geweest voor iemand die iets in een boom wilde kerven voor de toekomst.

Een ander bewijs was dat Quick had verteld dat er een stapel planken in Fjell had gelegen en dat kinderen daar een deel van hadden verspreid. Maar de planken bleken pas dagen na Thereses verdwijning in Fjell te zijn afgeleverd.

Quick beschreef Fjell als een klein plattelandsdorp met lage eengezinswoningen maar tegelijkertijd had hij gezegd dat er een bank of een winkel in het dorp was. Seppo Penttinen had zich zoals gebruikelijk alleen gericht op de informatie dat er een bank in het dorp was en had veel waarde gehecht aan het feit dat Quick dit had geweten.

En zo ging het maar door, totdat de rechtbank dit bewijsmateriaal als het belangrijkste bewijs in de zaak zag. Uit het vonnis:

Een zeer bijzondere omstandigheid is echter zijn mededeling dat Therese aan de binnenkant van haar elleboog eczeem had. Dit was niet eens bekend bij de politie, en Thereses moeder had deze informatie pas gegeven toen de politie haar ernaar had gevraagd, nadat Thomas Quick dit genoemd had.

Dus wat onthulde het onderzoeksmateriaal over deze kennelijk zeer cruciale informatie?

Tijdens de schouw in Fjell op 25 april 1996 had Quick gezegd dat hij 'een herinnering heeft dat Therese een litteken op haar arm had gehad', en terwijl hij dit vertelt, wijst hij naar zijn rechterarm. Meer kon hij niet vertellen.

Bij de vermissing had Thereses moeder op een formulier de lichamelijke kenmerken van Therese aan de politie doorgegeven. In het vakje voor 'littekens en andere bijzonderheden' noteerde ze een moedervlek op haar wang, maar niets over een litteken als gevolg van eczeem aan de binnenkant van haar elleboog. De Noorse rechercheurs namen daarom onmiddellijk contact op met Thereses moeder, die vertelde dat haar dochter atopisch eczeem aan de binnenkant van haar elleboog had. In de loop van de zomer was het ongemak verminderd en ze kon niet zeggen of Therese op het moment dat ze verdween nog eczeem had gehad of een litteken had aan de binnenkant van haar elleboog.

Bij het volgende verhoor, op 9 september 1996, hadden de Noren de informatie over Thereses eczeem aan de binnenkant van haar elleboog doorgegeven aan Seppo Penttinen en hij stelt opnieuw de vraag:

PENTTINEN: 'In verband met die schouw die we toen hebben gehouden, hebben we, of heb jij informatie over het uiterlijk van Therese gegeven. Je hebt onder meer genoemd dat ze een of ander litteken zou hebben gehad, op de arm of armen, ik herinner me dat niet goed meer, alleen dat het ongeveer daar moet zijn geweest.'

TQ: 'Ja.'

PENTTINEN: 'Wat herinner je je daar nu van?'

TQ: 'Nee, dat weet ik niet.'

PENTTINEN: 'Herinner je je dat je het genoemd hebt?'

TQ: 'Nee, dat herinner ik me niet meer.'

Penttinen noemt dus in zijn vraag 'de armen', terwijl Quick het alleen maar over een litteken op de rechterarm heeft gehad. Bovendien geeft hij Quick een impliciete hint dat iets met Thereses armen kennelijk cruciaal is.

Bij het verhoor van 14 oktober komt Penttinen nog een keer terug op de vraag.

PENTTINEN: 'Ik heb de, ik heb de vraag eerder aan je gesteld, je noem-de iets tijdens deze schouw, dat je een herinnering had aan iets op haar armen, een vorm van huidaandoening of iets dergelijks?'

TQ: 'Ik heb niet gezegd dat… een beetje rood…'

PENTTINEN: 'Ja, maar zo heb je het niet omschreven, je hebt niet con-creet omschreven hoe je het bedoelde, je hebt gezegd dat je hier een herinnering aan hebt.'

TQ: 'Ja.'

PENTTINEN: 'Zou je het wat meer kunnen omschrijven?'

TQ: 'Het is een… iets roods. Nu hoop ik dat we hetzelfde bedoelen met iets roods.'

PENTTINEN: 'Is het iets wat snel overgaat of is het iets wat blijft, iets wat ze, is het een ziekte of is het iets wat natuurlijk rood is op dat moment?'

TQ: 'Dat weet ik niet, dat weet ik niet, het kan iets roods zijn op dat moment. Het kan ook iets zijn wat ze heeft, want het is een duidelijke, juist, een duidelijke roodheid.'

PENTTINEN: 'Je wijst nu naar de bovenkant van je arm?'

TQ: 'Ja.'

PENTTINEN: 'Zie je het daar of op de hele arm of is het op beide armen?'

TQ: 'Het is op beide armen, ja.'

PENTTINEN: 'Het is op beide armen?'

TQ: 'Ja.'

PENTTINEN: 'Is het rondom de hele arm, of is het iets vlekkerigs?'

TQ: 'Het is een vlek. Een vlekkerige roodheid.'

Ondanks het feit dat Quick de informatie 'de armen' en 'huidaandoening' kreeg, kon hij niet het juiste antwoord produceren. Maar het antwoord was toch voldoende 'juist' voor de politiemensen om in hun getuigenver-klaring in de rechtszaal van zijn erg vage, maar steeds meer op eczeem lijkende informatie te fabriceren dat hij al in het begin van het onderzoek had verteld dat Therese een litteken van eczeem had aan de binnenkant van haar elleboog.

Maar of ze dat ook had op het moment van haar verdwijning – dat wist dus zelfs haar moeder niet. Ondanks alles werd dit beschouwd als zwaar-wegend bewijs.

Bij alle informatie die Quick had kunnen geven, en die de rechtbank zag als bewijs dat hij Therese had vermoord, vond ik slechts één detail dat noch onjuist was noch uit de krantenartikelen was gehaald of door Seppo Penttinen was aangereikt, namelijk dat Quick tijdens de schouw in Fjell had gezegd dat de balkons van de huizen een andere kleur hadden.

TQ: 'Mmm, mmm, ik herinner me niet precies meer dat de huizen de kleuren hadden die ze nu hebben, nu hebben, eh...'
PENTTINEN: 'Wat voor kleur zou jij ze dan willen geven, in het geval dat er een verandering is?'
TQ: 'Ik zou de balkons wit willen hebben... daarna... moet je ook niet vergeten dat, dat de bomen hier... en alles was immers... een andere kleur, het was groen... eh, het stoort een beetje... ook herinneringen, eh, als ik denk aan de huizen verderop daar... eh, dan... eh, dan was er geen [niet te horen] als dat... flatgebouw.'

Quicks informatie over de overgeverfde balkons klopt. Het is heel opvallend dat Quick zich acht jaar later de kleur nog herinnert terwijl hij maar een paar minuten in de woonwijk is geweest, vooral omdat ze neutraal wit waren en geen opvallende kleur hadden.

Quick weet nu niet eens meer dat hij in Fjell heeft rondgelopen – wat niet zo moeilijk voor te stellen is als je bedenkt wat voor zware medicatie hij kreeg – en hij kan niet uitleggen waarom hij dat over die balkons nu net goed had.

'Als ik honderd feiten heb genoemd dan zijn er achtennegentig fout en twee goed,' zegt hij tegen mij. 'Ik heb zo ongelooflijk veel informatie gegeven, dat het wel duidelijk is dat ik misschien ook een keertje gelijk heb.'

Verder kwam ik niet – Quick had gelijk wat de balkons betreft. Amper voldoende bewijs om voor moord te worden veroordeeld.

Maar dan waren er nog de botsplinters...

Archeologische opgravingen

In het vonnis van de rechtbank in Hedemora van 2 juni 1998 is de bewijskracht van de botsplinters wat afgezwakt, uit technisch-juridische overwegingen. Quick had gezegd dat hij niet wilde uitsluiten dat er op de plaatsen die hij had aangewezen in Ørjeskogen 'andere lichaamsdelen dan die van Therese' lagen. De rechtbank wilde zich daarom indekken tegen de mogelijkheid dat men in de toekomst erin zou slagen om vast te stellen dat nu net deze ene botsplinter niet aan Therese maar aan een kind dat Quick op dezelfde plek had verbrand toebehoorde. In het vonnis wordt het jongetje 'Dusjka' genoemd dat Quick volgens eigen zeggen in Noorwegen zou hebben ontvoerd, vermoord en in stukken zou hebben gesneden.

De herkomst van het bot werd in twijfel getrokken, maar het belang van de vondst niet.

'Het was natuurlijk een erg belangrijke omstandigheid dat ze resten van een verbrand kind in Ørjeskogen hadden gevonden, precies op de plek die Quick had aangewezen,' zegt rechter Lennart Furufors.

In het vonnis staat: 'Ook als de resten van organisch materiaal en de voorwerpen die men in het genoemde bos heeft gevonden Thomas Quick niet aan Therese verbinden, bevestigen ze toch min of meer zijn verhaal.'

'Natuurlijk waren we onder de indruk dat er verbrande lichaamsdelen in het bos werden aangetroffen. Dat was een belangrijk bewijs,' beaamt Furufors.

In het verhitte debat dat in 1998 oplaaide over het Quick-onderzoek werd de vondst van het bot in Ørjeskogen gebruikt als een effectief wapen tegen degenen die de officier van justitie ernstig bekritiseerden. In een poging om de aanvallen af te slaan van de altijd kritische getuigedeskundige Astrid Holgersson en van Nils Wiklund, de docent forensische psychologie die de rol van advocaat Claes Borgström in twijfel trok en had gewezen op het ontbreken van de tweepartijenconfrontatie, luidden de inleidende regels in een discussiestuk dat Borgström op 6 juni van datzelfde jaar publiceerde in *DN Debatt* als volgt:

In Ørjeskogen ten zuidoosten van Oslo heeft iemand op verschillende plaatsen verbrand organisch materiaal begraven. Op een van die plaatsen zijn verbrande botsplinters aangetroffen. Onafhankelijk van elkaar hebben de professoren Per Holck uit Noorwegen en Richard Helmer uit Duitsland geconstateerd dat de botsplinters van een mens afkomstig zijn, vermoedelijk een jong persoon.

Het is Thomas Quick geweest die heeft gezegd waar in het uitgestrekte bos gegraven moest worden om de menselijke resten van het Noorse meisje Therese Johannesen te vinden.

Psycholoog Nils Wiklund is bang (*DN Debatt* 8/5) dat Quicks bekentenis vals is en deels is opgeroepen tijdens de therapiesessies, deels door leidende vragen van de politie. Ik hoop dat Wiklund nu wat gerustgesteld is.

Zelfs hij kan toch niet geloven dat iemand Quick heeft geïnformeerd waar hij zijn vinger op de grond moet zetten en moet zeggen: 'Graaf!'

Ook voor Seppo Penttinen, in een artikel in het *Nordisk kriminalkrönika*, en Gubb Jan Stigson, in het ene artikel na het andere, vormden de botsplinters de voornaamste verdediging tegen de twijfelaars.

Tijdens het researchwerk voor mijn documentaire krijgt Jenny Küttim een tip van SVT-veteraan Tom Alandh dat ze eens de serie *Tidningsliv* moet gaan bekijken. De documentaire in twaalf delen gaat over *Dala-Demokraten* en werd eind 2003 op SVT1 vertoond. In de een na laatste aflevering houdt Christer van der Kwast een lezing voor de Misdaadverslaggeversclub in Stockholm. De initiator achter deze bijeenkomst was Gubb Jan Stigson, die de officier van justitie had uitgenodigd om over het onderzoek van Thomas Quick te vertellen.

In een lange inleidende toespraak bekritiseert Van der Kwast de journalisten die kritisch tegenover het onderzoek staan, maar hij noemt ook het grote probleem door de jaren heen: dat de aanklacht is gebaseerd op indirect bewijs.

Documentairemaker Tom Alandh is geen lid van de Misdaadverslaggeversclub, maar hij is naar de bijeenkomst gekomen en is de enige die reageert op wat er net gezegd is: 'Klopt het dat er in al die acht zaken waarvoor hij veroordeeld is helemaal geen technisch bewijs is? Is dat zo?'

De vraag brengt Van der Kwast in verlegenheid, ondanks het feit dat dit een relatief algemeen bekend feit is.

'Ja, wat is technisch bewijs... dus...? Men moet... ik zeg... het is nogal slordig als men zegt "er is geen technisch bewijs". Als men normaal gesproken met technisch bewijs zoiets als een DNA-match tussen het slachtoffer en zijn dader bedoelt, dat is er niet. Maar is er wel ander bewijs, zogezegd, van technische aard, zoals bijvoorbeeld verbrande menselijke resten waarin gesneden is op de manier zoals hij dat verteld heeft.'

Opnieuw: de botsplinters. Maar dat was niet alles: wanneer Van der Kwast de vondst in Ørjeskogen beschrijft, is er nauwelijks ruimte voor twijfel. Vooropgesteld dat hij gelijk heeft.

Het technisch onderzoek wijst uit dat de 'menselijke resten' van Van der Kwast bestaan uit kleine achtergebleven verbrande fragmenten die elk nog minder dan een halve gram wegen. Het grootste stuk, 'waarin gesneden is op de manier zoals hij dat verteld heeft', weegt 0,36 gram.

Was het op basis van zo'n klein stukje echt uit te maken dat het om een menselijk bot ging en dat het afkomstig was van een kind van tussen de vijf en vijftien jaar oud?

De vondst van de verbrande botsplinters in Ørjeskogen gaf de rechercheurs nieuwe hoop dat ze ook in Zweden lichaamsdelen zouden vinden, en men hoopte vooral het stoffelijk overschot van Johan Asplund te vinden. Thomas Quick had verteld dat hij in de tweede fase van het onderzoek zat, zodat hij nu misschien informatie kon geven waarmee de lichamen zouden kunnen worden teruggevonden.

Terwijl het Quick-debat in de kranten hoog opliep werd de hoofdpersoon rondgeleid in Zweden. Hij wees verschillende bergplaatsen aan: buiten Sundsvall, maar ook in de buurt van Korsnäs, Grycksbo en andere plaatsen in Dalarna waar hij in de jaren tachtig had gewoond. Uiteindelijk stonden er vierentwintig plaatsen op de lijst.

De tweede stap was om lijkenhond Zampo met John Sjöberg, eigenaar van Zampo en hondengeleider, de plaatsen die Quick had aangegeven te laten onderzoeken. Tot ieders vreugde wees Zampo bijna elke keer een lijk aan. In totaal gaf hij vijfenveertig keer aan een spoor van een lijk te hebben gevonden.

Om zich te vergewissen van de betrouwbaarheid van de hond, maakte professor Per Holck in Ørjeskogen zes kuilen met daarin verschillende inhoud: drie kuilen bevatten menselijk materiaal, een bevatte verbrande botten van een dier, de vijfde kuil bevatte houtskool en eentje liet hij leeg. Zampo gaf bij alle kuilen een lijk aan, behalve bij de kuil met verbrande botten van een dier. Het grote aantal fouten had tot nadenken moeten stemmen, maar de eigenaar van de hond verklaarde dat de schop vermoedelijk de andere kuilen met geurmoleculen had besmet. Het testresultaat werd weggewuifd, en Zampo's trefzekerheid werd niet nog een keer getest.

Na de test schreef politieagent Håkon Grøttland waarderende woorden aan de hondengeleider: 'U moet weten dat we zonder u en Zampo deze zaak niet hadden kunnen oplossen.'

Naar aanleiding van Zampo's markeringen in Zweden begon een groep forensisch archeologen elke aangegeven plaats af te graven.

Aangezien Quick had gezegd dat hij een aantal lichamen in mootjes had gehakt werd de aarde meegenomen en voor analyse naar het Natuurhistorisch Museum in Stockholm opgestuurd, waar osteologe Rita Larje van de Werkgroep Forensische Archeologie de vondst met een loep en onder de microscoop onderzocht. Zij vertelt me: 'Ik kreeg heel veel zakjes met de mededeling dat er tussen het materiaal mogelijk lijkmateriaal te vinden was, omdat een zogenoemde lijkenhond dat had aangegeven. Als osteoloog onderzoek je alles wat je hebt gekregen. Als het aarde betreft wordt die gezeefd en daarna zoek je naar organische bestanddelen. En in dit geval moest ik naar bot zoeken.'

Rita Larje vond geen botresten, dus ging ze het materiaal onder de microscoop bekijken, aangezien er misschien verbrande resten van organisch materiaal te vinden waren, vlees dat in kleine poreuze kogeltjes was veranderd. Maar ook toen vond ze niets.

Rita Larje en ik nemen de verslagen door van al haar aarde-analyses in de Quick-onderzoeken, in totaal ruim twintig. Op een paar plaatsen had men botten gevonden die met het blote oog te zien waren.

'In deze zaak vonden we een rib van een koe, met kleine knaagsporen. En men heeft tanden van runderen gevonden.'

Je kunt vinden dat de rechercheurs, toen het succes uitbleef, de meest logische conclusie hadden moeten trekken, namelijk dat Quick loog en dat Zampo bij zo goed als alles een lijk bespeurde. Maar de opgravingen werden voortgezet.

Rita Larje en ik zijn bij het laatste analyserapport aangekomen, dat uit Sågmyra komt, waar Sture Bergwall woonde de laatste jaren dat hij nog vrij rondliep. Toen de ene na de andere bergplaats lijkdelen bleek te bevatten, liet Quick doorschemeren dat hij zijn trofeeën had meegenomen naar een plek waar hij op dat moment woonde, en men hoopte daarom een 'Quick-mausoleum' in Sågmyra te vinden met delen van de lichamen van een groot aantal van zijn slachtoffers. Larje leest haar eigen rapport uit 1998 zorgvuldig door.

'Er zijn kennelijk negenendertig vondsten; negenendertig zakjes met aarde om te onderzoeken. En de inhoud van de meeste zakjes bleek te bestaan uit hout, houtskool, verkoolde boomschors en kleine steentjes – allemaal voorwerpen die van nature in een bos te vinden zijn.'

Rita Larje schreef in het rapport dat er geen botfragmenten of iets anders interessants in de aarde waren gevonden. Maar dit was kennelijk te veel voor Seppo Penttinen – het negatieve bericht na de laatste opgraving kon hij niet accepteren. Hij stuurde al het materiaal naar Per Holck in Oslo, die de botfragmenten van Therese in Ørjeskogen had gevonden. Penttinen wilde een *second opinion*. Een paar weken later kwam Holcks antwoord: 'Geen botresten in het materiaal aangetroffen.'

Het is de eerste keer dat Rita Larje het verzamelde materiaal ziet: alle onderzoeken ter plaatse, opgravingen, duizenden monsters waar men het fosfaatgehalte van de aarde heeft gemeten op jacht naar lichaamsdelen, en dan nog de onderzoeken die ze zelf heeft gedaan. Ze schudt haar hoofd en zegt: 'Je mond valt open als je ziet hoeveel werk hierin gestopt is. Er wordt nooit iets gevonden, maar toch gaat men verder met zoeken en denkt men dat er op de volgende plaats iets is, tot men bij de laatste plaats is aangekomen en daar ook niets vindt!'

Tot mijn grote vreugde is Larje bereid om ook de Noorse botvondsten door te nemen. Ze krijgt het materiaal dat ik heb en bekijkt de documentatie en het rapport van de twee professoren.

Nadat ze alles heeft bekeken kan Larje er geen definitieve uitspraak over doen, maar ze uit zich zeer kritisch over het rapport van professor Holck en Helmer. Ze is van mening dat ze conclusies hebben getrokken die niet door het materiaal worden gerechtvaardigd. Volgens Larje is het Holck en Helmer niet eens gelukt om te bepalen van welk dier de stukken bot afkomstig zijn. In hun rapporten hebben ze niet aangegeven welk bot het is of van welk deel van het bot het grootste fragment afkomstig was.

'Als je niet kunt bepalen waar het stuk bot in het skelet heeft gezeten, dan lukt het je ook niet om te bepalen van welk dier het afkomstig is.'

Rita Larje beweert dat het rapport van de professoren een aantal conclusies bevat die elke onderbouwing in de wetenschappelijke literatuur missen en deels gebaseerd zijn op pertinent onjuiste redeneringen.

'Het oordeel dat het hier om een stuk bot van een jong persoon zou gaan is gebaseerd op zeer onzekere gronden,' zegt Larje.

Verder komt ze niet in haar analyse zonder eerst de stukken bot zelf te hebben gezien. Ze is echter bereid om samen met een andere osteoloog naar Drammen te gaan en de stukken bot daar ter plaatse te bekijken.

Ik neem contact op met Christer van der Kwast, die volgens de Noren toestemming voor een dergelijk onderzoek moet geven. Hij staat niet helemaal afwijzend tegenover zo'n onderzoek, en ik neem ook contact op met Therese Johannesens moeder, die achter zo'n tweede onderzoek staat.

Daarna horen we een tijd niets en de tijd begint te dringen.

Na verschillende aanmaningen komt het antwoord van Van der Kwast: onafhankelijke osteologen krijgen geen toestemming om naar de botten te kijken.

De code gekraakt

De twee vonnissen die ik nog nader moet bekijken, zijn al op voorhand de meest onwaarschijnlijke.

Zowel de moord op Johan Asplund als de dubbele moord op de Noorse meisjes Trine Jensen en Gry Storvik vereist dat Thomas Quick erg lange afstanden moet hebben gereden, jaren voordat hij een voertuig kon besturen. In beide vonnissen stelt de rechtbank vast dat enig technisch bewijs ontbreekt en dat de vonnissen daarom geheel gebaseerd zijn op Quicks eigen verhalen. In beide gevallen zijn de eerdere veroordelingen voor moord de enige reden om Quick als dader te beschouwen – een vreemde redenatie, ook als je de ontdekking dat de eerdere vonnissen waardeloos zijn, buiten beschouwing laat: volgens het Zweedse recht moet elk vermeend delict zelfstandig worden getoetst, ongeacht alle andere misdrijven.

Dus hoe kon de rechtbank tot een veroordeling komen enkel en alleen op basis van Quicks verhalen?

Op 18 mei 2000 startte het proces over Thomas Quicks zesde en zevende moord in de rechtbank van Falun, maar de zitting was om veiligheidsredenen verplaatst naar de op een bunker lijkende beveiligde zaal van de rechtbank in Stockholm. Quick werd via een zijingang de rechtszaal binnengeleid, gekleed in een lichtgrijs voorjaarscolbert, en nam plaats naast Claes Borgström en Birgitta Ståhle. Alles verliep volgens de gangbare routines en alle hoofdrolspelers in het drama beheersten hun rollen zo goed dat ze wat onvoorzichtiger werden en wat meer risico namen dan daarvoor.

Officier van justitie Van der Kwast presenteerde zijn eisen en las het eerste punt van de aanklacht voor.

'Quick heeft op 21 augustus 1981 in de omgeving van Svartskog, gemeente Oppegård in Noorwegen, Trine Jensen door een slag op haar hoofd en wurging om het leven gebracht.'

Nadat Quick zich schuldig had verklaard, wilde hij aan zijn verhaal beginnen, maar hij werd onderbroken door Van der Kwast die eerst een video van de reconstructie wilde tonen, en tevens wilde vertellen wat Quick tijdens verhoren had gezegd. Pas nadat Quick Van der Kwasts herhaling van het hele verhaal had gehoord, kwam hij zelf aan het woord. Quick was met de auto naar Oslo gereden op zoek naar een jongen, maar was de zeventienjarige Trine tegengekomen. Hij vroeg haar of ze hem de weg naar het Koninklijk Paleis kon wijzen.

'En helaas stapte het meisje in de auto,' zei Quick met gebroken stem.

Hij huilde en moest vaak lange pauzes houden terwijl hij zijn 'groteske en bizarre gedrag' beschreef. In dit geval hoe hij Trine mishandelde, uitkleedde en uiteindelijk met de draagriem van haar handtas wurgde.

Het was algemeen bekend dat het grote probleem met de door Quick bekende moorden was dat de rechercheurs hem niet aan de delicten konden verbinden.

'Zijn verhaal is tot in de details nagetrokken,' zei Van der Kwast en hij werd daarin gesteund door Claes Borgström. 'Hij kon tijdens de schouw met een afwijking van minder dan dertig meter aanwijzen waar het lichaam lag. En dat in een groot bos in Noorwegen, achttien jaar na de moord,' verklaarde Claes Borgström aan de journalisten die het proces versloegen.

Birgitta Ståhle was er om aan de rechtbank uit te leggen welke psychologische mechanismen van Quick de seriemoordenaar hadden gemaakt die hij was geworden.

'Tot zijn dertiende wordt Thomas Quick seksueel misbruikt door zijn vader. Het meedogenloze en de wreedheid zijn angstaanjagend en huiveringwekkend. Nog groter is echter de angst voor zijn moeder.'

Daarna vertelde ze hoe Quick als vierjarig jongetje getuige was van de geboorte van zijn broertje Simon, die door zijn ouders werd vermoord. Vervolgens moest hij met zijn vader mee om in het bos het stoffelijk overschot te begraven.

'Wanneer Thomas Quick ongeveer vier jaar en tien maanden oud is probeert zijn moeder hem in een wak te verdrinken,' vervolgde Birgitta de ogenschijnlijk eindeloze beschrijving van louter ellende uit Quicks jeugd.

De president van de rechtbank, Hans Sjöquist, luisterde met stijgende verbazing naar de getuigenis en toen die was afgelopen vroeg hij: 'Is deze informatie nagetrokken?'

'Nee, maar in de therapiesessies is uiteindelijk wel naar boven gekomen of het klopte of niet,' antwoordde Birgitta Ståhle.

Het bleef nog altijd moeilijk te begrijpen waarom een homoseksuele pedofiel en seriemoordenaar twee keer kort na elkaar van Falun naar Oslo was gereden om daar twee lustmoorden op vrouwen te plegen. Ook op deze vragen kon de therapeut antwoord geven, in de vorm van een motief voor de moorden.

'Het vermoorden van vrouwen en meisjes is wraak, een haat gericht tegen vrouwen die in de allereerste plaats de moeder vertegenwoordigen. De tweelingzus is hier al genoemd en de agressiviteit die er bestaat is de agressiviteit van de jaloezie,' verklaarde Ståhle, die haar getuigenis besloot met de volgende woorden: 'Het vereist moraal om over het meest amorele zoals deze moorden te vertellen.'

Bengt Eklund, het afdelingshoofd van de Säterkliniek, was ook aanwezig, om, zoals het in het vonnis werd geformuleerd, te getuigen dat 'Thomas Quick zeer beperkt toegang had tot Noorse kranten en niet de mogelijkheid had gehad om meer dan een enkele krant te krijgen, zonder dat Eklund daar achter zou zijn gekomen'.

Om Quicks geloofwaardigheid verder te bevestigen getuigde Sven Åke Christianson over een experiment dat hij op het Psychologisch Instituut van de Universiteit van Stockholm had gedaan met tien proefpersonen. Ze kregen een paar Noorse krantenartikelen te lezen over deze twee moorden, en daarna moesten ze ieder uit hun hoofd een beschrijving geven van het delict en die beschrijving werd vervolgens vergeleken met zowel de feiten zoals die bij de politie bekend waren als de beschrijving in de pers. Het wekte nauwelijks verbazing dat de verhalen van de proefpersonen ongeveer evenveel correcte details bevatten, ongeacht waarmee ze werden vergeleken. Maar toen de informatie die Thomas Quick had gegeven aan dezelfde test werd onderworpen, bleek er een opvallend verschil: zijn verhalen bevatten veel meer correcte details als ze met de informatie van de politie werden vergeleken dan na vergelijking met de krantenartikelen.

De rechtbank was zeer onder de indruk van Christiansons creativiteit en besteedde in het vonnis uitvoerig aandacht aan de test van de professor. Het werd als volgt afgesloten: 'Het eindoordeel erkent de conclusie dat Thomas Quick toegang heeft gehad tot aanzienlijk meer feiten dan wat er in de kranten werd gepubliceerd.'

Opdat de rechtbank niet in de verleiding zou komen om uit de twee mogelijke analyses de andere conclusie te trekken – namelijk dat Quick deze informatie ergens anders vandaan had gekregen, hoogstwaarschijnlijk van de politierechercheurs en zijn therapeuten – leggen zowel Seppo Penttinen als Birgitta Ståhle de getuigenis af dat ze op geen enkele wijze feitelijke informatie aan hem hadden doorgegeven.

Samengevat: de rechtbank kreeg een beeld voorgespiegeld dat ver bezijden de waarheid was.

Tijdens een van mijn bezoeken aan Noorwegen ontmoet ik Kåre Hunstad, de misdaadverslaggever die als eerste Thomas Quick van informatie over de moord op Trine Jensen voorzag en daarmee de moord koppelde aan het Quick-onderzoek. We treffen elkaar in een hotelbar in Drammen. Hunstad had meer artikelen over Thomas Quick geschreven dan welke andere Noorse journalist ook tijdens het gouden Quick-tijdperk van 1996-2000, en hij had tijdens sommige periodes de gebeurtenissen zeer intensief gevolgd. Maar zijn interesse voor de Zweedse seriemoordenaar bestond al langer: 'Het was begin jaren negentig en ik was misdaadverslaggever van *Dagbladet* en las dagelijks *Aftonbladet* en *Expressen*.'

Hunstad had tijdens het proces over de dubbele moord in Appojaure in de rechtszaal in Gällivare gezeten, niet als verslaggever maar als toeschouwer. 'Om te proberen Quick te begrijpen,' verklaarde hij. Voor een gretige verslaggever was het logisch om te hopen dat Thomas Quick ook in Noorwegen was geweest, om hem aan onopgeloste moorden in Noorwegen te kunnen koppelen.

De droom van de gretige verslaggever kwam metcen uit nadat hij uit Gällivare was thuisgekomen, toen Quick onverwacht – en dankzij de informatie die hij via Hunstads Noorse collega Svein Arne Haavik had gekregen – de moord op Therese Johannesen bekende. Dat was nog eens wat.

Hunstad probeert me te laten begrijpen hoe enorm groot de zaak in Noorwegen was en vertelt over alle tochtjes waar hij en zijn collega's in de loop der jaren over hebben geschreven.

'En dan bekent Quick de moord! Ik wist al heel veel over de Zweedse zaken. Het verhaal was je reinste poppenkast, er waren geen bewijzen en alleen zwakke indirecte feiten die aan elkaar geknoopt waren. Het was niet geloofwaardig. Het was een groot rondreizend circus.'

Hunstads sceptische houding ten opzichte van Quick verbaast me, aangezien hij talloze nieuwsberichten over de seriemoordenaar heeft geschreven. Hij was dé Quick-verslaggever van Noorwegen en was meestal de eerste die met nieuws over het onderzoek naar buiten kwam.

Hunstad schreef over Quicks schouwreis naar het asielzoekerscentrum in Noorwegen, waaruit hij volgens eigen zeggen twee jongens had ontvoerd, en de volgende dag, 24 april 1996, kon Thomas Quick al in een artikel in *Dagbladet* lezen over andere Noorse moorden die mogelijk met hem in verband konden worden gebracht.

Hunstad schreef dat gezien Quicks eerdere voorkeur voor jongens men het vooronderzoek naar de verdwijning van de dertienjarige Frode Fahle Ljøen in juli 1974 weer zou oppakken. Een bron bij de politie vertelde ook dat men zo snel mogelijk het onderzoek naar de moord op de zeventienjarige Trine Jensen in Oslo in 1981 en de zevenjarige Marianne Rugaas Knutsen, die in datzelfde jaar was verdwenen in Risør, weer wilde oppakken.

Na zijn terugkeer in de Säterkliniek kwamen bij Thomas Quick tijdens zware krampen in de therapiesessie de eerste herinneringen aan zijn vermeende moorden op Trine, Marianne en Frode, waarover hij in *Dagbladet* had gelezen, weer naar boven.

Quick had echter moeite om de naam van Frode op te roepen en hij noemde hem voorlopig 'Björn', tussen aanhalingstekens.

De schrijver van het nuttige artikel werd ook een van Thomas Quicks beste vrienden – een vriendschap die voor hen beiden zeer nuttig was.

'Ik had zijn telefoonnummer en kon hem wanneer ik maar wilde bellen en ik wist een goede relatie met hem op te bouwen. We hadden veel contact en… hij was immers een handelaar? Elke keer als we elkaar zagen wilde hij iets van me,' zegt Kåre Hunstad.

Op een dag eiste Quick een nieuwe exclusieve computer in ruil voor een interview. In een bewaard gebleven fax van 20 mei 1996 schreef Hunstad dat *Dagbladet* dat verzoek afwees, maar dat het radiostation P4 bereid was om Quicks wens in te willigen. In een latere brief schrijft Quick: 'Je krijgt een goed interview, maar dan stel ik zwaardere eisen. Ik wil je zien onder voorwaarde dat ik twintigduizend kronen van je krijg. Claes [Borgström] weet ervan, dus je hoeft het niet via hem te laten lopen.'

Volgens Hunstad ging het zelden om grotere bedragen dan een paar duizendjes, maar de krant ervoer het toch als een probleem.

'Ik heb nog een brief waarin hij schrijft dat hij nieuwe zaken zou bekennen als hij betaald kreeg. Waar voor je geld – zo kon hij zijn.'

Bij een van zijn bezoeken aan de Säterkliniek had Kåre Hunstad een videocamera meegenomen om het interview te filmen. Quick begreep dat het Noorse publiek vooral geïnteresseerd was in de moorden die in Noorwegen waren gepleegd. Het interview begon ermee dat Quick vertelde dat hij in 1987 in zijn auto naar Noorwegen was gereden waar zijn oog op een dertienjarige jongen viel.

'Ik stop en hij stapt van zijn fiets af. Het is bijna herfst, augustus of september, rond zeven uur 's avonds. De jongen begrijpt dat er iets vreemds aan de hand is. Hij maakt een afwerende beweging en wil wegrennen. Hij heeft een dun jasje aan dat ik weet vast te pakken. En dan geef ik hem een kaakslag. Hij valt op de grond, waarbij hij met zijn hoofd hard op het asfalt terechtkomt en bewusteloos raakt of sterft. Dan pak ik het lichaam op en ik leg het in de auto en zet de fiets op een speciale manier neer. Bij een appartementengebouw, op een kruispunt. Dan loop ik terug naar de auto en rijd recht tegen de fiets aan. De auto heeft niet veel schade, maar de fiets is erg beschadigd.'

De moord zou in Lillestrøm even ten noorden van Oslo zijn gepleegd en was als een verkeersongeluk behandeld, vertelde Quick. Kåre Hunstad besefte dat hij een tot dan toe onbekende moord op de videoband had staan. Een scoop, dacht hij.

Quick vertelde nog over een andere moord in Noorwegen, op een prostituee in Oslo. Er werd er een in het onderzoek vermeld, Gry Storvik, maar dit ging om een andere moord.

'Heb je dat tegen de politie gezegd?' vroeg Kåre Hunstad.

'Ik geloof dat dat verhaal in de herfst komt. Dan zal ik vertellen over die prostituee,' zei Quick en hij nam een slok koffie. 'Ik kan dit alvast zeggen, volgens mij is het een drugs... gebruiker. Een junk.'

'Kun je haar beschrijven?'

'Ze is vijfentwintig jaar oud of zoiets. Ze is behoorlijk afgeleefd, heeft donker haar en is met drie messteken om het leven gebracht. Ik heb haar in Oslo ontmoet. Waar precies kan ik niet zeggen.'

'En je weet zeker dat ze een junk was? Je nam haar mee als een gewone klant?'

'Ja, ja. We reden een klein stukje in de auto naar een deel van Oslo dat ik eigenlijk niet ken. Een wijk met heel wat lege flats. Daar werd ze gedood.'

'Je valt haar aan? Werd ze verkracht?'

'Nee.'

Quick herinnert zich niet meer exact in welk jaar het was, maar vermoedelijk was het in 1987.

Daarna spraken ze over de moord op Marianne Rugaas Knutsen. Quick had al bekend en werd als verdachte beschouwd van deze moord, maar er waren meer moorden waarvan hij verdacht werd.

Quick vertelde dat hij in de jaren zeventig met de auto naar Bergen was gereden, waar hij een jongen van zestien, zeventien jaar had getroffen.

'Een van je eerste slachtoffers in Noorwegen?'

'Ja, mijn eerste slachtoffer met dodelijke afloop,' constateerde Quick zakelijk. 'Hij stapte vrijwillig in de auto en we belandden een eindje buiten Bergen. Ik stop de auto in het bos waar ik hem verkracht en wurg. Ik rij terug naar Bergen en laat hem achter in de haven. Maar niet op dezelfde plaats als waar ik hem heb opgepikt.'

'Heb je het lichaam in de auto liggen?'

'Ja, ik heb het lichaam in de auto. En ik laat het lichaam aangekleed.'

'Dat betekent dat je het lichaam weer hebt aangekleed?'

Toen Kåre Hunstad de Säterkliniek verliet moest hij erachter zien te komen of hij nu een scoop te pakken had of dat hij in plaats daarvan een fantast had ontmaskerd.

Hunstad gebruikte zijn contacten binnen de politie en ging zelf aan de slag met de informatie die Quick hem had gegeven. Algauw kon hij vaststellen dat er geen sterfgevallen, vermissingen of moorden in Noorwegen waren die pasten bij de moorden die Quick voor zijn camera had bekend. Hoogstwaarschijnlijk had Quick alles verzonnen.

Het besef dat Quick er weer in geslaagd was om moorden te bekennen die nooit hadden plaatsgevonden, maakt indruk op me. Ik denk erover na waarom Hunstad niet met een wat kritischer blik naar Quicks bekentenissen heeft gekeken.

'Ik heb Quick nooit geloofd,' zegt Hunstad. 'Ik probeerde seriemoordenaars te begrijpen en kwam erachter dat ze een bepaalde groep mensen om het leven brengen. Maar hier zijn het jongens en meisjes, jong en oud. Daarbij komt nog dat er nooit getuigen zijn, geen technisch bewijs, en het is allemaal een groot mysterieus circus.'

Hunstad zegt dat hij als journalist heeft geprobeerd 'de code te kraken'. Ik begrijp niet wat hij daarmee bedoelt.

'Hoe meer mensen in de zaak-Quick graven, hoe beter,' zegt Hunstad. Hij wenst me succes en neemt afscheid.

Wat betreft de vonnissen voor de moord op Trine Jensen en Gry Storvik van 22 juni 2000 is er überhaupt niet veel code om te kraken. Een zorgvuldige lezing van het vooronderzoeksrapport laat zien hoe de verhalen veranderen en zich, zoals gebruikelijk, in een innig samenspel tussen Thomas Quick en zijn omgeving ontwikkelen. In de vele verhoren valt Quick zijn Noorse vrouwelijke slachtoffers aan met een mes, of met een stuk brandhout, of een bijl, of een metalen dildo, of – als zijn fantasie hem even in de steek laat – met zijn hoofd, of zijn elleboog, of slaat hij hun hoofd tegen de auto. Over cruciale informatie die onjuist blijkt te zijn wordt in een nieuw verhoor doorgevraagd – steeds maar weer.

Ondanks het feit dat de uitspraken van Quick ook in de uiteindelijke verhalen zo moeilijk te matchen waren met de technische vondsten, nam Christer van der Kwast er genoegen mee om voor de rechtbank een rapport te presenteren waarin de forensische artsen Anders Eriksson en Kari Ormstad alleen die vondsten hadden opgevoerd die, min of meer, met de verhalen overeenkwamen. Het sectierapport werd om die reden nooit als bewijs aangevoerd, evenals de DNA-analyse van het sperma dat in de verkrachte Gry Storvik werd aangetroffen. Dat detail werd als afgehandeld beschouwd, doordat Quick voor de rechtbank beweerde dat zijn 'duidelijke herinnering' was dat hij 'geen ejaculatie' had gehad tijdens de verkrachting – hoewel hij in de verhoren het tegenovergestelde had beweerd.

En hiermee lieten de officier van justitie, de verdediging, de behandelaars en de rechtbank zich tevredenstellen.

Een ondersteunend bewijs voor Quicks verhaal dat expliciet in het vonnis genoemd wordt, betreft de stoffen riem met een wurgstrop die naast het in verre staat van ontbinding verkerende lichaam van Trine Jensen werd gevonden, en die vermoedelijk het moordwapen was. De riem was afkomstig van haar handtas en dit gegeven was niet eerder door de politie naar buiten gebracht. De rechtbank hechtte er daarom groot gewicht aan dat Quick dit specifieke detail wist te vertellen.

De eerste keer dat Quick Trine Jensens naam in het onderzoek noemde was op 4 oktober 1996. Dat was de dag dat de Quick-stoet zijn tweede reconstructie van de moord op Yenon Levi zou houden.

Maar eerst verrast Quick hen door een verhoor aan te vragen. Hij heeft informatie voor hen, en het kan niet wachten.

Seppo Penttinen, Claes Borgström en Thomas Quick zitten in een provisorische verhoorruimte in de Säterkliniek als Penttinen de bandrecorder aanzet. Het is 10.15 uur.

'Alsjeblieft, Thomas, ga je gang,' zegt hij.

'Ik zal maar weinig informatie geven. Erg kort. Ik ga geen vragen beantwoorden over wat ik nu ga vertellen, maar ik wil het vandaag graag kwijt voordat we aan het Rörshytteverhaal beginnen, zodat ik er niet meer mee rondloop als een soort stoorzender. Ik wil het erover hebben dat ik twee jaar na Johans dood, dat wil zeggen in de zomer van 1981, in Oslo was waar ik een vrouw heb meegenomen, van ongeveer achttien, negentien jaar denk ik. Ze heette Trine Jensen, en ze werd ontvoerd en vermoord. En dat is alles voor vandaag.'

Penttinen constateert dat de audiëntie is afgelopen. Het is 10.17 uur. Het heeft twee minuten geduurd.

'Het verhoor' waarin Quick de moord op Trine Jensen bekent, is in verschillende opzichten opmerkelijk. Natuurlijk in de eerste plaats omdat het zo kort is en omdat de verdachte niet wil dat er vragen worden gesteld. Maar nog afwijkender is dat Quick in een eerste verhoor zulke concrete informatie over een moord kan geven: dat het slachtoffer Trine Jensen heette, ongeveer achttien jaar was en in de zomer van 1981 uit het centrum van Oslo verdween. Alle informatie was correct, en alle informatie had in verschillende krantenartikelen gestaan.

In februari 1997 bracht Thomas Quick zelf Trine Jensens verdwijning opnieuw ter sprake, maar de rechercheurs lieten de zaak rusten, vermoedelijk omdat ze het druk hadden met andere dingen. In maart 1998 was het weer zover – in een interview met Hunstad zei Quick dat hij 'binnenkort over de moord op Trine zou gaan vertellen'.

Pas op 27 januari 1999 komt die naam terug tijdens een andere gelegenheid waarbij Quick over een groot aantal vermeende moordslachtoffers wordt verhoord. Hij geeft dan nog een paar details, bijvoorbeeld dat hij Trines lichaam bij een bosweg vlak bij een schuur heeft achtergelaten. Seppo Penttinen probeert wat meer druk op hem uit te oefenen: 'Je zegt dat je haar schendt, wat bedoel je daarmee?'

'Dat ik haar lichaam dus op verschillende manieren schend.'

'Op verschillende manieren, zeg je?'

'Hmm.'

'Je praat wat zacht, dus ik verduidelijk het. Kun je iets zeggen over die manieren…?'

'Nee.'

Het is als tegen een muur praten, maar als Quick nog wat meer onder druk wordt gezet, laat hij toch nog wat kleine stukjes informatie los, zoals het feit dat Trine naakt in het bos werd achtergelaten, vermoedelijk ergens ten noorden van Oslo – 'ja, ik heb geen richtingsgevoel'– voordat hij met de woorden 'ja, ja, dat is toch, we laten haar met rust', er zelf een punt achter zet en geen vragen meer wil beantwoorden.

In een verhoor twee weken later beweert hij dat hij Trine met een klap op haar achterhoofd heeft gedood, en dat is het. Op 17 mei is het tijd voor een nieuw verhoor.

PENTTINEN: 'Over haar leeftijd, en hoe zag ze eruit?'

TQ: 'Nee, meer kan ik nu niet aan.'

PENTTINEN: 'Wat houdt je tegen om het te vertellen? Hoe ziet ze eruit, is ze licht, donker, lang of kort, dik of slank?'

TQ: 'Lichter dan donker, langer dan kort, voller dan slank.'

Thomas Quick tekent een kaart van het gebied die ongetwijfeld helemaal niet klopt, tenzij je zoals bij sommige interpretaties ervan uitgaat dat het een uiting is van Quicks 'rechts-linksproblematiek'. Want in spiegelbeeld klopt de kaart aardig.

Penttinen vraagt op welke lichaamsdelen hij geweld heeft uitgeoefend.

'Op de buik,' zegt Quick.

'Herinner je je of je iets anders hebt gezegd tijdens de andere verho-ren?' vraagt Penttinen.

'Nee,' antwoordt Quick.

Penttinen vraagt zich af of hij zich misschien een andere vrouw dan Trine herinnert.

'Dat betwijfel ik,' antwoordt Quick.

'Dan word je hierbij officieel verdacht van de moord op Trine Jensen,' zegt Penttinen.

Op 28 mei 1999, zes dagen voor het geplande verhoor met Thomas Quick over de moord op Trine Jensen, belde Seppo Penttinen Quick op om hem 'informatie over kleding en eventuele voorwerpen te geven die hij aan het slachtoffer kan koppelen'. Het belangrijkste 'voorwerp' in deze zaak waren natuurlijk de riemen aan Trines tas, het vermoedelijke moordwapen.

Het telefoongesprek werd niet opgenomen, dus we weten niet wat er precies gezegd werd, maar het staat vast dat Seppo Penttinen ook in deze zaak ervoor koos om de meest cruciale informatie met Thomas Quick te bespreken toen de bandrecorder niet meeliep. En Quick vertelde, volgens de aantekeningen van Penttinen, dat Trine Jensen een 'handtas met groe-ne riemen had die langer waren dan alleen maar een hengsel'. En zodra je weet dat een handtas lange draagriemen heeft, en dat deze van belang zijn, is het niet zo moeilijk om te bedenken waar die riemen voor gebruikt kunnen worden.

Toen Thomas Quick op 3 juni 1999 werd verhoord over de moord tekende hij opnieuw een kaart die met enige goede wil zou kunnen klop-pen – vooropgesteld dat hij in spiegelbeeld is getekend. Quick vertelt dat Trine uitstapt en in staat is om zelf te lopen op het moment dat hij haar met een mes aanvalt. Hij steekt meerdere keren op haar in en hij zegt dat er over een afstand van dertig meter bloedsporen te vinden moeten zijn. Uiteindelijk zakt Trine in elkaar en Quick ziet dat ze stervende is. Dan valt hij haar opnieuw aan en ze sterft daar op de grond. De messteken raken de voorkant van haar lichaam.

'Ik richt op de borstkas en mogelijk de maagstreek,' zegt hij.

Hoewel hij weet van de lange riemen van de tas, is Quicks verhaal over hoe hij Trine om het leven heeft gebracht helemaal verkeerd. Dus in plaats van hem te vragen door te gaan met zijn verhaal, stuurt Seppo Penttinen het verhoor naar de eigendommen die ze bij zich had.

Quick zegt dat hij zich 'de handtas met… eh… die riem' herinnert. En nu heeft Penttinen beet.

'Wat is dat voor riem waar je het over hebt?'

Quick kan geen antwoord geven en blijft stil zitten en zucht.

Seppo Penttinen reageert op dezelfde manier als altijd wanneer Quick op het juiste spoor zit: 'Is er voor jou een herinnering aan die riem verbonden? Ik zie aan je gezicht dat het iets is waar je moeilijk over kunt praten.'

'Ja, het is moeilijk,' antwoordt Quick.

'Wat is er dan met die handtas en de riem?'

'Ik pak de riemen beet en gebruik ze, wat ging ik ook alweer zeggen… eh…'

'Je ging zeggen dat je ze gebruikte? Hoe gebruik je ze? Kun je dat uitleggen?' vraagt Penttinen. 'Als het zo is…' voegt hij er voor de zekerheid aan toe.

Quick zucht en zegt dat hij het zich niet meer herinnert. Maar nu is Penttinen op dreef en hij is niet van plan om het op te geven.

'Herinner je je nog of er iets mee gebeurt?'

'Ik herinner me dat ik die riem vasthoud… eh…'

Quick schat dat de riem een paar centimeter breed is. Dat klopt helemaal niet met Trines handtas, maar Penttinen spoort hem aan: 'Waar is hij van gemaakt? Heb je daar een gevoel bij?' vraagt hij.

'Ja, ik heb een gevoel… eh…'

'Als je aan de structuur denkt,' probeert Penttinen.

'Ja, het is een soort leer, of hoe dat dan ook maar heet,' probeert Quick.

Dat is helemaal niet het goede antwoord, want Penttinen weet dat ze moeten uitkomen bij een stoffen riem.

Hij gaat snel over op een ander onderwerp.

'Wat gebeurt er met deze riem, aangezien je er steeds over begint?'

'Ik zou kunnen zeggen dat ik haar enkels ermee vastbond, maar dat is niet zo.'

Penttinen blijft maar vragen stellen en Quick probeert te vertellen dat Trine het niet fijn vond dat hij de riem vasthield. Ten slotte grijpt Penttinen in om Quicks verhaal in de goede richting te sturen.

'Praat nu eens duidelijk, Thomas! Ik zie dat er iets is wat je tegenhoudt, wat je wel wilt vertellen maar wat moeilijk is.

'Ja, het is erg moeilijk,' bevestigt Quick.

347

'Je bindt haar benen niet vast, maar gaat de riem op een andere manier gebruiken, als ik je goed heb begrepen?'

Thomas Quick probeert opnieuw te vertellen hoe bang Trine voor de riem is, en daarna begint hij weer over het mes. Maar Penttinen wil niet luisteren.

'Aan je lichaamstaal te zien, dan gebeurt er iets met die riem van de handtas. Wanneer wordt die gebruikt? Waar ben je dan? Als je het nu eens probeerde af te maken.'

De vraag is niet meer óf de riem gebruikt is, maar wáár en hóé.

Bij het volgende verhoor, op 1 september 1999, heeft Quick nog twee maanden de tijd gehad om hierover na te denken. Bovendien heeft hij er nog verder naar kunnen zoeken, informatie kunnen oppikken van de Zweedse en Noorse politieagenten die in augustus aanwezig waren geweest bij de schouw op de plaatsen waar Trine Jensen en Gry Storvik werden gevonden.

En inderdaad: tijdens een therapiesessie met Birgitta Ståhle heeft Quick onthuld dat er weer belangrijke herinneringen naar boven zijn gekomen.

Tijdens het verhoor slagen Thomas Quick, Seppo Penttinen en Christer van der Kwast er met vereende krachten in om boven water te krijgen dat de riem als wurgkoord is gebruikt.

Eindelijk – twee jaar en elf maanden nadat Thomas Quick de moord op Trine Jensen heeft bekend – hebben ze nu een bewijs dat ook in de rechtbank standhoudt.

En de video van de schouw? Deze veelbesproken en in het vonnis genoemde film toont hoe Thomas Quick op 16 augustus 1999 een aantal Zweedse en Noorse politieagenten en nog een paar andere personen meeneemt, bijna tot aan de plaats waar Trine Jensen is aangetroffen. De auto rijdt bovendien heel dicht langs de parkeerplaats waar Gry Storvik is gevonden. Quick reageert daar met een hevige angstaanval, en niemand van de medepassagiers beweert van deze zaak op de hoogte te zijn geweest – volgens het verslag aan de rechtbank, kreeg men pas daar op dat moment het vermoeden dat Quick ook Gry Storvik had vermoord.

Merkwaardig genoeg vertellen mijn Noorse collega's dat de politie in Oslo al in een heel vroeg stadium deze beide lustmoorden aan elkaar heeft gekoppeld, en het vermoeden had dat Trine en Gry het slacht-offer waren geworden van dezelfde dader. Bovendien kwam ik erach-ter dat zowel Gry als Trine al in de krantenberichten over het Quick-onderzoek was genoemd. En gezien het informatielek en de ruime verlofregeling van Quick: wat voor waarde moest er überhaupt gehecht worden aan het feit dat hij de politie twee vindplaatsen van bijna vijftien respectievelijk twintig jaar oud kon aanwijzen die op geen enkele wijze geheim waren?

Da capo

In de Säterkliniek deed men gewoonlijk niet zo veel aan kerst en de jaar-wisseling, en de millenniumwisseling vormde daarop geen uitzondering. Volgens het dossier is Thomas Quick 'gespannen en nerveus' in deze tijd. Het verpleegkundig personeel rapporteerde 'enorme huilbuien en veel vertwijfeling. Omdat hij uitermate angstig is kan hij niet slapen.'

In maart wordt er een congres in de kliniek gehouden, maar de be-roemde seriemoordenaar voelt zich te slecht om deel te nemen. Chef-arts Erik Kall is echter net zo optimistisch als anders en schrijft dat men een positieve ontwikkeling bij de patiënt heeft geconstateerd. 'Hij is verder in zijn psychotherapeutische behandeling gekomen en is als persoon meer geïntegreerd.'

Birgitta Ståhle gaat zelfs nog wat verder als ze in haar dossier het posi-tieve effect van de lange therapeutische behandeling beschrijft. Zoals ge-woonlijk begint ze haar aantekeningen met een kort verslag van de voor-uitgang in de therapie, om daarna over te gaan van de onderzoeken naar de laatste moorden en hoe deze verband houden met Quicks traumatische gebeurtenissen in zijn jeugd.

In onze vervolgtherapie gaan we dieper in op de verschillende moorden om ze te begrijpen en tevens kijken we naar de manier waarop de vroegere ervaringen vorm krijgen in de moorden.

In de tweede helft van dit najaar is er een duidelijke integratie te zien, wat betekent dat de samenhangen, zowel de vroegere als de latere, duidelijker verband met elkaar hebben. De differentiatie van de verschillende moorden is belangrijk geweest om ermee te kunnen werken. Op die manier is duidelijk het onderscheid in betekenis en inhoud van de moorden op jongens en op vrouwen naar voren gekomen.

De enthousiaste beoordeling van chef-arts Erik Kall en Birgitta Ståhle staat in schril contrast met de aantekeningen die de verpleegkundigen in dezelfde tijd in het dossier maken:

De laatste tijd heeft Thomas het extra moeilijk met veel existentieel gepieker. Op 6 april kreeg hij het bericht dat de rechtbank hem binnen twee weken zal dagvaarden. Dit veroorzaakte spanning met als gevolg een verhevigde angst. Hij heeft extra veel benzodiazepine voorgeschreven gekregen om zijn angst te dempen en ook om te kunnen slapen. In de nacht van 7 op 8 april sliep hij maar twee uur. Veel vertwijfeling en gehuil en geschreeuw ondanks de extra medicijnen die hij die nacht kreeg.

De daaropvolgende weken volgen verschrikkelijke scènes, slapeloze 'schreeuwnachten' en angsten, en Thomas Quicks verschillende persoonlijkheden strijden met elkaar om zich op de afdeling te laten zien, waarna hij meer medicatie krijgt.

Op 30 juni komt Birgitta Ståhle met nog een triomfantelijke aantekening in het dossier, deze keer over het feit dat het Thomas Quick gelukt is om de afgelopen week voor de moord op Gry Storvik en Trine Jensen veroordeeld te worden.

Doorgaan met therapie drie keer in de week. Verdere constructieve ontwikkeling van het psychotherapeutische werk. Op 18-30 mei rechtszitting in Stockholm.

De rechtszaak betrof de aanklacht voor twee moorden gepleegd in 1981 en 1985. Gedurende deze rechtszaak is de positieve ontwikkeling die Thomas heeft doorgemaakt te zien. Hij is nu namelijk in staat om de hele rechtszaak op een evenwichtige wijze bij te wonen.

Birgitta Ståhle constateert dat Thomas Quick deze keer een 'relatief korte rustperiode na de rechtszaak heeft gehad' en dat er door de therapie grote vooruitgang is geboekt.

Nog voordat het vonnis is uitgesproken waren Seppo Penttinen en Christer van der Kwast alweer terug in de Säterkliniek voor het volgende moordonderzoek.

Acht jaar nadat Thomas Quick de moord op Johan Asplund had bekend, was het eindelijk zover. Dat Quick er keer op keer niet in was geslaagd om aan te tonen waar hij het lichaam van Johan had verborgen, had ertoe geleid dat Van der Kwast na elke nieuwe mislukte poging moest vaststellen dat er onvoldoende bewijs was om een rechtszaak te beginnen. Maar nu zou het onderzoek koste wat kost worden afgerond, zodat Quick aangeklaagd en veroordeeld kon worden.

Op 26 november 2000 beschrijft Birgitta Ståhle wat er tijdens de schouwen met Quick gebeurt en wat de mechanismen zijn van een seriemoordenaar.

Deze wandelingen hebben geresulteerd in een krachtig en diepgaand therapeutisch proces. De eerdere afweermechanismen zijn naar voren gekomen en nu is het mogelijk ze in een groter verband te zien en te begrijpen.

Ze gaat verder:

Deze innerlijke veranderingen betekenen meer verdiept contact met de werkelijkheid, zowel met zijn eigen misbruik, als met het misbruik van het slachtoffer.

Dat Thomas Quick, ondanks 'sterk verdiept contact met de werkelijkheid', menselijk gezien zich in een vrije val bevindt, wordt nauwelijks betwijfeld. Op 12 december 2000 schrijft een van de verpleegkundigen in het dossier:

Om 2.30 uur komt Thomas zijn kamer uit. Hij huilt onstuitbaar en is helemaal wanhopig. Samen met iemand van het personeel blijft hij tot 4.00 uur in het dagverblijf. Thomas ijsbeert door de kamer en is nog steeds erg overstuur en wanhopig. Hij grijpt naar zijn hoofd en zegt herhaalde malen dat 'hij de druk niet meer aankan'.

Het personeel probeert de crisis op te lossen met Xanor en Panocod, maar een paar uur later is hij er nog net zo slecht aan toe.

's Ochtends voelt Thomas een bodemloze wanhoop. Huilt onophoudelijk. Mag bij het personeel blijven zitten. Kalmerende gesprekken en extra medicijnen. Gesprekken met Birgitta Ståhle door de telefoon. 'De bodemloze wanhoop gaat gepaard met hevige angst.'

Later die dag blijft Thomas Quick in een soort kramptoestand als vastgenageld in de deuropening van de rookruimte staan en kan hij zich niet meer bewegen. Het personeel lost het probleem op door hem nog meer Xanor en Panocod toe te dienen. 'Hierbij moet nog worden vermeld dat er op 14 december een documentaire over de zogenoemde zaak-Johan op tv zal worden uitgezonden. Dat wordt natuurlijk moeilijk voor Thomas,' noteert een verpleegkundige.

Op de ronde wordt dokter Kall ingelicht dat Quick al drie dagen niet heeft geslapen en hij schrijft een extra kalmerend paardenmiddel voor: 50 mg Stesolid. Het werkt en Quick slaapt vier tot vijf uur achter elkaar en zegt dat het effect van Stesolid nog steeds merkbaar is als hij wakker wordt, zodat 'hij ondanks zijn diepe wanhoop uit bed kan komen'.

In de loop van de tijd verslechtert zijn toestand en hij heeft het een paar keer over zelfmoord. Het personeel schrijft in het dossier dat hij 'uitermate angstig is', wat hij probeert tegen te gaan door extra medicijnen in te nemen. De aangegeven maximale dosering wordt ernstig overschreden. Het politieverhoor voor het proces over de moord op Johan Asplund is, volgens het personeel, 'zwaarder dan verwacht' en Thomas Quick heeft het opnieuw over zelfmoord. De daarop volgende dagen wordt genoteerd dat 'het zeer slecht met hem gaat' en dat hij 'een zeer hoog angstniveau' heeft. 'Trillerig, bleek, slap.'

Een paar dagen later, op 16 februari 2001, is het weer tijd voor Birgitta Ståhle om de situatie samen te vatten:

Een psychotherapeutische 'bliksemstart' na de kerstonderbreking, wat heeft geleid tot een grotere emotionele verdieping en meer contact en tevens tot een groter vermogen om zowel naar de vroegere werkelijkheid te kijken en die te begrijpen, als naar hoe deze vroegere ervaringen op volwassen leeftijd tot uiting komen en vorm krijgen in onder meer het vermoorden van jongens.

Terwijl de aanklacht voor drie nieuwe moorden – Johan Asplund, Olle Högbom en Marianne Rugaas Knutsen – werd voorbereid, zat in een ander gedeelte van de kliniek een man de dossiers en medicijndagboeken van Thomas Quick door te ploegen. Göran Källberg, voormalig chef-arts, was na een aantal jaren ergens anders werkzaam te zijn geweest terug als hoofd van de kliniek. Toen hij zich realiseerde dat Quicks consumptie van drugsgeclassificeerde medicijnen ruimschoots de aanbevolen dosis overschreed, was hij diep geschokt. Volgens hem ging het hier om drugs-gebruik 'voor de kick' en dit was al een behoorlijk lange tijd aan de gang. Uiteindelijk was het Källberg zelf die voor dit overduidelijke geval van foute behandeling verantwoordelijk was.

In een gesprek met Källberg op 25 april 2001 ontkende Thomas Quick niet dat er sprake was van puur misbruik en hij werd erg onrustig toen Göran Källberg hem zijn besluit meedeelde: het gebruik van benzodia-zepine moest worden afgebouwd om op den duur helemaal te stoppen. Quick vertelt mij dat hij met angst en beven op het aankomende proces over de moord op Johan zat te wachten, dat ongelukkig genoeg een paar weken later zou beginnen.

Göran Källbergs besluit had onmiddellijk gevolgen voor het onder-zoek. Op 5 mei staat er een interessante notitie in het dossier die inzicht geeft in Quicks afkickverschijnselen. Hieruit blijkt ook dat hij zich in het vooronderzoek inleest om op de rechtszitting een samenhangend verhaal te kunnen vertellen.

[Thomas Quick] heeft vannacht niet geslapen. Probeert te 'werken' voor de komende rechtszaak. Heeft vooronderzoeksmateriaal dat hij moet lezen. Omdat hij zich niet goed voelt vanwege afkickverschijnselen en angst, kan hij dat niet. Vraagt me contact op te nemen met dokter Kall of een andere dienstdoende arts voor een eenmalig recept van een tablet Xanor en twee bruistabletten Panacod.

Maar het besluit van Göran Källberg moet gevolgd worden en Quick krijgt geen extra medicijnen voorgeschreven, noch die avond noch de volgende dag. Chef-arts Kall ziet echter in dat zijn patiënt de rechtszaak niet volhoudt, tenzij hij hem tijdelijk uitstel verleent van het geplande afkicken. Hij schrijft:

Om ervoor te zorgen dat de patiënt de hele rechtszaak kan bijwonen is het nodig om met een tijdelijke zonodig-medicatie te beginnen, als volgt: bij sterke angst die de patiënt in die mate beïnvloedt dat het meemaken van de hele rechtszaak gevaar loopt, kan een extra tablet Xanor 1 mg gegeven worden.

Bij zware spanningshoofdpijn, waardoor de hele rechtszaak gevaar loopt, kan een tablet Treo comp, twee als dat nodig is, worden gegeven.

Als de algehele toestand van de patiënt zo slecht is dat er geen orale medicatie toegediend kan worden, kan een prefill Stesolid 5 mg/ml 2 ml worden toegediend.

Op 14 mei 2001 begint de rechtszaak over de moord op Johan Asplund in Stockholm. Aangezien Claes Borgström is aangesteld als de nieuwe ombudsman voor emancipatiezaken van Zweden, wordt Thomas Quick bijgestaan door een nieuwe advocaat, Sten-Åke Larsson uit Växjö. Verder wordt hij in de rechtbank geflankeerd door de gebruikelijke groep: Seppo Penttinen, Christer van der Kwast, Sven Åke Christianson en Birgitta Ståhle.

Op de eerste dag van het proces vertelde Quick zijn uiterst gedetailleerde herinneringen aan de ontvoering van Johan ruim twintig jaar geleden: hoe hij Johan de auto in had weten te krijgen door te zeggen dat hij een kat had aangereden, hoe hij de jongen bewusteloos had geslagen door zijn hoofd tegen het dashboard te slaan, hoe hij hem naar Norra Stadsberget reed, en hoe hij hem daar seksueel misbruikte. Daarna hoe hij Johan naar een plaats in de buurt van Åvike reed, hem daar wurgde, uitkleedde en vervolgens het lichaam met behulp van een zaag en een mes in stukken sneed. En uiteindelijk hoe hij de verschillende lichaamsdelen op diverse plaatsen in Midden-Zweden had verspreid.

Sven Åke Christianson mocht nog een keer vertellen over zijn eigen verzonnen geheugentest, die pretendeerde aan te tonen dat Quick niet gewoon de feiten in de kranten had gelezen. Birgitta Ståhle legde nog een keer een getuigenis af over Thomas Quicks vreselijke jeugd en hoe de opgeroepen herinneringen de verandering in een seriemoordenaar konden verklaren. Bovendien verklaarde ze nogmaals onder ede dat ze nooit bij de politieverhoren aanwezig was geweest en dat de politieagenten niet te horen hadden gekregen wat er in de therapie werd besproken.

Ook Seppo Penttinen getuigde over 'waterdichte schotten' tussen de therapie en het politieonderzoek. Hij beweerde bovendien dat de herinneringen van Quick, ook al had hij dan in de acht jaar dat het onderzoek had geduurd op een aantal punten zijn verklaring veranderd, wat betreft de cruciale gedeelten 'scherp waren geweest' en dat 'hij bij zijn informatie was gebleven'.

John Sjöberg vertelde in de rechtbank over zijn voortreffelijke lijkenhond Zampo en hoe deze een aantal van de plaatsen had aangewezen waar Quick volgens eigen zeggen Johans lichaamsdelen had begraven. Voor het geval de rechtbank zich misschien mocht afvragen waarom er geen lijkdelen waren teruggevonden, getuigde de geoloog Kjell Persson dat hij het fosfaatgehalte in de grond had gemeten, waaruit bleek dat 'enige vorm van organisch materiaal' was vergaan op de aangewezen moordplaatsen in het Åvike-gebied. Verder kon Christianson helpen met een psychologisch verklaringsmodel voor hetzelfde raadsel, namelijk dat de seriemoordenaar de behoefte had om over zijn daden te vertellen en tegelijkertijd de behoefte had om de lichaamsdelen te bewaren. Deze dubbele behoefte leidt tot een conflict bij de dader.

In haar vonnis van 21 juni 2001 begint de rechtbank van Sundsvall zijn oordeel voorzichtig: 'Quick heeft de delicten waarvoor hij is aangeklaagd bekend. Opdat een bekentenis zal kunnen dienen als basis voor een veroordeling, is echter vereist dat dit onderbouwd wordt door verder onderzoek.'

Aanvankelijk constateert de rechtbank dat er geen technisch bewijs is dat Quick aan Sundsvall verbindt ten tijde van het gepleegde delict en dat er ook geen onderzoek is dat vaststelt wat er met Johan Asplund is gebeurd.

Vervolgens concludeert men dat er sindsdien twintig jaar is verstreken en dat dit feit op zich al problematisch is. De rechtbank constateert ook dat voor Quicks bewering dat hij een auto had geleend van zijn homoseksuele kennis Tord Ljungström elk bewijs ontbreekt, maar dan komt het: 'De rechtbank vindt echter, tegen het licht van wat er uit de eerdere vonnissen naar voren kwam, de vraag of Quick in staat is lange afstanden per auto af te leggen, niet van doorslaggevende betekenis.'

Men stelt vast dat Thomas Quicks observaties van Bosvedjan goed overeenkomen met de werkelijkheid op die bewuste ochtend, en men accepteert de verklaringen van Christianson, Ståhle en Persson wat betreft de verdwenen lichaamsdelen en Quicks grillige maar bij vlagen messcherpe geheugen voor details.

Vervolgens volgt het enige substantiële argument van het vonnis, namelijk dat Quick twee lichamelijke eigenaardigheden van Johan Asplunds lichaam heeft kunnen beschrijven die daarvoor niet bekend waren, zelfs niet bij de rechercheurs – namelijk een kleine moedervlek op zijn rug en een liesbreukoperatie – en dat dit ervoor pleit dat zijn verhaal klopt.

Wanneer ik de honderden bladzijden doorlees met de verhoren van Quick over Johan Asplund, word ik al snel getroffen door een sterk déjà vu-gevoel.

De eerste keer dat Quick überhaupt iets zegt over bijzondere lichamelijke kenmerken van Johan Asplund is tijdens de Zelmanovits-schouw op 21 augustus 1994, wanneer hij zegt dat Johan een litteken had. Negen dagen later pakt Penttinen het weer op tijdens een formeel verhoor. Quick verduidelijkt dan dat het over een litteken van een operatie gaat, op zijn buik. 'Misschien vijf centimeter lang.'

Seppo Penttinen vraagt of er nog andere 'bijzonderheden' op het lichaam zijn. Quick zegt tot twee keer toe nee, maar wanneer Penttinen aanhoudt zegt hij: 'Eh... zijn ballen.'

'Wat is er... is daar iets bijzonders mee?'

'Ja, ik kan dus vinden dat ze erg ingetrokken eh...'

'Is de bal ingetrokken?'

'Ja precies.'

Seppo laat niet los en vraagt ten slotte of er een verschil is tussen de testikels.

'Ja, dat zou kunnen, maar daarover ben ik eh... wat onzekerder... eh... het is alsof... ja, of er een, tenminste een bal is... is ingetrokken...'

Seppo vraagt zich dan af of het misschien zo is dat de balzak maar één testikel bevat, en Quick zegt dat dat mogelijk is.

'Zie je de een duidelijker dan de ander?' vraagt Penttinen.

'Ja, precies,' zegt Quick.

Een maand later komt Penttinen nog een keer op het onderwerp terug.

Quick heeft dan 'moeite om tot in detail uiteen te zetten wat er met de balzak aan de hand is', maar iets met de testikels zorgt ervoor dat hij zich herinnert dat Johans lichaam asymmetrisch is. Quick tekent ook het litteken op de voorzijde van Johans lichaam, hij plaatst dat ergens in de lies en omschrijft het als rood alsof het ontstoken is.

Twee dagen later is Penttinen bij Anna-Clara Asplund thuis en hij vraagt of er op Johans lichaam misschien bijzondere kenmerken te vinden zijn die niet gemeld zijn. Hij krijgt dan een tekening mee met daarop een moedervlek, meer een lichte schaduw, helemaal onder aan Johans rug.

Op 14 oktober neemt Penttinen Quick het volgende verhoor af. De leider van het verhoor heeft het dan over een 'huidaandoening', niet over een litteken, en verklaart dat hij het wil hebben over waar op het lichaam zich die huidaandoening bevindt. Quick snapt het niet helemaal, maar vindt dat hij 'een zo goed mogelijke beschrijving' heeft gegeven. Penttinen wordt al na een paar vragen ongeduldig, en windt er geen doekjes om: 'Bestaat de mogelijkheid dat het zich op de andere kant van het lichaam bevindt? Je hebt gezegd dat het zich op een bepaalde plaats vanaf het midden van het lichaam bevond.'

'Hmm,' antwoordt Quick.

'Bestaat er een mogelijkheid dat het aan de andere kant van het lichaam zit?'

'Ik denk dat je er altijd rekening mee moet houden dat het een spiegel is, een situatie in spiegelbeeld,' zegt Quick.

'Waarom?' vraagt Penttinen.

'Omdat ik me immers ook met het slachtoffer identificeer en het slachtoffer ben en het slachtoffer vanuit het perspectief van het slachtoffer bekijk als het ware.'

Quick en Penttinen filosoferen een beetje over dit interessante psychologische verschijnsel, voordat Penttinen terugkeert naar de huidaandoening die nu in elk geval op de juiste zijde van het lichaam wordt geplaatst.

'Probeer het eens te omschrijven, sluit daarbij je ogen maar en denk daarbij aan de huidaandoening, hoe die eruitziet.'

Maar Quick komt niet verder. Deze keer niet.

Wanneer de rechercheurs het medisch dossier van Johan Asplund natrekken, ontdekken ze dat hij een liesbreuk heeft gehad. Zijn moeder bevestigt dat het volledig hersteld is en dat het ten tijde van Johans verdwijning niet meer te zien was, maar het doet er niet meer toe.

In een verhoor op 3 juni 1998 heeft het nieuws op de een of andere manier Thomas Quick al bereikt. Na een uitvoerige beschrijving van hoe Johan werd weggevoerd en in stukjes werd gesneden, stuurt Penttinen de ondervraging naar de 'fysieke bijzonderheden'.

'Zoals ik het nu ervaar, dan had hij een soort liesbreuk,' antwoordt Quick bijna meteen.

Even later herinnert Penttinen Quick aan de huidaandoening, en Quick wijst op zijn rug.

'Je wijst naar jezelf, zoals je daar nu zit, dan wijs je achter op je zij, vlak boven je bil,' zegt Penttinen hulpvaardig.

En daarmee is het zaakje beklonken: precies zoals met het wurgkoord dat buiten Oslo is aangetroffen, is de leider van het verhoor ook hier, dankzij een indrukwekkende inzet – in dit geval bijna vier jaar lang – erin geslaagd de rechtbank het onweerlegbare bewijs te presenteren.

Uiteraard wordt de rechtbank niet geïnformeerd over het feit dat Quick vanaf het begin de beide 'bijzonderheden' op een heel andere manier heeft beschreven.

Sture Bergwall had een alibi voor de dag dat Johan verdween. Allereerst kwam zijn moeder op 7 november 1980 thuis na een verblijf in het ziekenhuis, iets wat werd bevestigd door zowel zijn agenda uit die tijd als door het ziekenhuisdossier. Bovendien had hij op die dag zijn maandelijkse hoeveelheid Sobril opgehaald.

Hoe kwam hij dan aan de informatie die ondanks alles klopte?

Sture vertelt mij dat hij zich een vroege uitzending herinnert van het programma *Efterlyst* gewijd aan Johan Asplund. Vervolgens leende hij het jaarboek van 1980, waarin heel wat details stonden. Om ook de desbetreffende plaatsen in Sundsvall te kunnen vinden scheurde hij een kaart uit een telefoonboek in een telefooncel toen hij met verlof in Stockholm was. Nadat hij in 1993 met zijn bekentenissen was begonnen, schreven alle kranten over die zaak. Toen de rechtszaak steeds dichterbij kwam, kreeg hij ook de beschikking over het vooronderzoeksmateriaal.

In het jaar 2000 kreeg hij bovendien Göran Elwins boek *Fallet Johan* [*De zaak Johan*] uit 1986 te leen. Dat boek hielp hem om de allerlaatste details te perfectioneren. Sture zoekt naar zijn aantekeningen. Hij heeft onder meer in het boek de beschrijving gelezen van de kleren die Johan ten tijde van zijn ontvoering droeg, informatie die hij daarvoor niet had – en die hij voor het proces verwerkte in zijn verhaal.

Wie leende hem dat boek?

Gubb Jan Stigson.

Interview met de officier van justitie

De veroordelingen van Thomas Quick werden een springplank voor Christer van der Kwasts verdere carrière. Hij werd benoemd tot hoofdofficier van justitie en chef van de Corruptie-eenheid toen die in 2005 werd opgericht. En sindsdien was hij niet meer geïnteresseerd in een gesprek over Thomas Quick. 'Ik heb afscheid genomen van die zaak,' zoals hij het uitdrukte.

Hij was bereid om voor mij een uitzondering te maken – waarschijnlijk speelden Gubb Jan Stigsons aanbevelingen daarbij een rol.

Tot op het laatst was ik er toch niet gerust op dat het geplande interview met Christer van der Kwast op 13 november 2008 ook daadwerkelijk zou plaatsvinden, en pas op het moment dat ik me in de moderne ruimtes van het Landelijk Parket in Kungsbron in Stockholm bevind en naar het kantoor van Van der Kwast word gebracht, verdwijnt mijn onrust.

We hebben vanwege de beschikbare tijd afgesproken om ons in het interview te beperken tot drie zaken, namelijk: Therese Johannesen, Yenon Levi en het echtpaar Stegehuis.

Cameraman Lars Granstrand stelt lampen en de camera op terwijl Christer van der Kwast en ik wat over koetjes en kalfjes zitten te praten. Hij vindt het vreemd dat ik me interesseer voor zulke oude zaken.

'Ik vraag me af of hier nog steeds kijkers in geïnteresseerd zijn. Het is zo'n oude zaak dat je daar nauwelijks nog over kunt oordelen.'

Ik antwoord hem dat hier altijd wel een paar geïnteresseerde kijkers voor te vinden zijn, maar dat ik het zelf in de eerste plaats een interessante zaak vind. Dan voel ik een tik op mijn schouder van Lars om aan te geven dat de camera draait.

'In hoeverre bent u ervan overtuigd dat Thomas Quick schuldig is aan de acht moorden waar voor u hem veroordeeld hebt weten te krijgen?' vraag ik.

'Ik ben ervan overtuigd dat de bewijsvoering zoals ik die aan de rechtbank heb overlegd voldoende is voor een veroordeling.'

'Kennelijk,' zeg ik, 'maar dat is geen antwoord op mijn vraag.'

Zo begint het interview en zo gaat het verder. Ik vind dat hij zich achter juridische formaliteiten verbergt, en wanneer dat niet werkt, ontkent hij de relevantie van mijn beweringen en vragen.

Van der Kwast vertelt hoe het onderzoek aanvankelijk begon met Johan Asplund en dat Thomas Blomgren uit Växjö daar later bij gekomen is.

'In de zaak Blomgren hebt u gezegd dat Quick verbonden is aan het delict.'

'Ja, dat herinner ik me wel geloof ik, dat ik van mening was dat, als de zaak niet verjaard zou zijn geweest, ik een reden had gehad om de zaak te laten toetsen door de rechtbank.'

'Wat maakte u zo zeker van uw zaak?'

'Hoofdzakelijk hetzelfde dat voor alle Quick-onderzoeken opgaat. Hij gaf rustig op verschillende manieren informatie die hem aan het slachtoffer verbond, had kennis van het slachtoffer, op grond waarvan we andere varianten konden uitsluiten en moesten concluderen dat hij op de plaats was geweest en contact had gehad met het slachtoffer.'

Van der Kwast vervolgt: 'Hij was duidelijk verbonden aan de plaats en dan in het bijzonder aan de plaats waar het lijk werd aangetroffen. Volgens de patholoog-anatoom was alles verklaarbaar en was er niets onverklaarbaar gebleven. Hij gaf een erg duidelijk beeld van de verwondingen. Hij kon het slachtoffer Blomgren heel precies in een soort schuurtje plaatsen. Ik probeer het allemaal zo te beschrijven dat u onze werkwijze begrijpt.'

Ik luister en knik zo nu en dan om te laten zien dat ik het begrijp. Tegelijkertijd moet ik mijn best doen om mijn lippen stijf op elkaar te houden om niet te zeggen dat Quick een alibi voor deze moord heeft. Nog niet. Want op het moment dat ik dit vertel, is de kans groot dat het interview ten einde is.

We gaan over op de dubbele moord in Appojaure. Ik vraag me af hoe hij naar het gegeven kijkt dat Quick eerst vertelde dat hij van Jokkmokk naar Appojaure en weer terug was gefietst, om in het volgende verhoor te zeggen dat hij samen met Johnny Farebrink met de auto was gegaan en dat ze samen de moorden hadden gepleegd.

'Dit was een terugkerend probleem, dat de daden volledig of gedeeltelijk vrij vaag zijn geweest,' zegt Van der Kwast.

'Zo vaag zijn ze toch niet?' probeer ik.

'In die zin dat de beweringen zich ontwikkelen, precies zoals u het nu beschrijft.'

'Kun je werkelijk spreken van een verhaal dat "zich ontwikkelt" als het oorspronkelijke verhaal wordt vervangen door een volledig nieuw verhaal?'

'Ja, men kan het omschrijven zoals men wil,' zegt Van der Kwast.

Het interview is al meer dan een uur bezig wanneer ik Van der Kwast vraag waarom hij tijdens het onderzoek Quick toestemming heeft gegeven om zich vrij in het dorp te bewegen en met verlof te gaan, ondanks het feit dat hij verdacht werd van meerdere moorden op jongens.

'Natuurlijk kan men dat onbegrijpelijk vinden. Maar het gaat er in wezen om of het correct is. Zijn er geen andere aspecten in deze zaak? En die zijn er,' antwoordt hij cryptisch.

'Ja, u wilde dat Quick zo veel mogelijk zou vertellen,' probeer ik.

'Vanzelfsprekend. Het is mijn taak om hem aan het praten te krijgen.'

'Weet u nog of jullie ook geïnteresseerd waren in wat Thomas Quick tijdens zijn verloven naar Stockholm deed?'

'Dat weet ik niet meer. Wij probeerden hem zo veel mogelijk in de gaten te houden.'

'Hebt u de vraag gesteld?'

'Hoe moet ik dat nu acht jaar na dato nog weten?'

'En wat als ik zeg dat hij in de bibliotheek in Stockholm zat? Op de krantenafdeling?'

'Ik weet niet wat hij deed, of hij dat ook werkelijk deed.'

'Ja, dat deed hij.'

'U weet wel veel.'

'Ja, ik weet erg veel.'

Voor het eerst tijdens het interview voelt Christer van der Kwast zich merkbaar onder druk gezet en ook ik voel me onbehaaglijk door zijn gekwelde gelaatsuitdrukking. Zijn ogen worden vochtig en hij wrijft nerveus in zijn handen, maar zegt met gespeelde nonchalance: 'O? En wat las hij dan zoal?'

'Artikelen over Blomgren onder meer.'

'Ja, maar het is nog steeds zo dat wat wij hebben als cruciaal bewijsmateriaal, ander materiaal is. Dat is nu juist het punt.'

We weten allebei dat dat nu juist niet 'het punt is' waar het om draait – dat Quick die dingen heeft verteld die in 1964 in de kranten hebben gestaan. Van der Kwast realiseert zich dat en draait om als een blad aan de boom, als hij mij antwoord geeft: 'Als mocht blijken dat we het mis hebben, dan moeten we de hele situatie opnieuw bekijken.'

'Hij ging naar Stockholm puur en alleen met de bedoeling om zich in te lezen in de zaak-Thomas Blomgren,' licht ik toe.

'Er staat me vaag iets van bij, dat ik ergens zoiets heb gehoord. Maar niet meer dan dat,' zegt Van der Kwast.

Dat is een hoogst merkwaardige opmerking. Alsof het een bagatel zou zijn als de seriebekenner heeft gelezen over de moorden die hij heeft bekend. Ik geef geen commentaar, maar pak een foto van Sture Bergwall waarop hij samen met zijn tweelingzus in klederdracht voor de Stora Kopparbergskerk in Falun poseert. Ik overhandig de foto aan Van der Kwast.

'De foto is genomen op de dag waarop Thomas Blomgren werd vermoord,' zeg ik.

Christer van der Kwast kijkt afwezig naar de foto.

'En?'

'Thomas Quick en zijn tweelingzus deden op die dag belijdenis. Jullie hebben zijn zus hierover gehoord, dus ik vraag me af waar deze informatie is. Waar is dat verhoor?'

'Dat moet ik Seppo vragen. Dat herinner ik me niet. Het zou me toch wel heel erg verbazen als dat soort informatie over het hoofd is gezien. Ik ga dit hier niet zitten verdedigen, maar ik accepteer niets hierover voordat ik het met mijn eigen ogen heb gezien.'

Christer van der Kwast weet dat hij dit nooit op Seppo Penttinen of iemand anders kan afschuiven. Als vooronderzoeksleider heeft hij de verhoren die er zijn afgenomen goedgekeurd en moet hij er zorg voor dragen dat het onderzoek onpartijdig is. Het materiaal dat zijn aanklacht tegenspreekt mag onder geen beding worden achtergehouden. Daarom verzekert hij me dat hij het onderzoek naar eer en geweten heeft uitgevoerd: 'Ik sta er helemaal voor open, mocht er iets naar boven komen wat verkeerd is, dan zeg ik: "Dit is fout, we hebben de plank misgeslagen, dit is helemaal verkeerd gegaan, we zijn bij de neus genomen." Maar voordat iemand kan zeggen dat dit een ernstige dwaling is, ben ik bereid om te zeggen dat het volgens mij goed genoeg is. Ik ben in al die afgelopen jaren nog niemand tegengekomen met iets bruikbaars. Niet in een van deze zaken in elk geval.'

Nu is de tijd gekomen om het geheim te onthullen waar ik al meer dan twee maanden mee rondloop.

'Het is namelijk zo dat Sture Bergwall zijn bekentenissen heeft herroepen,' zeg ik zo rustig mogelijk.

'Ja, dat mag hij doen,' antwoordt Van der Kwast met een schouderophalen. 'Ik heb met die mogelijkheid rekening gehouden en ervoor gezorgd dat de zaak overeind blijft voor het geval hij dat inderdaad zou doen.'

Hij denkt na.

'Dus dit is de inleiding van je programma?'

'Ja, iedereen mag zijn woordje doen,' is het beste wat ik, helemaal overdonderd, kan bedenken.

'Ha, ha, ha! Ja, je kunt wel zeggen dat dit een verrassend nieuwtje voor me is. Dat hij dat een keer zou doen. En hij heeft het tegenover jou gedaan? Zomaar, opeens?'

'Ja.'

'Dus hij zou helemaal niets hebben gedaan?'

'Nee.'

'Het is nog steeds niet zeker dat wat hij nu zegt waar is en dat het voorgaande niet waar was. Hij moet maar eens uitleggen hoe het in dat geval allemaal in zijn werk is gegaan. Het zou me verbazen als hij beweerde dat de informatie op basis waarvan hij veroordeeld werd, hem werd toegespeeld.'

'Een ding is zeker, hij werd volgestopt met medicijnen,' zeg ik.

'Ja, ja... ik bestrijd niet dat hij verschillende soorten medicijnen kreeg, maar over de werking ervan kan ik geen oordeel geven.'

'Er zijn artsen die van oordeel zijn dat het ver boven het niveau van een verslaafde zit. Je kunt hem zelfs op een paar schouwen horen zeggen: "Ik moet meer Xanor hebben. Het kan me niet schelen als ik er te veel van krijg."'

'Dat kan heel goed, hij was er toen zo slecht aan toe dat hij hulp moest zoeken. Zo heb ik het opgevat. Goed of fout...'

Nu we toch bij de behandeling en de medicatie zijn aanbeland, vraag ik Van der Kwast hoe hij aan kijkt tegen het feit dat Quick geen enkele herinnering aan zijn jeugd of aan de moorden had, dat alle herinneringen waren verdrongen en weer zijn opgeroepen. En wat hij denkt van de objectrelatietherapie en Birgitta Ståhles therapie.

'Daar sta ik extreem sceptisch tegenover! Ik heb niets met dat soort modellen, maar ben altijd afgegaan op harde feiten. Dit is eerder een middel geweest om de zaak op te lossen. En om daarbij van verschillende technieken gebruik te maken, zoals bijvoorbeeld cognitieve verhoormethoden, was het proberen waard.'

'U bent bekend met de Simon-illusie?'

'Ja, en met de hele problematiek eromheen ook. Sommigen zijn freudianen die zich met van alles bezighouden. Maar het is haar zaak dat ze die behandelmethode vanuit haar professie wil verdedigen. Voor mij als officier van justitie heeft dat echter nooit een rol gespeeld.'

'Maar voor Quicks verhaal is het toch wel van belang?'

'Ja, dat het mogelijk is... ik weet niet hoe ze in de therapie hiermee gewerkt hebben, daar kan ik niets over zeggen, ik heb daar geen inzage in gehad.'

'Maar dat hebt u wel!'

'Ja, ik begrijp ongeveer waar het over ging. Maar ik blijf zeggen dat het geen enkele betekenis heeft gehad, het enige wat telde is wat het heeft opgeleverd.'

Officier van justitie Christer van der Kwast heeft die herinneringen die in de therapie weer zijn opgediept, gebruikt als onderbouwing voor de aanklacht van de moorden, maar zegt dus nu dat hij 'extreem sceptisch' is ten aanzien van in therapie opgeroepen, verdrongen herinneringen. Het is wel duidelijk dat hij zich wil distantiëren van alles wat als psychologische hocus pocus kan worden opgevat.

'Ik blijf erbij dat de rechtbanken op basis van harde feiten hebben geoordeeld. En ik verweer me ertegen – en ben van mening dat het beledigend is om te zeggen dat we zo misleid zijn dat we Quick op grond van een aantal algemene psychologische theorieën geloofden – dat we situaties dusdanig gemanipuleerd zouden hebben om bewijzen te krijgen. Ik vind dat klinkklare nonsens!'

Het interview gaat wat heen en weer tussen discussies over details en stevige woordenwisselingen over duidingen en oordelen. Naderhand beschrijft Christer van der Kwast het interview alsof hij 'vier uur lang werd verhoord'. Het klopt dat het interview zo lang duurt. Aan het eind zijn we allebei behoorlijk uitgeput en ontdaan. Christer van der Kwast zegt dat hij zelf geen stelling meer hoeft te nemen in deze zaak. Maar hij waarschuwt me voor de risico's die ik neem.

'Ik zou maar heel voorzichtig zijn met gewoon maar even over te stappen van de ene variant van zijn verhaal op de andere, die hij om voor ons onbegrijpelijke redenen vertelt.'

'Bedankt voor het advies,' zeg ik beleefd.

'Hij is zeer manipulatief,' verklaart Van der Kwast.

Lars Granstrand pakt lampen, statief en snoeren in. Nadat hij is vertrokken blijf ik nog bijna een uur met Van der Kwast de zaak bespreken. Ik besef dat we allebei op het punt staan om enorme risico's te nemen. Ook al ben ik er nu wel van overtuigd dat Sture Bergwall onschuldig is aan de acht moorden waarvoor hij is veroordeeld en al ben ik vertrouwd met het materiaal dat ik op de tv wil presenteren, toch kan ik niet om het feit heen dat zes rechtbanken tot een unaniem oordeel zijn gekomen; de Justitiekansler, de door de Zweedse regering aangestelde procureur-generaal en tevens hoofdofficier van justitie voor corruptiezaken, is toch een te gerenommeerde autoriteit om in twijfel te trekken. Uiteindelijk zullen of ik of Van der Kwast beschadigd worden, we kunnen hier onmogelijk beiden zonder gezichtsverlies uitkomen.

Christer van der Kwast lijkt met dezelfde overwegingen te zitten.

'Wat wordt het? Gaat hij voor de camera vertellen dat hij onschuldig is en dit allemaal heeft verzonnen?'

Ik bevestig dat Sture Bergwall dit hoogstwaarschijnlijk zal zeggen in de documentaires.

Daarna stellen we vast dat we het over veel dingen niet met elkaar eens zijn, en met die woorden nemen we afscheid van elkaar.

Interview met de advocaat

Met advocaat Claes Borgström als verdediger werd Quick voor zes moorden veroordeeld. Veel critici meenden echter dat Borgström Quick niet verdedigde, maar dat hij zijn taak om de bewijsvoering van officier van justitie Christer van der Kwast kritisch te onderzoeken ernstig verzuimde.

Dat Borgström bovendien vele miljoenen had gefactureerd om zijn cliënt veroordeeld te krijgen had bij een aantal mensen ook kwaad bloed gezet. Misschien was het geld de verklaring voor het feit dat Borgström zo fanatiek de vonnissen tegen Quick had verdedigd, en dat hij agressiever dan wie ook was tegen degenen die het waagden zijn onderzoek te bekritiseren.

Op vrijdag 14 november 2008, vlak na de lunch, installeer ik me in een wat armetierig café niet ver van het hoofdkwartier van de Zweedse vakbondscentrale LO aan de Norra Bantorget in Stockholm. Ik wacht tot het twee uur is, wanneer mijn al een tijd terug geplande interview met Claes Borgström zal beginnen.

Ik weet niet of Christer van der Kwast Borgström op de hoogte heeft gebracht van het geheim dat Sture Bergwall al zijn bekentenissen heeft herroepen, en om te voorkomen dat ik in een praatje over koetjes en kalfjes met Borgström verzeil of in de verleiding kom hem voor het interview al die informatie te geven, wacht ik zolang in het café terwijl Lars Granstrand de camera en de lampen klaarzet. Wanneer ik op het kantoor kom kunnen we om klokslag twee uur met het interview beginnen.

Ik heb nu een aantal maanden bestudeerd hoe Claes Borgström aan bijna alle verhoren en schouwen op de plaatsen delict in de Quick-onderzoeken heeft meegewerkt. Op de videoband heb ik gezien hoe Thomas Quick in de bossen werd rondgeleid. Hij was zo onder invloed dat hij niet kon praten en niet kon lopen zonder daarbij ondersteund te worden door zijn therapeut en de leider van het verhoor. Claes Borgström liep naast hem, maar wees er nooit op dat zijn cliënt toen zo stoned als een garnaal was. Bovendien had Borgström zijn cliënt Quick verschillende keren een moord horen bekennen die bewijsbaar nooit had plaatsgevonden. Hij had feiten vervalst en verzwegen horen worden in de rechtbanken, zonder ook maar een moment in te grijpen. Waarom?

Advocaat Claes Borgström had immers altijd stelling genomen tegen onderdrukking en voor mensenrechten. Hij was een betrokken advocaat met linkse voorkeur die altijd voor de zwakkeren in de samenleving opkwam. Dat beeld klopte niet. Wie was hij?

Toen de sociaaldemocratische regering in het jaar 2000 Borgström de baan van Zwedens eerste mannelijke ombudsman voor emancipatiezaken aanbood, stopte hij meteen als Quicks raadsman, vlak voordat de rechtszaak over de moord op Johan Asplund zou beginnen. Nadat Borgström zeven jaar ombudsman was geweest, ging hij samenwerken met Thomas Bodström en begon hij het advocatenkantoor Borgström & Bodström, dat kantoor houdt aan de Västmannagatan 4. Borgströms nieuwe kantoor – met de voormalige minister van Justitie als partner, in een protserig pand op een chic adres, met LO's Stockholmafdeling en de jeugdvereniging van de sociaaldemocraten Unga Örnar als buren – leek onmiskenbaar op een slimme zet.

Om kwart voor twee maak ik net aanstalten om naar mijn kantoor te gaan als mijn mobieltje gaat.

'Claes Borgström heeft gebeld! Hij heeft niet met Van der Kwast gesproken en weet van niets,' zegt een ongewoon opgewonden Sture Bergwall.

Borgström heeft verteld dat hij geïnterviewd zal worden door svt en dat hij zich enigszins zorgen maakt over het interview.

'Maar nadat hij zijn onkostendeclaraties rondom de drie zaken had bekeken, was hij gerustgesteld. Hij heeft duizend arbeidsuren gedeclareerd voor de drie zaken waarover jullie het gaan hebben.'

Met duizend gefactureerde arbeidsuren voelt Borgström zich veilig, in de wetenschap dat hij een onverslaanbare hoeveelheid kennis bezit.

'Hij denkt waarschijnlijk dat jij je iets van veertig uren hebt voorbereid,' zegt Sture lachend.

Ik bedenk dat wanneer ik voor mijn uren een advocatentarief had berekend, ik nu wel financieel onafhankelijk zou zijn.

'En weet je wat hij me nog meer vertelde? Ja, hij is lid geworden van de sociaaldemocraten en aast nu op een ministerspost na de verkiezingen. Dat hij mij dat vertelt! Is dat niet vreemd?'

'Heel vreemd,' antwoord ik afwezig.

Ineens zie ik dat ik voor de deur van Västmannagatan 4 sta. We beëindigen ons gesprek en ik loop de protserige trap op en bel aan bij Borgström & Bodström.

Alles staat klaar en wanneer Claes Borgström een paar minuten na mij binnenkomt, kunnen we meteen beginnen. Hij vraagt wat mijn uitgangspunten voor het interview zijn. Wat mijn invalshoek is.

Ik vertel waarheidsgetrouw dat ik in het begin geen enkele mening over de zaak had, maar dat ik na verloop van tijd steeds sceptischer werd. Hij kijkt me onderzoekend aan met zijn grijsblauwe ogen, die door me heen lijken te kijken.

'Hoeveel tijd heb je hier in gestoken?' vraagt Borgström.

'Zeven maanden ongeveer,' zeg ik terwijl ik aan het gesprek met Sture denk.

'Zeven maanden? Acht uur per dag?'

Borgström kijkt me wantrouwend aan wanneer ik zeg dat ik meer dan acht uur per dag werk.

'Ik heb naar de drie vonnissen gekeken in de zaken waar ik aan gewerkt heb: Therese, Appojaure en Levi,' zegt Borgström. 'Kijkend naar mijn vergoeding, dan is dat duizend uur voor die drie zaken bij elkaar.'

'Dan bent u waarschijnlijk goed voorbereid,' zeg ik opbeurend.

'Ja, dat betekent dat ik toch wel enige kennis in huis heb.'

Ik begin rustig aan en vraag Borgström of hij wil vertellen hoe hij Quicks advocaat is geworden.

'Hij belde mij tijdens het lopende onderzoek naar de zogenaamde Appojaure-moorden en vroeg of ik hem wilde vertegenwoordigen. Natuurlijk nam ik de opdracht aan. Uiteindelijk heb ik hem vertegenwoordigd in vier rechtszaken, die een aantal jaren in beslag namen.'

Borgström vertelt zonder dat ik vragen hoef te stellen en komt algauw uit op het bijzondere van het verdedigen van een seriemoordenaar die uit zichzelf over zijn delicten vertelt.

'Als raadsman is dit niet uniek; ik heb meer mensen verdedigd die een moord hadden bekend.'

'Ook wanneer er geen verdenkingen tegen ze waren?'

'Nee, over het algemeen was er wel een verdenking en zijn ze daarna met een bekentenis gekomen,' geeft Borgström toe.

Claes Borgström vermeldt nog eens nadrukkelijk dat een bekentenis alleen niet voldoende is, maar dat die met ander bewijsmateriaal onderbouwd moet worden. In het geval van Thomas Quick heeft het steunbewijs eruit bestaan dat hij keer op keer dingen heeft verteld die alleen de dader zou kunnen weten. Hij noemt de moord op Therese Johannesen als voorbeeld.

Ik reageer door Borgström een foto te tonen van de betonnen voorstad Fjell, die Quick beschreef als een landelijk dorp met lage huizen. Daarna laat ik de foto van Therese zien, met zwart haar en een olijfkleurige huid, terwijl Quick haar beschreef als een blond meisje. Vervolgens laat ik hem lezen wat Therese droeg bij haar verdwijning.

'Waarom zat Quick er zo naast toen hij over zijn moorden probeerde te vertellen?' vraag ik.

'Als je het onderzoeksmateriaal doorneemt, zul je heel veel missers vinden. Dit zijn er nog maar een paar,' zegt Borgström.

Quick zei ook dat Therese een roze broek en lakschoenen droeg en grote voortanden had. Borgström kijkt naar mijn foto's van Therese bij haar verdwijning: een spijkerjurk, mocassins en een gat waar de grote voortanden hadden moeten zitten.

'Maar hij heeft later zijn verhaal veranderd, staat me zo bij, en zei toen dat ze donker haar had. En hij praatte over de gesp die op haar sandalen zat. Hij is immers veroordeeld op basis van de informatie die hij heeft gegeven en die bij natrekken bleek te kloppen en die niet anders te verklaren was dan dat hij daar bij het plegen van het delict aanwezig moest zijn geweest.'

Claes Borgström is een zeer intelligente man, en ik wil graag geloven dat hij ook integer is. In mijn enthousiasme om het hem te laten begrijpen, probeer ik uit te leggen hoe Quick van informatie werd voorzien. Ik vertel hem over de artikelenserie in de Noorse krant *Verdens Gang*, waar Quick bewijsbaar de informatie vond die hij nodig had voor zijn eerste bekentenis.

'Niet alle informatie,' protesteert Borgström.

'Jawel,' zeg ik.

'Niet dat eczeem aan de binnenkant van haar elleboog,' brengt Borgström ertegenin.

'Nee, maar dat kwam pas veel later!'

'Maar u zegt dat hij alle informatie kreeg!'

'Ik zei dat hij alle informatie kreeg die hij nodig had om de moord te bekennen,' zeg ik enigszins vertwijfeld. 'Hij zegt toch dat ze blond is! En dat ze heel andere kleren aanhad. Er klopt niets van!'

'Niet alles,' protesteert Borgström. 'De haarspeld is niet onjuist en ook de gespen op haar schoenen niet.'

Feit is dat Therese bij haar verdwijning haar haar opgestoken droeg met een blauwe haarspeld en een elastiek. Na acht maanden politieverhoren zei Quick op 14 oktober 1996 dat ze een haarband droeg – dus geen speld, geen elastiek – die misschien oranje was. En na nog een jaar van onderzoeken, op 30 oktober 1997, hield hij nog steeds vol dat ze een haarband droeg.

Ik besef dat mijn strategie – om feiten te laten zien en de geïnterviewden te laten inzien dat zij op een bepaalde manier naar de zaak kijken – niet werkt.

Hoe kon Claes Borgström nadat hij duizend uur had gefactureerd zo slecht geïnformeerd zijn? Was het echt mogelijk dat hem was ontgaan dat Quick zo veel verkeerd had dat het toeval tot dezelfde resultaten zou hebben geleid?

Ik ben een van die betweters die over details zaniken die geen mens buiten onze kleine kring om begrijpt of interessant vindt. En het is ook nog eens heel slechte tv.

'De duivel zit in de details,' mopper ik zachtjes, en ik volhard in mijn krankzinnige pogingen om uit te leggen hoe de media Quick van informatie hebben voorzien. Borgström is niet geïnteresseerd. Wat hem betreft is de zaak gesloten, Quick is veroordeeld voor acht moorden en zelf heeft hij er duidelijk spijt van dat hij dit tv-interview heeft toegezegd.

Ik overhandig hem de brief die Thomas Quick aan de Noorse journalist Kåre Hunstad heeft geschreven. Borgström leest:

Ik ontmoet je onder voorwaarde dat ik twintigduizend kronen krijg (mijn luidsprekers zijn kapotgegaan en ik heb nieuwe nodig) en dat je, als je komt, een bewijs van storting bij je hebt waaruit blijkt dat het geld op mijn bankrekening is gestort. Claes weet ervan, dus je hoeft het niet via hem te doen. Ga je akkoord met deze voorwaarden, dan beloof ik je een goed interview – in ruil daarvoor krijg jij een goede 'story'.

Nadat Borgström de brief heeft gelezen, waaruit blijkt dat hij zelf op de hoogte is geweest van de commerciële kant van Quicks bekentenis, kijkt hij me vanonder zijn pony aan en zegt met geforceerde nonchalance: 'Hoe ziek ben je als je zoiets doet? "Als ik twintigduizend kronen van je krijg, dan beken ik een moord die ik niet heb gepleegd." En word ik voor de rest van mijn leven opgesloten. De mensen die denken dat hij onschuldig is, beschrijven iemand die net zo ziek is als degene die die moorden heeft gepleegd.'

De advocaat lijkt te vinden dat het er niet toe doet of zijn cliënt schuldig is of niet – maar dat hij gestoord is staat vast. Borgströms redenatie brengt ons op het volgende onderwerp.

'Bent u ermee bekend dat Quick verslaafd was aan benzodiazepine tijdens het hele onderzoek?'

'Zo zou ik het niet willen zeggen,' antwoordt Borgström zuur. 'Ik weet dat hij een verslavingsprobleem heeft gehad, ja. Maar niet toen hij in de Säterkliniek zat,' voegt hij eraan toe.

'Ja, dat had hij toen wel.'

'Een verslaving?'

'Ja. In de Säterkliniek werd het een zonodig-medicatie genoemd. Hij kon vrij met de verschillende soorten benzodiazepine experimenteren,' zeg ik.

'Die uitspraak accepteer ik niet!'

'Het is het oordeel van de toenmalige chef-arts, niet dat van mij,' verklaar ik.

'Ik accepteer die uitspraak niet,' herhaalt Borgström en hij geeft daarmee aan dat wat hem betreft dit onderwerp is afgesloten.

Ik gooi het over een andere boeg en begin over het onderzoek naar de moord op Yenon Levi en over Christer van der Kwasts handelwijze rondom de gevonden bril, waarbij hij het rapport van het Forensisch Instituut SKL negeerde om zo een rapport te krijgen dat het mogelijk maakte Quick als dader aan te wijzen.

'Ik verdedig de officier van justitie niet, maar ik kan de insinuatie niet vergeten die erin zit dat de officier van justitie pas tevreden is als hij een rapport voor zich heeft liggen dat in die richting wijst,' zegt Borgström.

'Het verbaast me dat u dit document niet in de rechtszaal hebt gebruikt.'

'Ja, ik hoor dat het u verbaast,' antwoordt Borgström sarcastisch. 'Geen commentaar!'

Ik haal het volgende document tevoorschijn, een tabel met de achttien omstandigheden die volgens de technische recherche Quicks Levi-verhaal tegenspreken. Het zijn tastbare bewijzen, zoals de veiliggestelde bandensporen op de plaats delict die niet overeenkomen met de banden van de auto die Quick beweert te hebben gebruikt; Quick zei dat hij Levi's lichaam in een hondendeken had gerold, maar er zijn geen hondenharen of vezels van de deken op Levi's lichaam aangetroffen; het bloedspoor op Levi's schoenen kwam niet overeen met de toedracht; de aarde op Levi's kleren was afkomstig van de vindplaats en niet van de plaats die Quick had aangewezen.

Technisch rechercheur Östen Eliasson had de tabel als volgt samengevat: 'Er is geen concreet bewijs in het technisch onderzoek gevonden dat Quicks verhaal ondersteunt.'

'Er zijn achttien technische sporen gevonden die het verhaal van uw cliënt tegenspreken,' zeg ik tegen Borgström.

'O? Misschien zijn er nog meer?' antwoordt Borgström.

'Zat hier iets bij wat u gebruikt heeft?'

'Hoe zou ik dat moeten gebruiken?'

'Ik kan me verschillende manieren voorstellen, maar als advocaat weet u dat vast veel beter dan ik.'

'Ja, maar aangezien u niet kunt formuleren hoe ik daar gebruik van zou kunnen hebben gemaakt, geef ik geen antwoord op die vraag.'

Borgström ontkent simpelweg het belang van alles wat ik hem voorleg. Volgens hem is het onderzoeksmateriaal zo gecompliceerd dat er voor welke hypothese dan ook wel een bewijs te vinden is. Het doet er niet toe of ik negentig foute gegevens en tien goede heb gevonden.

'Eén gegeven dat klopt kan voldoende zijn,' zegt Borgström.

Ik vraag me af of ik hem echt goed begrepen heb en vraag hem: 'Negenennegentig dingen die onjuist zijn en één ding dat klopt?'

'Ja, als dat ene ding goed genoeg is om een persoon aan een delict te verbinden. Het is uiteindelijk aan de rechtbank om daarover te oordelen.'

'Kunt u zo'n gegeven noemen?'

'Nee, dat ben ik niet van plan, maar er zijn er vele natuurlijk. Dan moet u de vonnissen maar lezen. Zo gaat dat.'

Claes Borgström kan zich veilig verschuilen achter zes unanieme vonnissen die hebben geoordeeld dat Sture Bergwall schuldig is aan de moord op acht personen. Als Quick het in achtennegentig of negenennegentig van de honderd zaken fout heeft gehad, verandert dat het principe niet dat de uitspraak van een Zweedse rechtbank onherroepelijk is.

'De Justitiekansler zegt dat de vonnissen zeer goed geformuleerd zijn. Ze laten zien hoe men heeft geredeneerd om tot de conclusie te komen dat de feiten zonder enige twijfel vaststaan. Mijn mening is in deze kwestie totaal niet van belang, het is aan de rechtbank om te beoordelen,' zegt Borgström pretentieloos.

'In bepaalde opzichten zijn de redenen van de rechtbank niet een afspiegeling van de feitelijke omstandigheden,' breng ik hem in herinnering. 'De vonnissen geven geen juist beeld van het bewijsmateriaal.'

'Misschien hebt u zelf dingen verkeerd beoordeeld, net zoals u beweert dat anderen dat hebben gedaan,' brengt Borgström daartegen in.

'Het is gebaseerd op heel gemakkelijk te controleren feiten,' zeg ik.

'Nee,' protesteert Borgström. 'Móéilijk te controleren. U hebt het over zulk omvangrijk materiaal dat je er gemakkelijk wat uit kunt pikken om het in een hypothese te passen.'

Het interview duurt nu al meer dan een uur en we zijn nog niks opgeschoten. Borgström vindt waarschijnlijk dat ik maar een beetje uit mijn nek klets, ook al erkent hij dat ik me goed heb ingelezen.

Maar ik heb het meest dramatische voor het laatst bewaard. Ik probeer mijn stem onder controle te houden en met een uitgestreken gezicht zeg ik: 'Uw ex-cliënt, Thomas Quick, heeft al zijn bekentenissen ingetrokken en beweert dat hij onschuldig is.'

'Ja ... tja, misschien heeft hij dat wel gedaan,' zegt Borgström verward.

Hij probeert de betekenis van deze onverwachte wending te bevatten door bliksemsnel de vermoedelijke gevolgen hiervan voor hem te overzien, terwijl hij even snel een strategie bedenkt voor het vervolg van het interview. Dat hij zelf een paar minuten voor het interview met Sture Bergwall heeft gesproken moet voor hem moeilijk te plaatsen zijn. Borgström tuurt vanonder zijn pony naar me en vraagt: 'Denkt hij er momenteel zo over? Dat hij onschuldig veroordeeld is?'

Ik bevestig dat dat inderdaad het geval is. Borgström denkt koortsachtig na, ik zie het begin van een glimlachje en zie aan zijn blik hoe de vechtlust weer terugkeert.

'Dan denk ik dat u er niet zo zeker van moet zijn dat dit zijn húídige standpunt is.'

'Ja, daar ben ik wel zeker van,' zeg ik.

Er glijdt een onrustige schaduw over Borgströms gezicht.

'Hebt u vandaag met hem gesproken?' vraagt hij angstig.

'Ja, inderdaad.'

'Wanneer dan?'

Nu grijp je je echt vast aan een laatste strohalm, denk ik.

'Ik ben niet van plan om daar verder op in te gaan,' zeg ik ten slotte.

'Dat is niet van belang. Ik weet zeker dat dit Stures huidige standpunt is.'

'Typisch,' zegt Borgström teleurgesteld. 'U hebt toch geen geheimhoudingsplicht?'

Het interview gaat over in een gesprek, vermoedelijk omdat we geen van beiden nog puf hebben. Ik vertel over Quicks medicatie en de echte verklaring voor zijn time-out zeven jaar geleden.

Net als Christer van der Kwast tijdens het interview van gisteren wisselt Borgström nu tussen grote ontvankelijkheid voor de mogelijkheid dat Quick misschien wel onschuldig veroordeeld is en hardnekkige verdediging van het proces waarin hij een rol heeft gespeeld.

'Ongeacht welk standpunt Thomas Quick in de toekomst ook zal innemen, noch u noch iemand anders zal met een verklaring kunnen komen hoe het werkelijk in elkaar zit. Tot die tijd geldt het oordeel van de recht-banken.'

En daar heeft hij gelijk in.

'Bent u tevreden over uw eigen bijdrage in de zaak-Thomas Quick?' vraag ik.

'Ik heb er niet aan meegewerkt dat iemand onschuldig wordt veroor-deeld,' antwoordt Borgström.

'Dat is wel een vrij boude bewering,' zeg ik.

'Oké. Ik zal er een woord aan toevoegen: ik heb er niet bewust aan meegewerkt dat er een onschuldig persoon werd veroordeeld.'

Borgström vindt dat ik eens wat tijd zou moeten besteden aan het bedenken waarom Quick heeft gedaan wat hij heeft gedaan. Ik zeg dat het nu juist deze vraag is waar ik al die maanden werk aan heb besteed.

Borgström betwijfelt of dat het geval is, maar wil me ter afsluiting iets meegeven om over na te denken.

'Quick kwam in 1991 in de Säterkliniek, nadat hij was veroordeeld voor een brute overval. Het is nu 2008 en ook al vraagt hij om herziening van de zaak, hij zal nóóit vrijkomen.'

'Ligt dat niet buiten uw vakgebied?' vraag ik.

'Ja, maar ik kan wel een mening geven.'

'Wanneer hebt u Sture voor het laatst gezien?'

'O, lang geleden.'

En toch bent u bereid om uw voormalige cliënt een levenslange gevan-genisstraf te voorspellen, denk ik, maar ik hou mijn lippen stijf op elkaar.

Wanneer we afscheid van elkaar nemen, is de sfeer op het advocaten-kantoor Borgström & Bodström danig bekoeld.

Fouten in het systeem

Claes Borgström bleek nog steeds het grote raadsel in de zaak-Thomas Quick. Hij was te intelligent om het bedrog dat al die jaren had plaatsge-vonden, over het hoofd te zien, en tegelijkertijd te eerlijk om bewust aan zo'n gerechtelijke dwaling als deze te hebben kunnen meewerken.

Wie was hij? En wat ging er eigenlijk in dat hoofd onder die jongens-achtige haardos om?

Na de interviews met Christer van der Kwast en Claes Borgström is het nog nauwelijks vier weken tot aan de uitzending. Het is nu zaak om de puntjes op de i te zetten. Ik doe een laatste poging om toegang te krijgen tot de botsplinters voor een onafhankelijk onderzoek, en Jenny Küttim gaat op zoek naar de verdwenen verhoren.

Stures tweelingzus Gun vindt een dagboekaantekening waarin staat opgeschreven wanneer en door wie ze is verhoord. Vrijdagmorgen 19 mei 1995 werd ze gehoord door Anna Wikström en een politieagent uit de plaats waar Gun woonde. We hebben eerder geprobeerd om dit verhoor te pakken te krijgen, evenals alle andere verhoren van Stures broers en zussen – niet één keer, maar meermalen – en nu belt Jenny Seppo Penttinen, om hem, gesteund door Guns specifieke aantekening, te informeren dat het strafbaar is om openbare documenten achter te houden.

Diezelfde avond rolt het verhoor uit de fax van SVT. Uit het proces-verbaal blijkt dat het is meegenomen in het onderzoek naar de dubbele moord bij Appojaure.

De volgende dag stort ik me op het verhoor.

Gun begint met te vertellen over de samenstelling van het gezin en de plaatsen waar ze gewoond hebben. Ze zegt dat haar schooltijd en haar leven in het gezin over het algemeen positief is geweest.

Gun zegt dat ze Sture altijd als hoogbegaafd en slim heeft beschouwd. Ze noemt onder meer het gegeven dat Sture altijd kranten las en het nieuws volgde, waardoor hij een heel goede algemene ontwikkeling had. Ze zegt ook dat hij al vroeg in politiek geïnteresseerd was.

Verder interesseerde hij zich voor geen enkele sport, waardoor hij niet veel met de jongens van zijn klas optrok.

Daarom stond Sture wat dit betreft vaak wat buiten de groep school-vriendjes en ging hij voornamelijk met Gun om.

Gun had soms het idee dat Sture mogelijk gepest werd door zijn klasge-noten en ze kan zich een voorval herinneren toen een paar van zijn klasge-noten Sture in een buiten-wc in een schuur hadden opgesloten.

Of Sture leed onder dit pesten, kan Gun zich nu niet meer herinneren.

De band met de rest van de gezinsleden was ook hecht en Gun zegt dat ze zelf voornamelijk met de jongens in het gezin omging.

Later op de middelbare school besteedde Sture veel tijd aan een school-krant.

Gun heeft haar jeugd als zeer positief ervaren. Ze zegt dat haar vader heel driftig kon zijn en in haar herinnering smeet hij verschillende keren pan-nen op de vloer. Waar die conflicten over gingen weet ze niet meer, maar geleidelijk aan werden ze minder.

In de therapiesessies heeft Sture aangestipt dat hij seksueel misbruikt werd door zijn ouders. Gun vindt dit schokkend. Ze zegt dat het voor haar volstrekt onbegrijpelijk is dat er zoiets gebeurd zou zijn. Ze heeft zich ook later, toen ze haar jeugd heeft geanalyseerd, nooit kunnen voorstellen dat er zoiets gebeurd zou kunnen zijn.

Gun heeft ook positieve herinneringen aan de tijd in Jokkmokk, waar zij en Sture naar de volkshogeschool gingen. Een keer had ze gezien dat Sture het schoolgebouw uit liep en ging schreeuwen. Ze had zich toen over hem ontfermd, maar was er nooit achter gekomen wat er gebeurd was. Ze had toen al een vermoeden gehad dat hij onder invloed was. Ook Stures verblijf in verschillende instellingen had volgens haar met Stures drugsproblemen te maken.

Wat betreft de bekentenissen die Sture tijdens het onderzoek heeft gedaan, zet Gun grote vraagtekens bij alle informatie die ze voor een deel via het onderzoek heeft verkregen en ook bij de informatie die via de media naar buiten is gekomen. Ze zegt dat Stures gedrag überhaupt voor de broers en zussen een groot raadsel is geweest, aangezien hen in het gezin daar nooit iets vreemds aan was opgevallen – afgezien van zijn drugsgebruik waar hij volgens iedereen mee geworsteld heeft.

Eerder tijdens het verhoor is de bewering ter sprake gekomen met betrek-king tot het seksueel misbruik door de ouders van Sture. Deze bewering klinkt Gun nogal overdreven in de oren en ze denkt dat er andere redenen zouden moeten zijn waarom Sture heeft gehandeld zoals hij heeft gehandeld. Ze zegt dat ze over verschillende voorvallen heeft nagedacht, zoals toen Sture viel en zo lelijk met zijn hoofd op de grond terechtkwam dat hij bewusteloos was.

Ten slotte wordt Gun gevraagd het gezin in het kort te beschrijven:
Moeder Thyra: zorgde goed voor het gezin. Vrolijk en stond altijd voor iedereen klaar.

Vader Ove: stil, tobber, maar was altijd oprecht.

Oudste zus Runa: vrolijk en vriendelijk persoon.

Sten-Ove: een raar iemand, moeilijk te begrijpen, nadenkend en driftig maar aardig.

Torvald: ontzettend aardig persoon, gaat zijn eigen gang.

Örjan: iemand die zich nooit volwassen gedraagt maar het beste met iedereen voor heeft.

Sture: een aardig, extrovert en slim iemand.

Eva: kletst altijd en is vrolijk en extrovert.

Voor mij en Jenny vormt het document een hoopgevend teken dat alle verhoren die in het onderzoek ontbreken, ondanks alles bewaard zijn gebleven en bij Seppo Penttinen moeten zijn. Maar tegelijkertijd heeft hij ons maar een van de twee verhoren die we hebben opgevraagd ook daadwerkelijk gegeven, en wel het verhoor met Gun Bergwall waarvan we de plaats en tijd konden vermelden.

Van het verhoor waarin ze vertelt over de belijdenis, en dat bevestigt dat Sture een alibi voor de moord op Thomas Blomgren heeft, hebben we nog geen glimp gezien.

Op een ochtend bel ik, terwijl ik in de trein naar Stockholm zit, in een opwelling Justitiekansler Göran Lambertz. Ik vraag of hij tijd heeft voor een kop koffie diezelfde ochtend, en hij antwoordt dat ik welkom ben op zijn kantoor.

Het is een mooie winterdag wanneer ik vanaf het Centraal Station over de brug naar het eilandje Riddarholmen en zijn stijlvolle paleis loop. Lambertz ontvangt me in zijn deftige werkkamer op de eerste verdieping.

Het ambt van Justitiekansler bestaat uit zeer uiteenlopende taken, die bovendien vaak met elkaar in conflict zijn.

De Justitiekansler is de hoogste ombudsman van de regering en tevens landsadvocaat. In die hoedanigheid is hij de juridisch adviseur van de regering en moet hij de staat in de rechtbank vertegenwoordigen bij geschillen. Benadeelt de staat bijvoorbeeld een burger die eerherstel eist, dan treedt de Justitiekansler op als landsadvocaat en verdedigt hij de staat tegen de burger. Tegelijkertijd moet de Justitiekansler toezicht houden op de overheden en rechtbanken namens de regering – en garant staan voor de rechtszekerheid en de integriteit van de burger. Wanneer de staat een

377

fout heeft gemaakt – bijvoorbeeld een onschuldige tot een gevangenisstraf heeft veroordeeld – is het de Justitiekansler die de hoogte van de schadevergoeding bepaalt.

Kortom: het is een zeer eigenaardige constructie. In deze hoedanigheid staat de Justitiekansler voor het idee van de goede staat, de onkreukbare Zweedse ambtenaar en de gedachte dat de overheid het beste met haar burgers voorheeft en boven de grootste tegenstrijdige belangen staat.

Voor Justitiekansler Hans Regners geplande aftreden in 2001 wilde minister van Justitie Laila Freivalds een aantal namen hebben die geschikt waren als opvolger. Deze taak werd toegewezen aan het hoofd van de juridische afdeling van Buitenlandse Zaken, Göran Lambertz, die veel later vertelde: 'Ik gaf Laila Freivald een lijstje met namen en benadrukte de positieve kanten van de verschillende kandidaten. Ik eindigde het gesprek met de woorden: "Maar het liefst wil ik zelf de baan hebben."'

En zo zou het gaan. Göran Lambertz profileerde zich als een voorvechter van de rechtszekerheid. Hij zei in het openbaar dat er veel ten onrechte veroordeelden in de gevangenis zitten, dat de politie liegt om hun collega's te beschermen, dat de rechters soms lui zijn. Tot ieders verbazing hield Lambertz zich ook intensief bezig met een aantal individuele herzieningszaken en schreef hij herzieningsverzoeken voor een veroordeelde moordenaar die volgens Lambertz ten onrechte was veroordeeld. Zweden had een onverschrokken Justitiekansler gekregen, die vaak in de media te zien was en machtige belangen uitdaagde, en je zou kunnen zeggen dat hij de liefde van het volk won.

In mei 2004 startte Göran Lambertz het 'rechtszekerheidsproject van de Justitiekansler', en twee jaar later was er het rapport 'Felaktig dömda' ['Ten onrechte veroordeelden']. Het rapport baseert zich op alle herzieningszaken van na 1990 waar de gevangenisstraf meer dan drie jaar was en de veroordeelden in een nieuw proces volledig zijn vrijgesproken.

Het rapport constateerde dat dit soort herzieningszaken tot de jaren negentig uiterst zeldzaam zijn geweest. Drie van de herzieningszaken betroffen roemruchte moordzaken waar destijds veel over was geschreven. De aard van de overige zaken was zo schokkend dat het rapport een keerpunt betekende: acht van de elf zaken waarin iemand ten onrechte was veroordeeld betroffen namelijk seksueel misbruik, het merendeel bovendien misbruik van kinderen en tieners.

In het overgrote deel van de zaken waren het tienermeisjes die tijdens het contact met psycholoog of therapeut hun vader of stiefvader van misbruik hadden beschuldigd.

Een aantal vooraanstaande juristen, onder wie Madeleine Leijonhufvud en Christian Diesen, die lange tijd zeer betrokken waren geweest bij de strijd tegen kindermisbruik, vielen het rapport scherp aan en eisten het aftreden van Göran Lambertz.

Ik moet daarbij wel vermelden dat ik zelf gewraakt zou kunnen worden in dit verband, omdat twee van de herzieningszaken in het rapport van de Justitiekansler het resultaat waren van een rechtszaak die ik heb onderzocht en waar ik verschillende reportages over heb gemaakt, namelijk over de beide mannen in de zaak-Ulf. Die zaak ging over een dochter die tijdens de therapie in een instelling vertelde over zeer schokkende verkrachtingen met satanische elementen en zelfs rituele moorden, terwijl een grote hoeveelheid bewijsmateriaal waaruit bleek dat ze niet de waarheid had gesproken, was achtergehouden door de politie, de officier van justitie en de procureur-generaal.

De discussiepunten in het debat over het rapport van de Justitiekansler – welke getuigenverklaringen zijn betrouwbaar, welke rol zouden de therapeuten en de officier van justitie in het rechtssysteem moeten hebben? – vielen voor een groot deel samen met het debat rondom de vonnissen van Thomas Quick, en degenen die aan Lambertz' zijde stonden in het debat over de rechtszekerheid, waren opvallend vaak ook sceptici in de zaak-Quick.

Het was daarom niet helemaal onverwacht dat Göran Lambertz in het begin van zijn ambtsperiode zijn sterke twijfel uitte of Thomas Quick schuldig was aan de moorden waarvoor hij veroordeeld was. Johan Asplunds ouders ontmoetten Göran Lambertz en hadden voor het eerst het gevoel dat ze iemand van de overheid ontmoetten die hen begreep en hen serieus nam.

'Hij spoorde ons aan om met feiten te komen, zodat hij een onderzoek kon beginnen naar de acht vonnissen tegen Thomas Quick,' vertelt Anna-Clara Asplund me.

Advocaat Pelle Svensson, die raadsman van het echtpaar Asplund was geweest toen ze in 1984 een aanklacht indienden tegen de ex-partner van Anna-Clara, werd gevraagd om het verzoekschrift te schrijven. Op 20 november 2006 overhandigde Svensson een 'rechtsonderzoek' van drieenzestig pagina's aan de Justitiekansler, aangevuld met een paar verhuisdozen met daarin alle vonnissen, vooronderzoeksmateriaal, videobanden enzovoort.

Anna-Clara en Björn Asplund én Charles Zelmanovits' broer Frederick, die ook nooit had geloofd dat Quick schuldig was, steunden Pelle Svenssons verzoek.

Toen de Justitiekansler een week later zijn besluit over Thomas Quick meedeelde, kwam dat voor iedereen als een verrassing. Had hij werkelijk in een week tijd al het materiaal kunnen doornemen en een conclusie kunnen schrijven? Deze luidde:

De Justitiekansler start geen vooronderzoek en onderneemt ook geen verdere acties in deze zaak.

De conclusie van de Justitiekansler besloeg acht pagina's en werd afgesloten met een samenvatting.

De vonnissen zijn in hoofdzaak erg goed geschreven en grondig. Ze bevatten o.m. uitvoerige uiteenzettingen van hoe de rechtbank de bewijzen heeft beoordeeld.

Ook Christer van der Kwast en Seppo Penttinen kregen complimenten van Lambertz:

Gezien de ernstige kritiek die de klagers vooral op de officier van justitie en de vooronderzoeksleider hebben, wil ik vooral benadrukken dat het onderzoek geen aanleiding geeft om anders te concluderen dan dat deze personen naar omstandigheden zeer goed werk hebben verricht.

De conclusie gaf aanleiding tot speculaties over de werkelijke motieven van Göran Lambertz om zo snel en zo gemakkelijk de Quick-zaak aan de kant te schuiven. Vooral verbazingwekkend waren Lambertz' waarderende woorden over de uitstekende inzet die de politie, de officier van justitie en de rechtbanken in deze moeilijke zaak hadden getoond.

Destijds stond Göran Lambertz erg onder druk nadat hij zelf nogal wat vijanden binnen de politie, het OM en de rechterlijke macht had gekregen. Daar kunnen nog aan worden toegevoegd sommige journalisten, aangezien hij de verantwoordelijke uitgever van *Expressen* had aangeklaagd in een zaak van persvrijheid, en verschillende groepen die ervoor streden om elke vorm van seksueel geweld veroordeeld te krijgen. Kortom, zijn toekomst als Justitiekansler was niet gegarandeerd.

Göran Lambertz heeft categorisch ontkend dat hij rekening heeft gehouden met die situatie. Ik was zelf een van de personen die destijds vraagtekens plaatste, en nu ben ik in de gelegenheid om hem zelf te vragen wat hij bestudeerd heeft om tot dat haastige besluit te komen.

'Ik heb alleen de vonnissen gelezen,' geeft hij toe. 'Ik heb ze twee keer gelezen, de tweede keer met een rode pen in mijn hand.'

Daarbij had hij vertrouwd op zijn assistenten, die het basismateriaal goed hadden bestudeerd, of in elk geval delen ervan. Bij mijn bezoek ontmoet ik een van de medewerkers op wie Lambertz zich heeft verlaten – een zo te zien onervaren jurist die waarschijnlijk Pelle Svenssons gerechtelijk onderzoek niet echt indrukwekkend heeft gevonden. Wanneer we hem treffen bij de koffieautomaat, roept Göran Lambertz blij uit: 'Jullie twee hebben een gemeenschappelijke interesse!'

We schudden elkaar de hand en de jonge jurist zegt met een kille stem: 'Ja, maar we zijn het nergens over eens.'

'Nee,' zeg ik. 'Kom over een paar jaar maar terug, dan zullen we zien of dat nog zo is.'

Ik kan er niets aan doen, maar ik heb een beetje medelijden met hem. Hooguit vijf werkdagen had hij gekregen om zich een beeld te vormen van dit zeer omvangrijke en complexe materiaal. Zijn beduidend ervarener collega Thomas Olsson besteedde destijds al maanden aan het bestuderen van een moord. Nu was het deze jurist met de rode appelwangen die Lambertz van de achtergrondgegevens moest voorzien die zonder enige twijfel de basis vormden voor diens meest fatale besluit als Justitiekansler.

Lambertz' besluit werd de laatste nagel aan zijn doodskist, wat alle hoop deed vervliegen voor Pelle Svensson, de Asplunds en vele anderen, die hadden gedacht dat Lambertz degene was die eindelijk de gerechtelijke dwaling zou kunnen terugdraaien. Tegelijkertijd werd het in alle debatten de troefkaart van de officier van justitie: de zaak was ondanks alles onderzocht en goedgekeurd door de allerhoogste instantie. Zelf had ik keer op keer dit argument te horen gekregen: van Gubb Jan Stigson al bij onze eerste ontmoeting in Falun, en onlangs nog van Claes Borgström op zijn kantoor.

Juist daarom ben ik verbijsterd over hoe kalm Göran Lambertz de kwestie opneemt als we de zaak bespreken. Ik zet mijn ontdekking uiteen, en begin met het eerste vonnis en leg uit hoe ik erachter ben gekomen dat elk bewijs ontbreekt. Ik laat zien dat er juist ontzettend veel is wat tegenspreekt dat Quick überhaupt iets met de verdwijning van Charles Zelmanovits te maken heeft gehad, en hoe de officier van justitie zijn best heeft gedaan om dat probleem te negeren.

Lambertz luistert geïnteresseerd en het gesprek verloopt op een vrolijke toon. Ik vertel over Sture, over zijn herroeping van de bekentenissen, en bespreek stuk voor stuk de verschillende zaken. Als het bijna lunchtijd is moet ik gaan. Dan verklaart Lambertz min of meer dat het allemaal zeer interessant is wat ik heb gezegd, maar dat het er eigenlijk niet zo veel toe doet. Want het grote mysterie blijft: hoe kon Quick over Tine en Gry vertellen? Hoe kon hij de politieagenten naar de vindplaatsen leiden?

Ik moet bekennen dat ik deze zaken wat minder goed ken, en dat ik niet alle antwoorden paraat heb.

Zeer teleurgesteld verlaat ik het kantoor. Persoonlijk heb ik Göran Lambertz altijd gemogen en ik heb hem altijd zeer hoog geacht. Wat ik vertelde zou hem toch enigszins verontrust moeten hebben, maar daar heb ik niets van gemerkt.

Op dat moment, bij het verlaten van het kantoor van de Justitiekansler, realiseer ik me twee dingen: ten eerste dat de krachten die de onfeilbaarheid van het rechtssysteem verdedigen veel onwrikbaarder zijn dan ik tot nu toe had vermoed; ten tweede dat het Quick-verhaal pas afgelopen is als de laatste onduidelijkheid is uitgezocht, wat betekent dat mijn werk nog lang niet klaar is.

De documentaires op de SVT

Mijn eerste twee documentaires over Thomas Quick werden op 14 en 21 december 2008 in het programma *Dokument* op de SVT uitgezonden.

Welk verhaal vertelde ik toen?

Ongeveer het volgende. Een forensisch psychiatrische kliniek heeft een tot tbs veroordeelde patiënt gedrogeerd en een junk van hem gemaakt. Vervolgens werd hij onderworpen aan een intensieve psychotherapie; samen met allerlei beloftes en manipulatie en vrije toegang tot drugs heeft dit de patiënt ertoe gebracht om ruim dertig moorden te bekennen.

Ondanks het feit dat de patiënt keer op keer op leugens is betrapt, is het de officier van justitie, rechercheurs, artsen, therapeuten en allerhande deskundigen gelukt om acht bekende moorden voor de rechtbank te brengen. Volgens zes unanieme vonnissen werd de patiënt in alle gevallen schuldig bevonden.

In mijn documentaire herriep de patiënt al zijn bekentenissen en beweerde hij dat hij nog nooit iemand had vermoord.

De eerste twee documentaires vertelden vrij uitvoerig over de eigenaardigheden in de onderzoeken naar de moord op Therese Johannesen, het echtpaar Stegehuis bij Appojaure en Yenon Levi in Rörshyttan. Maar het allerbelangrijkste was natuurlijk dat Sture Bergwall, seriebekenner, beweerde dat hij onschuldig was.

Deel III

'*De kritiek is je reinste flauwekul. Ik zie niet in dat ik fouten heb gemaakt, alleen omdat er een felle discussie wordt gevoerd.*'
Hoofdofficier van justitie Christer van der Kwast,
tegen het Zweedse persbureau TT op 20 april 2009

De wind gaat uit een andere hoek waaien

Het uitzenden van mijn documentaire heeft tot gevolg dat de zaak-Quick opnieuw het landelijke nieuws overheerst. Al op zondagavond 14 december 2008, meteen nadat Sture Bergwall aan het eind van de eerste aflevering zijn bekentenis heeft herroepen, vertelt advocaat Thomas Olsson aan het Zweedse persbureau TT dat Sture Bergwall herziening wil van alle moorden waarvoor hij veroordeeld is. Het eerste herzieningsverzoek zou meteen na de jaarwisseling worden ingediend bij het gerechtshof en betrof de moord op Yenon Levi.

De volgende dag ging Christer van der Kwast in het Zweedse radioprogramma *Studio Ett* in de tegenaanval.

'Het is een bewering die elke grond mist,' zei hij, doelend op de bewering dat hij en Seppo Penttinen de rechtbanken misleid zouden hebben. 'Alles is openlijk uitgelegd in het vooronderzoek. Het klopt niet dat we Quick van informatie zouden hebben voorzien.'

Bovendien beweerde hij nog steeds overtuigd te zijn van Quicks schuld: 'Wat het zwaarst weegt, is dat hij in elke zaak apart informatie heeft kunnen geven waar alleen de dader van op de hoogte had kunnen zijn. Dit is vervolgens vergeleken met onder meer technisch onderzoek en getuigschriften van forensisch pathologen. In elke zaak is er steunbewijs voor zijn bekentenis gevonden.'

Seppo Penttinen koos ervoor om geen commentaar te geven in deze kwestie. 'Er loopt een procedure voor herziening van de zaak en ik wil geen uitspraken doen voordat die procedure is afgerond,' zei hij tegen TT. Dezelfde strategie volgden Birgitta Ståhle, Sven Åke Christianson en Claes Borgström.

Juridische experts zoals advocaat Per E. Samuelsson en de secretaris-generaal van de Zweedse Orde van Advocaten Anne Ramberg gaven hun mening over Sture Bergwalls mogelijkheden om herziening te krijgen, en meenden dat de kans klein was aangezien het herroepen van de bekentenissen geen reden genoeg vormde. 'Om het tot een herziening van een zaak te laten komen, moet er iets naar voren zijn gekomen wat de rechtbank niet heeft kunnen laten meewegen in een rechtszaak,' zei Anne Ramberg tegen TT.

Een paar dagen later gaf Van der Kwast opnieuw een van zijn weinige interviews, in *Svenska Dagbladet*. Daarin noemde hij mijn documentaires een 'absoluut dieptepunt' voor de onderzoeksjournalistiek en poeierde hij de verslaggevers af die vergeefs hadden geprobeerd hem vragen te stellen met de opmerking dat ze totaal geen idee hadden waar de zaak over ging. Hij meende dat er überhaupt geen nieuwe informatie naar voren was gekomen, behalve dan dat Sture Bergwall zijn bekentenissen had herroepen.

Zelf begon Van der Kwast een argumentatie die op zijn minst merkwaardig was, in elk geval voor degene die veel over de kwestie wisten. Dat de zaak met de asielzoekers aantoonde dat Quick moordzaken verzon nadat de media hem van informatie hadden voorzien, vond Christer van der Kwast nonsens.

'Eigenlijk was hij al op 16 november 1994 over een van de jongens gaan praten, nog voordat er dingen in de media opdoken,' zei hij tegen de krant.

Ik kon het bijna niet geloven wat ik daar las. Op 16 november 1994 bezocht Seppo Penttinen de Säterkliniek om iets op te halen wat hij in zijn eigen notitie omschrijft als 'associatief materiaal waarvan de oorsprong waarschijnlijk in de werkelijkheid te vinden is'. Daarin heeft Thomas Quick het over een moord op een 'jonge jongen', ergens tussen 1988 en 1990. Uit de notitie:

In dit verband zweeft de plaatsnaam Lindesberg in zijn geheugen. De jongen sprak geen Zweeds. Quick spreekt een Slavische naam uit die klinkt als: 'Dusjunka.' De jongen was gekleed in een spijkerjack, een mosgroene trui, een te grote spijkerbroek met omgevouwen pijpen. Hij had zwart haar en een Zuid-Europees uiterlijk.

Hoe kon Christer van der Kwast, in alle ernst, beweren dat dit iets met het verhaal over de Afrikaanse asielzoekers in Noorwegen te maken had?

Hij ging verder met alle 'unieke details' de revue te laten passeren die Quick tijdens het onderzoek had gegeven en die bewezen dat hij schuldig was: Johan Asplunds liesbreuk en bijzondere moedervlek, Therese Johannesens eczeem aan de binnenkant van haar elleboog plus de beschrijving van de 'verwondingen van de slachtoffers bij Appojaure die slechts bekend waren binnen de kleine kring van rechercheurs'. En dan de troefkaart dat Thomas Quick in de zaak-Therese de rechercheurs naar een plek in het bos had geleid waar hij de lichamen in stukken had gesneden en vervolgens had verbrand, een plek die een lijkenhond had gemarkeerd en waar men toen men was gaan graven verbrande stukjes bot had gevonden.

Ook Van der Kwast dacht dat er in geen van al deze zaken een herziening zou komen.

'Wat er nu is gebeurd is een soort van soap geworden. Ik reken erop dat de rechters hun hoofd koel zullen houden en dat er geen herziening komt,' zei hij.

In de golf van nieuwsartikelen, overzichtsreportages en redactionele commentaren kwam ook een van Sture Bergwalls daadwerkelijke slachtoffers aan het woord: de man die hij in 1974 in een studentenhuis in Uppsala bijna had vermoord. In een bijdrage van *Newsmill* beschreef de man de afgrijselijke gebeurtenis en verklaarde dat hij teleurgesteld in me was.

'Toen ik hem gisteren in het programma over Thomas Quick op svt1 zag, vond ik het erg tendentieus – de indruk werd gewekt dat Thomas Quick onschuldig is aan de moorden waarvoor hij veroordeeld is. Ik ben bijna door Quick vermoord, of Sture Bergwall zoals hij toentertijd heette, en ik kan me moeilijk voorstellen dat hij, zoals Jan Guillou en andere tabloidjournalisten denken, een zielige "kleine crimineel" is. [...] Vanwege mijn familie heb ik niet zo veel gesproken over wat er bijna vijfendertig jaar geleden is gebeurd. Het heeft me nogal wat moeite gekost om te zwijgen. Maar wanneer ik nu zie welk verdraaid beeld er van Quick wordt gegeven, voel ik me geroepen om mijn verhaal te vertellen. Hannes Råstams programma en overzichtsreportages in de tabloids maken me misselijk.'

De man, die ook door *Dagens Nyheter* werd geïnterviewd, schreef: 'Ik heb trouwens met Råstam gebeld toen ik hoorde van zijn filmproject. Ik wilde hem vertellen dat ik het politierapport van de poging tot moord in mijn bezit heb en dat hij dat wel mocht lezen. Maar Råstam was niet geïnteresseerd in een ontmoeting met mij – hij was alleen geïnteresseerd in de vraag of Quick gedrogeerd was of niet.'

Een paar dagen later, op 17 december, publiceerde *Expressen* een interview met de stiefvader van het negenjarige jongetje aan wie Sture Bergwall zich in 1969 had vergrepen toen hij als negentienjarige werkte als verzorgende. 'Hij is in staat om wie dan ook te vermoorden,' aldus de stiefvader, die naar buiten trad omdat hij het 'belangrijk vond om aan het licht te brengen dat Thomas Quick eerder tot gewelddadige handelingen in staat was geweest'.

Naast het misbruik in het ziekenhuis werd nog een keer het forensisch psychiatrisch onderzoek van voorjaar 1970 aangehaald, waarin werd vastgesteld dat hij leed aan 'een ernstige seksuele perversie van het type pedofilia cum sadismus' en ook dat hij onder bepaalde omstandigheden 'een buitengewoon gevaar vormt voor andermans lijf en leden'.

Ook sommigen van mijn collega's meenden dat ik het beeld van Sture Bergwall had verfraaid door me in de documentaires niet te verdiepen in zijn vorige vergrijpen, die ik alleen maar heel even noemde. De kritiek was verwacht, maar kwam toch hard aan. Tegelijkertijd was ik van mening dat ik het niet op een andere manier had kunnen doen: mijn onderzoek had als doel om erachter te komen of Sture de acht moorden waarvoor hij veroordeeld was, had gepleegd, niet om die misdaden te beschrijven die hij bewijsbaar had gepleegd. Het ongelooflijk complexe verhaal inkorten tot een tv-documentaire van twee uur was sowieso al bijna onmogelijk geweest.

De situatie deed algauw denken aan die van bijna tien jaar geleden toen de Quick-strijd woedde, met dit verschil dat de twijfelaars die toen het hardst schreeuwden en de minderheid vormden, nu in de meerderheid waren, terwijl de mensen die nu in Quicks schuld geloofden een snel krimpende groep vormden.

Op 17 december schreef *Dagens Nyheter* op de opiniepagina:

Dat Thomas Quick werd veroordeeld voor acht moorden en dat hij de schuld van nog meer moorden op zich heeft genomen, is misschien toch een van de grootste gerechtelijke dwalingen in ons land, maar het is ook mogelijk dat het hier wel om een schuldige moordenaar gaat. Hoe zich dit ook verhoudt tot Thomas Quicks strafblad, één ding is zeker: het Zweedse OM vertoont in de zaak-Quick zorgwekkende onvolkomenheden, zwaktes die doen denken aan de corruptie van de jaren vijftig. Een gerechtelijke toetsing moet volgens de wet en met verstand van zaken gebeuren. Onderzoeken dienen om helder te krijgen wat er is gebeurd, de rol van de verdachte te bepalen en ze dienen in de allereerste plaats onbevooroordeeld te zijn.

De zaak-Thomas Quick vertoont veel afwijkingen van het gebruikelijke. Maar de aandacht is vooral gericht op de officieren van justitie, de verhoorleiders, de verdediging, de hele opstelling rondom de moordenaar Thomas Quick. De aandacht is bepaald niet vleiend.

Wat hieruit heel duidelijk wordt, is dat Thomas Quick hulp heeft gekregen bij het zich herinneren, dat een therapeutische behandeling is verweven met een politioneel delictonderzoek en dat de omstandigheden die het zichzelf beschuldigen hadden kunnen ontmaskeren onder het tapijt zijn geschoven. Het feit dat dit heeft kunnen gebeuren, is een probleem voor de rechtsstaat. Nu moet er onderzocht worden hoe een aantal verantwoordelijken de zaak-Quick hebben geleid. Het herzieningsverzoek dat zijn advocaat zal indienen wordt hopelijk ingewilligd. Eventuele fouten of nalatigheden kunnen daarmee worden aangetoond en iemand moet als verantwoordelijk aangewezen worden.

Een andere belangrijke vraag is in hoeverre de behandeling van de zaak-Thomas Quick iets zegt over ons rechtssysteem in het algemeen. Het is bijvoorbeeld opvallend welke rol de theorie over verdrongen herinneringen hierin speelt. Een theorie die later een minder grote rol krijgt maar die gedurende een aantal jaren algemeen aanvaard was in de Zweedse rechtspraak, wat ertoe heeft geleid dat er mensen zijn veroordeeld louter op grond van uitspraken die gebaseerd waren op herinneringen. Dat er sindsdien vele jaren waren verstreken en dat er geen getuigen of andere bewijzen waren om te bevestigen dat deze herinneringen juist waren, betekende niets. Nog zorgwekkender is echter dat de gerechtelijke instanties die tot taak hebben om te waken over de goede orde binnen de rechtspraak, ook meegetrokken worden en elk kritisch vermogen laten varen.

De Justitiekansler heeft zich laten overtuigen door het aantal vonnissen tegen Thomas Quick en wilde van geen kritiek weten, en zei dat het hier ging om omstandigheden die 'in het grote geheel vrij weinig te betekenen hadden'. Waar is die mooie uitdrukking 'boven gerede twijfel verheven zijn' dan gebleven?

Naast de steeds hardere publieke opinie en het feit dat Sture Bergwall van plan was om een verzoek om herziening in te dienen was er nog een zaak die belastend was voor degenen die aan de veroordeling van Quick hadden meegewerkt en bleven volhouden dat hij schuldig was. Ook landsadvocaat Anders Perklev keek nu naar de zaak, nadat twee privépersonen in Sundsvall tegen Seppo Penttinen en Christer van der Kwast aangifte hadden gedaan van een ernstige ambtsovertreding.

Kennelijk werd de grond ook Justitiekansler Göran Lambertz te heet onder zijn voeten. Op maandag 22 december, na de uitzending van het tweede deel van de documentaire, zat hij in het ochtendprogramma *Nyhetsmorgon* van TV4.

'Ik weet niet of hij schuldig was, maar ik ben er redelijk van overtuigd dat hij schuldig is aan minstens een aantal van deze moorden. Wat betreft een paar vonnissen zijn er zeer overtuigende bewijzen,' zei hij toen.

'Dus u bent ervan overtuigd dat hij schuldig is?' vroeg de presentator.

'Ja, van een paar moorden ben ik overtuigd,' zei Lambertz. 'En men moet ook niet vergeten dat het onomstotelijk vaststaat dat hij daartoe in staat is. Een groot aantal psychiaters heeft hem onderzocht en daaruit is gebleken dat hij een gevaarlijk persoon is met een sadistische pedofiele aard, en hij heeft zich bewijsbaar schuldig gemaakt aan een paar zware geweldsdelicten waarvoor hij eerder ook al eens veroordeeld is.'

Onmiskenbaar een eind verwijderd van de houding die hij in 2006 in zijn conclusie aanvoerde. In een opiniestuk in *Aftonbladet* op 6 januari 2009 ging hij nog een stap verder. Nadat hij de redenen voor Quicks schuld uiteengezet had, schreef hij:

1. Het is heel goed mogelijk dat hij besloot om 'massamoordenaar te worden', zo veel mogelijk van de delicten verzamelde onder meer uit de media en erin slaagde zich als schuldig voor te doen door continu zijn verhaal en zijn handelen aan te passen aan wat er maar nodig was om geloofd te worden. De verdovende middelen en psychotherapie kunnen hier invloed hebben gehad. Wat hij nu vertelt, kan waar zijn.

2. Bij ten minste een paar van de acht moorden waren er ook andere personen die onder zware verdenking stonden.

3. Een aantal zeer belangrijke delen van Quicks verhaal lijken definitief fout te zijn. De fouten zijn eigenlijk alleen te verklaren door het feit dat ze verzonnen zijn.

Vervolgens schreef Lambertz dat er desondanks dit geen 'enkele onderbouwing' is voor de bewering dat de rechercheurs 'zouden hebben geprobeerd de rechtbanken en het publiek te misleiden door te laten geloven dat Thomas Quick schuldig was aan delicten waarvan ze zelf niet overtuigd waren dat hij ze had gepleegd'. Tegelijkertijd: 'De politie en de officier van justitie kunnen af en toe te snel te werk zijn gegaan, en misschien heeft men niet altijd voldoende rekening gehouden met de omstandigheden die tegen Quicks schuld pleitten. Het is in dat geval niet goed maar menselijk voorstelbaar in de onderzoekssituatie waarin ze zich toen bevonden.'

Kortom, de Justitiekansler hinkte eenvoudigweg op twee gedachten.

Het is ook gemakkelijk om te denken dat alles zwart of wit is. Dat psychotherapeute Birgitta Ståhle, politieagent Seppo Penttinen, officier van justitie Christer van der Kwast, advocaat Claes Borgström en een paar journalisten, zoals bijvoorbeeld Gubb Jan Stigson van *Dala-Demokraten*, het helemaal mis hebben, en sterker nog, misschien wel met elkaar samenzweren. Of dat ze volkomen misleid zijn door Leif G.W. Persson, Jan Guillou, psychiater Ulf Åsgård, advocaat Pelle Svensson, politieagent Jan Olsson en journalist Hannes Råstam. Maar geen van de partijen hoeft er helemaal naast te zitten. Iedereen kan goed werk hebben verricht en tot vrij redelijke conclusies zijn gekomen, alleen volstrekt verschillende.

Göran Lambertz' samenvatting was symptomatisch: 'Als Thomas Quick ten onrechte is veroordeeld, dan is dat toch een enorme gerechtelijke dwaling? Ja, daar lijkt iedereen het over eens te zijn. En het kan natuurlijk een juiste beoordeling zijn, we moeten het eindoordeel afwachten dat er vermoedelijk binnenkort komt. Maar het moet benadrukt worden dat het in elk geval in principe minder ernstig is als de rechterlijke macht een onschuldig iemand veroordeelt die bekent en veroordeeld wil worden, dan wanneer een onschuldig iemand die steeds heeft ontkend veroordeeld wordt.'

Dat is onmiskenbaar een interessante gedachte van de hoogste jurist van het land.

Anne Ramberg van de Zweedse Orde van Advocaten was al even weifelend toen ze in het eerste opiniestuk van 2009 haar standpunt in het vakblad *Advokaten* probeerde uiteen te zetten, waarbij ze schreef dat Thomas Quick zeer zeker 'gelijk kon hebben dat hij terecht was veroordeeld, hoewel hij onschuldig was'.

Op 16 februari 2009 deelde de landsadvocaat mee dat hij niet van plan was om een vooronderzoek te starten naar degenen die verantwoordelijk waren voor het Quick-onderzoek.

In zijn conclusie legt hij uit dat de reden hiervoor is dat de meeste vermeende ambtsovertredingen meer dan tien jaar geleden zijn begaan, en dus verjaard zijn. Maar ook naar de overtredingen die later zijn begaan, die dus onderzocht zouden kunnen worden, heeft de Justitiekansler in 2006 al onderzoek gedaan. En: 'de Justitiekansler zag na alles grondig te hebben doorgenomen geen reden om een vooronderzoek te starten omdat er geen ernstige fouten waren gemaakt, noch door de officier van justitie noch door de politie.'

Aangezien de Justitiekansler de hoogste jurist van het land is, stelde de landsadvocaat vast dat hij niet de bevoegdheid had om zijn besluit te overrulen. En daarmee was de zaak afgehandeld.

Maar de twee personen die de aangifte hadden gedaan, wilden ook dat het OM zou beoordelen of er reden was om zelf om herziening van de Quick-vonnissen te vragen. Op dat punt gaf Perklev hen gelijk, en de zaak werd overgedragen aan het Nationaal Archief voor Politiezaken in Malmö, waar hoofdofficier van justitie Björn Ericson een team samenstelde bestaande uit hemzelf en nog drie officieren van justitie, plus een rechercheur die alle Quick-onderzoeken zou gaan revideren.

Dertien mappen

Op 20 april 2009 dienden Thomas Olsson en zijn collega Martin Cullberg Sture Bergwalls herzieningsverzoek van het Yenon Levi-vonnis in. Het drieënzeventig pagina's bevattende document, dat in tweehonderdvierenzeventig punten was opgedeeld, bevatte een opsomming van alle merkwaardigheden tijdens het onderzoek: het negeren van het forensisch rapport van het lab SKL en alle andere feiten die in de richting wezen van de andere mogelijke dader Ben Ali, de volkomen mislukte eerste reconstructie, de duidelijke leugen over de handlanger Patrik, hoe Quick informatie gaf die niet bleek te kloppen of die hij vervolgens meteen weer veranderde – in wezen ging het hier om alle informatie die hij tijdens de veertien verhoren op de lange weg naar de rechtbank had gegeven.

Aangezien het team van Björn Ericson al aangewezen was om het Quick-onderzoek te reviseren was het hun taak om Sture Bergwalls eerste herzieningsverzoek te beoordelen.

In principe is het niet mogelijk om vonnissen die onherroepelijk zijn terug te trekken. Dit principe, het principe van onherroepelijkheid, is een van de pijlers van het Zweedse rechtssysteem.

In de hele twintigste eeuw was het maar in vier zaken tot een herziening gekomen. Vier moordzaken: een in de vijfentwintig jaar. In de eenentwintigste eeuw was er nog niet één herziening geweest. Nu hoopte Sture Bergwall dat hij herziening zou krijgen en dat hij onschuldig verklaard zou worden aan acht moorden. Zijn kansen werden laag ingeschat, maar ik was er toch van overtuigd dat het zou gebeuren. Want hoe dieper ik in de zaak groef, hoe meer bevestigingen ik vond dat Sture Bergwall onschuldig was.

Maar het was al snel duidelijk dat de procedure nog wel een tijdje zou duren. Zweden heeft geen onafhankelijke herzieningsrechtbank, wat betekent dat de officieren van justitie die moeten beoordelen of het herzieningsverzoek gerechtvaardigd is, dat naast hun gewone werk moeten doen. In een rechtssysteem waar het vanwege onderbezetting maanden, jaren duurt voordat zaken voor de rechter komen, spreekt het voor zich dat het onderzoek van het herzieningsverzoek van een meer dan tien jaar oud vonnis niet de hoogste prioriteit heeft.

Bovendien krijgt de veroordeelde geen rechtshulp in een herzieningszaak, wat betekent dat de advocaat die de zaak op zich neemt, dit doet op basis van no cure no pay – en dus, net als de officier van justitie, de zaak in zijn drukke bezigheden moet inpassen.

Voorjaar 2009 besluiten Johan Brånstad, de redacteur van het tv-programma *Dokument*, en ik om een derde documentaire over Thomas Quick te maken waarin we meer over de zaken willen vertellen waarop ik in de eerste twee documentaires niet heb kunnen ingaan. We willen deze keer niet de focus op Sture Bergwall richten, maar op de groep mensen die de verkeerde vonnissen mogelijk maakte.

Daarnaast blijf ik zoeken naar de verhoren die ontbreken.

Gun Bergwall herinnerde zich een paar dingen over het verhoor waarin ze haar broer een alibi verschafte voor de moord op Thomas Blomgren. Over het tijdstip herinnert ze zich alleen nog dat het in het begin van de jaren negentig was, en dat de rechercheur uit Luleå kwam en dat het verhoor werd opgenomen. De rechercheur heet Barsk, wist ze nog, en er was nog iemand bij.

'Hij stelde me veel vragen over het pinksterweekend in 1964. Ik vroeg waarom, wat er dat weekend was gebeurd, maar daar wilden ze geen antwoord op geven. Ze wilden ook foto's bekijken,' zei Gun Bergwall.

En ze had vervolgens een foto laten zien waar Sture op stond in zijn belijdeniskleren, genomen op hetzelfde moment dat hij in Växjö een kind zou hebben vermoord. Toen Gun erachter kwam dat Sture de moord op Thomas Blomgren, die in datzelfde weekend was gepleegd, had bekend, zei ze dat Sture Falun niet had verlaten. Niet dat weekend en ook niet een andere keer rond die tijd. Sture was altijd thuis.

Het feit dat de een na de ander vertelde dat ze de politie informatie hadden gegeven die de mogelijkheid sterk tegensprak dat Quick de dader was, was iets wat ik zeker op de tv kon laten zien. Maar als ik dat zwart op wit bevestigd kon krijgen, in de vorm van gearchiveerde en achtergehouden processen-verbaal van verhoren, dan zou alles natuurlijk in een ander daglicht komen te staan.

Ik bleef brieven sturen aan de politie in Sundsvall, die of helemaal geen antwoord gaf, of ontkennend antwoordde in de persoon van Seppo Penttinen.

Tegelijkertijd begon het onderzoeksteam onder leiding van hoofdofficier van justitie Björn Ericson langzaamaan aan zijn opdracht. Algauw vroeg Ericson of al het onderzoeksmateriaal dat bij de politie in Sundsvall lag naar hem kon worden opgestuurd.

Halverwege oktober 2009 kreeg ik plotseling een vrij nederige brief van Seppo Penttinen, samen met kopieën van twee van de verhoren waar ik zo naar gezocht had. Penttinen verklaarde dat deze twee verhoren met Örjan Bergwall in geen enkel vooronderzoek waren teruggevonden, aangezien ze in de zogenoemde 'prullenbak' waren terechtgekomen.

Wat betreft mijn herhaaldelijke vraag over de complete inhoud van de zogenaamde 'prullenbak' en waar die bewaard werd, schreef hij: 'Ondergetekende weet dat er een klein aantal verhoren met personen zijn, die net als de verhoren van Örjan Bergwall als "prullenbak" werden beoordeeld. Deze verhoren hebben geen direct verband met een bepaalde zaak. Het zijn verhoren van personen die tot de kennissenkring van Sture Bergwall behoren, en een onderdeel zijn van het in kaart brengen van Sture Bergwalls leven.

[…] Ik kan u vertellen dat al het onderzoeksmateriaal in de afgewezen zaken naar het Nationaal Archief voor Politiezaken in Malmö is gestuurd.'

Ik betwijfelde of Seppo Penttinen daadwerkelijk al het materiaal zelf naar Björn Ericson zou opsturen, dus stuurde ik hem een lijst met de acht verhoren waarvan ik wist dat ze bestonden en die ik daarom ook had opgevraagd bij de politie in Sundsvall. Hadden zij, in tegenstelling tot mij, deze verhoren wel gekregen?

Het bleek dat Penttinen ze niet had opgestuurd, waarna het interne onderzoeksteam contact met hem opnam en voorzichtig vroeg of hij mogelijk nog meer materiaal op zijn werkkamer had liggen – vreemd genoeg bleek daar al het Quick-materiaal bewaard te worden.

Mijn derde documentaire over Thomas Quick werd op 8 november 2009 uitgezonden. Meer programma's stonden er niet gepland, maar de kwestie van de verdwenen verhoren liet me niet meer los. Het was iets persoonlijks geworden.

Na diverse aanhoudende verzoeken leek het interne onderzoeksteam al het materiaal te hebben gekregen. In totaal ging het om dertien mappen die rechtbanken, publiek en journalisten al die jaren waren onthouden. Aangezien de documenten ook niet geregistreerd stonden, waren ze niet op te sporen geweest via het archief van de politie.

Op 16 december vertrok ik naar Malmö om ter plekke de inhoud van de dertien mappen door te nemen, waaruit een heel ander beeld van de zaak-Quick naar voren kwam. Hierin zaten de verhoren waaruit bleek dat de man die de jonge Sture naar Växjö zou hebben gereden, dat onmogelijk kon hebben gedaan, alsmede de verhoren van een reeks andere, al net zo onmogelijke handlangers en mededaders. In een map getiteld OVERIGE VERHOREN vond ik onder meer veertien verhoren van alle broers en zussen van Thomas Quick, wier herinneringen volstrekt tegenovergesteld waren aan de vreselijke jeugdherinneringen die opgeroepen werden tijdens de met drugs ondersteunde objectrelatietherapie in de Säterkliniek. Bovendien verwierpen ze resoluut de mogelijkheid dat Sture Bergwall in 1987 een auto kon besturen.

Het was kenmerkend dat de verhoren die Seppo Penttinen irrelevant vond voor het onderzoek, duidelijk aantoonden dat Quick dingen verzon.

Het meest interessante in de mappen, en typerend voor de hele zaak, was een verhoor van Thomas Quick dat op 27 januari 1999 was afgenomen, dat aantoonde dat Quick systematisch moorden verzon om die vervolgens te bekennen en dat de rechercheurs zich daarvan bewust waren. Twee weken eerder had Thomas Quick tijdens een gesprek met rechercheur Anna Wikström en therapeute Birgitta Ståhle gezegd dat er een 'doorbraak in de therapie was'. Quick had voor het eerst een lijst gemaakt met alle door hem gepleegde moorden in chronologische volgorde.

Uit het vonnis in de zaak-Trine en Gry wist ik dat Christer van der Kwast op de tweede dag van het hoofdproces de rechtbank van Falun zo'n lijst had overhandigd met daarop negenentwintig personen.

Toen Thomas Quick op 27 januari verhoord werd, bewaarde hij deze lijst in zijn achterzak. Het is zinvol om erop te wijzen dat Quicks advocaat Claes Borgström en Jan Karlsson van de rijksrecherche bij het hele verhoor aanwezig waren.

Na een lang inleidend gesprek met Penttinen begon Quick zijn verhaal.

TQ: 'Dat is een geschiedenis die begint in 1964, Thomas Blomgren.'
PENTTINEN: 'Hmm. De eerste naam is dus Thomas, daarna volgen Lars, Alvar, de Ziekenhuisjongen, Björn, "Michael", "Per", Björn – Noorwegen, Reine, Martin, Charles, Benny, Johan, de Värmlandsjongen, de Autojongen, Olle, het echtpaar Stegehuis, Magnus, de westkust, Levi, Marianne – Noorwegen, de vrouw langs de kant van de weg, Therese – Noorwegen, Trine – Noorwegen, de vrouw op de parkeerplaats – Noorwegen… […] En dan rechts daarboven Midden-Zweden. Duska – Noorwegen, J. Tony – Finland.'

Penttinen leest het briefje van Quick verder voor: 'Ik heb een heilige plaats tussen Sågmyra en Grycksbo. Ik heb een plek met een bloedbad in de buurt van de landtong Främby. Ik heb een kleine maar erg waardevolle bergplaats in Ölsta.'

De tweede naam na die van Thomas Blomgren was 'Lars', die in 1965 door Quick vermoord zou zijn in Midden-Zweden. De waarheid is echter dat Lars samen met een vriend eenden aan het voeren was op het ijs toen het ijs brak en de jongen verdronk. Er waren getuigen van het ongeluk en de familie is er heel zeker van dat het zuiver om een ongeluk ging. Dit wist ik, aangezien Jenny Küttim en ik alle bekentenissen hadden doorgenomen die Quick in al die jaren had gedaan – dus niet alleen de moorden die tot een veroordeling hadden geleid. Daardoor wist ik ook dat de Quick-rechercheurs deze bekentenis zo onwaarschijnlijk vonden dat ze niet eens contact hadden opgenomen met de familie van Lars.

Een 'jongen wiens naam genoemd werd' moet, volgens de lijst, in 1985 in Norrland zijn ontvoerd, en volgens Thomas Quick zijn meegenomen naar Falun, waar hij hem heeft vermoord en het lichaam op een van zijn 'bergplaatsen' heeft verstopt.

'We weten wie hij is,' zei Christer van der Kwast geheimzinnig tegen het Zweedse persbureau TT in het voorjaar van 2000.

Uit een achtergehouden verhoor blijkt dat het hier gaat om de vijftienjarige Magnus Jonsson die begin 1985 in Örnsköldsvik verdween. De waarheid was echter dat de politie alleen de voetsporen van Magnus had gevonden en die had kunnen volgen vanaf het ijs tot aan het open water, waar hij kennelijk in was gevallen en was verdronken. Een paar jaar later werd het stoffelijk overschot van Magnus Jonsson gevonden, dat met behulp van een DNA-analyse geïdentificeerd kon worden.

De lijst met Quicks slachtoffers omvat ook verschillende moorden die volgens de lokale politie elke realiteitszin missen – dat wil zeggen dat men niet eens vermissingen heeft die op de een of andere manier in tijd en plaats overeenkomen.

Toen Van der Kwast in mei 2000 de lijst bij de rechtbank indiende, zei hij tegen TT: 'We hebben alle moorden, ongelukken en vermissingen doorgenomen die ook maar iets met Quick te maken zouden hebben. We hebben een enorme hoeveelheid moeilijk te controleren informatie. De moorden waarover de minste twijfel bestaat dat Quick ze heeft gepleegd staan op de lijst, dat wil zeggen dat zijn de moorden waarover hij ons zelf informatie heeft gegeven.'

Voor de rechters moet de lijst nogmaals een bevestiging zijn geweest dat men hier met een volstrekt unieke misdadiger te maken had, en dat de bewuste zaak er slechts één in een lange reeks was, die waarschijnlijk nog langer zou worden.

De vraag is hoe de rechtbank in de zaak van de moord op Trine Jensen en Gry Storvik zou hebben geoordeeld als ze erover waren ingelicht dat de meeste moorden op de lijst bewijsbaar pure hersenschimmen waren.

De misdaadverslaggever

Björn Ericsons team van hoofdofficieren van justitie kon maar geen beslissing nemen of ze het verzoek van Sture Bergwall om herziening zouden honoreren, maar op 17 december 2009 hadden ze in elk geval het herzieningsverzoek in de zaak-Yenon Levi grondig bekeken en Björn Ericson deelde mee dat het verzoek gehonoreerd werd.

In de tussentijd bleef Ericson materiaal opvragen over alle zaken en hij was nu bij de befaamde botsplinters in de zaak-Therese Johannesen beland. De Noren overhandigden de Zweden de botsplinters en al vrij snel daarna waren ze in bezit van het Zweeds Forensisch Instituut SKL voor analyse.

Een van de osteologen die de botsplinters onderzocht was Ylva Svenfelt, onafhankelijk onderzoeker en specialist in verbrande botresten uit de ijzertijd. Ze was stomverbaasd toen ze de botsplinters zag die van een kind zouden zijn geweest.

Op donderdag 18 maart 2010 werd in de media onthuld dat de botsplinters in het oorspronkelijke proces alleen onder de microscoop waren bekeken, dat wil zeggen dat de oorspronkelijke professoren Per Holck en Richard Helmer er alleen even naar hadden gekeken voordat ze hun rapport schreven. Nu waren ze op moleculair biologisch niveau bekeken. Het bleek überhaupt geen bot te zijn, maar hout met een soort van lijm – vermoedelijk masoniet.

'Als je met verbrand botmateriaal hebt gewerkt, dan zie je meteen dat het hier geen bot betreft. Dit is gewoon wetenschappelijk bedrog,' zei Ylva Svenfelt tegen *Aftonbladet*.

Tegen *Expressen* zei Thomas Olsson: 'Het is zo ongelooflijk dat we dit niet eens hadden kunnen bedenken. Maar het is symptomatisch voor de Quick-zaak, waarin personen met academisch aanzien zich voor dit hele circus leenden.'

Twee dagen na dit nieuws, dat misschien wel het meest heeft aangetoond hoe belachelijk het hele onderzoek was, ontving ik voor mijn Quick-documentaires de *Guldspaden* (de Gouden Schop), een prijs van de Zweedse Vereniging van Onderzoeksjournalisten.

Het drie dagen durende congres van dat jaar werd gehouden in het Radiohuset in Stockholm, en werd op zondag afgesloten met een debat tussen mij en Gubb Jan Stigson over de rol van de media in de gerechtelijke dwaling in de zaak-Quick. Onder de toehoorders in het auditorium van het Radiosymfonisch Orkest bevonden zich meer dan honderd collega's, onder wie Jenny Küttim, Johan Brånstad en Thomas Olsson.

Met een dubbel gevoel stond ik te wachten tot het debat op het podium zou beginnen.

Ik had veel te danken aan Gubb Jan Stigson. Behalve dat hij me min of meer had overgehaald om de hele zaak op me te nemen had hij me aan veel materiaal geholpen en had hij deuren voor me geopend die anders gesloten waren gebleven. Bovendien was hij de enige van de groep mensen die nog van mening waren dat Quick schuldig was, die dat standpunt ook in het openbaar durfde te verdedigen. Op die manier was hij woordvoerder voor zowel Van der Kwast als Penttinen en Ståhle, Christianson en Borgström. Als dank daarvoor werd hij steeds minder serieus genomen door zijn omgeving.

En daar was ik voor een groot deel verantwoordelijk voor.

Tegelijkertijd werd zijn hardnekkige onwil om objectieve feiten te aanvaarden steeds verbazingwekkender. Bovendien had hij opmerkelijk weinig zelfkritiek. Tijdens het onderzoek voor de derde documentaire dook ik onder meer wat dieper in het vooronderzoek van de zaak-Trine en Gry, om uit te zoeken wie nu precies, naast Kåre Hunstad, Quick de oorspronkelijke informatie had gegeven.

In een document van 26 januari 2000 vond ik het monnikenwerk dat die arme politieagent Jan Karlsson had verricht met het doornemen van alle Zweedse kranten die de naam Gry Storvik zouden kunnen hebben genoemd sinds ze op 25 juni 1985 vermoord was gevonden. Nadat hij zonder resultaat alle exemplaren van *Aftonbladet*, *Dagens Nyheter* en *Expressen* had doorgenomen, was hij aanbeland bij *Dala-Demokraten*. En daar, in de krant van 2 oktober 1998, dus tien maanden voor de beruchte schouw in Noorwegen, vond hij inderdaad een artikeltje, geschreven door niemand minder dan Gubb Jan Stigson zelf.

Dala-Demokraten is een van de kranten waar afdeling 36 van de Säterkliniek op geabonneerd is, en uit de verhoren in het tweede onderzoek blijkt dat Quick die krant dagelijks las. Ik zocht naar het bewuste artikel in de bibliotheek in Göteborg. Onder de kop THOMAS QUICK NU IN BEELD VOOR LUSTMOORD IN NOORWEGEN schreef Stigson: 'Momenteel richt onze belangstelling zich in de eerste plaats op twee moorden en een verdwijning, alle drie oude Noorse zaken.'

Na een korte uiteenzetting van de zaken Trine Jensen en Marianne Rugaas Knutsen ging het over de zaak waar het om draaide: 'De derde zaak betreft de drieëntwintigjarige Gry Storvik, die in het centrum van Oslo verdween en op 25 juni 1985 op een parkeerplaats in Myrvoll vermoord werd teruggevonden. De vindplaats ligt niet ver van de plaats waar Trines lichaam werd gevonden.

De twee zaken hebben een aantal overeenkomsten. De lichamen van de slachtoffers vertonen dezelfde sporen van geweld. Bovendien zijn de plaatsen waar de twee jonge vrouwen voor het laatst zijn gezien maar een paar honderd meter van elkaar verwijderd.'

De informatie over de moord op Gry die Quick in *Dala-Demokraten* had kunnen lezen was onmiskenbaar een aardig begin voor hem, als je bedenkt hoe de verhoren werden afgenomen en hoe de verhalen van Quick zich altijd gedurende de onderzoeken 'ontwikkelden'.

Toen Gubb Jan Stigson in de beginfase van mijn research zo vriendelijk was om ongeveer driehonderd van zijn artikelen over de zaak-Quick te kopiëren, liet hij om onbekende redenen dit artikel weg.

Het artikel stond zelfs geregistreerd in het vooronderzoeksrapport van de rijksrecherche, maar dat vormde geen belemmering om de rechtbank niet van het bestaan van het artikel op de hoogte te brengen.

Monica Saarinen, in het dagelijks leven presentatrice van het programma *Studio Ett*, leidde het debat in door te zeggen dat zowel Gubb Jan Stigson, die de grote prijs van de publicistenclub in 1995 had ontvangen, als ik prijzen had gekregen voor onze reportages over de zaak-Quick.

Na wat inleidend gebabbel over hoe we met elkaar in contact waren gekomen en de vaststelling dat we beiden totaal tegengestelde standpunten wat betreft de schuldvraag hadden ingenomen, verklaarde Stigson: 'Op een gegeven moment kom je op een punt dat je niet verder kunt, dat je gewoon moet accepteren dat hij schuldig is. Ik durf te beweren dat ik steeds kritisch ben geweest. Al deze onzinnigheden dat hij een fantast zou zijn, zijn van daarna. Zijn hele achtergrond, die uniek is in de Zweedse misdaadgeschiedenis, heeft men gewoon verzwegen.'

'Waarom ben jij er zo zeker van, Hannes, dat hij onschuldig is?' vroeg Saarinen.

'Ik heb al het materiaal gelezen,' verklaarde ik. 'En daarbij heb ik eerst alles wat voor zijn schuld pleitte op een rij gezet. En dan blijft er niets over. Er is geen spatje bewijs. Deze vonnissen berusten enkel en alleen op de verhalen van Quick zelf. En als je deze verhalen leest en hoe ze zijn ontstaan, dan zie je dat hij eerst absoluut niets over deze moorden weet, sterker nog dat hij praktisch alles bij het verkeerde eind heeft.'

Nu begon Stigson met zijn hoofd te schudden en ik voelde een vlaag van irritatie.

'Je schudt je hoofd, tegen beter weten in. Het publiek heeft de verhoren niet gelezen, maar jij wel. Wat zijn dat dan voor omstandigheden waarover hij in de eerdere verhoren heeft kunnen vertellen, die maar een van de moorden betreft?'

'Ja, maar… hij geeft de politie iets wat het waard is om te onderzoeken en dan begint hij lastig te doen en zo vind je ten slotte de unieke informatie. Hoe komt hij bijvoorbeeld bij Ørjeskogen?'

'Dat heeft hij in *Verdens Gang* gelezen.'

'Ørjeskogen? Niemand wist iets over Ørjeskogen totdat hij…'

'In *Verdens Gang* staat iets over Ørjeskogen. Alle informatie over de Therese-moord.'

'Nee, nee…'

'Het kan zijn dat je nu tegen beter weten in praat, maar je hebt het mis.'

Gubb Jan Stigson ging over op een ander onderwerp, en vroeg zich af waarom ik me niet zo druk maakte over het strafblad van Sture Bergwall. Ik antwoordde dat ik onderzoek deed naar hoe het Zweedse rechtssysteem en de Zweedse forensische psychiatrie omgingen met een psychisch ziek persoon, die bovendien gedrogeerd was en moorden bekende, en dat ik geen onderzoek deed naar wat hij in het verleden had gedaan.

Maar Stigson ging door, hij begon te vertellen over 'tien tot twaalf gevallen van zwaar seksueel misbruik', waar Sture Bergwall zich al op vijftienjarige leeftijd schuldig aan zou hebben gemaakt, en over het steekincident in 1974. Monica Saarinen wees er toen op dat Stigson haar voor het debat tachtig artikelen had toegestuurd die ze allemaal had gelezen en dat hij in tachtig tot negentig procent van de artikelen de eerdere misdaden noemde.

'Ja, dat is immers de reden dat het onderzoek wordt voortgezet,' beweerde Stigson.

'Wat bedoel je?' vroeg Saarinen.

'Ja, dus… hij lijdt daar dus aan, het is een ziekte… en bovendien zijn het perversies die bijna niet te genezen zijn.'

'Hoe weet je dat?' vroeg Saarinen.

'Ja… dat blijkt uit de statistieken.'

Stigson verwees naar twee andere zaken en naar de artsen met wie hij had gesproken.

'Je bedoelt dat hij zeer waarschijnlijk schuldig is, omdat hij in het verleden ook al eens zoiets heeft gedaan?' vroeg Saarinen.

'Nee, maar omdat hij het in het verleden al eens heeft gedaan, kan het zinvol zijn om uit te zoeken of hij schuldig is in deze zaken… Fransson kijkt naar zijn achtergrond en komt tot de conclusie dat…'

Maar nu kon ik me niet langer inhouden en ik viel hem in de rede: 'Wat Gubb Jan hier vertelt, is een mengsel van horen zeggen, niet-onderzochte gebeurtenissen, vermeende gebeurtenissen enzovoort. Hij is veroordeeld voor twee zaken die hij heeft bekend. Dat klopt. En ik heb genoemd dat hij veroordeeld is voor twee zeer ernstige geweldsdelicten. Ik vind het niet terecht dat hij zo uitweidt over gebeurtenissen die decennia geleden hebben plaatsgevonden, gebeurtenissen die ver achter ons liggen. Want het verbijsterende is dat hij veroordeeld is voor acht moorden die hij volgens mij en volgens heel veel andere mensen niet heeft gepleegd. Als je nu eens vergeet wat er in de jaren zestig is gebeurd en een sprong naar de huidige tijd maakt, dan zou dat erg bevrijdend zijn, in plaats van vast te blijven houden aan deze verschillende uitspraken die de artsen hebben gedaan, over wat er is gebeurd toen hij negentien jaar oud was, en steeds maar weer alles te blijven herkauwen op de manier zoals Gubb Jan Stigson dat nu ondertussen al twintig jaar doet.'

'Veertien.'

'Wat?'

'Veertien jaar was hij toch, bij de eerste zaak? Ongeveer veertien jaar oud. Tenminste, dat is wat hij zelf zegt.'

'Aha, je gaat nu nog wat verder terug in de tijd. Nog even en dan zit je al in de jaren vijftig. Ik vind het eigenlijk meer dan schandalig. Gubb Jan Stigsons journalistiek is een karaktermoord op een psychiatrisch patiënt.'

'Karaktermoord? Dat is… dat is…'

'Gubb Jan Stigson heeft meer dan driehonderd artikelen voor me gekopieerd en het is net als het herkauwen van deze…' Ik richtte me nu tot hem in plaats van tot het publiek. 'Ik begrijp eigenlijk niet waar je mee bezig bent, want dit heeft helemaal niets met deze vonnissen te maken.'

'Zeer zeker wel!'

'Niet met de schuldvraag in de moordzaken waarvoor hij veroordeeld is.'

'Nee, nee, zo eenvoudig is het niet!'

'De schuldvraag in de moordzaken? Dat is waar we het hier over gaan hebben. Een persoon die ten onrechte is veroordeeld voor moord.'

'Maar je kunt dit niet zomaar van tafel vegen. Het is bijna misleidend om die achtergrond er niet bij te betrekken...'

Monica Saarinen probeerde de geladen sfeer te doorbreken door op een ander onderwerp over te gaan, maar Stigson en ik waren alweer heel snel in een nieuwe woordenwisseling verwikkeld. Hij bleef stug volhouden dat Quick schuldig was, ook voor de moord op Thomas Blomgren, en ik probeerde hem er tevergeefs van te overtuigen dat dit volstrekt onmogelijk was en vertelde meteen aan het publiek dat Quick tijdens zijn verlof naar de Koninklijke Bibliotheek in Stockholm was gereisd om over de zaak te lezen.

'Hannes, je wilt toch niet zeggen dat ook Gubb Jan Thomas Quick aan informatie heeft geholpen, opdat Quick verder kon met zijn verhaal?'

'Gubb Jan heeft artikelen gepubliceerd waarin de slachtoffers met naam en toenaam staan genoemd, waarin staat waar de slachtoffers zijn verdwenen, waarin staat aan welk geweld de slachtoffers hebben blootgestaan, waar de slachtoffers zijn gevonden, enzovoort, voordat Thomas Quick hier ook maar iets van heeft genoemd...'

'Over wie dan?' brak Gubb Jan me af.

'Gry Storvik bijvoorbeeld.'

'Ja... maar... toch...'

'Het is een van de artikelen die je om de een of andere mysterieuze reden niet voor me hebt gekopieerd, maar dat ik in de krantenbibliotheek heb gevonden. Op 2 oktober 1998 heb je een artikel gepubliceerd waarin alles staat wat Thomas Quick moet weten om te kunnen bekennen. De naam Gry Storvik heeft hij voor de publicatie van dat artikel niet genoemd.'

'Ik wist niets over Gry Storvik totdat ik erachter kwam dat hij haar had aangewezen!' siste Stigson.

'Dan is het zeker een vervalsing die op de microfilm is terechtgekomen?'

Stigson boog zich wat over de statafel heen.

'Ik heb het in mijn computer staan. Je kunt het straks meteen gaan bekijken,' zei ik.

'Is het wel eens bij je opgekomen dat Thomas Quick zijn informatie uit jouw artikelen kan hebben gehaald?' vroeg Saarinen aan hem.

'Er staat niets in mijn artikelen dat van belang is voor de rechtszaken,' hield Stigson hardnekkig vol. 'Het klopt wel dat ik hem dat boek… dat boek van Göran Elwin over de zaak-Johan heb gegeven. In het vonnis staat niets wat uit dit boek komt.'

'Jawel, bijvoorbeeld wat betreft alle kleren en zijn rode rugzak,' zei ik. 'Dat weet ik, omdat Thomas Quick nauwkeurig aantekeningen maakte zodat hij zijn verhaal kon doen. Zodoende wist ik dat je hem van informatie hebt voorzien.'

'Ja, maar…'

'Jij hebt hem dat boek ook gegeven.'

'Maar als hij naar de bibliotheek kan gaan, waarom zou hij dan voor dat boek naar mij toe zijn gekomen?'

Stigson ging weer over op iets anders, weidde uit over zijn persoonlijke contact met Quick en dat hij hem af en toe belde 'omdat hij met hem te doen had'. Ik probeerde weer op het spoor te komen: 'Men moet begrijpen dat deze moordonderzoeken, het hele Thomas Quick-verhaal, worden beheerst door de media, de politie en de therapie, in een vreemd samenspel. Waarin de politie de media gebruikt om…'

'Maar wel verdomme…' Stigson schudde zijn hoofd.

'Wat zeg je daar?' vroeg ik.

'Ja, maar verdomme! Bedoel je dat ik met de politie onder één hoedje heb gespeeld?'

'Elke keer dat Thomas Quick iets vertelt of even iets aanroert, dan lekken ze onmiddellijk naar jou of naar andere journalisten, die vervolgens foto's van het slachtoffer publiceren, op…'

'Wie lekken?'

'Blijkbaar mensen van het onderzoeksteam. Soms Van der Kwast, soms Seppo Penttinen. Waarom doet men dat terwijl het politieonderzoek nog loopt?'

'Dat is gewoon onzin. Ik heb nooit zulke…'

'Zeg. Ik wil dat je me recht in de ogen kijkt! Is dit pure onzin?'

'Ja, dat ik… ja, ja! Dat ze me continu van zoiets zouden hebben voorzien, zodat hij verbanden zou… ja, dat is onzin. En niets anders!'

'Maar jij hebt vanaf dag één informatie gekregen!' protesteerde ik.

Toen begon Stigson te praten over een interview met Lars-Inge Svartenbrandt, en wat hij allemaal had verteld over de verdrongen herinneringen en de therapie.

'Jij bent volkomen je realiteitszin kwijt,' zei ik.

Maar Stigson bleef maar doorpraten over Svartenbrandt. Monica Saarinen wilde het gesprek afronden. Ik vroeg of er überhaupt iets was waardoor Gubb Jan Stigson anders over de zaak-Thomas Quick zou gaan denken. Hij zei dat hij niets had gezien 'wat ook maar iets aan zijn standpunt zou veranderen'.

'Niets?' vroeg ik.

'Niets.'

'Maar wat kan er dan voor zorgen dat je...'

'Uiteindelijk kom je op een punt waar je niet verder kunt. Dat punt heb ik in al deze zaken bereikt.'

Ik was volkomen perplex. Zo eenvoudig was het dus: het ging om geloof. Of je dat wel of niet had – meer niet.

Het publiek mocht vragen stellen, en de eerste vraag was een niet onbekende vraag: veroordeelde een Zweedse rechtbank echt iemand zonder enig technisch bewijs? Stigson stak van wal: 'Er is geen technisch bewijs in de zin van vingerafdrukken en DNA. Maar er is immers ander technisch bewijs. Zoals de inkervingen in de berkenbast, en dergelijke. De aanwezigheid van fosfaat. De zoekactie met honden.'

'Ja, dat met die hond is erg interessant,' zei ik. 'Het gaat hier om een lijkenhond van een particulier die op ongelooflijk veel plaatsen heeft aangegeven dat daar lijken te vinden zouden zijn. Op meer dan twintig plaatsen zijn archeologische opgravingen gedaan, de aarde is gezeefd, er is een meer leeggepompt, maar het enige wat er is gevonden, is een botsplinter van een halve gram die naar nu is gebleken niet eens bot is. Er is helemaal niets gevonden. Je wilt toch niet zeggen dat je uit al dat niets een conclusie kunt trekken?'

'Ja, nou...'

'Gubb Jan Stigson. Jij bent momenteel nog de enige die dit gelooft.'

'Ja, blijkbaar.'

Na het debat bleef ik nog even met een aantal collega's bij het podium napraten.

Gubb Jan Stigson verzamelde zijn spullen en liep snel door het publiek heen de zaal uit. Voor ik ook maar iets kon zeggen had hij de zaal al verlaten.

Hij was kennelijk niet geïnteresseerd in dat artikel dat ik hem op mijn laptop wilde laten zien.

Het laatste puzzelstukje

Op 20 april 2010 dienden Thomas Olsson en Martin Cullberg het tweede herzieningsverzoek van Sture Bergwall in, tegen het vonnis in de zaak-Therese Johannesen.

Ruim een maand later, op 27 mei, deelde advocaat-generaal Eva Finné haar besluit in de zaak-Yenon Levi mee. Ondanks het feit dat de zaak heropend zou worden, kwam er geen nieuw proces. Het bewijsmateriaal was zo mager dat het doodeenvoudig geen zin had om, zoals gebruikelijk is, opnieuw een aanklacht in te dienen.

'Nadat ik de zaak zorgvuldig heb bekeken, ben ik van oordeel dat het delict onvoldoende ondersteund wordt door de bewijsvoering,' schreef ze. 'Bergwall ontkent het delict. Tijdens het lopende onderzoek heeft hij wel enige informatie gegeven die overeenkomt met bewijsmateriaal, maar zijn verhaal wordt gekenmerkt door tegenstrijdigheden en de informatie verandert voortdurend zodanig dat er geen veroordeling te verwachten is. Ik hef dus de aanklacht tegen Sture Bergwall op.'

Christer van der Kwast was razend. 'Ik vind het belachelijk dat de zaak niet in de rechtszaal wordt getoetst, zodat Quick zijn eerdere bekentenis mag komen uitleggen. Dit is een aangename uitweg om geen omvangrijk en lastig proces te hoeven voeren. Quick is veroordeeld op wettelijke gronden en heeft op onwettige gronden een herziening van de zaak gekregen. Ik geloof dat de druk van de media groot is geweest en dat dit ervoor heeft gezorgd dat men tot dit besluit komt,' zei hij tegen TT.

Al na de zomer deelde Björn Ericson zijn besluit mee over de herziening in de zaak-Therese, en ook in die zaak had hij geen bezwaren tegen een herbeoordeling.

Het was slechts een kwestie van tijd totdat Sture Bergwall vrijgesproken zou worden voor de acht moorden waarvoor hij veroordeeld was. Het zou historisch zijn – hoewel op een geheel andere wijze dan Birgitta Ståhle, Sven Åke Christianson, Christer van der Kwast, Seppo Penttinen en de andere leden van het team die meewerkten aan de gerechtelijke dwaling in de zaak-Quick ooit hadden kunnen vermoeden.

Op 2 september 2010 ontving hoofdofficier van justitie Bo Lindgren, die door Björn Ericson was aangewezen om het vonnis in de zaak-Trine en Gry te onderzoeken, de originele opnames waaruit de gemonteerde film voor de rechtbank van Falun, die tijdens het proces in Stockholm was vertoond, was samengesteld. Ze zaten in twee dozen. Bij elkaar ging het om dertien VHS-banden en acht minicassettes, al met al meer dan negenendertig uur video-opnames.

De technische recherche zette ze over op dvd-schijfjes en algauw werden kopieën van de opnames aan Thomas Olsson van het advocatenkantoor Leif Silbersky in Stockholm overhandigd. Daar brandde Jenny Küttim haar eigen kopieën die ze op een server zette, zodat ik ze direct kon downloaden en op mijn eigen schijven kon branden.

Met een bijna plechtig gevoel stopte ik de eerste film in mijn laptop. Wat mij betreft was dit het einde van het onderzoek. Ik had alle informatie die ik kon natrekken nagetrokken, alle andere vraagtekens opgelost – de film met daarop de schouw ten behoeve van het proces van de moord op Trine Jensen en Gry Storvik was het enige wat nog restte.

De opnames bleken met twee verschillende camera's te zijn gemaakt. Een camera filmde de weg voor de auto waarin onder anderen Thomas Quick, Seppo Penttinen, Christer van der Kwast en Sven Åke Christianson reden, een andere filmde Quicks gezicht tijdens het rijden, met Penttinen naast hem. Ik had al snel door dat de opnames gemaakt met deze camera het interessantst waren.

De opnames waren over het algemeen oersaai. Ze toonden de hele autorit vanaf Säter naar Oslo, door Oslo, en vervolgens weer buiten de stad. Op enkele films stonden de reconstructieverhoren waarbij Thomas Quick op de plaatsen van de misdrijven probeerde te laten zien hoe hij de vrouwen had vermoord. Hij deed in principe alles verkeerd en uiteraard ontbraken ook deze scènes op de korte versie die in de rechtbank was vertoond.

Maar het interessantste was natuurlijk dat we eindelijk te zien kregen in hoeverre Quick bij de schouw in augustus 1999, achttien jaar na de moord op Trine Jensen, echt zonder enige aarzeling de auto naar de plek kon leiden waar haar lichaam was aangetroffen, én het beroemde fragment waarop te zien is dat hij op het moment dat de stoet auto's de parkeerplaats opreed waar het lijk van Gry Storvik was aangetroffen, met een krachtige angst reageerde. De opnames die de rechtbank te zien had gekregen, lieten over deze twee zaken geen ruimte voor twijfel.

In de ongemonteerde versie rijden de auto's een eeuwigheid door Oslo. Daarop zit Sture stoned als een garnaal en met grote ogen voor zich uit te staren. Hij heeft zijn wijsvinger opgestoken en wijst dan in de ene richting en dan weer in de andere. Seppo Penttinen zit met een onbewogen gezicht naast hem.

Ten slotte zijn de agenten in de auto het zat om maar wat rond te rijden, en ze besluiten om naar het plaatsje Kolbotn te rijden dat dicht bij de vindplaatsen ligt. Ook daar weet Quick ze niet naar de juiste plaats te leiden. Wanneer het dan uiteindelijk wel duidelijk is dat hij geen flauw idee heeft waar ze heen moeten rijden, neemt Penttinen de leiding over: 'Ik stel voor dat we omkeren en terugrijden naar het vorige kruispunt waar we lang hebben staan aarzelen en dat we daar de alternatieve weg naar links nemen, aangezien je die kant opkeek. Dan hebben we die mogelijkheid in elk geval ook gehad.'

Dan slaan ze de weg in die naar de vindplaats voert, maar Quick stuurt hen vervolgens weer in de verkeerde richting.

'Hier is weer een afslag en dan komen we weer uit op de E18, Thomas,' zeg Penttinen ten slotte.

Daarna deelt hij mee dat 'Christer van mening was dat je hier zou moeten blijven, hier in dit gebied, misschien dat je iets meer aan de kant kunt gaan... Ja, blijf daar maar staan. Ik geloof dat we hier de opnames even onderbreken, als je hier tenminste niet iets wilt aangeven? Oké, dan zetten we nu het geluid uit.'

Wanneer geluid en beeld weer worden aangezet, rijdt de auto over dezelfde weg terug, nu in de juiste rijrichting. Thomas Quick beweegt zijn vinger een beetje van de ene kant naar de andere. Dan zegt Seppo Penttinen plotseling dat Thomas naar rechts wijst, en de auto slaat de juiste weg in.

Wees Thomas naar rechts? Misschien. Maar hij wees ook naar links. En recht naar voren. Maar pas toen ze langs de juiste weg reden, reageerde Penttinen, en zei hij welke kant Quick eigenlijk op wees. Kort daarna wordt de procedure herhaald, maar dan komend uit de tegenovergestelde richting, aangezien Quick opnieuw een afslag mist en de stoet moet keren nadat Penttinen de bescheiden vraag heeft gesteld of ze niet beter kunnen keren.

Wanneer ze daarna de vindplaats passeren, zegt Penttinen: 'Moeten we hier blijven staan?'

Maar Thomas Quick snapt de hint niet, hij wil verder rijden. Kort daarna zegt Penttinen: 'Wat zeg je, wil je keren?'

Nu snapt Quick het en zegt hij dat ze de auto moeten keren. Dan vraagt hij hen om te blijven staan, ongeveer op dezelfde plaats waar Penttinen zonet heeft gevraagd of ze hier niet moesten stoppen.

Dat Thomas Quick de rechercheurs naar de vindplaats kon leiden, was gewoon lariekoek. Integendeel: zij leidden hem ernaartoe, met zowel aanwijzingen als behulpzame interpretaties en de wat duidelijkere instructies en handelingen.

Sture Bergwall zegt tegen mij: 'Ik had altijd toegang tot informatie. Ik las het van de gezichten, niet alleen van Seppo's gezicht maar ook dat van de andere politieagenten in het busje en de chauffeur. Een gespannenheid bij Seppo wees erop dat we in de verkeerde richting reden. En als de chauffeur wat inhield, begreep ik dat we moesten afslaan, en kon ik het op tijd aanwijzen. De hele tijd waren er deze minieme tekens. Door kleine details lieten ze me zien welke richting we op moesten. Maar het klonk alsof ik degene was die hun de aanwijzingen gaf.'

En hoe zat het met het spontaan aanwijzen van de vindplaats van Gry Storvik?

Ten eerste kende Thomas Quick de basisinformatie die Gubb Jan Stigson hem had gegeven in *Dala-Demokraten*, bovendien waren de medepassagiers – in tegenstelling tot wat ze later in de rechtszaal beweerden – al lang op de hoogte van de overeenkomsten tussen de twee zaken en hoe dicht de twee vindplaatsen bij elkaar lagen.

Stigson zegt hierover: 'De derde zaak betreft de drieëntwintigjarige Gry Storvik die in het centrum van Oslo verdween en op 25 juni 1985 op een parkeerplaats in Myrvoll vermoord werd teruggevonden. De vindplaats is niet ver verwijderd van de plaats waar Trines lichaam werd gevonden.'

Op een van de schouwen ontspint zich de volgende dialoog op het moment dat de stoet een bord met daarop de naam MYRVOLL passeert:

PENTTINEN: 'Je denkt aan iets, Thomas, vertel. Hoe voelt het?'

TQ: 'Ja, het is oké.'

PENTTINEN: 'Ja?'

TQ: 'Hmm. Ja, er is een plaats waarvan ik dacht die de ergens anders was.'

PENTTINEN: 'Was het heel onlangs?'

TQ: 'Ja.'

PENTTINEN: 'Wat voor plaatsnaam was dat dan?'

TQ: 'Ik kan er niet meer opkomen.'

PENTTINEN: 'Was het in verband met een kruising waar we langs zijn gereden?'

TQ: 'Hmm.'

En even later passeren ze inderdaad de parkeerplaats in Myrvoll, waar de auto om de een of andere onduidelijke reden stopt en op het kruispunt blijft staan. Quick wordt aangespoord om de rijrichting aan te wijzen, maar hij kiest de verkeerde en algauw keert men om en rijdt men terug om deze keer aan de andere kant van de parkeerplaats te blijven staan.

Op de film die in de rechtbank wordt vertoond, wordt die opname op die plek onderbroken en hoor je een voice-over, de stem van Seppo Penttinen, zeggen: 'Thomas Quick vestigt onze aandacht op dit uitzicht op de parkeerplaats. Het is dezelfde parkeerplaats waar het lichaam van Gry Storvik werd aangetroffen.' Daarna is er in de film geknipt.

De film die ik nu zit te bekijken gaat verder met de scène dat Penttinen met Quick zit te praten in de buurt van de parkeerplaats waar Quick naartoe is geleid.

'Er is hier iets,' zegt Quick.

'Is er hier iets?' vraagt Penttinen.

'Ja.'

'Waar dan? Je wijst het hele gebied aan.'

'Nee, niet het hele gebied.'

'Wat is het dan?

'Vanachter het schuurtje...'

Thomas Quick wijst naar rechts, terwijl de parkeerplaats in de tegenovergestelde richting ligt.

'Hè?' zegt een stomverbaasde Seppo Penttinen.

'... hiernaartoe en daar.'

Quick noemt met geen enkel woord de parkeerplaats en hij wijst hem ook met geen enkel gebaar aan. Hij lijkt juist de aandacht van de rechercheurs op een plaats aan de andere kant van de weg te willen vestigen.

Thomas Quicks sterke reactie, waar de rechercheurs in de rechtszaal zo veel gewicht aan hechten, speelt zich af op de dichtstbijzijnde rotonde waar men opnieuw een bord met het woord MYRVOLL passeert. Op de video is te horen hoe Quick die uitbarsting probeert te verklaren met het feit dat 'ze dicht bij de Trine-plaats zijn'.

De naam Gry Storvik noemt hij helemaal niet. Alleen Seppo Penttinen doet dat, in een voice-over bij de gemonteerde film.

De ontmoeting met de journalist

Sture Bergwall werd om 5.29 uur wakker, een minuut voor de wekker zou afgaan. Het nieuwsprogramma *Ekot* vertelde dat de saladebar van de parlementariër Fredrick Federleys failliet was en dat het nog maar zeer de vraag was of de leveranciers en de belasting hun geld nog kregen. Een onderwerp dat Sture geen barst interesseerde.

Nadat hij zich had gewassen en geschoren en zijn kleren had aangetrokken, liep hij naar de kantine om daar zijn kop koffie en zijn karnemelk op te halen die hij vervolgens meenam naar zijn kamer. Tien minuten later, om exact 6.05 uur, gaf hij aan dat hij naar buiten wilde.

Het was een mooie ochtend. De frisse ochtendlucht voerde een geur van vogelkers mee toen hij op de luchtplaats kwam. Sture haalde diep adem, sloot zijn ogen en hield zijn adem even vast.

Om 7.35 uur was hij terug op zijn kamer, waar hij zijn tweede kop koffie van die ochtend dronk, terwijl hij *Dagens Nyheter* las.

Hij noteerde op zijn kalender dat hij nu 2356 dagen aaneengesloten vastzat. Het was de enige notitie op die dag, hoewel hij voor het eerst in zeven jaar een afspraak met iemand had.

Daarna was hij een paar uur geconcentreerd bezig met een kruiswoordpuzzel, tot hij vast kwam te zitten bij de omschrijving 'is zuurstofarm'. Hij had de volgende letters staan: UITADEMINGS_K_ en probeerde alle oplossingen door te pluizen tot hij het opgaf.

Het was een merkwaardig toeval dat hij net de SVT-documentaire over de pyromaan van Falun op de tv had gezien. Tien kinderen en jongeren hadden een groot aantal brandstichtingen bekend waar ze helemaal niet schuldig aan waren. Iets in de toon had hem aangesproken. Door het onderwerp van de reportage, de valse bekentenissen, had hij een vaag gevoel van hoop gekregen. Maar niet meer dan dat. Hij dacht er verder niet over na.

Op afdeling 36 wist het personeel dat Sture die middag bezoek zou krijgen. Ze hadden tegen elkaar gezegd dat dat waarschijnlijk betekende dat Sture een besluit had genomen, dat er iets was gebeurd. Waarom zou hij anders zijn stilzwijgen doorbreken?

Toen Sture zijn lunch ophaalde, kwam een van de oudgedienden van de afdeling naar hem toe lopen. Hij pakte hem zachtjes bij de arm en zei op vertrouwelijke toon, bijna fluisterend: 'Sture, jij krijgt toch bezoek vandaag?'

'Ja,' bevestigde Sture.

'Betekent dat dat je misschien wilt doorgaan met het onderzoek van de strafzaken?' vroeg de verpleegkundige hoopvol.

Sture humde ten antwoord, een dubbelzinnig gehum dat van alles kon betekenen. Dus dat is wat ze denken. Dat is het gerucht dat rondgaat, dacht hij.

Hij zou zonder hoop of spanning naar de ontmoeting gaan. Misschien was er toch een opening, dacht hij, maar hij zette die gedachte meteen weer uit zijn hoofd.

Tien minuten voor de afgesproken tijd werd hij opgehaald door twee verpleegkundigen. 'Het is tijd om te gaan.'

Nawoord

door Mattias Göransson

Het testament van de graver

Na een reeks bekroonde documentaires met onthullingen kwam Hannes Råstam met zijn scoop dat 'Zwedens grootste seriemoordenaar' een fantast was. Het enige wat hij nu nog moest doen, was de hele zaak opschrijven en in boekvorm uitbrengen, en daarna was het wachten op de grote triomf dat Sture Bergwall vrijgesproken werd van zijn laatste veroordeling van moord. Maar het leven besliste anders.

Göteborg is een vrij kleine stad, en als je in dezelfde branche werkt en ongeveer dezelfde interesses hebt, dan kom je elkaar vroeg of laat tegen. Ik kan me niet meer goed herinneren wanneer ik voor het eerst met Hannes Råstam sprak, maar ik heb bij een paar gelegenheden met hem gesproken en het was elke keer enorm inspirerend. Hannes was intens, gefocust en altijd bezig met een of ander diepgravend onderzoek waardoor hij altijd wel een interessant verhaal had.

Toen ik ruim tien jaar geleden voor *Dagens Nyheter* een portret maakte van zijn toenmalige vaste collega Janne Josefsson, vroeg ik Hannes een beschrijving te geven van zijn vriend en collega. De meeste mensen zouden in zo'n situatie bang zijn om iemand voor het hoofd te stoten, maar Hannes vertelde eerlijk hoe hij het zag en gaf een beschrijving van zijn vriend, die kritisch was maar ook vleiend.

Jaren later gaf een goede vriend van me met Oud en Nieuw een feest waarvoor ook de familie Råstam was uitgenodigd. In de loop van de avond verdween Hannes uit het gezelschap. Ruim een uur later vond men hem op de slaapkamer van een van de kinderen, diep in een mobiel gesprek verwikkeld. Uit het kleine stukje dialoog dat men opving, bleek dat de persoon aan de andere kant van de lijn Sture Bergwall was. Toen iedereen om middernacht met champagne proostte, zorgde Hannes Råstam ervoor dat de meest beruchte gek van Zweden, die zijn oudejaarsavond in de meest beruchte psychiatrische inrichting van het land doorbracht, zich wat minder eenzaam voelde.

In het jaar 2010, vlak voor de herhaling van de derde en laatste documentaire over Thomas Quick, die voordat hij zijn seriemoordenaarsidentiteit aannam Sture Bergwall heette, belde ik Hannes op om hem een voorstel te doen. Door de paar gesprekken die we in de loop der jaren hadden liep een rode draad, die meestal leidde naar zijn vrij gedurfde uitspraken over een aantal wezenlijke fouten in de Zweedse samenleving. Als onpartijdige onderzoeksjournalist bij de SVT moest hij zich in zijn documentaire terughoudend opstellen. Mijn vraag aan hem was of hij zijn opvattingen met de lezers van het tijdschrift *Filter* wilde delen.

Hannes kwam tot de conclusie dat het een onderwerp was dat hij liever zelf afhandelde – over de vraag in welke vorm en via welk medium was hij nog niet uit. Voorlopig werd hij nog helemaal opgeslokt door het Quick-verhaal. Het hele project zou worden afgerond met een dik boek, Hannes Råstams eerste, waar hij nu nog druk mee bezig was.

Daarna spraken we af en toe nog over het boek, totdat hij in april de telefoon niet meer opnam. Dat was niets voor hem. Onze gemeenschappelijke collega Fredrik Laurin, die hem voor iets anders nodig had, had dezelfde ervaring. Hannes Råstam was als van de aardbodem verdwenen.

Na een stilte van vijf weken belde Hannes me: 'Ik zal er niet omheen draaien. Ik heb te horen gekregen dat ik kanker heb.'

'Verdomme. Hoe erg is het?'

Op zijn gebruikelijke zakelijke toon, alsof hij verslag deed van een rechtszitting, antwoordde hij: 'Raad eens waar het zit. Wat weet je van kanker?'

'Ik moet bekennen dat ik er niet zo vreselijk veel over weet. Maar als ik een schatting mag maken, en we beginnen aan de ergste kant van de schaal, de kant van "een wisse dood", dan geloof ik dat leverkanker het ergst is, dan alvleesklierkanker en dan komt botkanker denk ik. En dan...'

'Hou maar op,' onderbrak Hannes me droogjes. 'Bij mij zit het in de lever én in de alvleesklier.'

Op een zomeravond in augustus 2011 reden tv-onderzoeksjournalist Fredrik Laurin en ik naar Havsbadskolonin op het eiland Hisingen om een bezoek te brengen aan Hannes. Het perceel waar hij woonde ligt aan het strand, ten oosten van het gebied met zomerhuisjes, en biedt een schizofreen uitzicht met aan de ene kant havenkranen en industrieterminals waar het grootste deel van de in Zweden geïmporteerde ruwe olie wordt overgeslagen, en aan de andere kant zonnerotsen en scherenkustidylle.

Na zijn scheiding anderhalf jaar geleden had Hannes Råstam voornamelijk hier in het zomerhuisje gewoond. Water moest hij halen bij een kraan aan de rand van zijn erf en de douche was een emmer water die aan de muur was opgehangen.

Hannes was in de keuken bezig met het avondeten: zelfgemaakte blinde vinken met mosterd, kappertjes en verse kruiden, gekookte aardappelen in roomsaus en de klassieke zilveruitjes en augurken. De verschillende chemokuren hadden hun sporen nagelaten. Op zijn kale hoofd was de vetvoorraad zo dun dat de aderen onder zijn huid schemerden. Zijn spijkerbroek was dichtgesnoerd met een riem zodat hij niet zou afzakken, en zijn zomerse overhemd met korte mouwen hing losjes over zijn uitstekende schouders.

Desalniettemin was hij in een stralend humeur.

'Mensen bellen,' zei hij. 'Het is ontroerend. Ik ben niet zo zorgvuldig geweest met het onderhouden van contacten. Tot mijn verbazing merk ik dat er toch heel wat mensen zijn die zich om me bekommeren. Ik weet niet of dat ik eigenlijk wel verdien.'

Hannes haalde herinneringen op en vertelde anekdotes. Een anekdote ging over de ring van farao Toetanchamon, hoe die tijdens een grafplundering in het begin van de twintigste eeuw in het bezit kwam van de Zweed Axel Munthe, en hoe Hannes bij toeval aan die informatie kwam toen hij onderzoek deed voor een documentaire over de uitvinder Håkan Lans. Een andere anekdote ging over zijn reis naar het communistische Wereldjongerenfestival in Oost-Berlijn als bassist in de band van Björn Afzelius: 'We kregen twee meisjes als "gastvrouwen". Ze spraken perfect Zweeds, hoewel ze nog nooit in het buitenland waren geweest. Ongetwijfeld Stasi.'

Fredrik Laurin en hij brachten natuurlijk het gesprek op alle ingewikkelde gebeurtenissen rondom de onthullingen van Quick, en op Hannes' waanzinnige vasthoudendheid tijdens het onderzoek naar de dood van Osmo Vallo. 'We gaan het worldwide web op om antwoord op onze vragen te vinden,' citeerde Laurin uit de eerste Vallo-documentaire.

'Er valt niets te lachen,' protesteerde Hannes. 'Het was het jaar 1996, en het was de eerste keer dat internet voor onderzoeksjournalistiek werd gebruikt.'

'Ja, dat waren andere tijden,' beaamde Laurin.

'Toen kon je zoeken op "forensic medicine" en dan kreeg je nog tweeentachtig treffers,' zei Råstam. 'Je kreeg dan de namen van de meest vooraanstaande experts ter wereld, met adres en telefoonnummer. Tegenwoordig krijg je een paar miljoen treffers, en het enige waar je zeker van kunt zijn, is dat je niet de contactgegevens van de meest vooraanstaande experts vindt.'

Avond werd nacht. Hannes ging even liggen en zette toen koffie.

'Zelf kan ik geen koffie meer drinken, ik proef alleen dat het bitter is. Het is een vervelend effect van de kanker. Alle genotmiddelen zijn uit mijn leven verdwenen. Ik kan geen alcohol meer drinken, geniet niet van mijn sigaretten, wil geen seks meer...'

Hoe later het werd, hoe gekker het gesprek. Om de een of andere reden begon Hannes Råstam over auto's en hij vertelde dat hij – als hij dit zou overleven – een echt mooie auto zou kopen. 'Een Mercedes.'

'Dat meen je niet,' kreunde Laurin. 'Als je een auto wilt kopen, koop dan een Skoda, dan heb je de meeste waar voor je geld. Anders betaal je alleen maar voor een enorme hoeveelheid tierelantijnen.'

'Ik vind dat ik dat wel verdiend heb,' zei Hannes. 'Ik wil lekker zitten, en als ik in die auto om me heen zit te kijken, dan mag men best weten dat er voor mij een stukje regenwoud gekapt is.'

Fredrik Laurin pikte dit soort gevoelsargumenten niet op, maar bleef er maar over doorzagen dat alle auto's eigenlijk goed waren; het enige waarin goedkope auto's zich van dure onderscheidden was het nutteloze design en de slinkse marketing.

'Kun je je nog mijn eerste onderzoek herinneren?' onderbrak Hannes hem. 'Over dat gesjoemel met kilometerstanden? Die goudkleurige Mercedes die volgens de garagehouder tachtigduizend kilometer had gereden? Die als schooltaxi en als taxi in de bossen rondom Kalmar had dienstgedaan, en eigenlijk zevenhonderdtwintigduizend kilometer had gereden! En waarvan de motor nog als een zonnetje draaide. Dát is kwaliteit.'

Fredrik Laurin leek overtuigd te zijn.

'Onze vorige auto had tachtigduizend kilometer op de teller. Daarna was hij ook helemaal afgereden.'

Toen ik over de Älvsborgsbrug reed, liet de zon al zijn eerste ochtendstralen over de haven van Göteborg schijnen. Mijn hoofd suisde van het denken. Twee dingen wist ik zeker: Hannes Råstams eigen verbazingwekkende levensverhaal verdiende het om verteld te worden, en dat tweede verhaal – over de conclusies die hij tijdens zijn bijna twintig jaar lange loopbaan als meest vooraanstaande onderzoeksjournalist van Zweden had getrokken – zou hij zelf nooit kunnen vertellen.

Maar hoe zeg je dat tegen iemand die kanker heeft, zonder als een volslagen botte hond over te komen?

Ik kon niets bedenken, dus ik belde hem gewoon op en wond er geen doekjes om.

Als Hannes het op de een of andere manier kwetsend vond, liet hij dat in elk geval niet merken.

'Nu de zaken er zo voor staan, denk ik dat je gelijk hebt. Het is het beste om nu van de gelegenheid gebruik te maken.'

Hannes Råstam groeide op in Stora Bråta, een welgestelde villawijk buiten Lerum ten oosten van Göteborg. Zijn moeder was tandarts, zijn vader een 'theaterman' – toneelspeler, dramaturg, regisseur en later schouwburgdirecteur van zowel het Borås Stadstheater als het Ateliertheater in Göteborg. Het gezin had personeel.

De jonge acteur Per Oscarsson woonde een tijdje bij hen op de zolderverdieping, waar hij op zijn vilten pantoffels en met een zwart alpinopetje op rondslofte. In de weekenden kwamen er altijd veel acteurs en vooraanstaande personen uit de cultuurwereld eten.

'Onder journalisten is het feit dat je uit zo'n welgesteld gezin komt een blok aan je been,' zegt Hannes. 'Ik heb niet zo'n last van wraakgevoelens en zo. Zelf heb ik dat eigenlijk alleen maar als een voordeel gezien.'

Hannes Råstam was een buitenbeentje. Hij weet nog hoe hij bij de naschoolse opvang alleen buiten kon blijven staan terwijl iedereen al naar binnen was gegaan – hij zat zo in zijn eigen wereldje dat hij doodeenvoudig de bel niet had gehoord. Autoriteit was een ander probleem: hij hield er niet van dat hem gezegd werd wat hij moest doen, en hield er nog minder van als hij degene was die moest zeggen wat een ander moest doen.

Op zijn zestiende ging hij naar het Experimentgymnasiet in het centrum van Göteborg. De school was een beruchte proeftuin van de jarenzeventigpedagogiek, die de leerlingen zo veel mogelijk zelf liet bepalen wat ze wilden doen terwijl de leraren als begeleiders optraden. Na drie maanden stopte Hannes met de opleiding.

'Het was vast en zeker een fantastische school voor sterke individualisten die geen problemen hadden. Voor mij was het niet geschikt.'

Hannes ging niet meer naar school maar bleef thuis in Lerum met zijn elektrische basgitaar. Hij luisterde naar The Beatles, The Rolling Stones en Bob Dylan. Nam contrabasles en pianoles. Mocht als bassist invallen in de coverband van zijn oudere broer.

Hij probeerde de muziekrichting op de Hvitfeldtska middelbare school, maar stopte daar net zo plotseling mee als hij eraan begonnen was. Hij was nu zestien jaar en ontmoette een wat oudere man die 'een sterrenkijker had en die zijn eigen sperma bestudeerde', en die hem de schoonheid van het Communistisch Manifest uitlegde.

'Het was cool,' weet Hannes nog. 'Het was dé oplossing voor alle problemen op de wereld. Toen ik dit aan mijn vader vertelde, hield hij een vlammend pleidooi voor de Westerse democratie. Destijds was ik daar niet zo van onder de indruk, maar wat mijn vader toen tegen me zei, heb ik mijn hele leven met me meegedragen.'

Hannes kreeg een baantje in de muziekzaak Waidele en verhuisde naar een armoedig kamertje in Haga. De wc op de overloop deelde hij met een alcoholist die 'min of meer op brandspiritus leefde'.

De elektrische bas – een Rickenbacker met een speciaal bestelde, brede leren riem met ingeponste bloemen, yin- en yangsymbolen en het verplichte vredesteken – beheerste steeds meer Hannes Råstams leven. Hij stopte met zijn baantje in de muziekzaak en voorzag in zijn levensonderhoud door los-vaste baantjes in een van de psychiatrische ziekenhuizen op Hisingen. Op andere dagen ging hij naar het arbeidsbureau in Stigbergsliden, dat tijdelijke klusjes in de haven kon aanbieden.

'Ik had een vrij ontspoorde jeugd,' zegt Hannes. 'Misschien meer dan ik wil toegeven.'

'Hannes Råstam in de jaren zeventig?' vraagt zijn oude vriend en muziekcollega Olle Niklasson. 'Ik zie onmiddellijk een beeld voor me. Hannes lopend door Haga, high, met zijn elektrische basgitaar voor zijn buik. Je kon bij hem langsgaan op zijn kamer zonder dat hij het merkte, zo ging hij op in zijn geoefen. Dat eeuwige monomane herhalen: oefenen, oefenen, oefenen. Dat was Hannes.'

In 1975 werd de jonge bassist gevraagd om mee te spelen in Blåkulla, een symfonische rockband die zijn debuutalbum bij de platenmaatschappij van Bert Karlsson Marianne zou opnemen in de oude Spotnicksstudio Tal & Ton.

Toen Blåkulla uiteenviel ging Hannes bij de band Text & Musik spelen, die een contract had bij het linkse label Nacksving. Vergeleken met de andere bands die bij datzelfde label zaten, zoals Motvind, Nationalteatern en Nynningen, werd er een beetje op Text & Musik neergekeken. Het waren de middenklasse-vwo'ers, dat wil zeggen, studenten en geen arbeiders. In plaats van onvervalste rockmuziek te spelen, vermengden zij Afrikaanse en Latijns-Amerikaanse ritmes in hun muziek, en waren ze beïnvloed door de jazz.

Ook Text & Musik ging uit elkaar, en nadat hij in verschillende bandjes had gespeeld, kwam hij terecht bij een band die zichzelf de Globetrotters noemde. In 1980 werd dit de begeleidingsband van Björn Afzelius.

Met Björn Afzelius toerde hij door Zweden, Noorwegen, Denemarken – en Oost-Duitsland.

'Het was onvergeeflijk,' zegt Hannes. 'Ik was zevenentwintig en oud genoeg om daar nee tegen te zeggen. Ik weet nog dat ik stomverbaasd was. Het was nog erger dan ik me had voorgesteld. De uitzichtloosheid. Het gebrek aan dingen. Gebrek aan verf, de mensen hadden niet eens de fut om hun huis te verven.'

In de jaren tachtig was hij continu op toer, eind jaren tachtig ook met de bluesman Roffe Wikström. Tweehonderdtachtig dagen per jaar was hij op reis en daar begon hij uiteindelijk genoeg van te krijgen. Toen ontmoette hij Lena en op een dag was ze zwanger.

Als muzikant was Hannes meestal overdag vrij en dan luisterde hij graag naar de praatzender P1. Hij doorliep de middelbare school in het volwassenonderwijs, de radio werd zijn universiteit. Aangezien hij altijd veel belangstelling had gehad voor de grote maatschappelijke vraagstukken, besloot hij om te proberen radiojournalist te worden.

In 1991 begon hij met zijn opleiding journalistiek op de volkshogeschool van Skurup en hij was de oudste leerling van de klas. Het kleine gezin verhuisde naar een kleine huurwoning aan de rand van een tarweveld in de buurt.

Het meest besproken tv-programma van dat moment was het onderzoeksjournalisticke programma *Striptease* van de SVT. Op een dag bracht Janne Josefsson, de sterverslaggever van dit programma, een bezoek aan de school.

'Ik herinner me Hannes nog van Skurup,' zegt Janne. 'Het grappige was dat de docenten me voor hem gewaarschuwd hadden: "Stuur je hem en twee anderen naar een auto-ongeluk, dan komen die andere twee al vrij snel weer terug en gaan ze aan de slag met hun artikel, terwijl Hannes daar nog gebleven is en een bout onderzoekt." En ze hadden gelijk, maar tegelijkertijd hadden ze het zo mis. Want in dit werk draait het om details.'

Docent verslaggeving Ylva Floreman: 'Hannes was extreem in het onderzoeken. Ik herinner me dat hij een gerucht had opgevangen over het Möllevångsplein in Malmö, dat er een stuk papier was waarop de belofte stond dat alle marktkooplui daar gratis hun waar mochten verkopen. Hij ging de zaak onderzoeken, maar vond niets. Dus ging hij verder graven en stukje bij beetje ging hij helemaal terug tot aan de negentiende eeuw. Hij was er ingestonken, maar het punt is dat veel mensen het beschouwden als een goede grap, terwijl hij het antwoord gewoon wilde weten.'

Een maand voordat hij met zijn opleiding klaar zou zijn, lonkte de muziek weer en hij ging op tournee met Björn Afzelius. Nadat hij een jaar lang op tournee was geweest, kwam hij echter tot het besef dat een muzikantenleven niet te combineren viel met een serieus gezinsleven. In Trondheim zag hij in een Zweedse krant een advertentie waarin een muziekadviseur bij de provincie in Jönköping werd gevraagd. Hij solliciteerde en kreeg de baan.

Hannes Råstam raakte in paniek: was dit nu echt wat hij wilde zijn, cultuurbureaucraat? Hij vroeg twee dagen bedenktijd en thuis in Göteborg zocht hij de twee journalisten die hij kende op om hun advies te vragen: Nisse Hansson, die Hannes een keer in een muziekrecensie had genoemd en die nu chef van de afdeling onderzoeksjournalistiek bij de *Göteborgs-Posten* was, en Janne Josefsson.

Nisse Hansson zei tegen hem dat hij zijn journalistendroom moest opgeven: zevenendertig jaar en nog niets gepubliceerd, dan kon je het vergeten. Janne Josefsson was niet te bereiken en dus moest Hannes genoegen nemen met zijn energieke collega Lasse Winkler – een uiterst linkse Dylan-fan die zelf halverwege zijn leven het roer had omgegooid. 'Je hebt alles wat er voor dat werk nodig is,' zei Winkler. 'Aan de slag!'

Hannes Råstam verkocht zijn eerste artikel als freelance journalist al de volgende dag: een column over rijmen in dialect aan de krant *Vårt Göteborg*. Daarna schreef hij over dinosauriërs voor *Hallands-Posten*. Het waren geen meesterwerken, maar er was iets van hem gepubliceerd. Hij mocht zich journalist noemen.

Het eerste grondige onderzoek, over hoe je de kilometerstand van oude auto's kon manipuleren, begon met een tip van een van zijn leraren. Het principe was eenvoudig: als je een tweedehands auto kocht, dan kon je gemakkelijk de laatste drie eigenaren achterhalen en de kilometerstanden van de auto wanneer die van eigenaar wisselde. Wilde je een auto wat verder terug opsporen, dan moest je bij de Rijksdienst voor het Wegverkeer een zoekactie in hun computers aanvragen. Wat in de praktijk betekende dat iedereen niet verder terugging in de tijd dan drie eigenaren. Malafide handelaren maakten hier handig gebruik van door de kilometerteller van een auto terug te zetten, en daarna de auto een aantal keren zogenaamd van eigenaar te laten wisselen.

Hannes focuste op een grote autodealer in Södermalm in Stockholm en ging met drie gevallen naar de redactie van het tv-programma *Striptease* – die hem vroeg of hij nog twintig gevallen kon vinden. Nadat hij een half jaar bijna continu aan de zaak had gewerkt, was Hannes zo tevreden dat hij het onderzoek aan verslaggever Johan Brånstad gaf.

Met gemengde gevoelens van angst en blijdschap hield hij zich op de achtergrond toen Brånstad met een cameraman en een geluidstechnicus in zijn kielzog bij de grote autodealer naar binnen stapte. De bedoeling was dat Johan Brånstad naar een auto zou vragen waarvan Hannes wist dat hij twee keer zo veel kilometers had gereden dan de kilometerteller aangaf. Op het moment dat de autohandelaar zijn leugen had verteld, zou Brånstad het bewijs uit de zak van zijn colbertje vissen.

'Het was een verschrikkelijk ruwe overrompeling,' weet Hannes nog. 'Vlak voordat we de garage binnenliepen, zei ik tegen Johan: "Ik snap niet dat je dit aankan." Hij wees alleen maar naar zijn binnenzak. "Maar ik heb de papieren hier toch." Hij begreep het niet.'

Binnen een jaar was Hannes Råstam aangenomen bij de svt. Hij en Johan Brånstad bleven samenwerken: ze brachten gesjoemel binnen de taxibranche aan het licht, onterecht verleende eu-landbouwsubsidies, frauderende politici in Göteborg en eigenaardigheden in de Zweedse wapenpolitiek – een populair onderwerp waar ze keer op keer op terugkwamen.

In 1996 maakten ze een reportage over belastingontduiking, waarvoor Hannes Råstam met een verborgen camera in een advocatenkantoor op Stureplan moest filmen. In die tijd werden geheime cameraopnames gemaakt met grote vhs-camera's die verstopt zaten in een tas of een sporttas. Hannes vond dat te risicovol en kocht in Londen een echte spionageuitrusting. De camera zag eruit als een brillenkoker, die hij in zijn overhemdzak stak. Het enige probleem waren de grote, lompe accu's, die in een riem om het middel gedragen moesten worden 'zodat men er of als een bultenaar of als een zelfmoordterrorist uitzag'.

Na het programma nam Janne Josefsson contact met hem op. Hij wilde de camera aan een Somaliër geven die hem in het Brunnsparken in Göteborg had aangesproken en hem een vreemd verhaal had verteld over iemand die in zwart werk bemiddelde en gewetenloze ondernemers voorzag van gratis arbeidskrachten. Hannes dook in de zaak en die van de Somalische Abdis groeide uit tot een zaak die alle besluiten omvatte die het Arbeidsbureau Nieuwe Immigranten in Göteborg had genomen.

'Daar heb je het cultuurverschil tussen ons in een notedop,' zegt Janne Josefsson. 'Ik wilde het verhaal van Abdis vertellen, en Hannes wilde alle arbeidsbureaus in heel Zweden met de stofkam bekijken. "Verdomme Hannes, je bent onderzoeker, geen journalist!" zei ik. Maar het was de combinatie van ons tweeën die ons zo goed maakte.'

Het programma zorgde ervoor dat er koppen rolden en dat de overige Zweedse media zich wierpen op het systeem van de arbeidsmarktgerichte inburgering. Dat jaar kreeg het duo Josefsson/Råstam de *Guldspaden*.

'Daarna heerste de stemming: "Wat moeten we nu doen? Wat moeten we nu doen?"' zegt Hannes.

Dat werd het verhaal over de alcoholist Osmo Vallo, die tijdens een politieactie stierf, voor het oog van twaalf getuigen. Ingalill Löfgren van de *Göteborgs-Posten* was de eerste die met het verhaal kwam. De doodsoorzaak was nog steeds niet bekend.

'Iemand sterft op hetzelfde moment dat een honderd kilo zware politieman op zijn rug staat te stampen,' zegt Hannes Råstam. 'Misschien is dat niet helemaal toevallig?'

Janne Josefsson snuffelde wat rond in Karlstad, sprak met getuigen, interviewde de moeder van Osmo Vallo en wist een van de twee politieagenten zover te krijgen dat hij geïnterviewd wilde worden. Tegelijkertijd gingen alle rechercheurs en deskundigen van hetzelfde uit: Osmo Vallo had alcohol in zijn bloed gehad en was het slachtoffer geworden van een zogeheten 'exciterat delirium'. Dat wil zeggen: hij stierf aan een combinatie van alcohol en opwinding, vermoedelijk veroorzaakt door het politie-ingrijpen, maar in de eerste plaats was zijn dood te wijten aan zijn alcoholgebruik en een slechte lichamelijke conditie.

En dat was niet veel om mee verder te gaan.

'Toen wisten ze nog niet dat ik zo'n gek bij me had die Hannes Råstam heette,' zegt Janne Josefsson. 'Die twintig medische boeken en promotie-onderzoeken doorploegde. En die me midden in de nacht belde: "Janne, ze draaien ons een rad voor ogen! Exciterat delirium is een mythe!"'

Geleidelijk aan – via het worldwide web – kwam Hannes in contact met de expert Michael Baden in New York, die verantwoordelijk was voor een onderzoek naar twintigduizend politieacties. Ook hij nam geen genoegen met exciterat delirium. Råstam: 'Het Gerechtelijk Laboratorium stuurde twee personen, waarvan er eentje verantwoordelijk was voor de kwaliteitscontrole, en beiden zeiden: "Hier is niets vreemds aan. Dit soort dingen gebeuren de hele tijd." Ze zaten allebei dertig jaar in het vak en waren van mening dat een exciterat delirium algemeen aanvaard was. Of ze wisten niet beter, of ze namen het risico – en logen.'

Toen een van de pathologen-anatomen een lijst met referenties tevoorschijn haalde, nam Hannes hem snel door en zei toen: 'Die heb ik allemaal gelezen. Ze zeggen exact het tegenovergestelde van wat jullie beweren.'

Het Zweeds Forensisch Instituut verwees naar hun eigen lijst met Zweedse gevallen waar opgesloten personen waren overleden als gevolg van exciterat delirium.

'Ik heb ze alle achttien gelezen,' zegt Hannes. 'Wat betreft de gezondheid en de mate van dronkenschap van de personen viel er geen lijn in te ontdekken: sommigen waren jong, anderen oud, sommigen waren man, anderen vrouw, sommigen onder invloed van drank of drugs, anderen waren broodnuchter. Het enige wat alle gevallen gemeenschappelijk hadden was dat ze vlak voor hun dood een politieman of een verpleegkundige boven op zich hadden en dat ze op hun buik lagen. Dus precies wat je ook zou verwachten na het lezen van alle medische artikelen. De kennis was er, alleen nog niet in Zweden.'

'Hij kon je om half vier 's nachts bellen,' zegt Janne Josefsson. '"Verwonding 73 op Osmo Vallo, daar klopt iets niet. Kijk eens in het sectierapport." En ik zei dan: "Verdomme Hannes, je bent bezig jezelf aan twee kanten op te branden." Hij kon helemaal manisch worden. En dat is tegelijkertijd ook zijn kracht.'

Janne Josefsson en Hannes Råstam worden in 1998 door de Zweedse journalistenbond bekroond met de *Stora Journalistpriset*. Datzelfde jaar kreeg Hannes opnieuw de *Guldspaden* uitgereikt, omdat hij en Johan Brånstad eindelijk de kwestie van het wapenbezit hadden ontrafeld: door de twee gegarandeerd meest geheime bestanden van Zweden met elkaar te vergelijken, namelijk de database met de Zweedse burgers die in het bezit waren van een wapenlicentie en de database met de psychiatrische patiënten die in een psychiatrische inrichting waren opgenomen. Door deze twee databanken met elkaar te vergelijken bleek dat volkomen doorgedraaide gekken nog steeds een schietwapen mochten bezitten.

Daarna was Hannes Råstam overwerkt. De bedrijfsarts van SVT wilde hem ziek melden, maar hij koos ervoor om op therapeutische basis door te werken en maakte een drie uur durende documentaireserie over de Zweedse muziekindustrie, van Rock-Ragge tot aan Robyn.

In 2000 vormden Hannes en Janne Josefsson en cameraman Bengt Jägerskog, die ook de programma's over Osmo Vallo had gefilmd, weer een team. Het drietal maakte een waanzinnige reis die in Skåne begon en via Litouwen verderging door Tsjechië, Hongarije, Slovenië en Albanië om uiteindelijk in Italië te eindigen. De documentairefilms *Trafficking I* en *Trafficking II* begonnen met de zelfmoord van de seksslavin Dangoule Rasalaites, die van een brug in Malmö sprong. Josefsson en Råstam joegen op de schuldigen, zochten de nabestaanden in de Baltische Staten op en reden daarna verder naar het zuiden.

Wanneer Janne Josefsson over hun belevenissen in Tsjechië praat, over minderjarige prostituees, een met een machete zwaaiende pooier en in de steek gelaten baby's, blijven de woorden in zijn keel steken.

'Wat we deden was beslist gevaarlijk,' zegt Hannes Råstam. 'Zoals toen ik met een vrouw van de Zweedse ambassade in Boedapest naar een voorstad ging om daar meisjes voor "onze Zweedse bordelen" te kopen. Wie weet wat er met ons was gebeurd als de maffia ons daar ontmaskerd had? Of toen we tussen de mensensmokkelaars in Albanië rondhingen? We hadden daar spoorloos kunnen verdwijnen.'

Na zo'n spannend avontuur voelde het gewone onderzoekswerk in eigen land een beetje... tam.

Toen vond de meest dramatische gebeurtenis van dat decennium vlak voor hun ogen plaats. De EU-topontmoeting in Göteborg eindigde in massa-arrestaties en rellen.

De neergeschoten activist Hannes Westberg twijfelde of hij wilde meewerken aan een interview. Alle Zweedse media wilden met hem praten, dus als zij de eerste waren, zou dat een schot in de roos zijn voor *Uppdrag granskning* [*Opdracht Onderzoek*] – de nieuwe naam van SVT's gezamenlijke onderzoeksredacties in Malmö, Luleå en Stockholm.

'Ik was me meteen erg bewust van twee dingen,' zegt Hannes Råstam. 'Ten eerste dat het een zeer controversieel onderwerp was. Ten tweede dat ik er de tijd voor moest nemen om een echt goede reportage te maken. Want hier mochten geen fouten gemaakt worden. Om een volledig beeld te krijgen van de ware toedracht was een omvangrijk onderzoek vereist.'

Op het moment dat de redactie erachter kwam dat een journalist van een links tijdschrift ook met een artikel hierover bezig was, kreeg Janne Josefsson groen licht van Hannes Westberg om hem te interviewen.

'Toen was Janne niet meer te houden,' zegt Hannes. 'Toen werd er plotseling besloten dat deze hele productie over acht dagen uitgezonden zou worden. Het eind van het verhaal was dat ik zei: "Janne, journalistiek gezien gaapt er een enorme afgrond tussen jou en mij. Het doet er niet toe wie als eerste met het verhaal naar buiten komt. Maar het gaat erom dat wanneer we dat doen, het allemaal klopt."'

Hannes Råstam werkte die week honderddertig uur. Hij vloog het hele land door om informatie te verzamelen op jacht naar videobanden van amateurfilmpjes tot die van autonome groepen: hoeveel schoten werden er afgevuurd op de Vasaplatsen, exact wanneer, en door wie? Toen het zover was dat de uitzending zou beginnen, lag Hannes nog op de grond in de montagekamer instructies te fluisteren tegen de editor.

'Het was gekkenwerk! We lieten dingen zien die voor de kijkers te ongeloofwaardig waren. Dingen die we zelf ook niet zouden hebben geloofd als we voldoende tijd hadden gehad om ons overal goed in te verdiepen. Doordat we de informatie van Hannes Westberg voor waar aannamen, wekten we de indruk partijdig te zijn, en dat was goed te begrijpen. Hij ging alleen naar een feest om te dansen, wie zou dat nu geloven? De eerste reportage was slecht. En dat schaadde ons. De recensies in de ochtendkranten logen er niet om: "*Uppdrag förvanskning*" ["Opdracht vervalsing"] luidde de kop in *Dagens Nyheter*. We werden volledig afgebrand.'

'En toch ben ik er trots op wat we toen hebben gedaan,' werpt Janne Josefsson tegen. 'We staken onze nek uit. Het eerste programma was misschien nog niet helemaal af – maar de timing moest kloppen. Als we vier, vijf maanden hadden gewacht, zoals Hannes wilde, dan had niemand er nog aandacht aan besteed. Nu had iedereen het over ons, en je moet niet vergeten dat dit de eerste keer was dat mensen de woorden *"Uppdrag granskning"* in de mond namen.'

'Het was het begin van het einde van de samenwerking tussen Jannes en mij,' zegt Hannes. 'Wat betreft scherpe interviews is Janne onovertroffen. Tegelijkertijd heeft hij iemand nodig die al het materiaal kan ontwarren, verhalen kan checken en hem afremt.'

Hannes Råstam ging door met het verzamelen van videofilmpjes, en nadat in de herfst de eerste vonnissen naar aanleiding van de rellen waren uitgesproken, presenteerden hij en Janne de scoop dat de officier van justitie opnames die als bewijsmateriaal dienden manipuleerde: het stukje film waarop niet met straatklinkers werd gegooid was weggesneden en vervangen door een stukje film waarop de straatklinkers door de lucht vlogen, dreigende spreekkoren waren aan het geluid toegevoegd, enzovoort.

En toch was Hannes Råstam niet tevreden. De tijden van de schoten klopten niet. Hij regelde opnames van alle radiomeldingen van de politie met alle tijden, de opnames die de politie zelf had gemaakt en verschillende amateuropnames. Carl Larsson, een freelancer die opnames had gemaakt voor het programma *Aktuellt*, had hem een heel lang fragment gegeven dat werd afgebroken vlak voordat het schot op Hannes Westberg was afgevuurd.

'Ik bedacht dat er misschien een klein kansje was dat hij de camera nog iets langer had laten draaien,' zegt Hannes Råstam. 'Dus ik spoorde hem op in de Caraïben, waar hij *Villa Medusa* filmde of zoiets. Ik vroeg of hij me alles had gegeven. Hij dacht van wel, zei hij, maar hoe dan ook, de band lag op zijn zolderwoning in Norrköping, in een doos met het etiket BELANGRIJK. Ik kreeg zijn vader zover dat hij de band bij de SVT in Norrköping afgaf, en zowaar, daar was het! Op de beelden was niets belangrijks te zien, maar de band had zowel het waarschuwingsschot van de politie opgenomen als het schot dat Hannes Westberg had geraakt. Het bleek dat er een minuut tijd tussen deze twee schoten zat. Een ongelooflijk belangrijk detail. Wanneer je zover gaat en het levert je iets op... ik moet bekennen dat ik God op mijn blote knieën dankte.'

De derde en laatste reportage van *Uppdrag granskning* over de rellen in Göteborg, met de definitieve beschrijving van alle gebeurtenissen, werd exact een jaar na de EU-topontmoeting uitgezonden. In principe was het helemaal het werk van Hannes Råstam – Janne Josefsson ging alleen de studio in en sprak het door Hannes uitgeschreven commentaar in.

'Hannes kwam met geweldige dingen,' zegt Janne. 'Als je op het volledige onderzoek van de Göteborgrellen terugkijkt, dan hebben we daar fantastisch werk verricht, en de publieke opinie was helemaal omgeslagen.'

Wat hierop volgde was een beladen verhaal waar de betrokkenen liever niet over praatten. Over wat er exact gebeurde zijn de meningen verdeeld, maar iedereen is het erover eens dat het even triest als zinloos was.

In 2003 werd Hannes Råstam hoofdredacteur van *Uppdrag granskning*. Volgens Hannes had Janne er veel moeite mee dat zijn vroegere leerling en researcher nu opeens zijn chef was. Volgens Janne had het te maken met Hannes' sluimerende jaloezie uit de tijd toen ze samenwerkten en Janne alle aandacht kreeg. In wezen was het het aloude conflict tussen 'de onderzoeker en de roddeljournalist Janne'. Wat de oorzaak ook was, er ontwikkelde zich een spannend drama tussen Hannes, Janne en zijn nieuwe partner Lars-Göran Svensson.

Ze groetten elkaar niet als ze elkaar in de gang tegenkwamen. Hannes had het gevoel dat iedereen zweeg zodra hij op de redactie verscheen. Soms liepen de spanningen tussen die twee meest gerenomeerde journalisten van Zweden zo hoog op dat ze luid tegen elkaar stonden te schreeuwen. Meestal keurden ze elkaar geen blik waardig. Mensen die net op de redactie kwamen werken begrepen er helemaal niets van.

'Wanneer Hannes en ik met elkaar in de clinch liggen, dan zijn we ongelooflijk hard tegen elkaar,' zegt Janne Josefsson. 'Hij is een lastige persoon en ik ben een lastige persoon. En dat levert geheid conflicten op.'

Hannes Råstam stopte als hoofdredacteur en werd weer verslaggever. Op één voorwaarde: hij wilde niets met Janne Josefsson te maken hebben.

Toen zijn eerste programma uitgezonden zou worden – een documentaire over de uitvinder Håkan Lans – had hij een andere chef, en plotseling zou Janne het commentaar bij de documentaire verzorgen. Hannes Råstam was woedend en eiste een andere presentator.

Het eind van het liedje was dat Hannes Råstam een eigen kantoor buiten het omroepgebouw regelde en *Uppdrag granskning* verliet voor *Dokument inifrån*.

'Nadat we samen zo veel goede dingen hadden meegemaakt, en zo veel goede reportages hadden gemaakt, was het triest dat het op deze manier moest eindigen,' zegt Hannes.

In een poging een logica in deze krankzinnige situatie te vinden vergelijkt hij het met zijn ervaringen in rockbands: 'Een arbeidsrelatie die zo intensief is, en zo dynamisch, heeft vaak maar een beperkte levensduur. Je vindt een nieuw verband dat enorm inspirerend is, waar je elkaar op alle niveaus ontzettend veel te bieden hebt. Zo verstrijken de jaren, en opeens ontdek je dat je het buiten de band veel beter doet. En dan levert die spanning niets meer op.'

Eén ding kreeg Hannes Råstam in elk geval voor elkaar als hoofdredacteur, en dat was dat hij ervoor zorgde dat de anderhalve meter hoge stapel tips die op de redactie lag te verstoffen werd weggewerkt. Iedereen die contact opnam met *Uppdrag granskning* moest een antwoord krijgen. Zo'n systematisch persoon als Hannes ontwikkelde daarvoor een antwoordenschema met negen soorten antwoorden waar elk redactielid een eigen interpretatie aan kon toevoegen, en hij verdeelde de enorme stapel over de verschillende redactiemedewerkers.

Een van de brieven was van Bo Larsson uit de penitentiaire inrichting in Norrtälje, die beweerde dat hij ten onrechte was veroordeeld voor incest. De beschuldiging tegen Larsson klonk volslagen krankzinnig, maar nadat de brief in de redactievergadering was besproken, was hem hetzelfde lot beschoren als alle andere brieven met incestgevallen die de redactie ontving: 'Bedankt voor uw schrijven. We hebben de brief aandachtig gelezen en besproken en zijn tot de conclusie gekomen dat we er op dit moment niets mee gaan doen.' Hannes had de brief al ondertekend toen hij hem nog eens overlas. Als er maar een paar details uit deze brief klopten, dan kon dit misschien toch wel iets zijn.

Zonder zijn collega's erover te informeren schreef hij een nieuwe brief. Meteen daarna reed hij in zijn eigen tijd naar Norrtälje om Bo Larsson te ontmoeten.

'Mijn belangstelling werd gewekt door het enorm grote aantal gevallen van seksueel misbruik in zo'n betrekkelijk korte tijd. Volgens mij moest het toch mogelijk zijn om in kaart te brengen wat er precies was gebeurd. Dan zou blijken dat dit niet waar kon zijn, in elk geval niet alles.'

Op dezelfde systematische manier als waarop hij de chronologie in de Göteborgrellen in kaart had gebracht, ging hij in Höganäs op zoek naar getuigen en losse puzzelstukjes. Wat deed de vader overdag? Wat deed de dochter overdag? Kwamen de verhalen overeen met onweerlegbare feiten?

Nee, dat deden ze niet. Aangezien het antwoord overduidelijk was, realiseerde Hannes zich dat hij een gerechtelijke dwaling op het spoor was. De getuigenis van het meisje bleek bovendien opgeroepen te zijn door een niet-geregistreerde therapeut die blijkbaar bezeten was van seksueel misbruik. Opnieuw liep Justitie ver achter de feiten aan: in grote delen van de wereld werd een tijdens therapie opgeroepen bekentenis allang niet meer geaccepteerd, met als gevolg een groot aantal opmerkelijke herzieningszaken. De meest gerespecteerde geheugenonderzoekster ter wereld, de Amerikaanse Elizabeth Loftus, had zelfs dit hele idee van verdrongen herinneringen afgedaan als kletspraat.

Zodra de aftiteling van het eerste programma liep, had hij Leif G.W. Persson aan de lijn. 'Hij vertelde dat hij de uitzending had gezien en hem verdomd interessant vond. Toen tipte hij mij over het moordonderzoek in Eksjö.'

Het onderzoek betrof nieuwe en nog meer bizarre beschuldigingen van Bo Larssons dochter, waar satanisme, marteling, verkrachtingen en kindermoord culmineerden in een onontwarbare dikke brij. De politie had de beschuldigingen zorgvuldig onderzocht, en ontdekte dat het hele verhaal een weergave was van de gebeurtenissen in een roman die de therapeute aan het meisje had gegeven. Ook de aanklacht waarvoor Bo Larsson was veroordeeld stond in het boek, maar noch hij, noch zijn advocaat, noch het gerechtshof dat zijn gevangenisstraf verhoogde, werd daarover ingelicht.

Hannes Råstam maakte in totaal vijf documentaires over de zaak-Ulf, zoals die zaak om privacyredenen werd genoemd. Bo Larsson werd vrijgesproken van alle verdenkingen en kreeg smartengeld van een paar miljoen kronen toegewezen, en Hannes Råstam kreeg zowel de Stora Journalistpriset als een reeks internationale tv-prijzen voor zijn documentaire.

Dat was het begin: op een dag belde er een man die Hannes vroeg of hij een golf van brandstichtingen in Falun in de jaren zeventig wilde onderzoeken. De beller beweerde dat híj de dader was, hoewel acht anderen destijds voor de misdrijven waren veroordeeld.

Hannes zocht de vonnissen in Falun op. Het bleek dat alle veroordeelden ook bekend hadden. Hannes had eerst het gevoel dat hij bij de neus was genomen. Toen realiseerde hij zich dat hij getipt was over een in wezen net zo interessante zaak als de zaak van Bo Larsson – daar ging het om valse getuigenissen, hier om valse bekentenissen.

Ook hier bestond vreemd genoeg geen Zweedse jurisprudentie over, wat des te opmerkelijker was, aangezien het veelbesproken Innocence Project in de Verenigde Staten – dat met behulp van DNA-bewijs twee-honderdtweeëntachtig terdoodveroordeelden had weten vrij te krijgen – aantoonde dat vijfentwintig procent van de onterecht veroordeelden ook had bekend.

In Hannes' documentaire *Varför erkände dom? [Waarom bekenden ze?]* was de toon milder dan in de film over Bo Larsson. Alles was al lang ver-jaard en er was niemand die vrijgesproken kon worden; het was louter een fascinerend raadsel om samen met de veroordeelde jongeren en de politie-agenten die de valse bekentenissen met hun verhoren hadden opgeroepen te ontrafelen. De documentaire eindigde met de voice-over van Hannes Råstam: 'Ik stel mezelf de onvermijdelijke vraag: hoeveel mensen hebben misdaden bekend die ze niet hebben gepleegd?'

In de psychiatrische kliniek in Säter, veertig kilometer ten zuiden van Falun, volgde een tbs-patiënt met zeer veel belangstelling de uitzending.

'Deels vanwege het onderwerp, natuurlijk,' zegt Sture Bergwall. 'Maar ook vanwege zijn toon. Hij deed niet spottend over deze kwetsbare mensen, of over de rechercheurs of anderen.'

Op dat moment had 'Zwedens grootste seriemoordenaar' zeven jaar in een zelfgekozen isolement gezeten, sinds 2001, toen Leif G.W. Persson beweerde dat hij een fantast was en de vonnissen voor de moorden had afgekeurd.

'Ik dacht: als er één journalist is tegen wie ik hier iets over kan zeggen, dan is dat Hannes Råstam.'

Toen Hannes Råstam twee weken later een brief aan Sture Bergwall schreef, hoopte hij vooral een interessante documentaire over het open-bare debat rond de zaak-Thomas Quick te kunnen maken. Gubb Jan Stig-son, de misdaadverslaggever van *Dala-Demokraten* die Hannes aan oude krantenartikelen hielp toen hij aan de pyromaandocumentaire werkte, bracht hem op het idee van dit onderwerp.

Stigson schonk hem ook zijn archief, dat bestond uit driehonderd artikelen over de Quick-zaak. Als een van de meest fanatieke personen die overtuigd waren van Quicks schuld was hij een voor de hand liggend personage in Hannes documentaire, met de oproerkraaiers Jan Guillou en Leif G.W. Persson als tegenpolen aan de andere kant.

Hannes dacht dat het een hopeloze zaak was om iets nieuws te vinden over de kwestie zelf. Naast Guillou en Persson hadden minstens tien vermaarde journalisten en experts Quick als fantast ontmaskerd, maar niemand had ervoor kunnen zorgen dat de vonnissen werden vernietigd. Justitie had de zaak al onderzocht en een aantal herzieningsverzoeken afgewezen. De laatste keer was in 2006, toen Justitiekansler Göran Lambertz zich in de zaak had verdiept, aangespoord door de ouders van een van zijn slachtoffers en advocaat Pelle Svensson, en hij was toen tot de volgende conclusie gekomen:

> In principe heeft de rechtbank de vonnissen zeer zorgvuldig en goed gemotiveerd gewezen. (...) In een paar vonnissen is het aantal feiten dat de bekentenis ondersteunt overweldigend. Het is dus niet zo, zoals er van verschillende kanten wordt beweerd, dat de rechtbanken de bekentenissen van Thomas Quick hebben geloofd alleen omdat een aantal psychologen beweert dat hij geloofwaardig is. Het bewijsmateriaal is veel solider.

In de vroege zomer van 2008 nodigde Sture Bergwall Hannes Råstam uit om naar de Säterkliniek te komen. Bij dat eerste bezoek volhardde Bergwall in zijn verhaal, maar hij had er niets op tegen dat Hannes de zaak onderzocht. Hetzelfde scenario herhaalde zich bij het tweede bezoek.

Zoals altijd kon Hannes Råstam het niet laten om systematisch de meer dan vijftigduizend bladzijden waaruit het vooronderzoeksmateriaal bestond door te ploegen en de vele uren filmmateriaal van de reconstructies en de schouwen op de plaats delict te bestuderen. Een paar films van de schouwen waren moeilijk te begrijpen: Bergwall was zichtbaar onder invloed en verward, en loodste de politie dan hierheen en dan weer daarheen, naar het leek zonder logica.

'Als je niet wist wat er aan de hand was, begreep je niets van de schouw in de zaak van Therese Johannesen,' zegt Hannes. 'Het was beschamend, een groot toneelstuk.'

Bij zijn derde bezoek aan de Säterkliniek confronteerde Hannes Råstam Sture met zijn conclusies.

'Wat de doorslag gaf, was het feit dat hij had gezien dat er benzodiazepine werd gegeven,' zegt Sture Bergwall. 'Hij had mij gezien, en hij had de verslaving gezien. Op de een of andere manier was dat de sleutel.'

Hannes Råstam: 'Sture zei: "Als het zo zou zijn dat ik niet één van al deze moorden heb gepleegd die ik heb bekend, wat moet ik dan doen?" En ik antwoordde: "Als dat zo is, dan is dit de kans van je leven."'

Hannes nam zijn intrek in een hotel in de buurt. Hij zat vol energie, maar maakte zich tegelijkertijd enigszins zorgen over wat Sture daar binnen die muren van plan zou kunnen zijn.

'Twee minuten voor zes gaat de telefoon op de afdeling,' vertelt Sture Bergwall. 'En dan zegt Hannes: "Zeg, wat jouw antwoord betreft. Kunnen we voor morgen weer afspreken?" En ik weet nog dat toen ik terugliep naar mijn kamer, wat een behoorlijk eind lopen is, ik mijn vuisten balde en zei: "Ja!" Want toen wist ik dat dit de oplossing was. Zo voelde het.'

Natuurlijk was dat niet de oplossing.

Want ook al was er aanvullend bewijs nodig voor Thomas Quicks bekentenis, Sture Bergwalls ontkenning was zinloos als Hannes Råstam vond dat een van de overige veroordelingen van de rechtbank correct was.

Het duurt negen seconden voor het besturingssysteem van Hannes Råstams laptop de grootte van het Quick-archief heeft berekend. Dan komt de statistiek: de map bevat 12,5 gigabyte aan gegevens, verdeeld over 5918 documenten die op hun beurt zijn ondergebracht in 402 mappen. Alleen al de map 'Thomas Quicks slachtoffers' bevat 1588 documenten.

Hannes heeft het hele vooronderzoek twee keer gelezen. Een paar verhoren heeft hij vijf keer gelezen, andere wel tien keer of nog vaker. De harde noot om te kraken was het feit waarop de vonnissen in de moordzaken gebaseerd waren, namelijk dat Quick dingen van de zaak wist die alleen de dader kon weten.

'Niemand anders dan Hannes had dit kunnen doen,' zegt Sture Bergwall. 'Zeker weten. Het materiaal is zo omvangrijk, zo gecompliceerd, heeft zo veel lijnen... Ik denk dat het een kwestie van karakter is. Want dit kun je niet even oppervlakkig bekijken, hier moet je dieper induiken. En Hannes is zo ontzettend nauwkeurig. In die eerste twee jaar hebben we in totaal wel vijftienhonderd uur met elkaar gesproken. We spraken in principe elke dag met elkaar, soms wel een paar uur.'

Hannes Råstam: 'Andere critici hebben zich er gemakkelijk van afgemaakt, want er waren kwesties bij waar niet een-twee-drie een oplossing voor te vinden was. En het beantwoorden van die vragen kostte heel veel tijd. Om de verschillende moorden chronologisch te ordenen en exact in kaart te brengen wat Quick wist en niet wist op de verschillende tijdstippen, was ongelooflijk tijdrovend en vereiste dat ik al het materiaal *on the top of my head* kende.'

Ten slotte ontdekte Hannes dat elke zaak hetzelfde patroon vertoonde: de meeste gegevens waar Quick van op de hoogte was, had hij of in de krant kunnen lezen of gehoord van zijn therapeut Birgitta Ståhle, geheugenonderzoeker Sven Åke Christianson of rechercheur Seppo Penttinen. De rest kwam aan het licht door alle toevallige overeenkomsten tussen Quicks veelvoudige fouten te ontleden. De gemonteerde films van de schouwen en de reconstructies, die in de rechtbank sterk het beeld van Quick als dader naar voren hadden gebracht, bleken bovendien in ongemonteerde staat het tegendeel te tonen.

De belangrijkste bouwstenen in het bedrog bleken officier van justitie Christer van der Kwast te zijn, die actief alles en iedereen had tegengewerkt die ook maar enige twijfel had omtrent de schuld van Quick, en advocaat Claes Borgström, die heel eenvoudig had nagelaten om zijn cliënt te verdedigen.

In 2009 begon Hannes Råstam met het schrijven van dit boek, terwijl hij in die tijd ook bezig was met zijn laatste documentaire. Daarna stokte het werk en hij had min of meer besloten om de zaak te laten rusten toen literair agent Niclas Salomonsson contact met hem opnam om te zeggen dat een dergelijk boek een droomproject van hem was. Hannes kreeg nieuwe inspiratie en nam vrij van de SVT om te kunnen schrijven.

Tegelijkertijd voelde hij dat zijn gezondheid hem in de steek liet. Hij was moe en had geen energie voor nieuwe dingen, maar hij dacht dat het door de uitputtende scheiding van zijn vrouw Lena kwam. Uiteindelijk ging hij toch naar de dokter vanwege hartkloppingen en onverklaarbaar gewichtsverlies. Nadat er foto's van zijn buik waren gemaakt, kreeg hij te horen dat hij kanker had, dat er uitzaaiingen in de lever zaten en dat het er niet goed uitzag.

'Toen ik de boodschap van kanker kreeg was het zo...'

Hij spreidde zijn vingers en maakte een wegwerpgebaar.

'Ik liet alles vallen, onmiddellijk! Haalde alles van mijn bureau. Ik accepteerde onmiddellijk dat mijn leven vanaf dat moment onzeker was.'

Het manuscript ligt keurig opgeborgen in een A4-map op het bureau in het zomerhuisje. Op het voorblad pronkt een citaat uit het boek *Dokter Glas* van Hjalmar Söderberg: 'Men wil bemind worden, bij gebrek daaraan bewonderd, bij gebrek daaraan gevreesd, bij gebrek daaraan verafschuwd en veracht. Men wil de mensen een soort gevoel inboezemen. De ziel huivert voor de leegte en wil tot iedere prijs contact.'

Voor Hannes Råstam verklaart dat veel van de tragedie achter de zaak-Thomas Quick.

'Op het punt waar recht en psychologie elkaar ontmoeten... de verhalen die dat oplevert zijn onweerstaanbaar. Proberen te begrijpen hoe mensen in elkaar zitten. Maar als je wilt begrijpen waarom Quick bekende, wacht je een nog groter mysterie: Seppo Penttinen, Christer van der Kwast, Claes Borgström, Birgitta Ståhle en Sven Åke Christianson. Hoe zij dit hele circus hadden kunnen voortzetten, op tournee gaan met Quick, die aan het lallen is, zo stoned als een garnaal, die niet eens had kunnen praten, maar die zich toch elk detail van wat er vijftien jaar geleden is gebeurd, moet herinneren. Dat is pas een psychologisch raadsel. Het zijn toch hoogopgeleide mensen.'

Leif G.W. Persson: 'Alleen al het politieonderzoek in de Quick-zaak heeft ongeveer 100 miljoen gekost. Daarbovenop komt nog eens acht jaar lang de inzet van tien tot twintig politieagenten in Noorwegen. Tel daar nog eens bij op de kosten van de kliniek en de kosten van de rechtsprocedures en Borgströms honorarium van vijf miljoen en je zit algauw op 200 miljoen. En wat heeft het opgeleverd? Ja, een aantal echte moordenaars lopen nog steeds vrij rond, en een fantast heeft een sterrenstatus gekregen. Wat zijn dat voor stompzinnige idioten die zitten recht te spreken? En het handelen van Borgström is totaal onbegrijpelijk. Hij is niet alleen advocaat, maar ook nog een vrij goede advocaat. Hij moet oogkleppen op hebben gehad. Maar het was waarschijnlijk een lekker gemakkelijke manier om geld te verdienen. Dat heb ik ook tegen hem gezegd, waarna hij de vriendschap verbrak.'

Toen Sture Bergwall zijn bekentenis herriep op tv, hoorde je pas een groot aantal kritische tegenstemmen in de rest van de media. Zowel Van der Kwast als Borgström leken er zeker van te zijn dat het onderzoek van Hannes Råstam geen verschil zou maken.

Daarna verstomden de meeste twijfelaars, omdat het ene herzieningsverzoek na het andere in behandeling werd genomen.

'Maar wat heeft dat verschrikkelijk lang geduurd,' zegt Hannes. 'In december is het drie jaar geleden dat de eerste Quick-documentaire werd uitgezonden. Dat hij werd vrijgesproken van een moord, en daarna van nog een, en dat het herzieningsverzoek voor de derde, vierde en vijfde zaak is ingewilligd – dat telt niet. Pas wanneer hij vrijgesproken is voor alle moorden, dan is het afgelopen. Het is maar te hopen dat ik dan nog leef. Dat zou wel leuk zijn.'

Wanneer Sture Bergwall over datzelfde onderwerp praat, wordt zijn stem dikker, en begint hij te stamelen: 'Hannes moet... gezond zijn... wanneer alle vrijspraken volgen.'

Hij snottert door de telefoon.

'Ik voel het. Hij moet dit gewoon nog even halen.'

De berichten van het ziekenhuis schommelden tussen goed en slecht – de ene dag lieten de röntgenfoto's zien dat de uitzaaiingen verminderden, op andere dagen vermoedden de artsen dat Hannes leed aan nog meer, tot dan toe onontdekte ziektehaarden. Hannes probeert zich niet te veel vast te klampen aan de verschillende verhalen die hij te horen krijgt: 'Er zijn mensen met mijn diagnose die nog drie maanden leven en er zijn mensen die het overleven en een natuurlijke dood sterven. Speculeren heeft geen zin.'

Zoals zo veel andere patiënten in de Zweedse gezondheidszorg mee-maken zijn er dagen dat je ongelooflijk gefrustreerd bent over het onper-soonlijke van het systeem: hoe de ene afdeling niet in staat lijkt te zijn om erachter te komen wat de andere afdeling doet, en hoe dat resulteert in wachten, wachten en nog eens wachten.

Het volgende moment kan hij in een vrolijke lofrede uitbarsten over wat er nog allemaal mogelijk is dankzij de toch nog bijna onbeperkte bud-getten: 'In een andere tijd had ik me erbij neer moeten leggen en gewoon op de dood moeten wachten. Nu heb ik nog de kans om best interessante dingen mee te maken. Ze gaan me een zeer efficiënt sporenelement in-spuiten, wat ongelooflijk spannend lijkt. Het is een soort radioactieve iso-toop, die zo'n korte halveringstijd heeft dat hij min of meer in een dag van de producent naar het ziekenhuis vervoerd moet worden. Als je vanavond een groenachtige, lichtgevende flikkering boven Hisingen ziet – wie weet, misschien ben ik dat dan wel.'

Op andere momenten is hij ernstiger: 'Ik ben zesenvijftig jaar gezond geweest, en dat is niet niks. Ik heb een goed leven gehad, en dat kan niet iedereen zeggen. Ik heb drie kinderen van wie ik hou, en die van mij houden. Ik heb twee succesvolle carrières gehad. Dus ik mag echt niet klagen.'

Die middag in Havsbadskolonin is het tijd om een lijst te maken van Hannes Råstams werkzaamheden. Hij heeft pijnlijke voeten – 'waarschijnlijk omdat ik geen vet meer heb om de gewrichten te smeren' – en hij legt zijn benen op de witte bank in de tv-kamer.

Voor veel mensen die hij in zijn programma's heeft gehad is het leven ten goede veranderd: Sture Bergwall, Bo Larsson en de ten onrechte veroordeelde jongeren in Falun die eindelijk eerherstel kregen. De moeder van Osmo Vallo kon haar zoon begraven.

Voor de schurken in de drama's is het moeilijker om concrete gevolgen op te sommen. De politieagenten die tijdens de Göteborgrellen de schoten hebben gelost, zijn vrijuit gegaan. De officier van justitie en de rechercheurs in de Bo Larsson-zaak hebben nog steeds hun baan. De zaak-Osmo Vallo heeft geen enkele consequenties gehad voor de knoeiers van het Gerechtelijk Laboratorium. En nog steeds heeft niemand met een machtspositie er ook maar één moment aan gedacht dat het nu toch wel eens de hoogste tijd wordt dat zowel de Säterkliniek als alle zaken waar Christer van der Kwast bij betrokken was kritisch tegen het licht worden gehouden.

'Ik kreeg toch wel iets om over na te denken toen Nisse Hansson in Monte Carlo was om een van de prijzen voor het programma *De zaak-Ulf* op te halen,' zegt Hannes Råstam. 'Het Spaanse jurylid zei: "Ongelooflijk dat dit in een land gebeurt waar ze het systeem van ombudsmannen hebben uitgevonden." Dat zette me aan het denken over de taak die de Justitieombudsman eigenlijk heeft.'

Het hele idee van de Justitieombudsman is dat hij de burgers in Zweden moet beschermen tegen fouten van de overheid en machtsmisbruik. De Justitieombudsman heeft bovendien het recht om een aanklacht in te dienen. Hannes Råstam wijst erop dat de zaak-Ulf veel handelingen bevatte die strafbaar zijn, zoals foute bewijsvoering en het achterhouden van feiten tegenover de rechtbank. De Justitieombudsman deed niet meer dan scherpe kritiek uiten.

'Daarna gebeurde er niets meer. Bo Larsson kreeg een paar miljoen schadevergoeding uitbetaald, maar dit had geen enkele consequentie voor de betrokkenen. Het Zweedse model bestaat nog steeds: men streeft harmonie na, en doet geen beroep op verantwoordelijkheid. En vooral niet als men wat hoger in de hiërarchie zit. Zweden is een klein landje en als je je in de top beweegt, met name in de juridische top, dan beweeg je je in een erg kleine kring van mensen. Je komt elkaar voortdurend tegen, op verschillende congressen en bijeenkomsten. Degene die zijn nek uitsteekt, loopt het risico om zichzelf schade te berokkenen.

Het instituut Justitieombudsman lijkt alleen maar een manier te zijn om zich te ontdoen van een heet hangijzer, dat vervolgens een jaar lang mag afkoelen voordat de Justitieombudsman zich erover uitspreekt en dan is iedereen vergeten waar het ook alweer over ging.'

Hannes Råstam is vooral teleurgesteld in de door de Zweedse regering aangestelde procureur-generaal, Justitiekansler Göran Lambertz, die in principe dezelfde verantwoordelijkheid heeft als de Justitieombudsman.

'Daar zie je hoe de zaak soms erg snel kan keren, zoals toen Pelle Svensson zijn onderzoek naar de rechtszaak van Thomas Quick indiende. Het was een uitvoerig rapport over het hele onderzoek, met al het vooronderzoeksmateriaal, vonnissen en videobanden, in totaal tienduizenden bladzijden. Zes dagen had Lambertz nodig om het hele onderzoek door te nemen, inclusief het beschrijven van de conclusie waarin hij zelfs Seppo Penttinen en Christer van der Kwast complimenteerde met hun "degelijk uitgevoerde werk". Dat is niet serieus te nemen. Dezelfde Lambertz die Claes Borgström als voorbeeld heeft en met wie hij nauw bevriend is.'

Hannes Råstam vindt het interessant om de nasleep van de rellen in Göteborg te vergelijken met de nasleep van de opstootjes bij de EU-top in Genua. In Italië werden in totaal vijfentwintig politieagenten veroordeeld voor verschillende ambtsovertredingen. In Zweden werden alle aanklachten ingetrokken.

'Het gaat er niet om dat ik sympathie heb voor wat Hannes Westberg heeft gedaan, maar dat ik mijn vraagtekens zet bij het feit dat men puur juridisch gezien het gelijk aan zijn kant kan hebben door hem moedwillig in de buik te schieten. Normaal gesproken overleef je zo'n schot niet, maar als door een wonder overleefde hij dit. Je mag dus een tanige, dunne jongen doodschieten die helemaal in zijn eentje is en op dat moment niets in zijn handen had waarmee hij wilde gooien. Het is merkwaardig dat de rechtbank de situatie puur en alleen heeft beoordeeld op grond van het politierapport. Daar heette het dat "de hemel zwart zag van de straatklinkers" en dat "de aanvaller zich niets aantrok van de waarschuwingsschoten". Het deed er niet toe dat we aantoonden dat er op dat moment geen mens in die straat te zien was en dat er een hele minuut verstreek tussen het waarschuwingsschot en het neerschieten van Hannes Westberg.'

Hannes Råstam beseft dat ook de aanstaande vrijspraak van Sture Bergwall niet zal leiden tot concrete consequenties voor de verantwoordelijke ambtenaren 'behalve eeuwige schaamte'. De ambtsovertredingen zijn verjaard en een groot aantal van de sleutelfiguren, zoals Christer van der Kwast, zijn al met pensioen. Ondanks dat hoopt hij dat het verhaal van Quick een scheidslijn zal zijn: 'Het Zweedse rechtssysteem is doordrenkt van zelfgenoegzaamheid, het is hiërarchisch en middeleeuws, en men staat absoluut niet open voor kritiek. Maar het feit dat iemand acht keer ten onrechte voor moord is veroordeeld, kan men niet afdoen met "*shit happens*". Het zijn ook verschillende rechtbanken geweest die deze vonnissen hebben uitgesproken. In een moderne rechtsstaat zou dat niet eens denkbaar mogen zijn. De zaak-Thomas Quick is van een dusdanige omvang dat er wel een discussie op gang moet komen: welke tekortschietingen maakten het mogelijk dat een tbs-patiënt voor acht moorden werd veroordeeld? Ik denk dat het moet leiden tot een parlementaire enquête.'

Hij schudt het kussen op dat hij als steun in zijn rug heeft.

'Hopelijk komen daar dan burgers in te zitten die niet al te bang zijn aangelegd.'

Uit: *Filter* 22, september 2011

Chronologie Sture Bergwall/Thomas Quick

1969 Sture betast vier jongetjes.

1970 Veroordeeld tot opsluiting in gesloten psychiatrische inrichting, opgenomen in de Sidsjönkliniek.

1971 Studeert een jaar aan de volkshogeschool in Jokkmokk.

1972 Terug in de Sidsjönkliniek.

1973 Overgeplaatst naar de Säterkliniek.
Op proef vrij.

1974 Steekt in Uppsala een man neer, terug naar de Säterkliniek.

1976 Charles Zelmanovits verdwijnt in Piteå.

1977 Ontslagen uit de Säterkliniek.
Vader overlijdt.

1980 Johan Asplund vermist.

1981 Trine Jensen vermoord.

1982 Opent een tabakswinkeltje met broer Sten-Ove.

1983 Moeder overlijdt.
Eerste contact met Patrik Olofsson.

1984 De dubbele moord in Appojaure.

1985 Gry Storvik vermoord.

1986 Het tabakswinkeltje sluit.
Opent een nieuw winkeltje met de moeder van Patrik Olofsson.

1987 Haalt zijn rijbewijs.
Verhuist naar Falun, daarna naar Grycksbo.

1988 Yenon Levi vermoord.
Therese Johannesen vermist.

1989 Twee Somalische jongens verdwijnen uit een asielzoekerscentrum in Oslo.

1990 Verhuist naar Falun.
Overvalt een bank.

1991 Veroordeeld voor een brute overval en diefstal. Opname in de Säterkliniek.
Begint therapie met Kjell Persson.

1992 Verhuizing naar eigen flat wordt gepland.
Verandert zijn naam in Thomas Quick.
Rijdt met Kjell Persson naar Bosvedjan.
1993 Eerste ontmoeting met Birgitta Ståhle.
Bekent moord op Johan Asplund. Schouw.
Het stoffelijk overschot van Charles Zelmanovits wordt teruggevonden.
Kjell Persson met verlof. Göran Fransson kondigt zijn ontslag aan.
1994 Bekent moord op Charles Zelmanovits.
Een aantal weken opgenomen in de Forensisch Psychiatrische Kliniek in Växjö.
Birgitta Ståhle neemt de therapie over in de Säterkliniek.
De eerste ontmoeting met Sven Åke Christianson.
Schouw in Piteå.
Veroordeeld voor de moord op Charles Zelmanovits.
Bekent de dubbele moord in Appojaure.
De Quick-commissie wordt ingesteld.
1995 Schouw in Appojaure.
Schouw in Messaure.
Claes Borgström wordt zijn nieuwe advocaat.
Bekent de moord op Levi.
1996 Veroordeeld voor de dubbele moord in Appojaure.
Bekent de moord op Therese Johannesen.
Schouw in Drammen, Ørjeskogen en Lindesberg.
Bekent de moord op Trine Jensen.
1997 Veroordeeld voor de moord op Yenon Levi.
Schouw in Ørjeskogen om bergplaatsen aan te wijzen.
1998 Begin Quick-strijd.
Veroordeeld voor de moord op Therese Johannesen.
1999 Schouw op zoek naar Trine Jensen.
2000 Veroordeeld voor de moord op Trine Jensen en Gry Storvik.
2001 Veroordeeld voor de moord op Johan Asplund.
Thomas Quick neemt een time-out.
2002 Neemt weer de naam Sture Bergwall aan.
Sluit de therapie met Birgitta Ståhle af.
2008 Eerste ontmoeting met Hannes Råstam.
Thomas Olsson neemt de zaak op zich.

2009 Verzoek tot heropening moordzaak Yenon Levi ingewilligd.

2010 Vrijspraak in moordzaak Yenon Levi.
Verzoek tot heropening moordzaak Therese Johannesen ingewilligd

2011 Vrijspraak in moordzaak Therese Johannesen.

2012 Verzoek tot heropening moordzaak Johan Asplund ingewilligd.
Verzoek tot heropening moordzaken Trine Jensen en Gry Storvik ingewilligd.
Vrijspraak in moordzaak Johan Asplund.
Vrijspraak in moordzaken Trine Jensen en Gry Storvik.

2013 Verzoek tot heropening moordzaak Charles Zelmanovits ingewilligd.
Verzoek tot heropening moordzaak Appojaure.